AGRIPPA
LE GRAND VOILE

La série Agrippa

Agrippa – Le livre noir, tome 1, Éd. Michel Quintin, 2006.

Agrippa – Les flots du temps, tome 2, Éd. Michel Quintin, 2007.

Agrippa – Le puits sacré, tome 3, Éd. Michel Quintin, 2008.

Agrippa – Le monde d'Agharta, tome 4, Éd. Michel Quintin, 2009.

Agrippa – Le grand voile, tome 5, Éd. Michel Quintin, 2010.

Mario Rossignol
Jean-Pierre Ste-Marie

AGRIPPA
LE GRAND VOILE

ÉDITIONS
MICHEL
QUINTIN

Catalogage avant publication de Bibliothèque et Archives
nationales du Québec et Bibliothèque et Archives Canada

Rossignol, Mario

  Agrippa

  Sommaire: [5] Le grand voile.

  ISBN 978-2-89435-492-6 (v. 5)

  I. Ste-Marie, Jean-Pierre. II. Titre.

PS8635.O723A72 2006   C843'.6   C2006-941591-9
PS9635.O723A72 2006

Conception de la couverture et infographie:
    · Marie-Ève Boisvert, Éditions Michel Quintin
Illustration de la couverture: Mathieu Girard

Le Conseil des Arts du Canada
The Canada Council for the Arts

SODEC
Québec::

Patrimoine   Canadian
canadien   Heritage

La publication de cet ouvrage a été réalisée grâce au soutien
financier du Conseil des Arts du Canada et de la SODEC.
De plus, les Éditions Michel Quintin reconnaissent l'aide
financière du gouvernement du Canada par l'entremise du
Fonds du livre du Canada pour leurs activités d'édition.

Gouvernement du Québec – Programme de crédit d'impôt
pour l'édition de livres – Gestion SODEC

ISBN 978-2-89435-492-6

Dépôt légal – Bibliothèque et Archives nationales du Québec, 2010
Dépôt légal – Bibliothèque et Archives Canada, 2010

Éditions Michel Quintin
C.P. 340, Waterloo (Québec)
Canada J0E 2N0
Tél.: 450 539-3774
Téléc.: 450 539-4905
editionsmichelquintin.ca
agrippa.qc.ca

10 - G A - 1

Imprimé au Canada

Si l'homme est créé libre, il doit se gouverner.
Si l'homme a des tyrans, il les doit détrôner.

Voltaire

NOTE DES AUTEURS

Le rôle joué par le mysticisme au cours de la Seconde Guerre mondiale relève presque de la plus pure fiction. En y regardant de près aujourd'hui, on ne peut que s'étonner de ce que des hommes ont pu croire ou mettre en œuvre il y a seulement soixante-dix ans, entraînant la destruction de centaines de cités et de millions de vies humaines.

Les Allemands sont bien sûr ceux qui ont le plus suscité l'imaginaire avec leurs projets grandioses de conquête. Aussi, le nazisme n'était plus seulement un parti politique ; il était une idéologie quasi religieuse et une vision globale du monde basée sur des mythes raciaux.

Au nom de cette idéologie et de la possibilité de l'existence d'une race ancienne, pure et parfaite, qu'ils nommèrent les Aryens, ils établirent un lien entre l'occultisme et leur propre existence qu'ils associèrent à ce peuple disparu.

Bientôt, des instituts de recherche furent constitués et d'immenses ressources furent consacrées à la création d'une histoire culturelle et collective qui, une fois acceptée par le peuple, assurerait cette idée de la race supérieure. Des expéditions furent organisées à la recherche d'objets et de lieux mythiques comme la fameuse contrée aryenne d'Hyperborée, supposément colonisée par de lointains ancêtres extraterrestres…

Cet élan ésotérique engendré par les nazis allait valoir à leur chef, le führer Adolf Hitler, une réputation quasi messianique chez certains.

Alors que pour d'autres, il représenta le mal incarné.

À l'aube de cette nouvelle guerre qui allait gagner l'ensemble du monde, un sentiment de fin des temps plana sur la Terre. Les sciences et les technologies poussées à leurs limites allaient engendrer des armes d'une puissance jusque-là insoupçonnée et provoquer des hécatombes qui resteraient à jamais gravées dans les mémoires. Tous ces peuples conquis et soumis par les nazis en vinrent presque à croire à cette supériorité ou à ce courant paranormal qui leur donnait toute cette puissance, cette avancée technologique et cette arrogance inhérente au conquérant.

Il fallut que le monde se ligue pour les arrêter et briser le courant.

Quelle belle toile de fond pour les peintres littéraires que nous sommes! Comment ne pas être inspirés par pareil phénomène historique qui aurait pu changer la face du monde pour les siècles à venir!

Encore une fois, des luttes extrêmes se produiront.

En ce début d'hiver 1941, Édouard Laberge est sans nouvelle d'Élizabeth Montjean traquée par les nazis dans la France occupée. Bien que tiraillé par les sentiments contradictoires qui l'animent par rapport à la belle Française, il devra malgré lui mettre un frein à l'inquiétude qui le ronge. Après des semaines de préparatifs, les nazis sont sur le point de lancer une expédition dans le but de retrouver le dernier *Agrippa*. Édouard devra reprendre du service après s'être vu attribué une nouvelle mission : récupérer avant les Allemands le dernier livre noir d'Henri Corneille Agrippa, enfoui en 1522 par Hernán Cortés dans une pyramide maya perdue aux confins du Mexique.

Quant à Albert Viau, tiré toujours un peu plus hors de son rôle de mari et de père de famille, il aura à faire face à une situation des plus inattendues. Se rendre à Kamouraska pour marcher dans les traces d'un prêtre étrange et anticatholique... Ce qu'il risque de découvrir pourrait bien ébranler les fondements de l'Église tout entière et briser le cours de son existence.

PROLOGUE

Il s'en fallut de bien peu jadis pour que l'homme n'atteigne en un rien de temps ce qu'il prendra maintenant des millénaires à réaliser.

N'eût été les nombreuses légions d'anges vivant en mer, sur terre, dans le feu et l'eau, qui se rebellèrent au nom de leur droit acquis de suprématie, le pouvoir suprême de l'Un aurait consacré cette créature inférieure de façon à la hisser au-dessus de nous.

Il faut toutefois reculer bien loin, à l'aube des cieux ou à la nuit des temps, pour comprendre comment pareils enchaînements d'évènements aussi déterminants, ont pu se produire.

Tout avait commencé avec le réveil brutal d'une Conscience jusque-là endormie.

S'en était suivi une explosion inimaginable libérant une énergie incalculable. Des agglomérats de matière se formèrent dans le vide sidéral jusqu'à s'étendre par delà les frontières jusqu'où on ne sait plus.

Cette Conscience innommable s'appliqua d'instinct à explorer et à apprivoiser cette nouvelle globalité dans laquelle elle évoluait. Ne lui restait plus qu'à expérimenter les limites de son pouvoir. Ses capacités.

Forte de ses expériences, au bout d'un temps non calculé qui dura peut-être un million d'années terrestres ou encore juste une journée, la Conscience parvint à avoir une image intégrale de ce qu'Elle semblait être seule à posséder : l'univers.

Vue de loin, de très loin même, au-delà de la limite du Souffle de l'explosion originelle, se détachait l'image de la matière qui en résultait. Une création saisissante, unique et éternelle.

De là où se situait la Conscience, des galaxies spiralées aux couleurs sans nom se mouvaient le long de traînées de matières qui scintillaient sous la lumière de milliers de soleils en formation. Et au centre de cet univers qui continuait de s'épanouir dans l'espace qui lui était donné, un gigantesque canal de matière sombre alimenté des tréfonds du vide se tenait droit. Nourri d'une énergie colossale et désordonnée, il rappelait à ces regroupements de matière, ces immenses rameaux qui apparaissaient comme son propre prolongement, qu'ils pourraient toujours puiser en sa source.

L'image de ce canal aux dimensions cosmiques, qui supportait de ses racines à sa cime tous les mondes en création afin de les tenir en vie, se grava dans son esprit. La base de tout ce qui devait vivre ou exister se trouvait là, comme la projection d'un idéal qui s'imposait tout naturellement.

L'*axis universalis* venait de prendre forme dans la réalité encore indécise de la Conscience.

Le concept de l'arbre sacré était né.

Ce symbole premier s'ancrerait plus tard dans l'histoire des hommes jusqu'à y faire reposer la structure de leur réalité, et ce, dans maintes cultures.

Bien qu'émerveillée de tout ce qu'Elle possédait et qu'Elle était capable de toucher ou de modifier, la Conscience ressentit la solitude du vide. Elle chercha, puis trouva le moyen de se scinder afin de créer de nouvelles entités distinctes auxquelles elle donna un nom : les Anges.

Issu des premières créations, je m'inclinai et prêtai loyauté à Celui qui m'avait fait ange de lumière. Tous s'accordèrent dès lors pour le nommer l'Un.

Des légions entières[1] virent le jour et furent données à des chefs.

J'eus la chance d'être l'un d'eux. Et vingt-six légions me furent données.

Un temps indéterminé passa et les expériences de l'Un sous nos bons auspices se succédèrent. Des planètes, fruits des ramifications de cet arbre sacré qui occupait l'univers, se prêtèrent bientôt à la possibilité de recevoir la vie, forme physique et tangible de ce qu'étaient nos énergies conscientes. La planète que les hommes devaient plus tard nommer Terre fut la première à être ensemencée. Une vie végétale créée à l'image de l'arbre sacré et une vie animale capable de se déplacer s'y développèrent jusqu'à prendre des proportions démesurées et incontrôlables. L'intelligence devait prévaloir et, ainsi peuplée d'animaux gigantesques, la Terre ne pouvait être le lieu d'une évolution semblable. Une extinction structurée fut mise en place dans le but de permettre un recommencement.

---

1. Selon la Bible, il existe neuf chœurs de créatures célestes regroupés en trois hiérarchies. Les anges constituent le dernier de ces chœurs. Aussi, une légion d'anges comporte 6666 sujets.

C'est à ce moment que nous fîmes la découverte que l'Un, que nous allions même jusqu'à surnommer le Sens, n'était pas infaillible. Il était capable d'erreur.

Il s'acharna un temps à insuffler l'intelligence à une race de singes qui finirent par stagner dans leur évolution. Face à ce nouvel échec, l'Un nous convainquit tous de la possibilité d'une création parfaite inspirée de notre image.

Conscients depuis les échecs de l'Un (nous avions dès lors cessé de l'appeler le Sens) que la perfection était inaccessible, et ce, dans toutes les sphères de l'univers, le doute s'installa dans l'esprit de plusieurs d'entre nous. Bien que toujours loyaux à notre créateur, nous suivîmes avec intérêt l'élaboration du «Plan Divin», ce nouveau projet englobant l'évolution d'un monde parfait à partir de la création d'un être parfait, qui aurait le pouvoir de s'élever au-dessus des anges.

Comment accepter pareille chose? Que m'était-il permis de faire face à la réaction nonchalante de mes frères qui accueillaient le Plan Divin comme une éventualité inéluctable? Nous menacerait-Il d'extinction à cause de nos trop nombreuses imperfections? Nous ferait-Il disparaître comme Il l'avait fait pour les grands prédateurs qui avaient par le passé peuplé la Terre?

J'enfouis mes idées au plus profond de ma conscience et guettai l'éclosion du premier couple d'hominidés dans le jardin d'Éden. Ceux-ci apparurent effectivement parfaits, de par l'application de l'Un et du contrôle de son pouvoir incommensurable.

Le jardin d'Éden, que nous mîmes peu de temps à visiter et à surnommer le jardin des délices, était un endroit magnifique qui bénéficiait d'un climat idéal et tempéré. Irrigué par deux grandes rivières, une végétation luxuriante s'y développa rapidement et l'Un mania de nouveau la nature afin d'y produire sa propre représentation de l'univers : l'Arbre de la vie, ainsi que celui de la connaissance, du bien et du mal.

Partagé entre fureur et jalousie, j'avais du mal à accepter qu'une planète entière puisse un jour être peuplée d'êtres parfaits, constituant un monde à leur image.

Qu'en serait-il de nous ?

Curieusement, je trouvai la femme belle et je connus l'attirance. Certains me reprochèrent ce défaut, alors que d'autres partagèrent secrètement mon envie.

Bien avant que le temps ne s'écoulât trop longtemps et n'y tenant plus, je brisai l'homme et violai la femme. Je découvris le pouvoir de me rendre humain et de sentir la terre.

Je fis la femme sacrilège en la forçant dans son corps. Je la forçai aussi à se nourrir du fruit de l'Arbre sacré de la connaissance.

Et le tiers des anges se rangea derrière moi pour goûter la femme et sentir la terre. Ainsi accédions-nous à la perfection. Ainsi brisions-nous le Plan Divin pour prendre en main notre propre destinée et éviter l'annihilation.

Je les préparai ensuite à affronter la colère de l'Un.

Comment l'homme, aussi parfait fût-il, aurait-il pu connaître le bien sans connaître le mal ? C'est en expérimentant le mal qu'il devient possible de grandir, d'évoluer et d'accroître son champ de connaissances.

J'ai toujours cru que le mal n'était rien d'autre que d'avoir la liberté de ses actes. Et des centaines de légions d'anges se rangèrent à mon avis. Il me semblait impératif de prendre en main ma destinée. L'Un n'était plus l'Unique.

Ce qui resta ensuite dans le mémoire des consciences comme la «guerre Entr'Anges» s'échelonna sur une échelle de temps qu'il m'est impossible à évaluer. Prenant le commandement des armées noires, je réalisai toutefois qu'il me serait impossible de remporter la guerre, ni même de détruire l'Un ou son Plan Divin. Au mieux, il me serait possible d'en retarder l'accomplissement afin de retarder ma propre perte.

La perfection n'existe plus.

L'Éden fut réduit en cendres et les humains chassés.

J'ai forgé le Destin de l'homme pour l'intégrer à mon propre plan.

Le Plan Malin.

Et le Destin agit désormais selon sa volonté.

Jamais l'homme ne pourra s'y soustraire malgré ses tentatives désespérées pour y échapper. Tout comme ce que je suis, le Destin n'a aucune conscience, aucune pitié. Par delà le pouvoir de l'Un, Il est issu de la nuit et du chaos. Tout lui est soumis et rien ne lui échappe. Rien au monde ne peut changer ce qu'Il a décidé. Que ce soit la Terre ou le Ciel, les abysses ou les enfers, tous sont sous son emprise. Tels d'imperturbables oracles, les figures aveugles du Destin sont écrites pour l'homme depuis toutes les éternités.

Tout comme le Destin, je suis issu de la nuit et du chaos.

L'Un et ses légions d'anges soumis nous ont peut-être repoussés, mais jamais ils ne pourront aller là où je le puis. Jeter le trouble et la confusion sur toute la Terre me permettra toujours de mettre en déroute les alliés du Plan Divin. Les hommes eux-mêmes travaillent pour moi. Et ceux qui croient bien faire sont encore obnubilés par le grand voile que je jette à leurs yeux depuis des siècles, pour obscurcir leur regard et fausser leur jugement.

C'est à cause de moi que l'homme vit en séparation de sa divinité. Et bien qu'il ne le sache pas ou se refuse à l'admettre, il est condamné à se perdre pour toujours sur la route de sa réunification.

J'ai voulu nous sauver. Je nous ai donné le libre arbitre et par le fait même, je l'ai donné à l'homme en lui apprenant ce qu'était le mal et la volonté nécessaire pour supporter son destin.

Et puisque l'homme n'a d'autre choix que de faire face à son destin, il me trouvera invariablement, inévitablement, sur sa route.

Car je suis l'Ennemi, l'Adversaire.

Je suis l'Opposant.

1

Villa Rica de la Vera Cruz, Mexique.
Octobre 1522.

Peu après le coucher du soleil, un imposant essaim de moustiques mâles s'était formé à environ dix pieds du sol. Les femelles avaient mis peu de temps à faire leur apparition, parées à l'unique accouplement qui les féconderait pour toute leur vie.

Le ballet volant avait commencé, suivi du repas de sang, indispensable à la bonne santé des candidates. Ainsi gorgées et fécondées, elles avaient ensemble déposé leurs œufs à la surface des eaux chaudes et stagnantes d'un marécage. Alors que certaines avaient pondu en amas, d'autres avaient préféré séparer leur progéniture. Après quelques minutes seulement, avant de quitter le marais sans un regard en arrière, chacune des femelles avait pondu entre mille et deux mille œufs.

L'éclosion des œufs eut lieu deux jours plus tard, mettant au monde une quantité impressionnante de larves aquatiques qui se nourrirent d'algues microscopiques pour survivre. Ressentant aussi le besoin de respirer, leur instinct leur dicta l'utilisation d'un appendice sur leur abdomen qui, émergeant de l'eau, leur permit d'accéder à l'air libre. En respirant ainsi pendant des jours à l'aide de ce siphon affleurant sur la surface de l'eau, les larves immergées continuèrent à se développer jusqu'à se métamorphoser en nymphes.

Demeurant toujours dans l'eau, sans même se nourrir, les nymphes continuèrent d'avoir contact avec le monde extérieur par deux petites trompettes respiratoires.

Quatre jours après, ce qui leur sembla une véritable éternité, de profonds changements s'étaient opérés chez les nymphes. Des transformations morphologiques spectaculaires s'étaient produites, de nouveaux organes s'étaient développés ; yeux, pattes, ailes et proboscis se distinguaient de plus en plus afin de préparer l'adulte volant.

Dans quelques heures à peine, lors du crépuscule, au terme d'une journée chaude et humide, une nouvelle armée de moustiques composée de plusieurs dizaines de milliers d'individus irait se répandre dans cette forêt de l'est du Mexique.

Avant même que le soleil ne se couche derrière l'horizon, l'une des femelles se sentit assez forte pour satisfaire sans plus tarder sa curiosité. Elle avança en se mouvant lentement sous l'eau grâce à ses longues ailes membraneuses, jusqu'à ce que sa tête émerge enfin à l'air libre. Ses fines antennes séchèrent aussitôt, tout comme son proboscis, cette trompe unique qu'elle savait maintenant capable de lui prodiguer la nourriture. Elle sentit ensuite la chaleur du soleil couchant sur son thorax qui sécha ses ailes nervurées qu'elle mit en mouvement. Peu de temps suffit pour que le moustique s'élève au-dessus des eaux, imité par plusieurs de ses congénères.

Le besoin se fit criant. Il était impératif, primal.

Posé sur la feuille d'un grand hêtre, le moustique était dérouté par la force de l'appel du sang.

Pour la première fois de sa courte vie, qui avec de la chance pourrait encore durer trente jours, le moustique éprouvait brutalement le besoin de se nourrir et le désir de se reproduire. Et pour sa reproduction, pour être capable de concevoir des œufs, la femelle devait absolument s'alimenter. Elle agita la longue pièce buccale qui s'étirait devant elle et comprit aussitôt que là était le chemin. Elle avait la capacité et le vouloir de l'enfoncer et d'aspirer les protéines nécessaires à la création des œufs. Et le seul moyen d'acquérir rapidement une protéine vivante se trouvait dans l'attaque d'un être vivant. Fort, gros, sillonné jusqu'à l'épiderme de vaisseaux sanguins où affluait le liquide vital.

Le moustique palpa doucement la feuille tendre du hêtre. Mais rien ne se produisit. Certes, il était gros et vivant, mais ne constituait aucunement un porteur de sang riche et chaud. Il s'agissait de quelque chose d'autre, d'odorant, d'irrésistiblement attirant. Un mouvement dans l'arbre mit le moustique aux aguets mais sans plus. Un vent très léger déplaçait délicatement les feuilles sans qu'il soit difficile de s'y agripper. Agité de frémissements nerveux, sa respiration s'accéléra, dilatant et contractant tour à tour son abdomen segmenté.

Juste aux côtés du moustique, se trouvait bien camouflé entre les branches un serpent liane.

Paré de vert vif sur sa partie dorsale et d'un vert jaunâtre sur le ventre, son camouflage était si parfait qu'il était pratiquement invisible. Bien enroulé autour d'une branche sur tout son mètre de longueur, le dangereux serpent au museau pointu surveillait passivement le moustique d'un œil entrouvert. Il n'y avait pas là de quoi se déranger. Un lézard l'aurait déjà fait réagir mais la position de ce moustique à portée de langue le laissait encore indécis.

Le serpent liane était loin d'être affamé. Se déplaçant dans les arbres ou les buissons aidé de son camouflage exceptionnel, il n'avait habituellement qu'à attendre sa proie sans trop faire d'efforts. Très rapide, il n'était pas d'un type à s'en prendre aux animaux de grande taille ni même aux humains. Sauf si bien sûr ceux-ci avaient tenté de lui mettre le grappin dessus. Son venin n'était pas mortel, à moins qu'il n'eût été inoculé directement dans une veine, au cou ou à la tête. Non vraiment, il n'était pas de nature agressive. Bien nourri, l'agressivité n'était pas de mise. Et la prudence gardait en vie beaucoup plus longtemps.

Mais ce moustique nerveux qui agitait ses paires d'ailes commençait à le déranger dans sa réflexion primaire. Agacé par l'insecte, il amorça d'abord un lent, très lent mouvement de la tête, qui le positionnerait correctement pour une attaque foudroyante. Il ne lui en voulait pas nécessairement et n'en avait nullement besoin pour sa survie. C'était une question de principe. Le moustique usait de sa patience.

Une fois positionné, il sécréta dans sa gueule une petite quantité de bave visqueuse pour en recouvrir sa langue et ouvrit ses puissantes mâchoires toujours très lentement. Il n'avait pas besoin d'ouvrir beaucoup. Juste un peu suffirait.

Le rayon de soleil qui s'infiltrait entre les branches pour lui chauffer le museau se refléta une fraction de seconde sur ses dents mouillées. Ce changement subit capté par le moustique le fit fuir aussitôt alors que la langue fourchue du reptile lui frôlait les pattes.

Le serpent liane cracha en un sifflement colérique, comme pour faire savoir à l'insecte de ne jamais plus venir le déranger pendant ses bains de soleil.

Le moustique vola de toutes ses forces entre les hauts arbres de la forêt. Encore sous le choc d'avoir évité la fin de justesse, il réalisait que maints dangers se cachaient partout sous des formes différentes. De nouveau, le besoin de se nourrir vint combler son instinct primitif. Il fallait qu'il trouve maintenant. Il en allait de sa survie. Ce monde était décidément bien cruel. Fuir le danger et trouver de la nourriture. Voilà à quoi se résumait son existence.

Le vent tourna soudain pour le moustique et son triste destin sembla tout à coup le favoriser. Plus bas, juste en avant, approchaient une multitude d'odeurs de vie. Ses fines antennes s'agitèrent et instantanément, son proboscis, cette longue pièce buccale capable de piquer et d'aspirer, s'étira.

En plus des odeurs de vie, lui parvint une kyrielle de bruits. Des tintements, des voix organisées, des bruits animaux, des roulements, des traînements.

Là se trouvait la vie, là se trouvait donc la nourriture. Oubliant tout danger pour n'écouter que son instinct et son odorat, le moustique fonça droit devant. À mesure qu'il se rapprochait de la colonne d'hommes à cheval qui venaient à sa rencontre, il analysa les odeurs qui ne cessaient d'affluer. Bien qu'il n'en comprît pas la raison, il choisit immédiatement l'homme. Et cela ne pouvait en être autrement. Car les acides gras et le dioxyde de carbone aux relents d'ammoniaque émis par la respiration de la peau humaine produisaient plus de trois cent quarante odeurs différentes.

Le premier visé fut le premier de colonne. La peau libre au niveau du cou attira directement le moustique qui plongea vers sa proie comme un faucon pèlerin. Sans être repéré, il s'accrocha d'abord aux cheveux avant de se réorienter et de se plaquer contre la peau chaude et transpirante. Là, juste sous lui, battait le flot incessant du sang dans l'une des jugulaires. La marche à suivre se mit en place dans l'esprit primitif du moustique. Enfin et pour la première fois, il utiliserait son proboscis. Le moustique tremblait, malmené à la fois par les mouvements de l'humain et par sa propre excitation. Paré à toute éventualité et encore vierge de toute maladie pathogène à transmettre, il perfora la peau de ses petites maxilles, puis enfonça son proboscis jusqu'à la veine comme une arme imparable, pour d'abord injecter à son hôte une dose de salive anesthésiante et anticoagulante. L'aspiration commença, jusqu'à atteindre l'estomac. La sensation merveilleuse d'être ainsi gorgé de sang était à nulle autre comparable. Le moustique suçait avec avidité alors que son abdomen se dilatait pour ingérer le liquide vital. La chaleur l'envahissait, l'engourdissait, alors que le goût et la texture uniques de ce sang chaud qu'il goûtait pour la première fois, l'enivraient complètement. Tout était parfait.

Jusqu'à ce qu'il sente soudain sous ses pattes un gonflement inattendu de l'épiderme sur lequel il était posé. Une réaction inflammatoire était en train de se produire. De par son instinct et son ultrasensibilité, le moustique anticipa dès lors la réaction de l'humain qui venait d'éprouver la douloureuse piqûre. Il déplia ses ailes, libéra les stylets, ouvrit les maxilles et poussa sur ses pattes pour retirer sa trompe du canal sanguin. Mais gorgé de sang comme il l'était, ses réflexes se firent lents et semblèrent ne plus lui obéir.

Le moustique ne perçut que le vent de fraîcheur précédant l'impact.

Puis ce fut le néant.

L'homme venait brusquement d'abattre sa main dans son cou.

Le cheval de Hernán Cortés avait d'abord réagi en s'énervant avant de s'arrêter net. Le conquistador espagnol avait tiré sur les rênes d'un geste brusque sans même s'en rendre compte. La colonne entière des cavaliers et des hommes à pied s'immobilisa à sa suite au milieu du sentier.

Cortés abaissa la main qu'il venait de porter à son cou pour y découvrir son propre sang mêlé aux restes d'un moustique démembré. Il essuya négligemment le gâchis sur ses chausses.

C'est ainsi qu'il remarqua quelque chose d'étrange sur le sol devant lui. Il signala la halte un peu tardivement puis sauta à bas de cheval avant de tirer son épée pour tâter prudemment la terre sous le regard interrogateur du soldat et chroniqueur Díaz del Castillo.

— Qui a-t-il, monsieur ? demanda ce dernier avec un brin d'inquiétude dans la voix.

Cortés laissa traîner la pointe de son épée par terre sans répondre. Une fine poussière s'élevait autour de la lame qui raclait doucement les herbages et les feuilles mortes. Arrivé au bord du sentier, l'Espagnol poussa à deux mains sur l'épée qui s'enfonça facilement dans le sol. Il souleva grâce à son arme un filet caché sous le tapis de feuilles mortes et qui dissimulait une petite fosse hérissée de piques de bois. La fosse n'était pas profonde mais traversait le sentier presque d'un bord à l'autre. Del Castillo vint prêter main-forte à Cortés pour soulever le filet et découvrir le piège.

— Bonté divine, dit Cortés en se grattant le cou, n'eût été cette piqûre de moustique, je ne suis pas sûr que je me serais rendu compte de la présence du piège. Cela nous rappelle que nous n'avons pas ici que des amis…

— Et voyez les pointes de piques, constata del Castillo, on les dirait recouvertes d'un enduit poisseux.

— En effet. Je me demande ce que c'est…

— C'est du venin de serpent corail.

Les deux hommes se retournèrent pour concentrer leurs regards sur la femme à l'accent charmant montée sur une jument blanche et noire. Sa beauté farouche se mariait tout à fait à l'animal qu'elle montait tout en contrastant avec l'air impassible que son visage affichait. Doña Marina, cette jeune indigène offerte au conquistador à peine débarqué trois ans plus tôt, était non seulement devenue sa maîtresse, mais aussi son meilleur lieutenant.

— Le poison paralyse instantanément les centres nerveux s'il accède au sang à travers une blessure, continua-t-elle. Et la mort vient vous prendre…

— Charmant reptile que celui qui crache pareil venin, dit Cortés.

— J'ai connu des femmes bien pires! plaisanta del Castillo.

— Méfiez-vous toujours, l'interrompit Doña Marina sans relever la remarque de del Castillo, car contrairement à la plupart des serpents, celui-ci ne se redresse pas en cas de peur. Il est donc facile de lui marcher dessus et de se faire mordre. Il est par contre très voyant, de couleurs rouge, blanc et noir. Rappelez-vous que les belles couleurs vives, tant pour un animal que pour une plante, sont toujours signe d'avertissement.

Cortés sauta sur son cheval, imité par Díaz del Castillo.

Il n'avait jamais quitté la jeune femme des yeux.

En fait, il était fou d'elle.

— En avant! lança-t-il en accompagnant ses paroles d'un geste de la main.

La troupe se mit en branle et contourna prudemment la fosse couverte de piques. Lanciers, arquebusiers, arbalétriers et cavaliers composaient ce fidèle bataillon qui traversait l'épaisse forêt jusqu'à cette ville naissante que l'on appelait maintenant Veracruz.

Une seule voiture avançait entre les hommes au milieu de la colonne; une plateforme montée sur quatre roues et tirée par un cheval, qui transportait un unique coffre de bois bardé de fer et fermé d'un lourd cadenas.

Tout avait commencé bien des années auparavant.

Avec la fin du XVe siècle et la reconquête de leur pays aux mains des Arabes, les Espagnols vivaient de grands moments. Les arts et lettres tout comme les constructions fleurissaient, enfin libérés de la lourdeur de l'Islam. Étant des ports de départ naturels vers le Nouveau Monde récemment découvert, l'Espagne et le Portugal se lancèrent dans une course aux découvertes. Alors que les Portugais s'obstinaient à trouver la route des Indes en contournant l'Afrique, les Espagnols tentaient leur chance en droite ligne sur l'Occident vers un continent légendaire qu'ils croyaient riche et fabuleux.

Dans tous les ports et les chantiers maritimes d'Espagne, les corps de métiers s'activaient pour construire des vaisseaux spécialement conçus pour de longs et périlleux voyages. Les géographes dessinaient de nouvelles cartes plus détaillées et plus à jour. Les commerçants faisaient des affaires d'or en vendant matériel et fournitures. L'Espagne avait besoin de se bâtir un empire. Et pour ce faire, elle avait besoin de ressources. Elle avait besoin d'or.

Peu de temps après, le voyage historique de Christophe Colomb devait donner à l'Espagne cette destinée tant souhaitée. Le pays fut propulsé à l'avant-scène des puissances européennes et nombre de jeunes gens décidèrent de vivre l'aventure par delà les mers pour chercher richesse et gloire.

C'est au sein de cette Espagne en effervescence, libérée de l'occupation islamique et en quête d'un empire, qu'avait grandi Hernán Cortés.

À l'âge de dix-neuf ans, après avoir passé deux années dans les salles froides et humides de l'Université de Salamanque, Cortés était prêt à s'embarquer pour le Nouveau Monde.

Grand, mince, les yeux marron et perçants d'intelligence, les cheveux sombres et longs accompagnant une barbe bien taillée, Cortés a mûri et a besoin d'aventure. Son départ est presque une fuite et il débarque à Saint-Domingue sur l'île d'Hispaniola[1] en 1504, se débrouillant tant bien que mal grâce à ses connaissances juridiques et à son talent d'écrivain.

Mais après quatre années passées dans l'île, Cortés se voit contraint de retourner sur le continent pour y soigner une syphilis. C'est donc en 1508, par le plus pur des hasards mis à part sa syphilis, que le jeune Cortés fait la connaissance d'un médecin d'origine allemande entré depuis peu au service de Ferdinand II d'Aragon. Il s'appelle Henri Corneille Agrippa.

---

1. L'île d'Hispaniola abrite aujourd'hui Haïti et la République dominicaine.

AGRIPPA

Le médecin reste d'abord nébuleux sur les raisons qui l'ont amené à quitter son pays d'origine pour vivre en France, avant de passer au Sud pour se mettre au service de celui qui allait quelques années plus tard léguer un immense empire à son petit-fils Charles Quint.

Il est sans contredit d'une aide précieuse pour soulager la maladie de Cortés, et les deux hommes se lient rapidement d'amitié. Agrippa qui avait beaucoup voyagé et parlait déjà huit langues, instruisit son jeune compagnon sur nombre de sujets. Cortés, qui était tombé dans les bonnes grâces de Diego Velázquez, un homme puissant venu après Colomb et qui était chargé de coloniser Cuba, rêvait toujours d'or et de conquête. Avec les conseils d'Agrippa et l'appui de Velázquez, il se sentait de plus en plus sûr de lui. Et après un an, de plus en plus prêt à reprendre la mer.

Conscient que Cortés repartirait avant longtemps, Agrippa l'avait fait mander chez lui pour une rencontre derrière portes closes. Il avait mûrement réfléchi avant de se décider à ainsi inviter le jeune Espagnol pour lui adresser une demande des plus inusitées. Il avait même cherché conseil chez un ami polonais qu'il recevait depuis quelques jours dans la petite maison qu'il occupait. Une fois sa décision prise, Agrippa songea qu'il ne reviendrait pas en arrière. Il avait, au cours des dix derniers mois, instruit et nourri son protégé. Il lui avait montré la voie de l'illumination par delà des démonstrations que les hommes refusent de croire. Il l'avait consolé à la suite d'une sordide histoire d'amour.

Cortés comprendrait et accepterait à son tour de lui rendre service. Sans auquel cas, il ne serait qu'un égoïste ambitieux.

Le jeune aventurier se présenta comme convenu à la nuit tombée. Souvent, les deux hommes avaient discuté la nuit durant à la lumière des chandelles jusqu'au jour naissant. Leurs discussions se résumaient habituellement à des sujets qu'il était préférable de taire au commun des mortels. Agrippa referma la porte derrière lui et abaissa le loquet intérieur pour verrouiller l'entrée. Il se tourna ensuite pour aussitôt présenter son ami polonais arrivé chez lui depuis quelques jours.

L'homme grand, aux longs cheveux noirs et bouclés, se leva aussitôt. Ses yeux doux et son sourire affable encadré par une forte mâchoire firent bonne impression chez Cortés. Celui-ci s'avança pour tendre la main à l'étranger.

— Hernán, je te présente un ami venu de Pologne, l'introduisit Agrippa, il s'appelle Nicolas Copernic. Nicolas, voici Hernán Cortés, de l'Estrémadure. C'est une région du sud-ouest du pays.

— Enchanté monsieur Copernic, fit Cortés avec toute la finesse et la distinction qu'on lui connaissait.

— Tout le plaisir est pour moi mon cher, répliqua Copernic dans un espagnol horrible mais néanmoins compréhensible.

Cortés ne put s'empêcher de faire une remarque à ce sujet alors qu'ils s'assoyaient autour de la petite table en bois qui occupait un coin de la pièce principale de la maison.

— Je reconnais bien là un de vos amis, Henri ! lança-t-il en souriant, monsieur Copernic connaît lui aussi l'usage d'autres langues que la sienne. Cela m'impressionne messieurs, comment faites-vous pour maîtriser pareil apprentissage ?

— Il faut bien dire tout d'abord que nous n'avons pas le même âge, précisa Agrippa, ce qui nous donne une bonne longueur d'avance sur toi !

— Allons, vous n'êtes pas vieux, ria Cortés, c'est encore l'un de vos secrets bien gardés à vous, mages et alchimistes !

— Je ne fais pourtant partie d'aucune de ces catégories, affirma Copernic pour clarifier son statut, mais je confirme partager la médecine et l'amour de l'astronomie avec mon ami Agrippa.

— Nicolas est une sommité dans la connaissance des astres, renchérit le mage, il en a fait son champ d'études principal, en plus d'écrire et d'enseigner les mathématiques.

— Je me consacre en effet plus particulièrement à l'étude des planètes depuis cinq ans. J'ai d'ailleurs amorcé l'écriture de mon premier traité d'astronomie qui, je l'espère, sera un jour publié !

— Mais entre nous, le coupa Agrippa, Nicolas est très discret quant à ses recherches et ses écrits.

Le silence tomba comme une voilure décrochée à la hâte lorsque la tempête se lève. Agrippa se leva pour revenir aussitôt avec un pichet en étain rempli de vin et trois verres en grès qu'il déposa sur la table. Alors qu'il servait le vin, Cortés rassura le scientifique polonais sur sa discrétion.

— Je vous en prie cher ami, lui dit-il, n'ayez surtout pas peur de parler devant moi. Je suis très discret et aussi très ouvert d'esprit, notre ami Henri peut très bien vous le confirmer. De plus, j'en ai vu d'autres avec lui, vous savez.

Le regard d'Agrippa corrobora les mots de Cortés. Copernic leur exposa son idée avec la passion d'un homme qui sait avoir raison.

— Je serai bientôt en mesure de prouver que le système géocentrique et la théorie de Ptolémée qui s'applique depuis des siècles aux sphères célestes ne sont que foutaises. Je suis persuadé, et mes calculs tout comme mes observations le démontrent, que ce n'est pas la Terre qui se trouve au centre de l'Univers mais bien le Soleil.

Cortés déposa son verre de vin, partiellement choqué par l'affirmation du Polonais. Fervent catholique des plus croyants, il avait du mal à croire que l'Église pût se tromper sur un point si important.

— Je vous vois réagir mon ami, continua Copernic, mais croyez-moi. Je sais ce que je dis. C'est bel et bien le Soleil qui se trouve au centre de notre univers et toutes les planètes tournent autour, y compris notre Terre. S'il y a passage du jour et de la nuit de façon si méthodique, c'est que la Terre tourne sur elle-même ! Le Soleil se déplace toujours de même façon et revient toujours au même endroit jour après jour ! Et s'il y a de même façon passage des saisons avec autant de régularité, c'est que la Terre tourne elle aussi autour du Soleil sur la base d'une année ! Tout cela est de nature astronomique et tout comme pour la loi de la jungle, c'est le plus gros et le plus fort qui l'emporte ! Dans ce cas-ci, c'est le Soleil.

— Il ne semble pourtant pas plus gros que la Lune, fit Cortés un peu réticent.

— Mais c'est parce qu'il est incroyablement plus loin! Ses dimensions sont incalculables! C'est ce que je compte écrire dans les années à venir. Je dois absolument être sans faille dans mes calculs. Mes théories se doivent de devenir des affirmations!

— Si vous tenez vraiment à les publier, je vous souhaite bonne chance... vos propos sont à tout le moins hérétiques et blasphématoires. Du point de vue de l'Église bien sûr, n'allez surtout pas croire que je vous insulte. Même si j'ai un peu de mal à saisir le phénomène.

— Non pas mon ami, je vous comprends. D'ailleurs, j'ai la même réticence que vous! Je n'ai pas envie de finir au fond d'un cachot!

D'un signe discret, Agrippa signala à son ami polonais qu'il en avait assez dit. Malgré toute l'ouverture d'esprit dont se prévalait Cortés, il y avait certaines choses, particulièrement celles touchant la religion, qu'il valait mieux ne pas trop émousser.

— Si j'ai tenu à ce que tu viennes ici ce soir, enchaîna le mage, c'est principalement parce que je sais ton départ prochain.

— C'est exact, je m'embarquerai bientôt pour les Amériques. Velasquez a besoin d'hommes pour participer à la conquête de l'île de Cuba. Je tiens à être de ceux-là.

— Cela t'honore mon ami. Mais j'aimerais que tu me rendes un petit service.

Le sourcil gauche de Cortés se souleva en signe de perplexité. Il demeura un moment silencieux pour attendre la suite. Sur sa droite, Copernic faisait du bruit avec sa bouche en aspirant son vin sur le bord épais du verre en grès.

— Je dois me débarrasser de quelque chose, avoua enfin Agrippa. Quelque chose d'encore plus dommageable qu'une publication affirmant que la Terre tourne autour du Soleil.

— Bon sang Henri, qu'avez-vous fait?

— J'ai fait ce que je me devais de faire, répondit l'alchimiste. Mon ami Copernic m'en sera ici témoin; lorsque la soif de connaissance nous amène au bord du gouffre du savoir, il devient par trop tentant de se jeter dedans. Mais viens plutôt, je vais te montrer.

Agrippa les entraîna bougeoir à la main vers l'arrière de la maison. Tirant de sa poche une clé aussi longue que la main, il l'inséra dans la serrure avant de lui faire faire un double tour. La porte grinça sur ses gonds et la lueur sautillante de la chandelle vint éclairer faiblement la petite chambre. Le mage s'effaça pour laisser entrer les deux hommes et leurs yeux s'habituèrent rapidement à la lumière diffuse.

Lorsque Cortés avança la main pour toucher le livre enchaîné et suspendu à une poutre du plafond, Agrippa l'en empêcha en lui saisissant le poignet.

— Non! N'approche pas plus.

Le livre à la couverture rigide et recouverte d'un cuir durci se mit à vibrer entre ses chaînes. Une lumière rougeâtre et tremblante l'enveloppa aussitôt et il se mit à tourner lentement sur lui-même. Les plats du livre avaient été teints d'un noir profond et étaient repoussés d'un pentagramme inversé à l'intérieur de deux cercles concentriques.

Cortés, figé sur place, se signa en reprenant ses esprits.

— Mais qu'est-ce que c'est? balbutia-t-il enfin tout en étant incapable de quitter le livre des yeux.

— Le livre des sphères… des alliances, murmura Agrippa pour toute réponse.

— Mais, pourquoi est-il enchaîné?

— Il est dangereux, très dangereux, chuchota Agrippa.

— Puissant, très puissant, ajouta Copernic de son accent traînant qui donnait la chair de poule.

— Mais quelles sphères… quelles alliances?

Un vent subit venu de nulle part souffla la bougie que tenait Agrippa et la lumière rougeâtre s'estompa d'un coup. Ils quittèrent la pièce et le mage referma à double tour derrière eux.

Debout autour de la table, ils vidèrent leurs verres de vin avant de se regarder, un peu secoués. La seule vision d'un livre pareil, enchaîné de surcroît, apparenté à des magies hors du temps et de cet espace qu'ils croyaient maîtriser, avait de quoi flanquer la trouille. C'était un peu comme côtoyer la mort pour la première fois.

Copernic fut le premier à s'asseoir et à tendre son verre pour qu'on le remplisse. Chaque fois qu'il contemplait le livre en face, il en avait pour une heure à avoir les jambes flageolantes.

— Tu m'as demandé ce que j'avais fait. Ainsi se traduit la réponse.

Agrippa fixait intensément Cortés. L'autre détourna le regard, mal à l'aise.

— Ce que j'ai ressenti... c'était insoutenable... et attirant, avoua Cortés. Pourquoi l'entraver de chaînes s'il permet les alliances ? Vous m'avez initié aux courants de la magie, Henri, et cela m'a permis de découvrir mes forces et de vaincre mes faiblesses. J'ai réussi à contrôler mes peurs et à mieux me connaître. Tout cela m'a préparé aux aventures qui ne manqueront pas de m'attendre sur le Nouveau Monde. Mais rien de tout cela ne m'avait préparé à la vision de ce livre.

— Sais-tu que ce livre me permettrait facilement de prouver la théorie céleste dont je t'ai parlé tout à l'heure ? enchaîna Copernic avec son terrible accent. Je pourrais tout savoir en une seule journée ! Je pourrais devenir un voyageur des sphères ! Ces paliers de conscience qui existent dans notre monde et ces grands orbes célestes qui parcourent le ciel.

— Mais pourquoi ne l'avez-vous pas fait ?

Copernic aspira encore bruyamment une gorgée de vin.

— Parce que ce n'est pas la voie.

— Ce n'est pas la voie ?

— Non.

— Je dois me débarrasser de ce livre, les interrompit Agrippa. Et nul n'est besoin pour toi de savoir ce que ce livre peut apporter.

— Mais vous m'avez instruit de l'art de la magie...

— Ce que tu sais n'est rien. Une vie entière ne suffit pas à s'instruire de la magie...

— Alors qu'attendez-vous de moi ?

— Je veux que tu prennes ce livre avec toi, dit Agrippa sur un ton qui n'acceptait pas le refus, je l'enfermerai ainsi enchaîné dans un coffret métallique rempli de sable.

— Et ensuite... qu'en ferai-je ?

— Tu le balanceras dans l'océan une fois passé le détroit de Gibraltar.

Cortés écarquilla les yeux et Copernic sourit tout en aspirant une autre gorgée de vin. Le jeune Espagnol se tourna vers lui en refoulant l'envie de lui dire que cette façon de boire était franchement agaçante. Il sursauta en sentant la main d'Agrippa sur son bras.

— Tu verras, tout se passera bien. Ce sera très facile.

À la fin de l'année 1509, Cortés était prêt à repartir et à renouer avec le gouverneur Velázquez sur l'île d'Hispaniola. Son but était d'abord d'être autorisé à participer à une expédition de conquête sur l'île de Cuba. S'il arrivait à se démarquer auprès de Velázquez, il pourrait peut-être se retrouver au cœur d'une aventure plus grande encore. S'embarquer pour la *Tierra Firme*, la terre ferme de l'Amérique, qui avait déjà été l'objet de quelques entreprises de découvertes. Une fois Cuba conquise, l'île serait un port de départ parfait pour la conquête de l'immense continent.

Cortés s'embarqua donc sur une caravelle de petit tonnage, la *Navidad*, faisant partie d'un convoi de cinq navires qui quittèrent Sanlúcar de Barrameda pour une escale aux Canaries avant de rejoindre l'île d'Hispaniola. Dans ses bagages se trouvait un coffret en métal barré d'un cadenas qu'il monta lui-même jusqu'à la minuscule cabine qui lui a été assignée.

Cortés avait pris la décision d'attendre l'escale aux îles Canaries pour se défaire du petit coffre. Sa première idée avait été de suivre le conseil d'Agrippa et de s'en départir une fois passé le détroit de Gibraltar, mais pour une raison dont il ignorait la cause, il avait simplement changé d'idée. Après quelques jours, une fois que furent déchargées les cargaisons marchandes destinées aux Canaries, la flotte appareilla pour sa longue traversée de l'Atlantique.

Au cours de la première nuit passée en mer, Cortés fit un songe. Un homme imposant paré de vêtements d'une époque révolue marchait vers lui d'un pas lent mais assuré. Sa longue veste rouge ornée de broderies dorées et de larges boutons en or lui conférait un air gracieux de noblesse. Une fois à la hauteur de Cortés qui, dans son rêve, n'arrivait pas à bouger ni à articuler la moindre parole, l'homme inclina la tête en signe de salut, ses longs cheveux noirs venant partiellement cacher son visage anonyme et cendreux. Lorsqu'il leva ensuite ses yeux noirs vers Cortés, ce dernier fut submergé par une vague écumante de froideur qui le paralysa d'effroi en déferlant sur lui. Le grand homme sourit à la vue de l'effet qu'il produisait sur le jeune Espagnol, découvrant des dents jaunes et déchaussées derrière ses lèvres sèches.

Il inspira profondément avant de s'exprimer, comme pour ajouter encore plus de poids aux mots qu'il allait prononcer.

— Tu ne le feras pas.

— Je… je vous demande pardon?

L'homme en rouge s'était approché encore plus près de Cortés. Malgré la certitude qu'il avait de se trouver dans un rêve, la proximité de l'individu le rendait incroyablement réel. Il pouvait sentir son souffle, son odeur et toute sa détermination.

— Tu ne jetteras pas ce coffret par-dessus bord…

— Mais je dois, j'ai promis…

— Non…

Le bruit d'une activité fébrile mêlé aux cris des hommes sur le pont arracha Cortés de son sommeil. Dans l'obscurité de sa petite cabine, il se sentit soulagé d'avoir été tiré de ce rêve sordide. Dehors, le vent s'était levé et le tangage du navire se voulait plus insistant.

Un éclair puissant zébra le ciel, éclairant pendant deux secondes l'intérieur de la cabine.

L'homme en rouge se tenait là, debout, jambes écartées, juste devant la porte.

Cortés se redressa vivement en criant et recula jusqu'à toucher le mur derrière lui. Sa tête heurta une poutre transversale et la pièce retomba dans le noir. Toujours assis dans ce qui lui servait de lit, il supporta le coup de tonnerre qui suivit l'éclair en se massant le derrière de la tête. La voix caverneuse se fit de nouveau entendre.

— Tu ne le jetteras pas.

Un nouvel éclair illumina le ciel et l'Espagnol eut le temps de détailler l'homme qu'il avait aperçu dans son rêve. Le coffret métallique reposait à ses pieds, juste devant lui.

Cortés tâta rapidement de la main le dessus de la table, à côté de sa couche, sur laquelle une lampe à huile était fixée. Il s'empara de la pochette en cuir renfermant son briquet, une pierre à silex et un peu d'amadou qu'il jeta dans une assiette en étain également fixée à la table pour servir de cendrier. Battant le silex contre son briquet en fer tout en jurant entre ses dents (bien que ce ne fût pas son habitude), il parvint à créer une braise dans la matière sèche sur laquelle il souffla avant d'y présenter le bout d'une allumette au soufre. Une flamme bleue jaillit du bâtonnet de pin en même temps qu'une odeur désagréable et Cortés s'en servit pour enflammer en tremblant la mèche de la lampe qui éclaira la pièce.

Le feu de l'allumette lui brûla les doigts et il la jeta dans le cendrier d'un geste rageur.

— Qui… qui êtes-vous ?

Le tangage du navire ne semblait nullement affecter l'homme qui se tenait toujours aussi bien campé sur ses jambes. En revanche, Cortés assis sur le bord du lit sentait le mal de cœur le gagner. Ses yeux, dorénavant habitués à la pénombre, ne cessaient de dévisager l'inconnu. Quoi qu'il en soit, l'Espagnol savait déjà que la présence de cet homme était intimement liée au coffret contenant le livre d'Agrippa. Il ne pouvait en être autrement. Et il se maudit un instant pour ne pas s'en être débarrassé plus tôt.

AGRIPPA

Il savait pourtant que les recherches et les expériences de Corneille Agrippa sur la magie obscure et les manipulations subtiles de l'environnement allaient à l'encontre des enseignements de l'Église ou de la volonté de Dieu. Mais il y avait tant de savoirs cachés, tant de choses et de nouveaux mondes à découvrir! Il était impossible que Dieu, dans son infinie sagesse, réduise l'homme qui est sa propre créature à un état de fonctionnalité statique tout au long de sa vie. L'Église avait d'abord accusé les marins qui avaient voulu s'aventurer au-delà de l'horizon des mers. Elle avait ensuite béni leur entreprise avec les promesses d'or et de peuples à convertir. Agrippa n'était pas un homme mauvais. Comme lui, il était curieux et se dévouait à l'évolution de sa propre personne dans un monde aux possibilités infinies. L'homme avait tous les droits d'avoir des rêves et de trouver les moyens de les réaliser. Et Cortés avait bien l'intention d'aller au bout de ses rêves.

La proue de la caravelle se souleva brusquement et le navire amorça l'ascension d'une vague géante. Les éclairs déchirèrent le ciel dans une succession d'arcs vertigineux et de bruits de tonnerre. Cortés attendait toujours une réponse à la question qu'il avait posée quelques secondes plus tôt. Celle-ci lui parvint à travers la voix chargée de mystère de l'étranger qui n'avait pas bougé.

— Je suis celui grâce à qui tu réaliseras tous tes rêves de conquête. Je suis celui qui te permettra d'en acquérir les moyens. Je suis celui grâce à qui tu seras entendu et écouté. Je suis Baalbérith, maître des alliances et des sphères qui lient l'ici-bas et l'au-delà et gardien du savoir du livre noir.

Cortés ouvrit la bouche pour parler sans toutefois vraiment savoir ce qu'il allait dire. Baalbérith leva la main pour l'arrêter.

— Et tu as besoin de moi...

La proue de la *Navidad* piqua cette fois vers l'avant après avoir passé la crête ourlée de la grande vague. Cortés s'accrocha pour ne pas se retrouver sur les genoux. Dehors, les hommes criaient sur le pont tout en préparant le navire à traverser la tempête. L'Espagnol se sentait tout autant bousculé dans sa raison alors que son regard restait lié aux yeux noirs de Baalbérith, aucunement affecté par le roulis du navire. Si un seul des hommes sur le pont apercevait l'inconnu, Cortés s'attirerait de gros ennuis.

— Pourquoi aurais-je besoin de toi? hurla-t-il pour couvrir le fracas du tonnerre et les craquements de la charpente malmenée. N'es-tu pas le diable incarné? Pourquoi risquerais-je ma vie ou même mon âme? La crainte et le regret ont poussé l'alchimiste à vouloir te perdre au plus profond des océans! Pourquoi te sauverais-je alors qu'Agrippa voulait se séparer de toi?

— Agrippa est faible et vieillissant. Il a eu peur. Peur de s'allier à moi! Je suis prisonnier de ce livre enchaîné, lui-même prisonnier de ce coffre en fer. Et malgré tout, il m'est possible de me manifester à toi. Agrippa a peut-être ainsi confiné mon pouvoir, mais il est des alliances encore possibles à travers la projection de ma pensée.

La *Navidad* était entrée au cœur de la tempête qui se déchaînait maintenant sur cette partie de l'Atlantique. C'était un orage effrayant, accompagné de vents violents, qui fouettaient sans ménagement les drapeaux rouge et or de la caravelle. Les quatre autres navires faisant partie du convoi avaient disparu derrière les hautes vagues. À présent, c'était chacun pour soi, jusqu'à la tombée des vents.

— Je ne devrais pas t'écouter, cria encore Cortés qui continuait de chercher des preuves pour se convaincre qu'il ne rêvait pas, comment pourrais-je avoir confiance en toi ? Agrippa m'avait mis en garde !

— Oublie la confiance Cortés ! Ce n'est qu'une fabulation d'hommes ! Si tu veux vivre pour réaliser tes rêves, tu dois me libérer !

— Et pourquoi devrais-je te croire ?

— Parce qu'aussi sûr que le soleil se lèvera au matin, tu mourras dans cette tempête ainsi que tous les hommes sur ce navire !

— Mensonges ! hurla encore Cortés en s'agrippant fermement tellement la caravelle était maltraitée par l'océan en furie.

— Mon lien avec l'Opposant me donne le pouvoir de calmer la tempête et de modifier ton destin !

— Et si nous coulons, alors j'aurai rempli ma mission et tu passeras le reste de l'éternité au fond de la mer !

— Alors nous la passerons ensemble, pauvre fou ! Car tu mourras dans l'heure qui vient !

Cortés se leva avec difficulté et avança vers le gardien du livre en titubant. Il s'arrêta finalement pour s'agripper à un pilier de la charpente qui traversait sa cabine. Le navire était violemment malmené et sur le visage de Cortés transparaissait la peur.

Un affreux craquement se fit entendre et le mât de poupe s'effondra sur le château arrière, au-dessus de la petite cabine où logeait Cortés. Ce dernier se jeta au sol, aux pieds de Baalbérith, alors que les quelques planches composant le plafond éclataient sous l'impact.

L'Espagnol leva les yeux vers le gardien du livre qui le toisait de son regard noir et d'un sourire carnassier.

— Jure-moi que tu m'aideras et non me nuiras! demanda-t-il au démon.

— Je ne jure jamais! C'est à prendre ou à laisser! C'est maintenant que tu choisis ton destin! Il peut se poursuivre, ou s'arrêter ici cette nuit!

— Va au diable, Baalbérith!

— Il est déjà avec moi! Ah, ah, ah, ah!

— Si je t'écoute, Dieu m'abandonnera et me punira! Je brûlerai à jamais dans les flammes de l'enfer!

— Balivernes! Je ne te demande pas d'abandonner ton Dieu! Je suis le maître des alliances! Alors, fais-en une avec moi! Tout de suite!

L'un des mâts avant supportant une grande voile latine se brisa à son tour, tirant le navire dangereusement de côté. Cortés glissa jusqu'au mur opposé qui stoppa brutalement sa course. Il frappa rageusement le sol de son poing.

— Alors qu'il nous sauve par Jésus-Christ et je te libérerai!

— Tu l'as dit! L'alliance est scellée! Qu'il en soit ainsi!

L'image de Baalbérith se fondit dans la pénombre pour disparaître complètement. Cortés saisit au passage le coffret métallique qui glissait devant lui. La caravelle se redressa enfin mais pour aussitôt affronter une nouvelle lame qui la souleva vers le haut.

Cortés enfouit son visage entre ses mains, moins par peur que par dépit.

— Que Dieu me pardonne, chuchota-t-il pour lui-même en se signant de la croix.

À la suite des nombreuses avaries encourues lors de la tempête, la *Navidad* avait dû rebrousser chemin pour retourner au port de La Gomera aux îles Canaries. Sur les quatre autres caravelles faisant à l'origine partie du convoi, deux avaient sombré corps et biens au fond de l'Atlantique. Les deux autres avaient pu poursuivre leur traversée vers le Nouveau Monde.

Pendant les deux semaines que durèrent les travaux de réparation, Cortés eut amplement le temps de surmonter la peur qui l'avait pris aux entrailles en faisant sauter les chaînes entravant le livre noir. Tel que le lui avait promis Baalbérith, ils avaient conclu une alliance, un pacte, qui allait les rendre maîtres de tout un continent. Il avait même eu l'audace d'écrire à Henri Corneille Agrippa afin de lui raconter son aventure et de lui assurer qu'en plus d'aller bien, il s'était débarrassé du coffret métallique bien au-delà des Colonnes d'Hercule[1].

---

1. Colonnes d'Hercule est le nom donné aux montagnes bordant le détroit de Gibraltar. Elles symbolisaient la frontière entre le monde civilisé de l'Europe et le monde inconnu par delà les mers.

Ce qui était, bien sûr, un odieux mensonge.

Aidé de Baalbérith, Cortés avait soigneusement mis au point son plan de conquête. Celui qui l'amènerait d'abord à Cuba, puis sur le continent. Peu lui importait le temps. Il saurait être patient et faire en sorte d'être le premier. Des richesses inimaginables l'attendaient là-bas.

Le gardien du livre le lui avait affirmé.

Cortés débarqua enfin à Hispaniola à la fin du mois d'octobre 1509. Et il n'était plus le même homme. De par ses manières distinguées et son attitude empreinte de l'assurance que donnent habituellement l'expérience et l'âge, il était entièrement maître de lui-même et en pleine possession de ses moyens. Il prit le temps de s'installer et n'eut aucun mal à conquérir des amis influents et à les conserver. Le gouverneur Velázquez lui offrit un travail de notaire qu'il accepta d'emblée. Aimable, spirituel et de nature généreuse, il s'attacha ainsi les personnages les plus valables. Respectueux de ses aînés, il estimait ceux faisant preuve de courage et méprisait les lâches. Peu enclin à la colère, il avait toutefois une façon bien à lui de démontrer sa fureur si par quel cas cela devait arriver. Sans quereller ni maudire, les seuls indices de sa rage restaient son regard vénéneux et le gonflement des veines de son cou et de son front.

Deux ans plus tard, Cortés était plus que prêt et provoqua l'occasion. Il accompagna Velázquez à Cuba et participa activement à la conquête de l'île. Pour saluer sa bravoure, sa hardiesse et son génie de fin stratège, il hérita non seulement du titre de premier maire de Santiago de Cuba, mais aussi d'une immense propriété et d'un lot d'esclaves. De notaire qu'il était, Cortés se vit transformé d'un coup en propriétaire terrien éleveur. Les terres fertiles de l'île, favorables à la culture de la canne à sucre, eurent tôt fait de l'élever au rang de prospère commerçant.

Cortés se comporta loyalement, pour ne pas dire servilement envers Velázquez.

Et on peut presque affirmer qu'il en fit autant à l'endroit de Baalbérith, maître des sphères et des alliances, vigilant gardien de cet autre livre noir issu de la plume et du sang d'Henri Corneille Agrippa.

Il fit tout pour arriver à être chargé d'une expédition sur la *Tierra Firme*, dont on disait les richesses inépuisables. Velázquez approuva l'idée malgré sa méfiance, en espérant lui-même y gagner beaucoup. Cortés vendit tous ses biens pour investir lui-même dans l'expédition de sa vie, qui restait en majeure partie financée par le gouverneur Velázquez. Son rêve était sur le point de s'accomplir.

Peu de temps avant le départ de la flotte et par une malversation qui demeure inconnue, Velázquez décida de retirer le commandement de l'expédition à Cortés. Ce dernier, secrètement informé, convainquit ses hommes de le suivre et quitta en catastrophe le port de Santiago de Cuba le 18 novembre 1518, sans l'autorisation du gouverneur, avec son armada de onze navires, six cents hommes, trente-deux chevaux et tout un armement d'arquebuses, de canons et de poudre noire.

Le sort en était jeté.

Arrivé à l'île de Cozumel, Cortés établit ses premiers contacts avec les habitants.

Sans perdre de temps, il les impressionna avec les chevaux et des tirs de canons ou d'arquebuses.

On lui offrit de la nourriture, de l'or, des tissus et un groupe d'esclaves à l'intérieur duquel se trouvait une jeune Amérindienne qui devint aussitôt son amante. Il l'appellerait Doña Marina.

À la demande de Cortés, Doña Marina baigna dans la magie de Baalbérith. Le démon exigea du conquistador la liste magique de ce qu'il attendait d'elle. Il rédigea de sa main l'invocation afin de confirmer la responsabilité de sa demande. La liste magique fut concentrée sous la forme d'une énergie ténébreuse et obstinée en un point particulier de l'esprit de la femme. Elle en ressortit transformée. Belle, intelligente, entièrement dévouée à Cortés qui le lui rendait bien, parlant les langues autochtones, l'espagnol et connaissant les mœurs et coutumes des Aztèques, elle devint, en plus de sa maîtresse, sa conseillère, son interprète, son fer de lance.

Il fit aussi à Cozumel une rencontre des plus inattendue, celle de Gerónimo de Aguilar, un prêtre espagnol qui, sept ans plus tôt, après un malencontreux naufrage, s'était échappé de la cage dans laquelle on l'engraissait pour servir de repas aux cannibales des Caraïbes. Comme il parlait couramment la langue maya, Cortés le recruta aussitôt en tant qu'interprète.

Ce que Gerónimo de Aguilar accepta de bonne grâce après lui avoir raconté ses années d'errance.

Et aussi après lui avoir révélé l'existence du pays aztèque, le *México*, dont la fabuleuse cité, *Tenochtitlán*[1], ayant comme chef l'empereur Montezuma, regorge d'or, d'argent, de pierres précieuses et d'autres richesses extraordinaires. Aguilar confia à Cortés que l'un des émissaires de l'empereur lui avait un jour raconté que son peuple, qui s'appelait en fait les *Mexicas*, se serait installé sur ce territoire après un long et périlleux voyage. Ils auraient été contraints malgré eux de quitter leur terre d'origine appelée *Aztlán*, ce qui signifie «Terre blanche au milieu de l'eau». D'où cet autre nom, les *Aztèques*.

Cortés prit sa décision à la lumière des grands feux allumés sur la plage. Fort de l'appui de ses hommes tous réunis en un seul conseil, il affirma vouloir couper tout lien avec le gouverneur Velázquez installé à Cuba pour faire directement l'exploration du pays au nom du roi d'Espagne, l'empereur Charles Quint.

Cette nuit-là, Cortés et ses hommes se donnèrent eux-mêmes le titre de *conquistadores*.

La conquête du Mexique allait commencer.

Et avec elle, la fin de l'Empire aztèque.

---

1. Aujourd'hui la ville de México.

Trois années s'étaient écoulées depuis l'arrivée de Cortés à cet endroit qu'était devenu le grand port de Veracruz. Usant du pouvoir du livre noir qu'il avait autrefois décidé de conserver plutôt que de jeter, il était parvenu au prix de nombreux complots et combats, à asservir l'Empire aztèque.

Le temps avait passé et, tout comme une vague rugissante, avait lavé les actes commis au nom du roi et du royaume d'Espagne. Seul restait le livre qui l'alimentait en sombres réflexions derrière un regard trouble. Les longs déplacements se voulaient propices à l'introspection. Chevauchant toujours en tête de colonne, bien droit sur son destrier, le conquistador scrutait la forêt. Il se retourna encore sous le regard interrogateur de Doña Marina pour jeter un coup d'œil au chariot transportant le coffre. Bien que rongé par l'inquiétude, il n'en laissait rien voir. Il se devait de démontrer une assurance absolue devant ses hommes. Si tout se passait comme convenu, demain en fin de journée, il disposerait du coffre et l'inquiétude le quitterait.

Ses souvenirs s'attachèrent à la couverture sombre du livre noir. Il se rappelait la texture du papier et la couleur rouge des caractères formés par Agrippa. Les formules magiques et les ombres de mystère capables d'effrayer toute une tribu. Les rites anticatholiques et contre nature qu'il avait osé pratiquer.

Le conquistador s'en voulait terriblement, toujours incapable d'être en paix avec son Dieu.

Mais en même temps, pour rien au monde il ne serait retourné en arrière.

Conseillé par Baalbérith, Cortés avait parfois pris des décisions drastiques maintes fois remises en question par certains de ses propres capitaines. Dès le départ, de malheureux incidents avaient ponctué l'installation des Espagnols au Yucatán. À commencer par le mécontentement de certains hommes, désireux de retourner à Cuba plutôt que de s'enfoncer dans un continent inconnu pour y chercher des richesses qui jusque-là n'existaient que dans les paroles des autochtones ou de quelques vieux marins. De son côté, Cortés tenait absolument à rencontrer ce fameux Montezuma et à voir de ses yeux sa fabuleuse cité.

La première folie que Baalbérith inspira à Cortés fut celle de couler les onze navires avec lesquels ils étaient venus afin d'éliminer toute envie de fuite et de donner plus de poids à l'expédition terrestre en y ajoutant une centaine d'hommes. Par ses fidèles, il fit retirer des navires tout le matériel utilitaire possible, le fer, les cordages, les armes, et les fit saborder. Il n'y avait plus aucune possibilité de fuite ou de retour vers le vieux continent. Il ne leur restait plus qu'à marcher vers la cité d'or de l'empereur aztèque Montezuma.

Ce geste d'héroïsme ou de folie ne fut jamais répété dans l'Histoire.

Fort de ses paroles, Cortés avait harangué ses hommes avec une conviction peu commune en leur affirmant que dorénavant, leur seul espoir résidait en Dieu et en lui-même. Il avait conclu en citant César au bord du Rubicon : le sort en est jeté.

Laissant derrière elle les plus vieux marins pour garder Veracruz, la troupe s'était enfoncée à l'intérieur des terres pour trouver la capitale aztèque Tenochtitlán.

Sur les trois mois que dura le périple avant de découvrir Tenochtitlán, les Espagnols livrèrent bataille à plusieurs reprises. Avantagés par leurs armes, leurs chevaux et leurs connaissances tactiques, les conquistadors poursuivirent leur route en s'alliant les chefs vaincus des tribus ennemies des Aztèques. Doña Marina leur fut également d'une aide précieuse, s'avérant une habile négociatrice avec les autochtones rencontrés.

Après de multiples péripéties, complots, combats, alliances et massacres, les Espagnols, qui suivaient un grand aqueduc maçonné descendant la colline, arrivèrent enfin en vue de la cité aztèque le 8 novembre 1519. À leurs pieds, admirablement construite sur une presqu'île avançant au milieu d'un grand lac sillonné de petits bateaux, se trouvait Tenochtitlán, avec ses temples, ses tours, ses palais, ses pyramides, ses jardins et tous ces magnifiques bâtiments érigés sur de petites îles reliées entre elles par des ponts envahis de passants. Tout comme Venise, la ville traversée de canaux semblait bâtie sur l'eau et n'était accessible par la terre qu'en un seul point. Et c'est vers cette porte monumentale flanquée d'immenses statues représentants des serpents à plumes que la troupe se dirigea.

La rencontre historique entre les deux chefs, les deux armées, les deux mondes qui ne se connaissaient aucunement, eut lieu en ce jour.

Et l'empereur Montezuma semblait croire à la possibilité qu'ils fussent les envoyés des dieux. Évidemment, cela avait un certain sens. L'étranger blanc et barbu, dans une armure étincelante, au regard franc et à la stature imposante, monté sur une créature inconnue et entouré de guerriers aux armes puissantes, avait tout pour impressionner. Sur la grande place, le silence était à couper au couteau. Là, au cœur de la cité, au milieu des temples, palais, pyramides et autres sites sacrés de la place principale, Cortés et Montezuma se faisaient face.

Un conquistador solitaire et un empereur ténébreux.

De loin, se tordant les mains, Baalbérith observait cette scène unique qui jamais n'allait se reproduire.

Cortés et ses capitaines avaient été logés luxueusement dans l'ancien palais du père de Montezuma. Ce dernier avait permis aux Espagnols d'observer le style de vie de la capitale et les mœurs de la civilisation aztèque. Il avait montré à Cortés du haut de la tour du *Teocalli*, la cellule du dieu, tout ce qu'ils étaient. De là-haut, il était possible d'embrasser la ville des yeux et tous les villages bâtis autour du lac.

Alors que Montezuma montrait son empire au conquistador avec l'espoir qu'ensuite, il le respecterait, Cortés lui, préparait déjà en son for intérieur un plan pour s'en emparer.

Après quelques jours de cohabitation, Montezuma avait fait chercher Cortés et ses capitaines par Doña Marina, afin de les inviter à une cérémonie devant se dérouler à la grande pyramide du centre religieux de la capitale. Quatre grandes rues, assez larges pour y tenir dix chevaux de front, rejoignaient ce centre névralgique qui séparait ainsi la cité en quatre territoires distincts.

Cortés et ses hommes arrivèrent à cheval par l'une de ces avenues en face du temple principal où les Aztèques adoraient *Huitzilipochtli*, leur horrible dieu de la guerre au faciès écrasé et portant une ceinture de serpents.

Au sommet de l'escalier, Montezuma fit signe au prêtre officiant qu'il était possible de commencer.

Cortés sauta à bas de cheval et entreprit immédiatement l'ascension des cent quatorze marches qui le mèneraient auprès de l'empereur. Bien qu'il eût déjà remarqué l'aspect rougeâtre du grand escalier, il en comprit vite la raison, lorsque arrivé près du sommet, un premier immolé jeté dans les marches en pierre débaula dans sa direction. Le conquistador dut se jeter contre le rempart pour éviter d'être frappé par ce corps sans vie qui dévalait les marches de manière désarticulée tout en projetant du sang partout sur son passage. Une fois en bas, le corps sans vie fut aussitôt récupéré par des Aztèques qui le jetèrent dans un chariot. Cortés comprit pourquoi un si grand nombre de tribus dans ce pays, qu'il avait traversé pour arriver jusqu'à Tenochtitlán, étaient ennemies du peuple aztèque. C'est que ceux-ci faisaient des razzias gratuites chez leurs opposants, uniquement dans le but de capturer les victimes dont ils avaient besoin pour les sacrifices !

Horrifié, Cortés leva les yeux pour voir la scène se répéter. Un nouveau supplicié venait d'être étendu sur l'autel en pierre, sculpté à la forme de la divinité. D'un geste vif, sans préambule et avec une force étonnante, le prêtre sacrificateur lui ouvrit la poitrine de son couteau et en arracha le cœur encore palpitant. Il trancha aorte et artères du bout de la lame, provoquant une effusion de sang qui se répandit sur l'autel. La puanteur du sang emplissait l'air et Cortés en eut la nausée. Bien qu'habitué à la rudesse des combats, il était renversé par la violence inutile de cet acte barbare. Les organes ainsi prélevés étaient ensuite recueillis par d'autres prêtres qui les assaisonnaient et les cuisaient sur les braises de charbons ardents.

Le cœur de Cortés, lui, se serra de colère. Il regarda fixement l'impassible empereur Montezuma qui se tenait en haut des marches au côté de l'autel des sacrifices. Il ne dit pas le moindre mot. Mais le gonflement des veines de son cou et de son front trahit sa frustration. Il tourna les talons et entreprit de redescendre les marches en se tenant contre la rampe pour ne pas glisser dans le sang. Il se retint de toutes ses forces pour ne pas jurer.

Près de l'autel, Montezuma fit signe au prêtre de suspendre la cérémonie pour donner le temps à Cortés de redescendre.

Ils sacrifièrent quarante innocents ce jour-là.

Pour se protéger des Espagnols.

Peu de temps après avoir assisté à cette cérémonie funeste, Cortés reçut la nouvelle d'une attaque menée contre Veracruz.

Sentant la menace et agissant impulsivement, il s'empara de Montezuma et l'emprisonna. Avec pareil otage, il espérait éviter la révolte des Aztèques. Les choses se gâtèrent rapidement et Cortés sentit lentement le piège se refermer. Assis sur le trône de Montezuma au cœur de son palais, Cortés faisait face à Baalbérith qui semblait le narguer. Le démon gardien avait maintes fois inquiété le conquistador. N'était-il pas là pour l'aider et l'appuyer dans son rêve de conquête? Ne pouvait-il pas lui faire aisément éviter les combats plutôt que de les gagner? Et qu'en était-il du massacre de vingt mille habitants et de la destruction de la ville de Cholula? Comment avait-il pu laisser faire cela? Cortés avait de plus en plus la certitude d'être souvent manipulé par Baalbérith. Combien de fois l'avait-il vu se substituer en guerrier aztèque pour le seul plaisir de se battre contre des Espagnols? Ou en soldat espagnol pour trancher des têtes aztèques? Et ne l'avait-il pas vu tout récemment jouer au prêtre suprême en haut du temple en forme de pyramide pour ouvrir la gorge et arracher le cœur des victimes sacrifiées? Baalbérith était dangereux et sans la moindre conscience. Pour lui, l'être humain n'avait ni valeur ni importance. Il ne vouait pas la moindre amitié à personne et il était faux de pouvoir espérer être son ami. Il avait beau dire à Cortés que les choses ne pouvaient en être autrement, le sourire hypocrite qu'il affichait chaque fois, n'avait de cesse de laisser le conquistador dans le doute. Et avec raison.

Quelques semaines après l'emprisonnement de Montezuma, une nouvelle information arriva à Cortés en provenance de Veracruz. Dix-huit navires espagnols envoyés par le gouverneur Velázquez mouillaient dans le port afin de ramener Cortés et ses hommes pieds et poings liés à Cuba.

Fou de rage, Cortés se contint. Seule cette veine qui gonflait dans son front trahissait le degré de sa colère. Il rassembla ses hommes en ne laissant qu'une poignée de soldats à Tenochtitlán et après avoir entraîné avec lui quelques centaines d'autochtones, il fondit par surprise sur ses compatriotes et les défit dans un rapide affrontement. Le plaisir que prit Baalbérith à occire les Espagnols rebuta Cortés qui lui avait pourtant demandé son aide. Le démon gardien se faisait voir de plus en plus, provoquant les hommes, détruisant les idoles, violant les femmes...

Cortés parvint à convaincre les soldats venus pour le capturer de s'allier à lui pour s'emparer des trésors aztèques. Lorsqu'il revint à Tenochtitlán, des semaines plus tard, la population aztèque s'était rebellée contre les Espagnols. Cortés gagna le palais avec ses hommes, mais ils se retrouvèrent vite encerclés et prisonniers à l'intérieur. Il convainquit Montezuma d'aller au balcon parler à son peuple afin de le calmer. Rien n'y fit. Sous les huées de la foule en colère, l'empereur reçut une pierre à la tête et une flèche dans l'épaule pour se retrouver gravement blessé. Lorsqu'il mourut quelques jours plus tard, Cortés dut prendre une décision. Le manque d'eau et de nourriture ne lui laissa pas grand choix. Il ordonna de tout préparer et de prendre tout l'or qu'ils pourraient apporter.

Dans la nuit du 30 juin 1520, alors qu'il pleuvait à boire debout, les Espagnols sortirent en force les armes à la main et foncèrent au milieu des Aztèques pourtant beaucoup plus nombreux. Le combat qui s'amorça devint vite épouvantable. Cortés et ses soldats s'ouvrirent un chemin à coups d'épée, de masse d'armes, d'arbalète et d'arquebuse. Baalbérith s'en donna à cœur joie, ayant d'abord assuré Cortés qu'il sortirait indemne de la capitale. Les cadavres jonchèrent le sol et on pataugea dans le sang et la boue. La pluie continuait à tomber à torrents, rendant la fuite encore plus pénible. Sans compter la situation géographique de la cité de Tenochtitlán sur sa presqu'île, qui en faisait non seulement une ville difficile à prendre, mais aussi un piège duquel il était ardu de s'échapper.

Les Indiens narvaez et tlaxcalans enrôlés par Cortés furent en grande majorité capturés afin de servir aux sacrifices. Tous les Espagnols furent blessés ou tués et certains d'entre eux, trop lourdement chargés, furent rattrapés et achevés à coups de massue ou se noyèrent dans les canaux avant d'atteindre la sortie de la ville. Cortés réussit enfin à traverser le dernier canal à dos de cheval avec Doña Marina en croupe. Un groupe de volontaires envoyés par une tribu amie arriva au même moment pour leur prêter main-forte et aida les Espagnols à s'échapper.

Cortés eut aussitôt le sentiment d'avoir livré la pire bataille de sa vie. Jamais il n'avait passé autant d'heures à tuer sans arrêt. Et il voyait là tout le travail qu'il avait mis pour parvenir à conquérir ce pays, réduit à néant.

Les historiens allaient, par leurs écrits, conserver la mémoire de cette triste nuit.

Et c'est ainsi qu'ils la baptisèrent.

La *Noche Triste.*

Les Aztèques avaient poursuivi les conquistadors six jours durant.

La pluie avait heureusement cessé et les petits contingents des tribus ennemies des Aztèques continuaient d'épauler les fuyards.

Arrivés à l'aube du septième jour et en vue de la vallée d'Otumba, plusieurs Espagnols, à bout de forces, se laissèrent mourir d'épuisement. Cortés ordonna aussitôt de faire l'inventaire du trésor rapporté afin d'en préserver l'intégralité. Il utilisa le temps alloué à cette tâche pour réfléchir à ce qu'il devait faire maintenant. Assis sur une grosse pierre avec Doña Marina à ses côtés, l'homme demeurait silencieux. S'il continuait à fuir, jamais plus il ne pourrait revenir. Ou pire, il mourrait en fugitif. Et la conquête de ce pays ferait la gloire des autres hommes qui viendraient après lui. Son nom n'apparaîtrait jamais dans l'histoire et il serait sévèrement puni de sa rébellion, de son échec et des pertes encourues.

Sorti de nulle part, Baalbérith fit son apparition, l'air neutre. Il resta planté devant le couple dépité sans dire un mot. Cortés mit la main sur le sac qu'il portait en bandoulière et qui contenait, en plus de ses notes personnelles et de son matériel de recharge pour les arquebuses, le livre noir d'Agrippa. Le souvenir amer du mage lui remettant le livre et lui enjoignant de s'en débarrasser lui traversa l'esprit à la vitesse d'une traînée de poudre enflammée. Il leva lentement les yeux vers le démon gardien.

— Sombre personnage, lui dit-il les dents serrées, comment peux-tu oser venir ainsi te planter devant moi ? N'as-tu donc aucune gêne ? Aucune conscience ?

— Attends Cortés, laisse-moi le temps d'y réfléchir... Euh non, voilà, aucune conscience, aucune gêne.

— Tu avais promis que nous sortirions indemnes de la cité ! Vois ce à quoi nous sommes maintenant réduits ! Les hommes qui ont survécu sont blessés, épuisés, assoiffés, affamés ! Tu appelles ça sortir indemnes ! Où étais-tu tout ce temps ? Tu te moquais de nous ?

— Tu fais erreur Cortés, l'interrompit enfin Baalbérith, j'ai affirmé, et non promis, que tu sortirais indemne de la capitale. Voilà mes propres mots ! Je ne réponds pas de tous tes soldats ou de tous ces sauvages que tu as enrôlés dans ta milice factice. À ce que je vois, tu marches, tu parles et tu n'es presque pas blessé. Tu t'en es donc sorti indemne.

Baalbérith avait tourné les talons sans attendre la moindre réponse. Il avait marché droit vers le bord de la falaise où ils se trouvaient et qui dominait la vallée d'Otumba.

Puis, sans aucune hésitation et sans même un coup d'œil en arrière, il s'était jeté dans le vide pour disparaître à leurs regards.

AGRIPPA

Doña Marina s'était tournée vers Cortés, l'air effaré.

L'autre n'avait même pas bronché.

Seules les veines de son front et de son cou s'étaient mises à gonfler et à rougir.

— Nous sortirons bientôt de la forêt, capitaine, affirma l'imposant lieutenant Pedro de Alvarado, nous serons au port dans deux heures maximum. Je prendrai les choses en main afin que nous puissions larguer les amarres le plus vite possible, selon votre désir.

Cortés s'appuya sur le pommeau de sa selle pour s'aider à se retourner. Il jeta un œil au chariot transportant le coffre. Loin de contenir un trésor, le coffre barré d'un cadenas avait tout d'une boîte de Pandore.

Car il renfermait l'*Agrippa*, le livre noir.

Jamais il ne devrait être ouvert. Et tels étaient les ordres de Cortés qui conservait sur lui l'unique clé du cadenas.

Les choses s'étaient somme toute bien passées jusqu'ici. Cortés essaya de sourire à son lieutenant mais y parvint difficilement. Pedro de Alvarado était non seulement un géant à la musculature herculéenne, mais il était également l'un des hommes les plus fidèles, les plus dévoués et les plus courageux que le conquistador ait connus. Toutefois plus impulsif qu'intelligent, il avait quand même par le passé causé des ennuis de taille. Mais sans lui, leur fuite désespérée à la suite de la *Noche Triste* se serait soldée par leur mort à tous.

Car au cours de ce septième jour de poursuite, après que le trésor de Montézuma eut été répertorié, Cortés avait entraîné le valeureux Alvaro à sa suite au milieu de tous les hommes. Après avoir obtenu leur attention, il les harangua.

— Soldats, conquistadors, amis, je vous mène en ce pays depuis des mois avec la promesse d'incroyables trésors, commença-t-il d'une voix forte afin de bien se faire entendre. Il semble que malgré les richesses que nous transportons aujourd'hui, nous nous retrouvions en fort mauvaise posture et à la merci de nos poursuivants.

Il marqua une pause avant de poursuivre, le temps de bien observer ces hommes qui l'avaient suivi jusqu'au bout du monde pour peut-être n'en jamais revenir.

— Je n'avais pas prévu mourir oublié en ce pays. Mais je ne peux chasser de mon esprit l'image de ces prêtres barbares sacrifiant de pauvres victimes à leurs dieux païens. Vous connaissez les Aztèques, ils combattent le plus souvent pour capturer et non pour tuer. Car ils préfèrent sacrifier leurs ennemis à leurs dieux. Là est leur point faible, car nous combattrons pour tuer. Oui mes amis, je vous le demande encore une fois ! Tenez-vous à finir sur l'autel du sacrifice et à regarder leur prêtre arracher de votre poitrine ce cœur qui est le vôtre ? En ce qui me concerne, c'est hors de question ! Vous êtes blessés, affamés et fatigués, soit ! Mais pas encore morts ! Alors, relevons-nous et contre-attaquons ! Qu'il ne soit pas dit que notre fin en soit une d'abandon ! Car en vérité, je vous le dis, seul le combat, même perdu d'avance, pourra nous rendre notre honneur face à l'Histoire ! Alors, battons-nous jusqu'à la fin !

Alvarado cria de fureur en levant haut le poing pour conclure à la harangue de Cortés. Les soldats le suivirent aussitôt dans un cri unanime.

Les préparatifs de la contre-attaque débutèrent sur-le-champ.

Tel que rapporté par le chroniqueur Díaz del Castillo, cette bataille décisive ou désespérée se tint le 7 juillet 1520. Encerclés par des milliers de guerriers aztèques, les Espagnols attaquèrent les premiers dans un élan de folie suicidaire, convaincus d'entreprendre là leur dernier combat.

Au cœur de l'affrontement, tandis que les deux camps se livraient une lutte acharnée, Cortés aperçut un chef aztèque paré de plumes colorées et coiffé d'un panache rehaussé d'or qui brillait à la lumière du soleil. Appuyé du puissant Alvarado et de quelques autres, Cortés se fraya un chemin jusqu'à ce chef au manteau de plumes et le défia en combat singulier. Cortés ne mit pas long à tuer son ennemi et lorsque celui-ci tomba, une situation inattendue se produisit. Les Aztèques abandonnèrent la lutte et se retirèrent. L'un d'eux vint même présenter la coiffe en or à Cortés.

Harassé et à bout de forces, Cortés s'éloigna en enjambant les cadavres. Il s'appuya contre le tronc d'un arbre et embrassa la scène. Aussi loin que son regard portât, il ne voyait que la mort. Un océan de morts aztèques qui recouvraient la plaine. Il ne vit plus qu'un homme s'y tenir debout.

Baalbérith qui le fixait de loin de son regard noir et de son sourire méprisant.

⊗ ⊗ ⊗

— Va dire aux hommes à l'arrière que nous sortons de la forêt, ordonna Cortés à Alvarado.

Le lieutenant fit aussitôt faire demi-tour à son cheval pour descendre la colonne. Cortés se tourna pour le suivre un moment du regard jusqu'à ce qu'il croisât le chariot transportant le coffre. Ses yeux rencontrèrent ensuite ceux de Doña Marina, marqués d'inquiétude.

Tout ce qui restait du trésor de Montezuma avait été chargé sur deux navires mouillant dans le port. Selon les ordres donnés par Cortés, ils attendaient son retour avant de lever l'ancre pour l'Espagne. Cette masse incroyable d'or, d'argent et de pierres précieuses avait eu pour effet de laver les erreurs passées du conquistador. Après la conquête d'un nouveau monde, il pourrait éventuellement retourner chez lui, auréolé de gloire et protégé par le roi Charles Quint.

Mais pour l'instant, une autre tâche restait à accomplir. Remplir la promesse qu'il avait faite des années auparavant à Henri Corneille Agrippa et se débarrasser du livre de magie occulte. Et surtout de son démon gardien, le dangereux Baalbérith.

Tout au long de la conquête, le démon s'était joué de lui. Il avait certes permis qu'il parvienne à ses fins, mais seulement au prix d'efforts inimaginables et de combats sanglants. Cortés avait eu du mal à trouver la faille du maître des alliances. Et pourtant elle était toute simple. C'est la logique de Doña Marina – elle avait une peur bleue du démon – qui avait permis au conquistador de circonscrire le pouvoir de Baalbérith. Puisque la mission première de celui-ci était de garder le livre, une seule évidence s'imposait pour le pousser à y rester ou à ne pas s'en éloigner. L'unique moyen de faire en sorte qu'il soit impossible de pouvoir accéder au contenu d'un livre, c'est bien d'empêcher qu'il puisse être ouvert. Et si les rigides couvertures du livre noir se trouvaient entravées par quelque lien ? N'était-ce pas ainsi qu'Agrippa l'avait conservé et que Cortés l'avait d'abord transporté ? Il n'avait pas hésité une seconde à en faire l'expérience, qui avait réussi. Il avait fait enchaîner le livre et l'avait enfoncé au milieu d'un coffre empli de sable consacré qu'il avait ensuite scellé d'un cadenas. Baalbérith avait disparu, pour se réfugier entre les pages du livre noir. Là, isolé par le sable béni, parmi les incantations, les invocations, les sortilèges et les rituels, il attendrait son heure.

Doña Marina avait encore une fois eu raison. Et il avait cette nuit-là tant aimé la belle Indienne, que toutes ces heures passées à lui prouver son amour et son désir pour elle lui semblaient insuffisantes pour la remercier du poids dont elle venait de le soulager. Leur union était si naturelle, qu'elle parvenait à combler tous les vides que la vie avait depuis longtemps créés au fond de leurs cœurs. N'étant pas encore prêt à retourner en Espagne, Cortés se faisait d'abord et avant tout un devoir d'accomplir la mission qu'il s'était lui-même confiée. Sauf qu'il ajouterait un bémol à la méthode employée.

Doña Marina l'avait convaincu que la terre sacrée, comme le sable béni du coffre, empêcherait à tout jamais le livre noir de nuire aux hommes. Elle disait connaître l'emplacement des ruines d'une grande cité fondée deux mille ans auparavant par un peuple appelé Totonaques. Elle disait que parmi ces ruines cachées dans la jungle non loin de la mer se trouvait une grande pyramide que les anciens appelaient *la pirámide de los Nichos*, la pyramide des niches. Un lieu sacré depuis toujours. Elle affirmait aussi que là, enfermé dans cette pyramide, Baalbérith ne pourrait plus jamais faire de mal à quiconque.

Séduit une fois de plus par la logique de sa bien-aimée et l'idée de se débarrasser une fois pour toutes de Baalbérith, Cortés avait opté pour cette solution plutôt que d'attendre de reprendre le large pour jeter le coffre au milieu de l'océan. Qui plus est, il ne pouvait confier ce travail à personne d'autre. Ce secret avait été jusque-là bien assez lourd à porter et le livre lui avait causé assez de tort. Agrippa avait eu raison depuis le début. Son incartade avait failli lui coûter la vie. Et plusieurs hommes étaient morts en vain. Baalbérith n'a jamais voulu l'aider. Un démon n'aide jamais personne.

À tout le moins, il vous fera croire qu'il vous aide dans le seul but de vous nuire.

Alors que Cortés arrivait en vue du port de Veracruz en émergeant de la forêt à la tête de sa troupe, ses souvenirs continuaient à vagabonder au même rythme que ses yeux sur les courbes invitantes de Doña Marina.

AGRIPPA

Au lendemain de la bataille contre les Aztèques dans la vallée d'Otumba, Cortés et ses hommes s'étaient retirés dans la ville amie de Tlaxcala. Sans savoir si c'était une question de ténacité ou d'entêtement, le conquistador avait évalué les forces disponibles qu'il pourrait mettre sous ses ordres : une poignée d'Espagnols dépenaillés et quelques contingents d'Indiens tlaxcaltèques et totonaques mal entraînés, mais ennemis jurés des Aztèques.

Cela devrait suffire pour reprendre la capitale.

Regroupant les charpentiers, il les chargea de la construction d'une flottille de grands canots. Il avait pris sa décision. Il attaquerait Tenochtitlán par le lac.

Il détruirait l'aqueduc, bombarderait de la rive, encerclerait la cité.

Pendant ce temps, Baalbérith propageait le germe d'une nouvelle maladie, inconnue jusque-là des Indiens : la variole. En quelques mois, des villes entières furent décimées.

Juste à temps pour mettre à exécution le plan de reconquête de Cortés.

Ce n'est toutefois qu'à la fin du mois de mai 1521 que le conquistador put finir par prendre la ville de Tenochtitlan, après quatre-vingt-cinq jours de siège, de combats féroces, de massacres et de destructions.

Après la capture de Cuauhtémoc, son dernier empereur, l'Empire aztèque s'effondrait, avec la destruction totale de sa magnifique capitale.

Le 15 octobre 1522, un ordre venant de la cour d'Espagne nommait Hernán Cortés gouverneur et capitaine général de la Nouvelle-Espagne. C'était entre autres l'une des raisons qui poussaient Cortés à se défaire du livre noir. Le pays nouvellement conquis et baptisé «Nouvelle-Espagne», verrait bientôt arriver des navires chargés d'administrateurs, de notaires et autres bureaucrates tatillons qui viendraient envahir le système. Sans compter les pères franciscains qui ne manqueraient pas de venir implanter leurs monastères. Il était loin de se douter qu'une douzaine d'années plus tard, il serait dominé par ces bureaucrates qui finiraient par l'écarter du pouvoir politique de ce monde qu'il avait conquis.

La troupe fit son entrée dans le port de Veracruz et Cortés fit charger le coffre dans le navire qu'il avait affrété. Deux hommes furent réquisitionnés pour transporter le coffre à fond de cale. Lorsqu'ils remontèrent, Gerónimo de Aguilar, ce prêtre espagnol que Cortés avait retrouvé sur l'île de Cozumel, cloua sur le couvercle un épais papier. On pouvait y lire, écrite à l'encre rouge, une prière demandant protection au Dieu Tout-Puissant et à saint Jacques le Majeur. Il décapsula ensuite une fiole d'eau bénite et en aspergea le coffre avant de remonter en vitesse à la lumière du soleil.

Cortés ordonna finalement que les trois vaisseaux soient prêts à appareiller aux aurores le lendemain. Son propre navire remorquerait à sa suite un petit brigantin, sorte de gabarre ouverte à fond plat et capable d'avancer à la voile comme à la rame. Cette embarcation spécifique leur permettrait de pénétrer dans les terres par la rivière Tecolutla qui venait elle-même se jeter dans l'océan avec un faible courant. Selon Doña Marina, cette rivière les conduirait près du site de la cité perdue que les Indiens nommaient *El Tajín*, le lieu du tonnerre.

Les deux galions transportant le trésor de Montezuma[1] le suivraient jusque-là, en longeant la côte vers le nord, avant de bifurquer vers le large et se diriger vers Cuba où ils feraient escale avant de poursuivre leur route jusqu'en Espagne.

Cortés eut un sommeil agité cette nuit-là. Il se réveilla souvent à la suite de rêves étranges et angoissants. Il avait tourné un moment sur sa couche avant de réveiller subtilement Doña Marina par des caresses délicates et voluptueuses. Allant droit au but, Cortés l'avait prise dans un élan de passion non retenu. Excitée à l'extrême par cette surprise nocturne, la jeune Indienne avait enfoncé ses ongles dans le dos du conquistador et mordu dans une couverture pour s'empêcher de crier.

Cortés se rendit sur les quais pour observer les préparatifs du départ qui s'amorçaient. Sans grand appétit, il grignota un bout de pain et enfila une tasse de vin coupé d'eau. Les premières lueurs du jour annonçaient un temps magnifique et un ciel clair. Le vent était déjà bon et augmenterait en intensité avec le lever du soleil et à mesure que l'on s'éloignerait de la côte.

---

1. Certains chroniqueurs rapportent que les deux galions envoyés par Cortés ce jour-là en direction de l'Espagne contenaient, entre autres, des tonnes d'or et d'argent en lingots, des dizaines de coffres remplis de bijoux, de parures, de statuettes et d'œuvres d'art en or, 230 kg de poudre d'or et plus de 300 kg de perles.

Le gouverneur de la Nouvelle-Espagne se frappa dans les mains. Tout rentrait dans l'ordre. Il avait plein pouvoir sur ce pays à découvrir et sur l'exploitation des richesses qu'il recelait. Il avait réduit à néant l'Empire aztèque et les autres tribus ou provinces du territoire n'auraient d'autre choix que de se soumettre à son autorité et, par-dessus tout, il était sur le point de se débarrasser du livre noir et de Baalbérith. Il était toujours impossible à Cortés d'affirmer s'il lui aurait été capable de conquérir ce pays sans la magie du maître des alliances et régent des sphères. Baalbérith s'était si bien joué de lui qu'il était incapable de dire si les choses auraient été plus simples ou irréalisables sans son aide. Il était trop tard maintenant pour philosopher sur la conquête et la personnalité tordue de Baalbérith. Il était parvenu à ses fins et restait bien en vie.

C'était tout ce qui importait.

La douce étreinte de Doña Marina lui enserra la taille par derrière.

— Dieu du ciel, lui chuchota-t-il en se retournant, j'étais si perdu dans mes pensées que tu aurais pu me poignarder sans que je ne m'en rende compte.

— C'est plutôt toi qui m'as poignardée la nuit dernière...

Son accent mélodieux charmait le conquistador à chacune des phrases qu'elle prononçait.

— C'était pour me défendre...

— Aurais-tu peur de moi, *señor* Cortés ?

Cortés la serra dans ses bras alors que leurs regards se portaient vers le soleil rougeoyant qui émergeait de l'océan.

— Je n'ai qu'une seule peur, lui glissa-t-il à l'oreille en l'entraînant vers la passerelle d'embarquement. C'est celle de te perdre.

Le reflet du miroir provenant du haut de la colline fit cligner des yeux le corsaire français Jean Fleury. Il attendait impatiemment ce signal depuis le lever du soleil.

À bord de son rapide navire, la *Salamandre*, Fleury était caché avec six autres vaisseaux dans un bras de mer au sud du port de Veracruz. Ils avaient jeté l'ancre de nuit trois jours plus tôt et n'attendaient que le départ des galions espagnols pour commencer la chasse. Car tel était l'Atlantique pour Jean Fleury : un immense territoire de chasse.

Aussi arrogant que séduisant, Fleury n'en était pas à ses premiers stratagèmes. On racontait qu'un jour, après avoir arraisonné un navire battant pavillon britannique, le capitaine anglais qui s'était rendu sans combattre avait été choqué, en montant sur le bâtiment de Fleury pour la reddition, de voir les Français si peu nombreux. Il avait déclaré sur le ton de la colère, que s'il avait été au courant de leur infériorité en nombre, il aurait combattu et que jamais les Français ne l'auraient pris. Piqué au vif, Fleury lui aurait proposé de le renvoyer sur son navire afin qu'ils puissent combattre. Surpris, le Britannique aurait fermé son clapet sans insister.

Jean Fleury tenait presque constamment la mer et était la terreur des négociants portugais. Originaire de Dieppe, il écumait l'océan comme un triton et en arrivait pratiquement à avoir des problèmes d'équilibre sur la terre ferme. L'une de ses maîtresses le surnommait affectueusement son «mâle de mer», quand du moins elle avait la chance de le voir passer chez elle.

Couvert de son éternel chapeau à larges bords flanqué d'une plume d'autruche et de sa veste bleue aux pans et aux boutons dorés, Fleury aurait pu passer pour un gentilhomme. Il aurait fort bien pu s'adapter à la cour de François Ier. Un brin hyperactif, son ton sec et caustique faisait en sorte qu'on ne discutait jamais ses ordres. Il avait l'air si sûr de lui que ses marins l'auraient suivi jusqu'au bout du monde.

En fait, ils le faisaient déjà.

— Je ne veux pas de bruit, pas un son, tant que les Espagnols ne se seront pas éloignés de la côte, chuchota-t-il à son second. Passez le mot! Et que notre jeune espion en haut de la colline revienne le plus vite possible.

— Il est sur le chemin du retour, monsieur.

— Nous allons leur donner une longueur d'avance puis nous sortirons pour les suivre dans leur sillage. Quand ils nous verront, ils n'auront d'autre choix que de prendre le large. Il n'y a nulle part où toucher terre. Alors nous commencerons la poursuite.

— Bien monsieur.

Fleury jeta un coup d'œil à la ronde et ramassa ses drapeaux. Il brandit le bleu et l'agita longuement afin que tous le voient. C'était le signal pour entamer les préparatifs de départ. Tous ensemble, les navires hissèrent leur drapeau bleu aux trois soleils dorés.

Ceux qui osaient le traiter de pirate le regrettaient amèrement. Il y avait un monde de différence entre un pirate et un corsaire.

Le corsaire est un civil possédant un navire armé et autorisé, par une lettre de marque, à attaquer en temps de guerre tout navire d'un état ennemi. Les corsaires opèrent donc uniquement en temps de guerre et avec l'autorisation de leur gouvernement. Contrairement aux pirates qui eux, sont des bandits sur mer, qui n'agressent ou n'attaquent que pour leur propre compte.

— Monsieur?

L'un des marins s'était approché de son capitaine, visiblement inquiet.

— Qu'y a-t-il?

— J'ai entendu dire que les conquistadors ont été extrêmement cruels avec les habitants de ces terres, monsieur.

— Raison de plus pour leur soutirer leur butin.

— On m'a rapporté, monsieur, que les hommes de Cortés ont enfermé un chef aztèque dans une vache qu'ils avaient apportée d'Espagne et qui était morte.

— Que me chantes-tu là, pardieu?

— Ils auraient ouvert le ventre de la vache morte avant de l'éviscérer et d'y enfermer le pauvre sauvage. Ils auraient recousu le ventre de la vache en ne laissant dépasser que la tête du bougre.

— Mais Dieu tout-puissant, pour faire quoi?

— Pour le torturer et le faire mourir! En laissant ainsi l'animal mort au soleil avec le type dedans, les petits vers et les vermisseaux issus de la pourriture des chairs se sont multipliés et ont commencé à dévorer tout cru le chef de tribu!

— Mais c'est répugnant par la foi du Bon Dieu!

— Sans parler de la maladie et de l'infection qui ont dû se mettre dans ses plaies. Paraît que l'inapprivoisé a mis douze jours à rendre l'âme.

— Bon ça va, j'en ai assez entendu, va reprendre ton poste!

Fleury fit la grimace en s'imaginant le sort cruel de l'individu. Mais peut-être que tout cela n'était que sornettes. Valait mieux se concentrer sur l'opération en cours.

De l'autre côté de la colline, la cloche dans la petite tour du phare de Veracruz se mit à sonner, signifiant le départ des galions espagnols.

Fleury agita le drapeau jaune pour faire lever les ancres.

La chasse allait commencer.

Le navire de Cortés fut le premier à quitter le port, suivi de près par les deux galions chargés d'or.

Tirés vers le large par un vent de côté qui mordait dans une partie de leur gréement, ils s'éloignèrent lentement de la côte avant de virer à bâbord et de hisser haut les voiles du grand mât et du mât de misaine. L'accélération fut surprenante et immédiate. Le vent était beaucoup plus fort une fois éloigné de la côte.

Cortés respirait l'air marin avec un plaisir non dissimulé. Il aimait à se retrouver sur la mer par une journée aussi splendide. Plus loin, la forêt luxuriante définissait le paysage aussi loin que le regard pouvait porter. Lorsque Doña Marina vint s'appuyer contre lui, le tableau fut complet.

Ils voguèrent ainsi pendant quelques heures. Ils continueraient de remonter le littoral jusqu'à ce qu'ils atteignent la rivière Tecolutla dans l'après-midi du lendemain. Arrivé là, le navire de Cortés jetterait l'ancre. Les deux galions, eux, prendraient le large en direction de Cuba. Utilisant le petit brigantin qu'il traînait en remorque, il prendrait avec lui les vingt-trois soldats qui l'accompagnaient pour remonter la rivière. Les marins resteraient à bord du vaisseau et attendraient leur retour.

Le conquistador ne savait pas s'il devait éprouver du soulagement ou de l'inquiétude. Bien que pour l'instant, rien ne semblât venir troubler le déroulement parfait de l'opération, il y avait toujours ce doute, cette hantise taraudante qui le prenait aux tripes, lorsqu'il était question de Baalbérith. Autant avait-il autrefois mis tous ses espoirs dans l'aide du démon, autant aujourd'hui le craignait-il comme la peste. Aussi, avait-il bien fait d'amener avec lui le père Aguilar, fort de ses puissantes prières.

Une cloche se mit à sonner avec une fureur qui n'annonçait rien de bon. Le son venait de loin derrière, probablement du troisième navire.

Cortés leva les yeux vers la vigie en haut du grand mât. Une nouvelle cloche sonna l'alerte. Puis ce fut le cri de l'homme en poste, lunette à la main, qui retentit partout sur le pont.

— Nous sommes pris en chasse! Sept navires français!

Cortés courut vers le pont du gaillard d'arrière avec Doña Marina sur ses talons. Il saisit au passage la lunette d'approche de son second et l'étira au maximum avant d'y coller l'œil. Les pavillons bleus ornés de trois soleils d'or ne laissaient aucun doute quant à l'identité des poursuivants.

— Des corsaires...

Refermant la lunette d'un geste assez furieux pour en briser les lentilles, il se tourna lentement vers Doña Marina. Les veines de son cou et de son front enflèrent instantanément au point de faire reculer la jeune Indienne d'un pas. Cortés passa devant pour retourner sous le grand mât.

— Combien de temps ? hurla-t-il de toute sa rage à la vigie.

— Ils sont loin, nous avons une bonne avance ! Mais leurs cotres[1] sont plus rapides que nos navires ! Demain matin, ils nous auront rejoints !

Cortés tourna la tête dans tous les sens, cherchant une solution immédiate. Mais elles étaient rares.

Un son discordant leur parvint de la cale. Un sifflement perçant et agressant. Le père Aguilar descendit tout de suite, antiphonaire sous le bras, encensoir et eau bénite en mains.

Lorsque Cortés se rendit enfin compte que tous les hommes le regardaient, il prit aussitôt sa décision. Sans toutefois savoir si elle serait la bonne.

— Je veux toute la voile disponible sur chacun des bateaux, je ne veux pas la moindre parcelle de vent perdue, je veux le

---

1. Voilier à un seul mât, avec grand-voile, foc et trinquette.

calcul extrapolé des distances avec le rivage parce que nous continuerons à avancer au maximum de vitesse pendant la nuit, même si le vent décline. Je veux que tous les artilleurs préparent canons et couleuvrines et que le brigantin soit tiré le plus près possible au cas où il serait nécessaire d'y embarquer rapidement. Messieurs, préparez-vous au combat! Nous avons un trésor à protéger! Et calculez-moi immédiatement notre vitesse!

Ayant déjà anticipé la demande de Cortés, un vieux matelot courut vers l'arrière avec sa planchette lestée et son câble parsemé de nœuds pour prendre la vitesse du navire.

Le conquistador s'appuya au bastingage et fixa l'immensité de l'océan devant lui. Les sifflements provenant de la cale avaient cessé mais son inquiétude grandissait de plus en plus. C'était bien là la pire des choses qui pouvait lui arriver. Il se retrouvait pris en mer à sept contre quatre, bien que le petit brigantin ne soit pas armé, avec deux galions chargés d'un trésor inestimable. Sans compter que son rapport au roi Charles Quint et toutes les cartes géographiques mises à jour se trouvaient sur l'un des galions. Il n'avait nulle part où accoster et il était impossible de faire demi-tour. Il n'aurait d'autre choix que d'engager le combat. Il était hors de question que les Français mettent la main sur le trésor de Montezuma. Mais si les galions étaient coulés, le trésor serait quand même perdu.

Cortés frappa violemment le garde-corps en bois. Il était coincé.

L'idée d'ouvrir le livre noir enchaîné lui traversa l'esprit. Mais il la chassa d'emblée, convaincu que Baalbérith se vengerait impitoyablement en donnant la victoire aux Français et en les envoyant, eux, tous par le fond. Non, le démon ne devait jamais être libéré sous aucun prétexte. Il trouverait Cortés et lui ferait payer cher son emprisonnement.

Il observait les hommes tracter le brigantin toujours à la remorque du navire. Demain, il y chargerait le coffre et y monterait avec une poignée d'hommes. S'il parvenait à atteindre la rivière. Avant, il s'occuperait des Français pour créer diversion. Quant aux galions, il leur suffirait de tourner brusquement à tribord en direction du large et d'y aller à grands coups de canons pour causer le plus de dommage possible dans la flotte normande.

Avec de la chance, ils poursuivraient leur route vers Cuba et y arriveraient avant d'être rattrapés.

Si bien sûr les corsaires français étaient encore en état de leur donner la chasse.

Jean Fleury se régalait de la panique qu'il venait de provoquer chez l'ennemi. Il était encore loin, mais ce n'était qu'une question d'heures avant que sa flotte ne le rattrape. Il élabora son plan d'attaque, leur surnombre lui facilitant les choses. Ses lieutenants ainsi que les commandants de chacun des navires avaient rejoint la *Salamandre* un à un, par câble de transfert. Ils se pressaient autour de lui.

En moins de trente minutes, il leur exposa ses idées sur la tactique à employer dans le cas présent.

Fleury n'était pas homme à employer la force ou à tuer par plaisir. Sa mission était d'arraisonner les bateaux marchands des pays ennemis en temps de guerre et il le faisait très bien. Il préférait impressionner et agir avec prudence plutôt que de causer des pertes humaines et matérielles inutiles. La vie des marins était déjà bien assez difficile sans y ajouter blessures et souffrances.

Sauf qu'il ignorait que les deux galions suivant la caravelle et le petit brigantin étaient chargés à bloc d'or, d'argent et de pierres précieuses.

La capture s'avèrerait assez facile. Il continuerait de naviguer dans leur sillage afin de se tenir hors de l'axe de tir des canons. Deux galions de cette taille pouvaient bien posséder chacun de trente à quarante canons. Et ils ne suivraient pas la côte éternellement. La quantité d'hommes s'affairant sur les ponts montrait bien qu'ils s'apprêtaient à prendre le large pour rejoindre l'Espagne. Il n'aurait qu'à attendre qu'ils bifurquent vers la haute mer pour envoyer quatre navires leur couper la route. Avec un ou deux coups de semonce pour les convaincre, ils devraient se rendre. Le but était de récupérer intacts les deux gros galions et leur cargaison, quelle qu'elle soit. Il ferait transférer les marins sur la caravelle et le brigantin. Ils pourraient se débrouiller facilement pour retourner à terre.

— Lorsque demain le jour se lèvera, conclut-il, nous serons sûrement assez près d'eux. Il faudra que dès les premières lumières du jour, tous les hommes non nécessaires aux manœuvres restent couchés sur le pont pour qu'ils ne puissent pas évaluer notre nombre. Et il faudra que les quatre navires qui iront intercepter les galions restent hors de portée de tir le temps de les dépasser et de revenir les prendre par-devant. Si jamais ils résistent et paraissent belliqueux – après tout, ce sont des Espagnols – tirez à la couleuvrine pour démâter. Mais uniquement le mât de misaine! Il faut ramener ces navires en Normandie!

— On ne fait pas de prisonniers, aucune rançon d'équipage? demanda l'un des capitaines.

— Pas la peine, répondit Fleury. Nous sommes bien trop loin de notre port d'attache et des otages, en plus des vivres qu'ils nous coûteraient, risqueraient bien de nous causer des problèmes pendant un si long voyage. Contentons-nous des galions et de leur cargaison.

Alors que le jour déclinait, Fleury ordonna qu'aucune lanterne ne soit allumée durant la nuit et que le silence soit de mise. Il les prendrait par surprise et de vitesse.

Étendu sur une couchette dans sa cabine d'officier du gaillard d'arrière, Hernán Cortés attendait l'aube à travers les carreaux sales de la fenêtre. Il avait navigué de nuit tous feux éteints afin de ne pas être repéré par l'ennemi. Cette poursuite lui minait le moral, tout comme celui de Doña Marina qui le regardait en silence ronger son frein, assise dans un vieux fauteuil poussiéreux au siège à demi défoncé.

— Même si je ne te vois pas à cause de l'obscurité, dit-elle enfin en brisant le silence de son accent chantant, je suis certaine que tu as ce regard dur qui me fait peur.

— De quoi as-tu peur ? De moi ?

— De ce que tu vas faire…

— Je te ferai remarquer que je ne suis pas celui qui poursuit.

— Tu es celui qui conquit.

— Je n'ai pas cherché la bataille à ces corsaires français. Et puis que font-ils ici aux abords de mon pays ?

— Ton pays ?

— Ils paieront pour leur arrogance.

Cortés avait volontairement ignoré la dernière remarque de Doña Marina.

— J'ai déjà vu trop de haine, trop d'horreurs se produire ici, répliqua cette dernière. J'ai l'impression que cela n'arrêtera jamais.

— La haine est le propre de l'homme depuis la chute d'Adam. Elle est partout, toujours. Comme le feu qui semble éteint, mais qui dort encore sous la cendre…

La jeune femme tourna la tête, se refusant à répondre à un si triste constat.

Cortés se leva en faisant craquer le bois de la couchette. Doña Marina le distingua dans les premières lueurs du jour. Le conquistador tira le petit matelas bourré de bouts de tissu et le jeta au sol.

— Il serait préférable que tu restes ici, lui suggéra-t-il, couchée au sol.

Puis il sortit de la cabine sans rien ajouter de plus. Doña Marina eut tout juste le temps d'entrevoir une ligne orangée sur l'horizon avant que la porte ne se referme.

Elle alla s'étendre sur le matelas et se mit à pleurer. Maudissant les hommes blancs.

Appuyé contre la rampe du gaillard d'arrière, Cortés scrutait le jour naissant de sa lunette d'approche. Au-delà du brigantin qu'il traînait en remorque et des deux galions qui le suivaient, les navires de poursuite des corsaires français apparurent plus près que prévu. Ils étaient lestes, agiles et gagnaient rapidement du terrain. Voguant de front, ils cachaient l'horizon comme une vague déferlante générée par un tsunami.

La veille, à la nuit tombée, Cortés avait ordonné que soient montées les plus petites couleuvrines jusqu'à la vigie des grands mâts de chacun des navires. Des poches de pierrailles avaient également été hissées pour servir de munitions. Les fines bouches à feu équipées d'un support en fer mobile avaient été fixées à la structure de la passerelle ronde formant la vigie tout autour du sommet des grands mâts. C'était de là que tomberait son attaque, comme la foudre du ciel, tel un indiscutable moyen de dissuasion.

Le soleil creva les flots pour inonder de lumière le jour nouveau.

Dans les vigies au haut des mâts, les hommes se tenaient cachés avec leurs couleuvrines pour ne pas être repérés par les corsaires. Sur le pont, les marins s'activaient à la manipulation des voiles afin d'aller chercher le plus de vent possible et une vitesse maximale.

La chasse se poursuivit tout l'avant-midi. Seul le roulement des vagues contre le flanc des navires venait briser le silence et le sérieux que les marins et les hommes d'armes s'étaient naturellement imposés.

Le cri de Díaz del Castillo fit tourner toutes les têtes. Cortés accourut à la proue du navire où se tenait le chroniqueur et soldat qui lui tendit la lunette.

— Regardez, lui dit-il en pointant du doigt, nous y sommes presque! C'est là! La grande rivière Tecolutla!

— Oui, fit Cortés, tu as raison, je vois l'embouchure de la rivière. Nous pouvons y être dans une heure.

Ils se tournèrent ensemble pour apercevoir les mâts des vaisseaux corsaires au-dessus du gaillard d'arrière.

— Ils sont presque sur nous, constata del Castillo, ils ne nous laisseront pas le choix. Nous devrons engager le combat. Mais Dieu nous garde, nous sommes à trois contre sept.

Cortés, qui ne jurait jamais, regarda del Castillo droit dans les yeux. Le chroniqueur vit se gonfler cette veine sur son front qui traduisait toujours la colère de leur capitaine.

— Ce ne sera pas la première fois, dit enfin Cortés. Et à ce que je sache, nous sommes encore en vie. Et je combattrai jusqu'à mon dernier souffle.

— Bien monsieur...

Une première salve retentit en provenance des navires français. La décharge presque simultanée des canons des sept navires manqua délibérément ses cibles. Il ne s'agissait là que de coups de semonce destinés à impressionner les navires pris en chasse afin de les pousser à se rendre sans combat.

— Tout le monde à son poste! hurla Cortés en postillonnant jusqu'à la figure de del Castillo.

Puis il lui tendit la main.

— Ce fut un plaisir.

Les magnifiques drapeaux bleus ornés de trois soleils d'or battaient au vent en un claquement rassurant. Le vent étant le moteur puissant des bateaux de Jean Fleury, il était donc son meilleur allié.

La salve de sept coups de canon avait pourtant été convaincante. Le corsaire avait déjà arraisonné des navires avec bien moins que ça. Mais rien n'avait changé dans le comportement des Espagnols. Aucun pavillon blanc annonçant la reddition, aucun signal, rien.

Il n'y eut que le clair tintement d'une cloche porté par le vent jusqu'à ses oreilles.

Fleury étira d'un geste sec la lunette d'approche en laiton qui lui permettait tant de fois par jour de scruter l'horizon en quête de butin.

Les deux galions de queue de la flotte espagnole virèrent à tribord pour fuir la côte et se diriger vers le large. Les marins s'affairaient en de vives manœuvres sur le pont afin de placer les voiles plein vent pour prendre de la vitesse. Il était clair dans l'esprit de Fleury que ces deux galions allaient tenter de rallier Cuba. Une course-poursuite s'avèrerait nécessaire et tant mieux. Il adorait.

Toutefois, le navire de tête traînant le brigantin continuait sa route en remontant la côte vers le nord. Le corsaire avait beau chercher, il n'arrivait pas à comprendre pourquoi les Espagnols se séparaient ainsi plutôt que de faire front commun pour assurer une défense efficace. Ils cachaient quelque chose et quoi que ce fût, il allait le leur prendre.

Sans perdre de temps, Fleury donna le signal pour engager la poursuite.

Les quatre vaisseaux sur sa droite prirent à leur tour la direction du large et filèrent toutes voiles dehors pour intercepter les galions. Bien que hors de portée, ceux-ci commencèrent néanmoins à tirer dans la direction des corsaires, question de les tenir à distance. Les boulets tombant dans l'océan produisaient une gerbe d'écume et d'eau qui s'élevait sur plusieurs pieds.

— Laissons-les courir au large, intervint Fleury, nos hommes les rattraperont plus loin. Occupons-nous plutôt du vaisseau de tête. Je ne sais pas ce qu'ils fabriquent mais j'ai bien l'intention de le découvrir.

Déçu de se voir contraint de ne pas participer à la course aux galions, le capitaine corsaire accola son œil à la lentille de sa lunette pour observer le navire espagnol qui traînait un petit brigantin.

Mais où est-ce qu'ils vont comme ça…

Libéré des deux autres galions qui jusque-là lui avaient caché la vue sur le navire de tête, Fleury put tout à loisir l'examiner. Au même moment, des hommes retirèrent une passerelle et le brigantin se libéra de l'entrave qui le retenait au navire de tête pour hisser grand ses voiles. Sur son pont, un homme l'épiait lui aussi de sa lunette d'approche.

— Nom de Dieu! s'écria Fleury en abaissant sa lunette. C'est Hernán Cortés!

Les deux hommes s'étaient en effet frottés à deux reprises par le passé, au large des côtes de l'île d'Hispaniola.

— Ça doit bien faire quatre ans que je n'ai pas vu cet enfant de salaud! reprit-il, excité de faire encore la chasse au conquistador.

Fleury donna l'ordre d'envoyer le signal aux deux autres navires l'accompagnant de se ranger derrière lui. Les trois vaisseaux corsaires resteraient ainsi dans le sillage du navire de Cortés afin d'éviter les tirs de canon. Tirs qui ne venaient toujours pas.

De son canon avant, Fleury fit envoyer un nouveau coup de semonce très précis, qui tomba dans l'eau juste entre le brigantin et le bateau des Espagnols. Il prit le temps de lorgner au loin pour voir ses quatre autres bâtiments engager le combat à grands tirs avec les galions fuyards. À quatre contre deux, ce n'était qu'une question de temps pour que les Espagnols soient démâtés et qu'ils se rendent plutôt que de périr.

Alors que le brigantin dépassait le navire espagnol qui l'avait traîné à sa suite, Cortés envoya de la main, de grands saluts à son poursuivant. Fleury, grimpé à l'avant de la *Salamandre* telle une figure de proue, l'envoya au diable.

Les deux capitaines restèrent ainsi quelques secondes à s'observer. Une détermination tout aussi vivace les animait, l'un comme l'autre.

Puis le brigantin disparut, caché devant le gros navire espagnol.

Le Français descendit de son perchoir et sauta sur le pont.

Il était convaincu que l'autre ne se rendrait pas.

Contrairement à un navire de franc-tillac, qui possède un pont de même niveau sur toute sa longueur, le gaillard d'arrière du navire espagnol, superstructure qui s'étendait sur toute sa largeur, empêchait Fleury de voir ce qui se passait sur le pont. En plus de renfermer les cabines des officiers, le gaillard comprenait un second étage, la dunette, qui permettait d'avoir une vue complète sur le pont du bateau. S'y trouvait également la salle de commande, où deux quartiers-maîtres œuvraient en permanence pour tenir la barre et conduire le bâtiment.

Cortés, accompagné de Doña Marina et d'une poignée de soldats, prit la barre du brigantin. Tous les hommes d'armes se tenaient arquebuse ou arbalète en main, parés à toute éventualité. Une fois arrivé devant la rivière, il barra à bâbord pour faire virer le petit bateau alors que les matelots gardaient le tirant de la voilure dans le vent. Le brigantin s'engagea dans l'embouchure de la rivière Tecolutla au maximum de sa vitesse, luttant aisément contre le faible courant qui amenait l'eau vers la mer.

Le petit équipage s'engouffra dans la jungle luxuriante, par cette route dégagée que lui offrait la grande rivière.

À bord du navire espagnol, le premier quartier-maître appliqua les ordres de Cortés. Il donna l'ordre de modifier la voilure afin de ralentir l'allure et de venir bloquer l'accès à la rivière.

De retour à la proue de la *Salamandre*, Fleury hésitait toujours.

Il avait vu le brigantin emprunter la large rivière et maintenant voilà que le vaisseau amiral jetait les voiles. Il regarda derrière lui pour voir tous ses hommes parés à l'abordage. Il fit malgré tout signe au barreur d'attendre encore avant de lancer une manœuvre de dépassement. Quelque chose lui disait de rester dans le sillage du gros navire jusqu'à la dernière minute.

S'il y avait le moindre objet de valeur transporté par les Espagnols, ils l'avaient sans aucun doute chargé sur le brigantin. Ou alors, il se trouvait sur les deux autres galions qui fuyaient vers Cuba.

Quoi qu'il en soit, le tirant d'eau de la *Salamandre* lui interdisait de s'engager dans la rivière. Sa quille toucherait le fond et le navire s'échouerait dans l'embouchure. Le brigantin de Cortés venait de lui échapper et il était à peu près certain qu'il ne trouverait rien sur le vaisseau amiral.

Alors que la *Salamandre* arrivait quasiment à la hauteur du gros navire espagnol, les voiles de ce dernier basculèrent de côté, dégageant du coup les vigies en haut des mâts, où les hommes équipés de leurs couleuvrines attendaient patiemment cachés au fond des nacelles.

Les corsaires se rapprochèrent encore, jusqu'à se trouver à moins d'une encablure des Espagnols. Lorsqu'il les jugea à bonne distance, le quartier-maître dans la dunette, qui avait également vue sur l'arrière du navire, sonna la cloche à toute volée.

Les hommes cachés au haut des mâts surgirent soudain et enfoncèrent le support mobile des couleuvrines dans les pivots fixés aux nacelles de vigie.

Les cris attirèrent l'attention de Fleury qui, placé à la proue de son navire, leva les yeux vers le ciel avant que ceux-ci ne s'agrandissent de terreur.

Sautant à bas de sa position à la naissance du beaupré[1], le corsaire cria à ses hommes de se jeter au sol. Lui-même eut tout juste le temps de se lancer par-dessus un empilement de cordages et d'outillages avant que ne se déchaînent les couleuvrines.

Deux tirs de mitraille fauchèrent ensemble le pont du navire français, abattant les hommes au sol et jetant à la mer par-dessus le bastingage certains de ceux encore debout. Les morceaux de bois pulvérisés par la violence des impacts volèrent dans les airs, se mêlant aux morceaux de chair humaine et aux membres arrachés. Des barils contenant les rations d'eau ou de viande salée furent éventrés, des cordages et des étais furent sectionnés, jetant à bas les focs avant. Les rafales de pierres et de bouts de métal avaient été dévastatrices. Et tout cela n'avait pas duré quinze secondes.

---

1. Le mât de beaupré se trouve à la proue d'un navire et est incliné vers l'avant. Le beaupré a habituellement le même diamètre que le grand mât, mais le tiers de sa longueur.

Le capitaine du second navire corsaire qui suivait de près la *Salamandre* obliqua à tribord pour effectuer un dépassement. Le bateau de Fleury lui servirait un moment d'écran, le temps de remonter jusqu'aux Espagnols pour tenter une manœuvre d'abordage.

Jean Fleury se releva péniblement, une main derrière la tête, mettant le pied sans s'en rendre compte sur son chapeau à plume.

Fou de rage, il fit volte-face pour crier ses ordres au quartier-maître. Ce ne fut que pour constater que ce dernier avait perdu la tête et toute une épaule, fauché par la mitraille. Tombé sur la roue, il bascula lentement sur la droite, faisant virer la *Salamandre* sur tribord.

Là où justement s'amenait le second bateau corsaire.

Fleury courut de toutes ses forces vers l'arrière de son navire, sautant par-dessus les débris et les cadavres, glissant dans le sang et l'eau répandus sur le pont. Il voyait sur sa droite se rapprocher dangereusement le navire de ses collègues qui ne comprenaient visiblement pas sa manœuvre. Arrivé à la barre, il poussa violemment le corps du pauvre quartier-maître qui s'effondra lourdement sur le pont. Ramenant nerveusement la barre, il évita de peu le contact avec cet autre navire qui venait lui prêter main-forte.

Sa prise de position fut immédiate. Pareille attitude allait carrément à l'encontre des règles générales de la guerre. Le but était de s'emparer de la cargaison du navire, non pas de tuer à tout va.

Il savait qu'il ne lui restait que peu de temps avant qu'un second tir de mitraille ne vienne à nouveau faucher le pont. Deux hommes d'armes habitués à la pression des combats mettaient environ deux minutes et demie à recharger une couleuvrine pour la mitraille. Cortés avait sûrement envoyé là-haut le mousse ou le cuisinier pour cette triste besogne, afin de garder tous ses soldats sur le pont en cas d'abordage. Ce qui lui donnait au moins cinq minutes pour agir.

Il hurla à s'en arracher la gorge.

— Que tout le monde se prépare à l'abordage! Et préparez les grappins! Je vais enfourcher ce salaud avec le mât de beaupré!

L'approche de la *Salamandre* dut faire son effet car les hommes qui rechargeaient les couleuvrines en haut des mâts se mirent à crier pour avertir les marins sur le pont. Pour parer au choc, les corsaires se couchèrent par terre. Fleury s'agrippa à la roue et dirigea son beaupré droit dans le gaillard d'arrière du vaisseau espagnol. En engageant ainsi de bout en bout les deux navires, il comptait surprendre les Espagnols au point de permettre au second navire corsaire, rapide et bien manœuvrant, de les aborder par le côté.

Le choc fut moins violent que prévu par Fleury. Le beaupré s'enfonça jusqu'à moitié à travers le gaillard d'arrière, détruisant la salle des officiers et faisant s'effondrer la dunette juste au-dessus. Lorsque tout s'immobilisa, il donna le signal aux artilleurs des deux canons avant.

— Feu!

Les deux coups de canon retentirent ensemble pour défoncer ce qui restait du gaillard d'arrière qui s'écrasa sur lui-même, et chuta partiellement dans l'océan, ouvrant la voie au pont du vaisseau espagnol.

— À l'abordage ! lança Fleury en tirant son sabre de son fourreau et en s'élançant vers l'avant de la *Salamandre*. Ses hommes le suivirent sous les coups de canon du second navire corsaire qui faisait le ménage sur le pont espagnol. Après une courte lutte, les hommes de Cortés se rendirent, écrasés par la réplique fulgurante et inhabituelle des Français. Fleury s'avança au bord du bastingage et regarda du côté de la Teco- lutla qui venait se jeter dans l'océan. Le brigantin s'éloignait et s'apprêtait à disparaître derrière le premier virage de la rivière. Le Français tira sa lunette de sa poche de veste et l'ouvrit avant de la coller à son œil. Sur le pont du brigantin, Cortés frappait de son poing ganté le bastingage en bois. Habité par la rage et la colère, il se maîtrisait difficilement.

Jean Fleury referma sa lunette et la laissa tomber dans sa poche. Il se passa la main dans les cheveux pour aussitôt se rendre compte qu'il avait perdu son chapeau.

Quelle idée il avait eu de venir frayer le long des côtes du Mexique pour surprendre l'ennemi ! Ses compagnons avaient tout d'abord été réticents mais il s'était montré convaincant. La prise des galions serait certes intéressante. Quant à ce qui restait du présent navire, ça ne valait rien. Il ferait embarquer les prisonniers dans les barques afin qu'ils puissent retourner sur la plage puis il le coulerait.

Il sourit.

S'il avait su qu'un peu plus tard, ses quatre navires de poursuite allaient intercepter et arraisonner avant Cuba les deux galions espagnols aux cales chargées du trésor de Montezuma, il aurait ri à s'en frapper les cuisses.

Cortés était inconsolable. Malgré la rage, vite supplantée par un désespoir froid et immense, il s'était abstenu de proférer la moindre parole déplacée.

Il en voulait à mort aux corsaires français et s'en voulait tout autant d'avoir été ainsi piégé sur son propre terrain. Le trésor de Montezuma était perdu, c'était certain. Peu importait l'issue. Qu'il soit aux mains des Français ou coulé par le fond, le résultat était le même. Le roi d'Espagne, Charles Quint, attendait de lui des richesses qui ne viendraient jamais. De plus, ses lettres au roi, le rapport de ses conquêtes, ainsi que les cartes géographiques du pays qu'il avait tracées de sa main, tout cela était perdu. C'était la disgrâce. Le roi le dépouillerait de son titre de gouverneur.

Et au milieu du coffre cadenassé reposant à ses pieds, il y avait un démon qui devait rire dans sa barbe.

Cortés arrêta un instant de se tourmenter intérieurement pour se poser la question.

Baalbérith aurait-il été capable de lui causer pareil malheur ? Le conquistador savait que malgré l'emprisonnement, il était possible au démon du livre occulte d'avoir une certaine influence, quoique limitée, sur des éléments du monde extérieur. D'apparaître en songe et de livrer des messages.

Aurait-il été capable d'informer les corsaires sur les plans de Cortés ? Le sable béni malaxé à l'eau bénite qui emplissait le coffre aurait-il pu l'en empêcher ?

Les questions resteraient sans réponse. Le mal était fait et bien fait.

Baalbérith n'apparaissait que quand bon lui semblait, selon son goût de la traîtrise ou de l'hypocrisie. Il aimait voir souffrir les hommes, quels qu'ils soient. Il était fou de penser qu'il puisse prendre parti.

Doña Marina entoura de son bras les épaules de Cortés. À le voir ainsi désemparé et sans son armure noire ornée de dorures, l'homme semblait presque normal. Il avait simplement l'air d'un homme qu'il était possible d'aimer, de consoler et qui était capable de le rendre en retour. Un homme qui n'était pas un conquérant mais qui pouvait se laisser conquérir.

Cortés se secoua pour chasser cette torpeur qui était en train d'envahir tout son être. Au diable la disgrâce ! Il n'en était pas encore là. Pour l'heure, il lui fallait se débarrasser du livre maudit à l'endroit indiqué par Doña Marina.

Il se tourna vers elle et l'embrassa doucement. Sur le visage de Cortés, toute trace de découragement avait de nouveau cédé la place à la détermination.

— Une fois le livre maudit enfermé dans le temple vers lequel tu nous conduiras, lui dit-il, nous dresserons de nouvelles cartes et lancerons de nouvelles campagnes d'exploration. Ensuite, nous irons en Espagne faire part au roi du monde qui s'offre à lui et nous le convaincrons de nous donner les moyens d'en prendre possession. Je te demande de m'accompagner dans cette aventure. Seras-tu à mes côtés? J'ai besoin de toi.

Les larmes roulèrent sur les joues de la belle Indienne. Mais son visage ne trahit pas la moindre faiblesse.

— Je te suivrai jusque-là où le monde s'arrête, si tu as besoin de moi. Ne le sais-tu pas?

— Si, je le sais. J'avais juste envie de te l'entendre dire…

Le brigantin à fond plat glissait sur le cours d'eau dans un silence paisible. Un caressant vent d'arrière venait gonfler sa voilure pour l'aider à remonter la rivière. De temps à autre, un claquement de la toile se faisait entendre pour faire suite à une bourrasque. Les cris de la forêt leur parvenaient tout autour, la faisant apparaître comme un organisme vivant en train de les avaler. Des groupes entiers d'oiseaux se reposant sur les arbres séculaires s'élevaient vers le ciel à leur passage, dans une cacophonie discordante. Dans l'eau claire et limpide, de petits bancs de poissons fuyaient l'avant du bateau.

Cortés semblait hypnotisé par l'ensemble de ces mouvements convergents qui liaient l'homme et la nature. Il posa de nouveau les yeux sur le coffre renfermant le livre maudit et comprit que ce qui le composait ne pouvait s'harmoniser au monde ou à la nature. Les forces noires qui régissaient le livre à travers la méchanceté de son démon gardien étaient brutales, indomptables, insidieuses et redoutables. Rien en soit qui ne pût exister en harmonie avec les hommes et leur environnement. Ce qui manquait, il fallait le gagner par sa propre volonté et son propre labeur. Tout se bâtissait et se détruisait par l'homme et par la volonté de Dieu. Ce que Cortés avait fait en usant du livre le terrifiait. La disgrâce potentielle venant du roi d'Espagne n'était rien comparé au jugement divin. Il brûlerait probablement en enfer pour l'éternité et même après. Ce qu'il avait fait ne trouverait aucun pardon aux yeux de Dieu. La seule personne au monde qui pût encore lui pardonner d'être ce qu'il était restait Doña Marina.

— Je te demande pardon, lui dit-il dans un souffle alors qu'il la tenait toujours dans ses bras.

La jeune Indienne s'écarta pour aller à la rencontre de ses yeux.

— De quoi devrais-je te pardonner?

— D'être ce que je suis. D'avoir fait ce que j'ai fait. D'avoir risqué ta vie.

— Tu as écouté ta raison bien plus que ton cœur. Est-ce que je devrais t'en vouloir pour cela? N'eût été de toi, je serais morte depuis longtemps. Tu m'as donné la vie, une raison d'exister et le pouvoir d'aimer. C'est bien plus que je n'aurais pu oser espérer dans un monde comme le mien.

Cortés se passa les mains dans les cheveux. Il connaissait un moment de déroute. Moment rare dans la vie d'un homme tel que lui. Il prenait conscience de la réalité et du chemin parcouru. En y regardant froidement, c'était pure folie.

— De quel droit ai-je pu m'approprier la vie des hommes qui m'ont accompagné depuis le début? dit-il, contrit. Comment ai-je pu décider de leur sort dans cette quête éperdue de richesse et de pouvoir?

— Ils t'ont suivi de leur plein gré, l'interrompit Doña Marina, tu n'as rien à te reprocher. Viens avec moi à l'avant. Tu vois la courbure de la rivière là-bas? De l'autre côté, nous arriverons aux ruines de la cité perdue de El Tajín.

Cortés se laissa entraîner sans grand enthousiasme. Il était dépassé, hors de portée. Lorsqu'il atteignit la proue du brigantin et qu'il sentit les bras de Doña Marina enserrer sa taille, les choses lui apparurent tout à coup moins sombres. Le vent doux lui caressait le visage et une femme exotique l'aimait sans condition. Il se tourna pour jeter un coup d'œil au coffre renfermant le livre noir qui gisait sur le pont à quelques pas. Il se demanda un instant s'il n'avait pas subi son influence au cours des minutes précédentes. Pourtant, il y avait bien de quoi être inquiet. À moins d'un miracle, le trésor de Montezuma était perdu et le roi d'Espagne serait fou de rage. Mais quand même pas au point de le faire arrêter. Après tout, les attaques corsaires étaient imprévisibles et monnaie courante dans l'Atlantique.

Le brigantin négocia habilement la courbe de la rivière, piloté de façon expérimentée par le barreur, suivi de près par le voilier, qui avait fait basculer la voile latine afin d'en bien garder la chute arrière sous le vent.

Lorsqu'ils eurent amorcé le virage, un spectacle majestueux s'offrit à eux. Cortés en écarquilla les yeux alors que les hommes d'armes se pressaient derrière lui. Un sourire éclatant illumina le beau visage de Doña Marina.

— El Tajín! s'écria-t-elle en pointant du doigt les ruines qui s'étendaient de part et d'autre de la rivière.

Cortés se signa, imité de tous ses hommes.

La majesté du lieu était incontestable. Bien qu'à demi envahis par la jungle, les nombreux édifices à colonnes, temples, pyramides, sculptures et monuments rayonnaient de l'ingéniosité de leurs bâtisseurs. Il y avait là tant de pierres et tant de travail que Cortés en fut fasciné. Devinant les questions qui se pressaient dans son esprit, Doña Marina expliqua avec son accent délicieux, tout ce qu'elle en savait.

— Mon grand-père m'a raconté que cette cité avait été abandonnée voilà près de quatre cents ans, commença-t-elle, et personne ne peut exactement dire qui en furent les bâtisseurs. Peut-être une civilisation ancienne appelée les Totonaques. Mais personne n'en est sûr. C'est une guerre qui aurait causé sa perte.

Encouragée par l'attention que les hommes lui portaient, elle continua.

— Il y a sur ce site plusieurs sculptures et gravures très étranges que l'on ne peut comprendre. Elles représentent des hommes et des animaux que nous n'avons jamais vus et des écritures oubliées.

— Vous êtes tous des hommes de confiance, la coupa Cortés, et vous savez ce qui nous amène en ce lieu. Nos victoires en ce pays furent nombreuses mais nous connûmes aussi de lourdes pertes. J'en prends aujourd'hui le blâme entier car l'utilisation du livre magique fut ma seule décision. Et ce fut une erreur. Car il n'est nul besoin aux soldats espagnols d'user de magie occulte pour vaincre leurs ennemis. Je vous demande pardon mes amis, ainsi qu'à tous nos compagnons disparus, de vous avoir entraînés dans cette histoire et je souhaite qu'avant la fin de ce jour, nous puissions repartir d'ici avec l'esprit tranquille et ce coffre en moins.

— Voyez! C'est là! intervint Doña Marina. La pyramide des niches!

Le magnifique bâtiment leur apparut, partiellement caché par les lianes et les palmiers.

— Quelle merveille! s'écria Cortés, je n'ai jamais rien vu de tel! Elle doit bien faire quinze toises[1]!

— Voyez toutes ces niches qui la composent sur ses six étages, poursuivit Doña Marina, elle en possède trois cent soixante-cinq! Autant que les jours dans une année!

— Où pourrons-nous jeter l'ancre? demanda le conquistador à la jeune femme.

— Juste là, pointa-t-elle de nouveau.

Un ancien quai en pierre aménagé à même le lit de la rivière s'étendait sur une distance suffisamment longue pour laisser croire qu'il avait autrefois servi à décharger les barques de transport. La voile fut tirée puis attachée au mât alors que le barreur serrait sur le quai. Les marins jetèrent les quilles de bois sur le côté du navire et lorsque celui-ci fit contact avec le muret en pierre, ils sautèrent avec des câbles qu'ils enroulèrent autour d'anciens piliers pour immobiliser l'embarcation.

Cortés débarqua à son tour sur le quai, subjugué par ce décor immuable de pierres et de végétation luxuriante tout droit sorti d'un conte.

---

1. La toise dite «des maçons» en vigueur avant 1667 faisait exactement 1,96 mètre de long, ou six pieds et demi.

— Je veux que deux hommes d'armes restent avec les marins sur le brigantin, ordonna-t-il. Gardez arquebuses et arbalètes chargées et préparez-vous au départ. Soyez prêts à toute éventualité.

— Ça me semble bien tranquille pourtant, constata le fidèle lieutenant de Cortés, Pedro de Alvarado.

— Il faut se méfier des eaux dormantes, répliqua le conquistador. De plus, il vaut mieux être prêt que d'avoir des regrets.

Avec Doña Marina à ses côtés, Hernán Cortés, vêtu de son armure détériorée et coiffé d'un morion piqueté de rouille, s'avança entre les ruines de la cité oubliée que les Indiens appelaient *El Tajín*, «le lieu du tonnerre». À sa suite, tablette en main, le chroniqueur et soldat Díaz del Castillo, le prêtre et interprète Gerónimo de Aguilar, dix-sept arquebusiers, un artilleur et deux fantassins portant le coffre qui contenait le livre d'Agrippa. Fermant la marche et surveillant leurs arrières, le géant Pedro de Alvarado tenait tête baissée sa puissante arbalète au bois sombre décoré d'incrustations en argent.

Une fois parvenue à une grande place où les arbres n'avaient pas poussé du fait de son dallage en pierre, la petite troupe s'arrêta pour contempler ce spectacle unique. C'était un monde perdu, oublié par le temps et les hommes. Pour la première fois, Cortés et ses hommes se retrouvaient au cœur de quelque chose d'encore plus ancien que tout ce qu'ils avaient pu admirer sur ce continent. Tout autour, les constructions massives reposaient en silence, comme endormies. Quatre énormes têtes monolithes ayant la hauteur d'un homme étaient posées aux quatre coins de la place pour indiquer les quatre points cardinaux. Des pyramides recouvertes de végétation, des statues encore debout noircies par l'humidité, des colonnades effondrées sous le poids de leur entablement et des murs ornementaux surmontés de frises sculptées, tout cela donnait l'impression de les entraîner dans un rêve troublant. C'est Doña Marina qui les tira finalement de leur rêverie.

— Par ici, proposa-t-elle, prenons cette avenue. Je me souviens que la grande pyramide des niches se trouve dans cette direction.

Suivant la jeune femme, ils traversèrent la grande place pour emprunter l'avenue désignée. Enjambant les encombrements et se frayant par endroits un chemin à coups d'épée, ils rejoignirent une nouvelle place, plus petite celle-là, ceinturée de quatre imposants bâtiments. Sur leur gauche, se trouvait sans contredit le plus impressionnant de ceux-ci : la grande pyramide des niches.

Cortés en resta sans voix, admirant le travail architectural qu'avait dû demander pareille construction. Bien qu'abîmée, la haute structure avec ses six étages était un exemple saisissant du savoir-faire des architectes de cette civilisation disparue. Un escalier monumental grimpait jusqu'à son sommet.

— Il est possible d'entrer dans la pyramide par le haut en gravissant cet escalier, expliqua Doña Marina, et de descendre à travers diverses salles jusqu'à sa base.

— Alors, c'est là que nous déposerons le coffre, décida Cortés. Je veux que les arquebusiers prennent position tout autour de la pyramide et montent la garde jusqu'à ce que nous soyons ressortis. S'il y a quoi que ce soit d'anormal qui se passe ici, avertissez-nous d'un coup de feu. Nous l'entendrons de l'intérieur. L'artilleur, tu viens avec nous. Pedro, tu resteras ici avec eux.

— *Si señor capitán.*

Ils se mirent en route pour rejoindre la pyramide et entreprirent de gravir le grand escalier qui les conduirait au sommet. À mesure qu'ils montaient, ils pouvaient voir les arquebusiers encercler le bâtiment afin d'assurer leur protection. À mi-chemin, le prêtre Gerónimo de Aguilar attira leur attention.

— Quand vous parliez de quelque chose d'anormal, intervint-il, est-ce qu'une femme blonde à la peau blanche se tenant debout sur un rocher entrait dans vos critères?

Ils s'arrêtèrent aussitôt pour suivre le regard du prêtre. Au loin, une grande femme au teint clair et à la longue chevelure blonde, revêtue d'une tunique blanc immaculé, les observait intensément.

S'ils pouvaient la voir, c'était uniquement à cause de la hauteur qu'ils avaient atteinte en gravissant l'escalier. Il était évident que les soldats restés au niveau du sol ne pouvaient l'apercevoir.

— Qu'est-ce que c'est que ça? maugréa Cortés.

— C'est une prêtresse tezcatlipoca, répondit Doña Marina avec un léger tremblement dans la voix.

— Une consœur, commenta Aguilar, intéressant.

— Les prêtresses tezcatlipocas sont les gardiennes de la mémoire. Elles proviennent d'une cité cachée plus au nord dont les habitants ont la peau claire, tout comme vous. On dit qu'ils sont les descendants directs des dieux.

— Bien évidemment, fit Cortés agacé. Mais pour l'instant, il n'y a pas lieu de s'inquiéter. Si elle ne fait que nous observer, je n'y vois aucun inconvénient.

— Et en voilà une deuxième, constata Aguilar toujours à l'affût, regardez là-bas.

— Je ne vois pas ce que deux femmes pourraient faire contre nous, affirma Cortés. Continuons à monter, allons !

Lorsqu'ils eurent enfin gravi les cent vingt-cinq marches de l'escalier – Díaz del Castillo les avait comptées afin de l'inscrire dans ses chroniques –, ils se retrouvèrent sur une plateforme qui entourait le sixième degré de la pyramide. Fatigués, ils s'octroyèrent un moment de répit. Les deux hommes qui portaient le coffre le déposèrent à leurs pieds, soulagés d'être arrivés au sommet. Le poids du sable à l'intérieur le rendait plus lourd à transporter.

L'accès à la pyramide se trouvait là, ouvert sur un monde noir et sans vie. Un portail sculpté de bas-reliefs étranges suggérait l'importance du lieu, et les restes de ce qui avait autrefois dû être une double porte jonchaient l'entrée.

Sans perdre une minute, Cortés ordonna à l'artilleur d'installer une charge capable de faire s'effondrer sur lui-même le toit de la pyramide. Il serait après coup impossible d'y pénétrer, l'unique entrée se trouvant bloquée pour toujours. L'homme se mit au travail sans tarder, en commençant par retirer le couvercle de la petite boîte en bois qu'il transportait pour en révéler son contenu. Les autres s'éloignèrent instinctivement, craintifs de ce mystère pouvant dégager autant d'énergie. Sûr de lui, l'artilleur s'activa à préparer deux mélanges enveloppés dans lesquels il insèrerait une mèche d'allumage. Le toit en pierre serait facile à miner. Une combustion lente serait suffisante et produirait un travail propre sans trop faire de dégâts. Trente pour cent de charbon, trente pour cent de soufre et quarante pour cent de salpêtre. Un petit mélange sans violence qui scellerait définitivement l'entrée de cette pyramide.

Aguilar déballa les torches qu'il avait apportées et qui étaient enroulées dans une toile. Il en appuya une contre le mur et sortit son briquet et sa pierre à silex pour y mettre le feu.

— Eh le prêtre, fit l'artilleur, ça vous dirait d'aller faire ça ailleurs ? Vous voulez nous faire tous sauter avec une étincelle perdue ?

— Oui… ou plutôt non… Je vais aller à l'intérieur, à l'abri du vent, ce sera plus prudent…

— Faites donc ça.

Aguilar traversa l'entrée de la pyramide sous le regard chargé de reproches de Cortés et descendit quelques marches encore dans la lumière. Là, il battit son briquet contre la pierre et fit jaillir des étincelles qui enflammèrent la torche. Il descendit encore trois ou quatre marches, mais l'escalier se perdait dans les ténèbres en descendant au cœur de la pyramide. Un frisson lui parcourut l'échine et il coinça le manche de la torche dans une fissure ouverte entre deux blocs en pierre, avant de rapidement remonter.

De là-haut, la vue sur la cité perdue était splendide. Il était possible d'en constater toute l'étendue, malgré les arbres et la dense végétation qui l'envahissaient. En faisant un tour d'horizon, Cortés remarqua que les prêtresses à la robe blanche étaient maintenant au nombre de quatre, plantées comme des statues en différents endroits du site. Lorsqu'il se tourna vers Doña Marina, il croisa son regard affolé.

— Qu'est-ce qu'il y a ? demanda-t-il à voix basse.

— Dans la situation actuelle, je crois que l'on peut considérer comme un mauvais présage d'être ainsi surveillés par les descendants des dieux.

— Allons, ne sois pas superstitieuse, répondit Cortés en vérifiant distraitement les sangles et les boucles retenant son armure noire, ce ne sont que des croyances païennes sans importance. J'ai confiance que Dieu, dans son infinie sagesse, a compris mes desseins et mon vœu de me débarrasser du livre noir. Ces quatre femmes ne font que nous observer…

— Les années que tu as passées ici ne t'ont pas tout appris sur ce pays, le coupa-t-elle. Bien des mystères restent encore voilés à ton regard. Si les prêtresses sont ici, c'est parce que nous violons le sanctuaire qu'elles gardent.

— Mais pourquoi ne m'as-tu pas averti ?

— Parce que je n'en savais rien !

— Y a-t-il autre chose que je devrais savoir ?

— Les prêtresses ne sortent jamais seules…

— Je ne vois personne d'autre. Le terrain semble désert.

— Elles ne sont pas seules, ne t'y trompe pas. Les descendants des dieux sont épaulés par une garde ancestrale qui veille à les protéger, car ils sont les gardiens de la mémoire. Et cette cité antique fait partie de la mémoire. S'ils nous perçoivent comme des envahisseurs, ils la défendront.

— Et tu connais cette garde d'élite qui les protège ?

— On les appelle les hommes-jaguars. Mais je ne les ai jamais vus.

— Les hommes-jaguars... encore une histoire à endormir une barre de fer ! Pas étonnant que tu ne les aies jamais vus...

Un son caverneux, vibrant et continu retentit soudain.

Au sommet de la pyramide, Cortés et ses compagnons tournèrent la tête, cherchant sa provenance. Au pied de l'imposante construction en pierre, les hommes d'armes s'agitaient, entendant le bruit de partout à la fois.

Les quatre prêtresses utilisaient une sorte de trompe taillée dans un grand os pour produire cette résonance unique. Son timbre donnait la chair de poule et se répercutait en écho entre les monuments endormis de la cité perdue. Doña Marina se mit à trembler, elle saisit le bras de Cortés.

— Je me suis trompée, lui dit-elle les dents serrées, nous n'aurions jamais dû venir ici. Elles savent que ce que nous venons y faire est mal. Il n'y aura pas de pardon, les dieux ne pardonnent jamais.

— Sornettes que tout ça ! s'impatienta Cortés alors que l'artilleur continuait de s'affairer tout en suivant la conversation. Dieu est capable de pardon.

— Oui, Dieu est capable de pardon, renchérit Aguilar. D'ailleurs, tout dépend de la situation dans laquelle on se trouve. Le meurtre de sang-froid est bien différent de celui commis en temps de guerre ou au cours d'un combat. Les motifs ne sont pas les mêmes. De plus, tuer des sauvages ou des païens ne peut être considéré comme un crime aux yeux de Dieu, puisque nous ignorons toujours si ceux-ci possèdent une âme. Surtout, ne vous en offusquez pas...

Doña Marina foudroyait le prêtre du regard. Son envie de le frapper était brûlante mais elle parvint à se contenir.

Et le son des trompes cessa tout net.

— Ils sont ici, chuchota-t-elle.

Un sifflement bref se fit entendre avant qu'une première flèche ne percute l'armure de Cortés en pleine poitrine. La distance parcourue par le projectile ainsi que la force de l'arc n'avaient pas permis que la flèche puisse perforer le métal. Elle se brisa sous l'impact.

En homme d'armes aguerri, Cortés se tourna prestement pour entourer de ses bras Doña Marina et lui faire écran de son corps. Il rentra la tête dans les épaules et les flèches frappèrent encore le dos de son armure et l'arrière de son morion.

Des pierres de fronde se mêlèrent aux flèches accompagnées de cris menaçants. Du haut de la corniche, Cortés observa une charge menée par des hommes à la peau foncée, recouverts du crâne évidé et de la peau d'un jaguar. Protégés d'un léger bouclier en cuir bouilli décoré de plumes et de peintures, ils attaquèrent à la lance et à la macana les arquebusiers qui gardaient la pyramide. La macana, que les Aztèques appelaient aussi *macuahuitl*, était une épée en bois incrustée de lames très tranchantes, taillées dans l'obsidienne.

Díaz del Castillo se jeta à terre, frappé violemment d'une pierre à l'omoplate. Il rampa pour se réfugier au fond d'une niche. Gerónimo de Aguilar eut moins de chance, atteint par trois flèches au bras droit et à la poitrine. D'autres flèches vinrent se briser sur le mur en pierre et se planter dans le coffre en bois, le défonçant partiellement. Le sable commença à s'en écouler, comme glissant à travers l'étranglement d'un sablier. Les deux fantassins qui en étaient responsables l'abandonnèrent pour se blottir dans l'une des niches de la pyramide, à gauche du grand escalier.

La sonnerie des trompes se fit de nouveau entendre à travers les cris sauvages des hommes-jaguars. Parés, en plus de leur justaucorps en peau de bête, de plumes d'aigle colorées, ils avaient le visage peint en rouge et en bleu. À voir la façon dont ils attaquèrent les Espagnols, ils devaient avoir juré de ne jamais faire un pas en arrière sur un champ de bataille.

— Voilà, c'est prêt! hurla l'artificier qui venait de joindre les deux mèches prévues pour la mise à feu de son installation de minage.

Cortés se tourna vers lui pour le voir tomber dans le grand escalier, fauché par une volée de flèches. Il entraîna Doña Marina vers l'entrée de la pyramide afin de la mettre provisoirement à l'abri.

Les coups d'arquebuse retentirent spontanément et une quinzaine d'hommes-jaguars s'effondrèrent l'arme à la main. La moitié des soldats espagnols tirèrent ensemble leur épée pour défendre, le temps d'une minute, l'autre moitié qui rechargeait leurs armes à feu. Bien que bondissant avec rapidité sur leurs ennemis, les guerriers-jaguars se trouvèrent désavantagés et se heurtèrent aux armures et aux armes d'acier des Espagnols.

Leurs lames tranchantes en obsidienne se brisaient sur le fer et leurs boucliers en cuir éclataient sous les coups d'épée des Européens formés à la guerre.

Quelques-uns des hommes-jaguars qui étaient parvenus à franchir la ligne des arquebusiers commencèrent à escalader avec une agilité surprenante tous les côtés de la pyramide. Leur but était simple. Tuer le chef des hommes blancs barbus et protéger l'entrée de la pyramide.

Certains d'entre eux chutèrent en bas des murs, abattus par les arquebusiers. Les autres poursuivirent leur ascension en poussant des cris sauvages dus à la rage autant qu'à l'effort.

Cortés ramassa la mèche tombée au sol et la tira vers l'intérieur en rampant, sous les volées de flèches et les lancées de javelines. Au loin, il pouvait toujours entendre le son des trompes portées par les prêtresses. Il eut l'impression que tant que celles-ci appelleraient à la guerre les hommes-jaguars, leur attaque ne faiblirait pas. Il entendait en bas les coups d'épée et les cris de terreur, les détonations d'arquebuses et le rire de la mort. Un rire rauque et cynique, pareil à celui de Baalbérith.

Les veines gonflées par un afflux de colère et de sang, Cortés rampa à l'extérieur en direction du coffre en bois qui renfermait le livre d'Agrippa. Il se maudit encore une fois d'avoir été l'objet du démon gardien et de ne pas s'être débarrassé du livre dès le départ, tel que Corneille Agrippa le lui avait demandé. L'alchimiste lui avait fait confiance, il lui avait demandé une faveur. Rien d'autre. Et lui, il avait mis à sac villes et villages, rasé une capitale, anéanti un empire et causé la mort d'un nombre incalculable d'êtres humains.

Une flèche à la pointe d'obsidienne percuta son avant-bras et éclata en enfonçant le fer de son armure, lui brisant presque le cubitus. Il ferma les yeux juste à temps pour se protéger des éclats, mais l'un vint quand même lui entailler la joue. Une pierre arrondie frappa son morion et dévia vers la porte de la pyramide pour atteindre Doña Marina à l'épaule. La jeune Indienne hurla de douleur et glissa de trois marches dans l'abrupt escalier en s'écorchant les genoux.

Couché à plat ventre, Cortés saisit l'une des poignées du coffre et le tira à lui. La mise en garde portée par la voix forte de Pedro de Alvarado parvint à ses oreilles pour lui glacer le sang dans les veines.

— Ils montent, *señor capitán!* Ils arrivent de tous les côtés!

Cortés ramena le coffre à l'intérieur et le glissa au bord des marches qui descendaient dans le ventre de la pyramide. Il tira des étuis fixés à son ceinturon, deux gros pistolets à rouet et en vérifia la remontée[1].

— Mais qu'est-ce que tu vas faire? questionna Doña Marina inquiétée par son geste.

— Ils seront bientôt là. Si je ne sors pas, ils entreront ici et nous massacreront tous les deux. J'ai deux coups de pistolet pour leur faire peur. Avec un peu de chance, ils abandonneront l'idée de venir jusqu'à nous.

— Je te trouve bien optimiste.

---

1. Les armes dotées d'un mécanisme à rouet sont apparues vers 1500. Il s'agissait d'une sorte de roue dentée que l'on remontait avec une clef et sur laquelle venait frotter une pierre à briquet pour assurer la mise à feu.

— C'est tout ce qui me reste. Avec toi, bien sûr.

Il l'embrassa fougueusement et s'approcha de la porte.

Les hommes-jaguars parvenus au sommet de la pyramide sautèrent sur la plateforme et entreprirent d'en faire le tour pour accéder à l'entrée. D'un geste souple, certains tirèrent leur épée de son fourreau orné de plumes multicolores tandis que d'autres avançaient doucement, sarbacane en bouche, parés à un tir rapide. Et dans les sarbacanes, des fléchettes empoisonnées aux pointes effilées, trempées dans du venin de serpent.

Cortés émergea du portail d'entrée en pointant à bout de bras et de chaque côté de lui, ses lourds pistolets à rouet. Surpris, les hommes-jaguars qui s'approchaient lentement de l'ouverture figèrent sur place. Il n'y eut qu'un bref cliquetis avant les coups de feu lorsque le conquistador appuya sur les détentes. Ainsi tirée à bout portant, la décharge fut si brutale qu'elle troua tous les corps sur son chemin, tuant cinq guerriers d'un seul coup. Projetés en arrière, les cadavres basculèrent dans le vide pour se fracasser sur les niveaux inférieurs.

Les fléchettes fusèrent des sarbacanes et se brisèrent sur l'armure de Cortés qui jeta ses pistolets pour tirer son épée. Il attaqua aussitôt, pourfendant plusieurs adversaires par sa fougue et sa maîtrise de l'escrime. De nouveaux coups de feu retentirent, alors que certains arquebusiers capables de recharger tiraient à la visée les hommes-jaguars en haut de la pyramide afin de libérer leur capitaine.

Alors que les prêtresses continuaient d'appeler au combat, un nouveau groupe de guerriers fit son apparition entre les ruines de la cité et se rua immédiatement sur les soldats espagnols. Cortés descendit quelques marches au milieu du monumental escalier extérieur. Sur sa gauche, les fantassins cachés au fond d'une niche gisaient morts, tous deux transpercés de fléchettes empoisonnées.

Il remonta en trombe, gravissant les marches deux par deux alors que de nouveaux guerriers-jaguars commençaient à escalader la pyramide. Ces derniers n'empruntaient pas l'escalier en pierre, puisque bien protégé à sa base par les soldats espagnols. Ils grimpaient les degrés de la pyramide à mains nues, se mouvant comme les félins dont ils avaient emprunté l'apparence. Pour plus de protection, ils se regroupèrent et se dirigèrent vers la paroi arrière de l'édifice ancien. Lorsque Cortés arriva sur la plateforme face à l'entrée, il s'arrêta net.

Doña Marina, agenouillée sur le dallage de pierre, une fléchette empoisonnée plantée dans le cou, tenait d'une main la mèche et de l'autre la torche. Ses mains tremblaient et son visage était trempé de sueur.

— Sauve-toi, dit-elle simplement, incapable de crier.

Puis elle enflamma la mèche.

Les jambes du conquistador se dérobèrent.

— Je suis déjà morte, ne comprends-tu pas ?

Les larmes roulèrent sur les joues de Cortés pour la première fois depuis longtemps. Sa bouche, ouverte par la surprise, n'articulait pas le moindre mot. Un frisson lui parcourut l'échine lorsque les hommes-jaguars surgirent de chaque côté de l'entrée.

Puis il se ressaisit enfin.

Cortés fit volte-face en mettant son épée au fourreau. Il dévala l'escalier comme pris de folie, dans une frénésie excessive qui le fouettait d'émotions douloureuses.

L'explosion lui fit perdre pied et il tomba dans les marches sur près de deux toises avant de parvenir à s'arrêter. Heureusement, son armure le protégea au cours de sa chute. Il leva les yeux vers le sommet de la pyramide pour voir le toit complètement s'effondrer avec le dernier niveau, tuant sur le coup les guerriers qui s'y trouvaient.

Plus bas, le combat faisait toujours rage mais ses hommes tenaient bon.

Il venait de perdre la seule femme qu'il eût jamais aimée. La seule capable de se sacrifier pour sauver sa misérable existence. Un trou béant venait de s'ouvrir au fond de lui, aussi grand qu'une carrière à ciel ouvert.

Il tira d'un geste rageur sa fidèle épée qui, tout comme la belle Indienne, ne l'avait pas quitté de toute la conquête

Il poursuivit sa descente, dardé par la douleur, les yeux brouillés de larmes et les veines du cou gonflées à la limite de la rupture. Arrivé en bas, il joignit ses compagnons et leur redonna courage. Ils se battirent avec l'énergie du désespoir en avançant vers la rivière, repoussant les hommes-jaguars dans un sauvage combat corps à corps.

Lorsque subitement les trompes cessèrent leur appel à la guerre, les guerriers vêtus de peaux de jaguar disparurent en silence dans la jungle environnante.

Les Espagnols, eux, au nombre de douze survivants – selon les chroniques de Díaz del Castillo qui s'en était tiré indemne –, firent une courte prière auprès des corps de leurs compagnons et s'embarquèrent sur le brigantin. Aussitôt les amarres retirées, le courant entraîna le bateau vers le milieu de la rivière et ils levèrent la voile pour prendre de la vitesse. Tous les hommes s'étendirent sur les planches usées, de part et d'autre du pont, afin d'éviter une sournoise attaque à l'arc. Arquebuse en main, ils reprirent leur souffle en silence.

Cortés lui, était inconsolable.

Il avait tout perdu. Femme, hommes, trésors, prestige, renommée.

Ainsi s'achevait sa propre conquête du Mexique.

Doña Marina jeta la torche devant elle.

Elle se traîna ensuite péniblement jusqu'au centre de la salle où elle venait d'aboutir, pour finalement rouler sur le dos, la respiration haletante et les mains sur son cœur.

Juste avant l'explosion, elle avait poussé le coffre dans l'escalier avant de s'y glisser à son tour, évitant de justesse d'être tuée par la déflagration.

Mais à quoi bon ?

Elle était parvenue à retirer la fléchette profondément enfoncée dans son cou, au prix d'une douleur inimaginable. Le venin meurtrier avait provoqué une plaie tuméfiée, mortifiant les tissus autour de la blessure. Ce qui avait rendu le retrait de la fléchette terriblement difficile. L'Indienne se savait empoisonnée au venin de serpent à cause de l'abondante salivation dont elle souffrait. Elle se tourna sur le ventre pour éviter de s'étouffer et cracha sur le sol.

Plus loin, au pied de l'escalier, gisait le coffre éventré. Le livre, toujours prisonnier de ses chaînes, traînait dans la poussière.

Les murs en pierre de la salle étaient entièrement sculptés de bas-reliefs aux motifs géométriques. Çà et là, des oiseaux stylisés aux formes élégantes apparaissaient d'entre les symboles. Quatre masques en jade aux yeux menaçants formés de coquillages et représentant le dieu Chauve-Souris ornaient chacun des murs. Posé par terre dans un coin, un ensemble de statuettes et de figurines copiaient l'allure de nobles guerriers. Le sol dallé était froid et recouvert d'une épaisse poussière accumulée par des siècles d'abandon.

Un tombeau pour une reine, je n'aurais pu mieux choisir...

La douleur arracha un cri à la femme, son visage déformé par l'effort. Tous les symptômes se mettaient lentement en place. Bien trop lentement. Le dosage de la mixture avait été soigneusement étudié. La cible se devait de mourir sans promptitude et dans la souffrance.

Son cou enflait, rendant sa respiration difficile. À cause de l'emplacement de la blessure, le système sanguin avait sûrement été le premier affecté, préparant des infections foudroyantes, entraînant ensuite des troubles du système nerveux. Comme les spasmes, les tremblements et la paralysie partielle qui s'étaient déjà emparés d'elle.

Avec de la chance, elle subirait une rupture de vaisseaux sanguins, ce qui provoquerait une hémorragie, puis une baisse de la tension artérielle et son cœur s'arrêterait. Dans le pire des cas, ses vaisseaux sanguins résisteraient à toutes les altérations et elle sombrerait dans une graduelle paralysie des voies respiratoires qui la ferait très lentement mourir par étouffement.

Une sorte de picotement parcourut sa peau et elle cracha de nouveau avant d'être saisie d'une forte quinte de toux. Lorsqu'elle s'arrêta, le sang coulait de ses narines et tout son corps était secoué de convulsions. La poussière tomba du plafond avec quelques galettes de plâtre qui portaient encore les couleurs délavées de fresques anciennes.

Et plus loin sur le sol, soulevant un voile cendreux, vibrait le livre noir entre ses chaînes.

Une odeur lourde et suffocante envahit la salle. Suffisamment écœurante pour que les voies respiratoires à demi obstruées de Doña Marina puissent la sentir. De partout à la fois, peut-être même de l'intérieur d'elle-même, lui parvint la voix flatteuse et murmurante de Baalbérith.

— Il semble bien que grâce à ce cher Cortés, nous allions nous retrouver ensemble ici pour une portion d'éternité, ma belle amie…

— Je suis désolée de te décevoir, risqua Doña Marina, mais je crois bien que je vais devoir te quitter bientôt.

— Comme c'est dommage ! Vois comme il t'a abandonné ! Vois comme tu souffres à cause de lui !

— Je ne t'entends plus démon, va te perdre à travers le miroir fumant du dieu de la discorde et de l'obscurité…

— Mais je t'en prie, toi la première, sauvagesse !

— Tu n'es qu'un monstre ! Tu ne prends plaisir que dans la destruction et le mensonge !

— C'est gentil, merci… Si tu n'y vois pas d'inconvénient, je vais m'attarder un peu, question de te regarder mourir…

Épouvantée par le rire sardonique du démon et l'imminence de sa propre fin, Doña Marina pleura sans retenue.

La torche qui gisait plus loin sur le sol poussiéreux diminua en intensité jusqu'à complètement s'éteindre. Plongée dans le silence, la douleur et les ténèbres, Doña Marina commença à réciter les prières au Dieu unique, celles que Cortés lui avait enseignées.

Puis elle attendit la mort.

2

ac Saint-Louis, Québec.
Le samedi 4 octobre 1941.

Cette odeur accueillante que dégageait le cuir souple des fauteuils de la salle d'attente du psychanalyste Laurent Sareault soulagea Édouard Laberge. Il se laissa tomber dans l'un d'eux et profita de la fraîcheur qu'il lui procura.

Ne possédant pour ainsi dire rien, Laberge empruntait pour ses déplacements le plus ancien des véhicules appartenant encore à l'évêché de Valleyfield. Une grosse Chrysler Sedan noire de 1930. Bien que parfois gêné de stationner cet engin dépassé aux côtés des récents modèles d'une nouvelle décennie, il en appréciait toujours la conduite. Conscient que l'évêché ne conservait probablement la voiture que pour ses seuls besoins, il faisait de son mieux pour la garder propre et en bon ordre de marche.

Le curé se rendait depuis trois ans, quoique de façon cyclique, au bureau du psychanalyste de Lac Saint-Louis. Les deux hommes étaient devenus amis après que le docteur eut libéré Édouard Laberge de l'infestation dont il avait été victime à son retour d'une mission en Irlande quelques années auparavant.

Alors que se cacher au cœur de la réserve de Caughnawaga pour y retrouver son fidèle ami Francis Fall Leaf lui apparaissait comme un besoin régulier et évident, ses visites chez le psychanalyste dépendaient plutôt du cycle évolutif de ses états d'âme.

Nul destin ne se comparait au sien. Aucun du moins qu'il ne pût connaître.

Laberge entendait les voix qui lui parvenaient de l'autre côté du mur de la salle d'attente. Il ferma les yeux et se concentra sur celles-ci jusqu'à ce que le mur s'efface dans son esprit et que les mots deviennent plus clairs à ses oreilles. Une femme à la voix râpeuse racontait sa détresse, à la fois d'être grosse et d'avoir perdu sa maison dans un incendie. D'un côté, une relation défaillante avec la mère qui croyait tout donner à sa fille à travers l'acte de manger et de l'autre, un choc post-traumatique qui s'étirait causé par un évènement choquant. Sareault y allait de ses commentaires directs à travers les faibles objections de la grosse femme. Laberge décida de se retirer de son écoute clandestine, conscient de s'immiscer dans la vie personnelle de la patiente.

Il tira de sous sa chemise le médaillon renfermant la photo d'Hélène, la première femme qu'il avait vraiment aimée. Et qui lui avait été enlevée par la folie meurtrière des Êtres de la Lune bien des années avant. Alors qu'il était jeune, amoureux, ambitieux et qu'il croyait être heureux. Car le bonheur, affirmait-il, n'était qu'un leurre, une illusion.

Laberge avait maintes fois tenté d'être heureux. Appuyé par ses parents depuis longtemps disparus, il avait entrepris des études de médecine avec l'enthousiasme de celui qui visait à posséder le monde. Il avait rencontré Hélène, une femme merveilleuse, avec qui il avait partagé les mêmes objectifs. Et puis son univers avait basculé en une seule nuit.

Le curé ouvrit le médaillon pour révéler la photo jaunie et craquelée qui avait survécu à de nombreuses intempéries. On y distinguait à peine la figure de la jeune femme et quiconque l'eût autrefois connue, n'aurait su l'identifier. Ce détail importait peu à Édouard Laberge qui lui, savait à qui appartenait ce visage. Hélène était là, sur son cœur, et c'était tout ce qu'il avait besoin de savoir.

Mais si le souvenir de son Hélène disparue pendait toujours à cette chaîne autour de son cou, celui d'Élizabeth Montjean dans la réalité présente était aussi vivace qu'inquiétant. Et il avait l'impression que Dieu lui avait envoyé cette femme comme une insurmontable épreuve à traverser.

Trois ans plus tôt, après leur retour spectaculaire du monde d'Agharta à travers les eaux sombres du gouffre de la Covey Hill, Laberge avait passé beaucoup de temps avec Élizabeth. Cette dernière avait pris la décision de demeurer quelques mois au Québec, afin de joindre ses efforts à ceux de Théodore Coppegorge pour traduire et retranscrire les chroniques de Caïn. Le vampire lui-même avait remis le carnet à la séduisante Française, dans un but qui restait toujours nébuleux. Le manuscrit fournissait par le fait même une excuse toute prête, pour qu'elle puisse s'attarder ici et passer du temps avec Édouard.

Ce dernier avait brûlé de désir pour son amie qui éveillait en lui une passion qu'il avait du mal à contrôler. Et au-delà de la passion, l'envie de vivre le reste de ses jours aux côtés d'une femme qu'il aimait profondément était devenue viscérale. Cette réaction inattendue qui se démarquait de ce qu'il avait pu ressentir pour Hélène lorsqu'il était plus jeune, l'avait amené à se poser une multitude de questions sur sa vie de service et le célibat des prêtres catholiques. Élizabeth était un être d'exception de par ses aptitudes et sa maîtrise de soi qui pouvait parfois être prise pour de la froideur ou de l'indifférence. Ne se montrant jamais curieuse, elle posait rarement des questions. Admirant l'intelligence et la sincérité, elle ne se perdait jamais en billevesées. Pour ces raisons, elle avait respecté la condition du curé, sans jamais la lui reprocher, marchant toutefois à de multiples reprises sur la mince ligne de démarcation qui séparait la retenue de l'abandon.

Alors que Laberge en était presque arrivé à se persuader de tout abandonner pour les yeux bleus d'Élizabeth, l'éclosion d'un nouveau conflit armé en Europe était venue tout gâcher. La Française avait pris la décision de retourner dans son pays pour aider les siens à circonscrire les ambitions par trop expansionnistes du parti nazi en Allemagne et du régime fasciste dans le royaume d'Italie.

La guerre d'Espagne, ainsi que les combats de la Chine contre l'armée impériale japonaise et de la Pologne contre l'Allemagne nazie, allait provoquer à la fin de 1939, le plus grand conflit armé de l'histoire humaine : la Seconde Guerre mondiale.

Élizabeth avait pourtant continué d'entretenir une correspondance avec le curé, lui assurant qu'ils se retrouveraient, que cette guerre ne saurait durer et que le bon sens des uns finirait par l'emporter sur la folie des autres. Mais voilà que huit mois plus tard, contre toute attente, la France fut investie par l'Armée allemande et se vit obligée de capituler avec les Pays-Bas, la Belgique et le Luxembourg au lendemain d'une foudroyante offensive. L'Armée de France, reconnue depuis la Première Guerre mondiale comme la meilleure au monde, se vit vaincue.

Les lettres d'Élizabeth ne parvinrent plus au curé et il se retrouva sans nouvelles. L'évêché lui enjoignit de ne plus lui écrire pour ne pas mettre sa vie en danger. On lui assura qu'elle était en sécurité et protégée par les membres de l'ARC. Sauf qu'avec les nazis dans Paris, nul doute que sa tête était mise à prix. Ils n'avaient pas oublié son évasion spectaculaire du quartier général de l'Ahnenerbe à Berlin deux ans plus tôt. Un affront qui ne pouvait rester impuni. Et les nazis étaient réputés être très rancuniers.

Depuis un an, les seules nouvelles que recevait l'évêché de Valleyfield du bureau de l'ARC en France lui provenaient de la Savoie. Car à la veille de l'entrée des Allemands dans Paris, Robert Desfontaines, celui dont le nom ne devait jamais être écrit ni prononcé, avait fait vider les bureaux de la galerie Vivienne pour en faire acheminer le tout en direction des Alpes.

Là-bas, en retrait du village de Saint-Pierre-de-Curtille et non loin de l'abbaye de Hautecombe, les membres de l'ARC avaient trouvé refuge au château de Pomboz et y avaient installé dans une aile, leur nouveau quartier général.

En tête de mule qu'elle était, Élizabeth Montjean avait refusé de les accompagner en Savoie. Elle avait choisi de continuer de se terrer dans les locaux cachés de l'ARC. Juste derrière la librairie de la galerie Vivienne, maintenue ouverte par l'un des employés de Desfontaines, afin de ne pas éveiller le moindre soupçon.

Depuis, plus rien.

Laberge comprenait fort bien qu'ils devaient s'en tenir au silence pour protéger leur couverture sur le territoire de la France occupée. Une seule chose lui importait pour l'instant; il savait Élizabeth vivante, le lien subtil les unissant ne s'étant vraisemblablement pas rompu.

La porte du cabinet du psychanalyste s'ouvrit d'un coup sous le rire nerveux de la grosse femme qui passait tout juste dans l'ouverture. Elle salua machinalement Laberge avant de sortir dehors, déjà essoufflée. Le curé fit un sourire à Sareault qui garda tout son sérieux.

— Tu peux entrer Édouard, lui proposa-t-il.

Laberge referma derrière lui et attendit par politesse que Sareault lui indique de la main le fauteuil où il s'installa.

— Il y a bien quelques mois qui se sont écoulés depuis ta dernière visite Édouard, commença le psychanalyste, je ne savais trop que penser. Était-ce parce que tu allais bien? Ou à l'opposé parce que tu ne l'étais pas?

— Ma dernière visite, il est vrai, remonte au printemps, avoua le curé avec un sourire embarrassé, mais je te rassure tout de suite. Je ne t'oublie pas dans mes prières…

— Voilà qui me rassure grandement, en effet...

— Quant à savoir si je vais bien ou mal, je ne saurais trop le dire.

— Tu te situerais à mi-chemin entre les deux?

— J'ai parfois l'impression de ne tout simplement pas être capable de me situer.

— Voilà qui n'est pas nouveau.

— Je sais...

Sareault, confortablement installé au fond de son fauteuil, continuait à fixer attentivement le curé afin de le pousser à parler.

— J'ai beaucoup appris sur moi-même grâce à toi, Laurent, poursuivit-il, mais j'ai l'impression que mon malaise ne vient pas de moi.

— Ah bon? Subirais-tu encore une forme d'infestation?

— Non, il ne s'agit pas de ça.

— Alors, il doit s'agir d'une infestation provenant de l'extérieur. Une infestation féminine et française peut-être?

— Il y a un peu de ça, je l'avoue...

Malgré ce superbe samedi d'automne aux couleurs vives et inondé de soleil, Laberge restait sombre. Il était calme mais affichait une mine rembrunie qui jetait de l'ombre dans le cabinet du psychanalyste. Sareault pouvait sentir la force de cet état d'âme émaner du curé et tourner autour de lui. Il s'imagina aussitôt chasser ces humeurs chagrines afin qu'elles ne viennent pas l'affecter.

Laberge raconta en long et en large comment il avait passé les derniers mois.

Mis à part le fait d'être coupé de tout contact avec Élizabeth et d'être contraint d'enseigner l'ecclésiologie et les Évangiles synoptiques au collège de Valleyfield, le curé se trouvait fort affecté par l'étendue de cette nouvelle guerre mondiale qui battait son plein. Le chaos provoqué par le conflit aux proportions planétaires modifiait le champ d'énergie et donc, le champ de pensée des hommes. Laberge sentait la possibilité d'un anéantissement total et il ne pouvait rien faire pour l'arrêter. Le fait de ne plus entendre parler des Êtres de la Lune, qui se faisaient invisibles depuis des années, avait tout d'inquiétant. Un drame allait se produire. Laberge avait vu, aux confins du monde d'Agharta, des civilisations puissantes qui s'étaient éteintes après une destruction totale. Sans compter l'Histoire, qui était parsemée de la chute de maints empires au cours des siècles. Celui qui sortirait vainqueur de cette Seconde Guerre mondiale obtiendrait le statut de superpuissance, il n'y avait pas à en douter. Mais peut-être ne règnerait-il que sur un champ de ruines.

Il avait été bouleversé par l'entrée en guerre du Canada dès 1939, ordonnée par le roi Georges VI. Le souverain enverrait se faire tuer en Europe et au nom de l'Angleterre, des centaines de milliers d'hommes non concernés par cette guerre.

— Je crois que peu importe ce qui se passera dans les mois ou les années à venir, intervint Sareault, l'Amérique est désormais concernée. La chute de l'Europe aux mains des nazis n'est qu'un signe précurseur de plus. Ils viendront pour nous prendre ensuite.

— Mais les États-Unis n'ont toujours pas déclaré la guerre à qui que ce soit!

— Ça ne saurait tarder, l'assura Sareault en s'allumant une cigarette. S'ils ne peuvent nous envahir à travers une guerre éclair à cause de la distance ou de la superficie de nos territoires, ils nous provoqueront ailleurs et tenteront de nous affaiblir. Ensuite, ils viendront.

— Dieu du ciel, s'écria Laberge, tu es bien pessimiste!

— Je m'efforce d'être réaliste, tout comme toi.

— Mais comment un homme tel que Hitler peut-il parvenir à maîtriser des armées tout entières ou même l'opinion de tout un peuple?

— Comment quelques hommes peuvent-ils arriver à contrôler l'humanité? N'est-ce pas Jules César qui a dit que le genre humain n'était fait que pour quelques hommes? Inquiétant non? Personnellement, je crois qu'Adolf Hitler est un brillant psychologue intuitif.

— Ce qui veut dire?

— Qu'il possède un formidable don d'intuition pour le choix de ses bras droits. Car seul, il lui serait impossible de parvenir à ses fins. Il est capable de juger d'un coup d'œil le caractère et les possibilités d'un individu. Il a fait d'hommes aux origines obscures ses premiers lieutenants. Et il a bien analysé son peuple. Ses qualités, ses défauts et ses ambitions. Puis il a su en tirer profit. Autre signe que la chance n'existe pas. Rien ne peut arriver sans cause. Chaque évènement est le maillon d'une chaîne. Néanmoins, je servirais un avertissement à Hitler. Je lui dirais de garder en mémoire que les hommes ne servent qu'un temps ceux qu'ils craignent. Mais ils servent longtemps ceux qu'ils aiment.

— Que voilà de profondes paroles! fit Laberge un brin moqueur. Je crois que tu aimerais bien avoir ce cher Adolf en consultation dans ton cabinet!

— Mais absolument! Revenons toutefois à ta propre personne, mon ami, car c'est pour elle que tu es venu me voir aujourd'hui. Laissons l'Histoire de côté, elle s'écrira toujours avec des rivières de sang.

— Je suis tourmenté, je souffre et j'ai mal…

— Voilà des mots qui ont le mérite d'être clairs. Mais tu dois te dire qu'on ne peut outrepasser les lois éternelles de Dieu. Le mal n'est pas dans les faits ou les actions. Il est dans les cœurs. Le mal est donc réversible. Ton cas n'est pas désespéré!

— À mon tour d'être rassuré.

— Tu vois Édouard, au fil de nos rencontres, tu as changé. Ce qui n'exclut pas que, selon ta condition, tu doives encore travailler sur toi-même. Tu es doté de grands pouvoirs et d'un contrôle puissant sur ceux-ci. Toutefois, tu ne contrôles pas encore la perspective de l'émotion. Joie, tristesse. Amour, haine. Peur, courage. Perte, culpabilité, honte. Tu es un être humain extrêmement émotif, mon ami. Et l'architecture de cette émotivité qui prend forme dans ton inconscient s'attaque à tout ton être, jusqu'à affecter tes stratégies lucides, celles entre autres qui te permettent de prendre des décisions ou encore de traiter l'information. Et je ne parle pas nécessairement de prises de décisions instantanées! Mais aussi de décisions qui peuvent demander mûre réflexion. Comme l'envie de quitter les ordres...

— C'est impensable...

— Pour retrouver celle que tu aimes...

— Je l'ai elle aussi perdue...

Sareault écrasa sa cigarette dans un cendrier en verre reposant sur un pied en bois sur sa gauche. Il ne supportait pas d'avoir un cendrier sur son bureau.

— Allons, rien n'est perdu, dit-il sur le ton de la confiance, nous traversons une période trouble certes, mais le monde n'en est pas encore à sa fin. Car les maîtres qui font la guerre dans la concentration égoïste de leurs intérêts personnels, ceux-là perdront tout. Le maître dont les actes sont mus par l'amour de son prochain et le désir d'augmenter le bonheur, de diminuer les souffrances et de consolider l'union entre les hommes, celui-là, est réellement maître de la vie.

— On croirait entendre un curé...

— Peux-tu affirmer que je n'ai pas raison?

— Évidemment que tu as raison...

La conversation se poursuivit un moment sur la nature de l'homme et ses agissements. Sareault n'était pas seulement un psychanalyste, il était aussi un philosophe. Et ses paroles avaient du sens.

Il avait autrefois donné maints exemples d'exercices à Laberge entourant la réflexion, la méditation et la respiration. Son but avait toujours été de l'aider à contrôler son émotivité et ses angoisses et de le convaincre d'accepter ce qu'il était, pour son propre bien et celui des autres. Sareault n'avait jamais rencontré personne comme Édouard Laberge. Et chaque fois que le curé sentait le besoin de venir s'ouvrir à lui, il faisait tout ce qui était en son pouvoir pour l'aider. Bien que ce ne fût pas chose facile.

Ils discutèrent encore de longues minutes jusqu'à ce que le psychanalyste aborde les niveaux de conscience ou d'existence. Il tenait à faire comprendre à son patient et ami sa réalité. La place qu'il occupait. Que contrairement à un être humain normal qui apprend à connaître ses limites jusqu'à ce que ses perspectives se restreignent, Laberge lui ne les avait pas encore toutes sondées. Et la connaissance de ce potentiel dont il ne connaissait pas encore les limites l'angoissait.

— Lorsque tu médites, dit-il au curé, tu dois prendre conscience des sphères d'existence qui nous sont accessibles. C'est très difficile à définir avec certitude et je ne lance là que des suppositions qui me semblent logiques. À toi de voir.

— Je t'écoute.

— Il y a d'abord la sphère physique. C'est matériel, le tangible, le visible. Puis il y a la sphère énergétique. Là, il s'agit plutôt de ce qui existe mais ne peut être touché, comme la conscience, les pensées. C'est le domaine de l'information, de l'énergie. Puis il y a enfin la sphère perdue. C'est l'intelligence infinie, la conscience spirituelle, l'âme, la maison de Dieu en chacun de nous.

— C'est intéressant, je m'en souviendrai.

— Je tiens surtout à ce que tu te souviennes de la sphère perdue. Parce que toi mieux que quiconque peux être en mesure de l'utiliser. Car les forces de cette sphère ne sont pas affectées par la distance dans le temps ou l'espace. Il n'y a pas de masse, pas de lumière, pas de son. Les lois de la physique ne s'appliquent pas. Il n'y a donc rien qui ait à se déplacer. Tout est instantané, tu saisis ? Ce qui veut dire qu'un homme tel que toi Édouard, capable de capturer et de manipuler l'énergie, serait capable de prodiges en contrôlant la sphère perdue. N'as-tu donc pas toi-même déjà vécu des phénomènes liés à cet état ? Par des voyages instantanés dans le temps et l'espace ?

— Je suppose que oui en effet, mais ce sont des milieux que je tends à éviter plutôt qu'à expérimenter.

— Je ne te parle ici que de trois niveaux, trois sphères d'existence. Imagine qu'il y en ait des centaines… Imagine qu'il y ait des sous-niveaux ou des sous-sphères… Comme le sommeil, l'anesthésie, la perte de conscience, la mort !

— La mort ?

— Il s'agirait bien sûr du dernier niveau…

Les deux hommes se séparèrent sur une chaleureuse poignée de main après deux heures de discussion. Un autre client était arrivé et attendait le psychanalyste.

Laberge sortit avec le cœur plus léger. La conversation lui avait fait du bien et remettait tout en perspective. Oui, il y avait la guerre, et non, il n'avait aucune nouvelle d'Élizabeth. Qu'à cela ne tienne ! Toutes les radios de France avaient été fermées et toutes les fréquences étaient sous écoute nazie. De ce côté, rien à faire. Mais ce n'est pas tout le territoire de la France qui était occupé par les Allemands. La région du château de Pomboz où se terraient Robert Desfontaines et les membres de l'ARC se trouvait dans la zone libre. Par contre, tout le côté donnant sur l'Atlantique était une zone interdite. Aucune possibilité d'entrer par là. Au nord, la Belgique était aussi sous domination nazie et à l'est, toute une frontière avec l'Allemagne et l'Italie fasciste de Mussolini ! Il ne restait qu'un accès possible par un petit coin de Méditerranée. C'était par là qu'il devrait entrer en France. Puis il se rendrait jusqu'à Pomboz. Desfontaines pourrait sûrement l'aider à gagner Paris.

Laberge s'engouffra dans la grosse Chrysler et dut s'y prendre par deux fois pour fermer la portière. Puis il jeta un coup d'œil à sa montre.

Il était attendu à Sainte-Clotilde dans moins de deux heures.

D'abord pour chanter une messe en plein air avec le curé de Sainte-Clotilde.

Ensuite pour partager le repas du soir avec ses vieux amis.

Tout était fin prêt.

Albert Viau se tenait au milieu de la cour, face à sa maison en pierre. Tout semblait parfait, élégant, harmonieux. Il glissa les doigts dans la poche de sa veste pour en tirer son infatigable montre *American Waltham*. Les fines aiguilles, contrastant avec le caractère imposant de l'objet nickelé, indiquaient bientôt quinze heures.

La semaine précédente, Albert avait porté la solide montre à la bijouterie Houle de Saint-Rémi pour en faire remplacer la vitre qui s'était fissurée après une chute. Il ne l'avait récupérée que la veille, fort heureux d'enfin retrouver cette vieille compagne de tous les instants.

Il était vraiment prêt à tout pour sa femme Emma qui venait de rentrer après l'avoir embrassé. Depuis seize ans maintenant qu'ils habitaient la ferme, ils en avaient fait la pierre angulaire de leur petit univers. Les quelques animaux qu'ils élevaient, ajoutés à ce qu'ils cultivaient, les rendaient en bonne partie autonomes. Emma, en infatigable travailleuse qu'elle était, avait réalisé un véritable jardin botanique sur un espace de près de vingt mille pieds carrés, cultivant une variété impressionnante de plantes et de fleurs. Du matin jusqu'au soir, elle y travaillait sans relâche, parfois même entre les abeilles que son fils Léo y faisait butiner.

Albert avait donc accepté, à la suite d'une demande du curé McComber, des paroissiens et bien sûr d'Emma, de ramener une vieille tradition abandonnée à la fin du XIXe siècle : une cérémonie liturgique en plein air devant sa maison qui se tiendrait annuellement.

Cette maison ancestrale au bord de la rivière, qu'Albert et Emma avaient acquise en 1925, était la plus ancienne construction encore habitée dans la région. Les registres retrouvés confirmaient déjà son existence avant 1812 comme d'un bâtiment attenant à un premier moulin à scie utilisant le pouvoir hydraulique du ruisseau Norton. Comme d'autres documents attestaient l'existence d'un second moulin plus en aval de la rivière dès 1792, il était permis de croire que cette maison datait à peu près de la même période. Les premiers arrivants, Américains et Écossais, y avaient aussi fabriqué des douves en chêne destinées à l'exportation dans les Antilles et de la potasse, cette substance liquide qui entrait dans la composition de certains médicaments et qui était également utilisée à plus grande échelle, comme fertilisant pour les terres.

La fabrication de la potasse était un art en soi. Lors du défrichage, les branches de bois franc étaient récupérées pour être brûlées jusqu'à l'obtention d'une cendre fine. Ce résidu était ensuite versé avec de l'eau dans de grands chaudrons en fonte, puis chauffé lentement jusqu'à l'obtention d'une pâte que l'on séparait de la partie liquide restante. Cette phase liquide ainsi obtenue était ce qu'il convenait d'appeler la potasse.

Ces productions étaient transportées par les colons locaux jusqu'à Laprairie, à l'aide de grands traîneaux tirés par des bœufs sur des pistes en terre à peine défrichées. De là, la marchandise était chargée sur des bacs flottants pour traverser le fleuve jusqu'à Montréal. Les provisions nécessaires à la survie faisaient partie du voyage de retour.

Une vieille légende entourait la construction de la maison d'Albert. On disait que bien avant l'arrivée des premiers colons dans les forêts sauvages de la région, un grand monticule de pierres s'élevait à cet endroit au bord du cours d'eau. Les monticules de pierres n'étaient pas inconnus aux habitants de la région. Il en existait toujours à Sainte-Clotilde et dans le canton de Hemmingford. On rapportait qu'ils avaient été élevés voilà des temps immémoriaux par les nomades amérindiens qui s'enfonçaient, selon la saison, plus loin dans les vastes forêts pour la chasse, la trappe et le piégeage. La proximité de la grande rivière Châteauguay et de ses multiples embranchements permettait les déplacements à l'intérieur des terres entre le fleuve Saint-Laurent et les Adirondacks. Au fil des ans, ces nomades prirent l'habitude d'établir leurs campements toujours au même endroit. Ils créèrent des sites sacrés en y empilant des pierres de toutes dimensions, représentation du temple de leurs croyances, afin de se recueillir et de vénérer la terre mère.

On disait même que les pierres de l'antique monticule avaient servi à la construction de la maison.

La cloche de l'église se mit à sonner, annonçant quinze heures. Les habitants de la paroisse réunis à l'église allaient se mettre en route en une longue procession, qui les conduirait jusqu'à la maison d'Albert.

Emma sortit de la maison par la porte avant et vint rejoindre Albert au milieu de la cour. Ils admirèrent silencieusement le travail qu'ils avaient accompli avec l'aide de leurs trois fils, Arthur, Lucien et Léo. Ce dernier s'était d'ailleurs surpassé en créant de toutes pièces un maître-autel avec du bois recueilli un peu partout dans la paroisse. À partir de cette idée, Emma avait décoré le meuble improvisé avec des nappes, des chandeliers et une quantité considérable de feuillages et de fleurs tardives telles des rudbeckies jaunes, des lys crapauds, des verges d'or et même des caboches de tournesol. Des cèdres hauts de huit pieds avaient été coupés en forêt afin de combler les espaces de chaque côté de l'autel, lequel se trouvait aussi flanqué de deux érables centenaires. Ceux-ci constituaient un gigantesque parasol qui recouvrait ce chœur extérieur.

Dans les bras l'un de l'autre, Albert et Emma s'observèrent du coin de l'œil et acquiescèrent de la tête pour approuver leur installation. Le coup d'œil valait le déplacement[1].

— Dis-moi Emma, fit Albert avec une pointe de moquerie dans la voix, qui est-ce qu'on attend?

— On attend Édouard, bien sûr! Qui d'autre pourrait être en retard à une messe qu'il doit chanter?

— Le curé McComber va le regarder de ses gros yeux s'il ne se pointe pas à l'heure.

— Il a bien dix minutes encore devant lui. On va lui laisser le bénéfice du doute!

Albert rit et pointa du doigt en direction du village. La tête de la procession, avec le prêtre marchant sous une ombrelle rectangulaire portée par quatre hommes, se dirigeait vers le pont. Derrière, chacun tenant son cierge, presque toute la paroisse suivait.

Leur situation élevée permettait d'avoir un bon point de vue jusqu'à la sortie du village. La cour qui s'étendait entre la maison et les bâtiments de la ferme se trouvait bien à deux cent cinquante pieds de la route. On y accédait à la sortie du

---

1. La messe en plein air devant la maison en pierre se tint annuellement jusqu'en 1966, dernière année avant le décès d'Albert Viau. Fait à noter, les auteurs y étaient évidemment présents.

pont, en empruntant un chemin montant et solitaire bordé d'arbres hauts et vénérables.

Au moment où la procession s'engageait d'un côté sur le pont, la vieille Chrysler Sedan conduite par Édouard Laberge arriva de l'autre. Il s'engagea dans le chemin qu'il gravit dans un nuage de poussière et alla stationner l'engin contre la grange. Il en descendit aussitôt et courut vers le couple qui l'observait avec amusement.

— *Ecce homo*[1] ! s'exclama Albert.

— J'ai bien failli ne pas y arriver, lança-t-il en embrassant Emma et en fourrant une bourrade à son compagnon. Je vais aller me changer. Je reviens tout de suite !

Ils le regardèrent courir vers la maison avec son vieux sac en cuir sous le bras.

— Ma vie ne serait pas la même si ce type n'en faisait pas partie, murmura Albert toujours souriant.

— Et moi alors ?

Cette fois Viau éclata de rire. Sa femme avait vraiment le don de le faire craquer.

— Oh, mais toi, c'est différent ! dit-il en l'enlaçant un peu plus.

— Explique-toi mon cher…

— Quand tu me regardes comme ça, je perds tous mes moyens, ce n'est pas juste…

— J'attends toujours !

— Bien toi… tu vois… c'est comme un gros débordement d'amour ou d'affection, tu comprends ?

---

1. «Voici l'homme» (latin).

— Un débordement d'affection?

— Oui, tu sais, c'est comme quand tu oublies de fermer l'eau pour l'abreuvoir des vaches. Il déborde!

— L'abreuvoir des vaches! s'écria Emma en pouffant de rire, non mais quelle comparaison!

Albert l'embrassa de force, la faisant taire.

Au même moment, Laberge fit irruption hors de la maison et alla se planter à gauche de l'autel, pour attendre le plus sérieusement du monde l'arrivée de la procession qui gravissait maintenant le chemin vers la ferme.

— C'est très beau! leur cria-t-il en montrant le maître-autel.

Léo vint le rejoindre et Laberge l'entoura de son bras.

Albert et Emma se tournèrent vers la procession pour accueillir Sainte-Clotilde qui renouait avec une vieille tradition.

La cérémonie s'était admirablement bien déroulée.

Tel que le voulait la tradition, les hommes avaient pris place à droite et les femmes à gauche. Les enfants, eux, se trouvaient tout près de l'autel à la droite des officiants, puisque plus précieux à Dieu. Le tout se déroula dans une atmosphère de légèreté et de satisfaction. Il était impressionnant de voir tous ces hommes endimanchés pour un samedi, se prosterner, s'agenouiller et venir prendre la communion un genou en terre devant la maison en pierre. Albert en éprouva une fierté juste et sans vanité, à la fois pour l'adoration à son site et pour le rassemblement de tous ces gens.

Après la messe, les discussions furent nombreuses et animées. Chacun y alla de ses commentaires pour féliciter Albert et Emma d'avoir si bien su organiser une église naturelle à la fois splendide et accueillante. À mesure que les chauds rayons de ce soleil d'octobre se faisaient de plus en plus tièdes, les gens retournèrent vers le village.

Lorsque se retrouvant seuls devant le maître-autel, Emma, Albert et Édouard s'apprêtèrent à rentrer pour le repas du soir, un dernier personnage tout vêtu de noir attira leur attention au fond de la cour.

Les dernières personnes ayant assisté à la cérémonie leur envoyèrent la main avant de s'engager sur le chemin qui descendait vers la route. Ils passèrent de chaque côté de l'homme en noir en ne lui accordant qu'une attention curieuse.

L'homme finit par s'approcher. Ils reconnurent enfin le mystérieux clerc sans nom au service de l'évêque de Valley-field. Il retira habilement le gant noir qui couvrait sa main droite pour la tendre à Albert.

— Monsieur Viau, vous ne cesserez jamais de m'impressionner, dit-il sur un ton qui se voulait sincère.

— Vous non plus mon cher, répondit Albert encore surpris.

— Madame, mes hommages, poursuivit le clerc en s'inclinant discrètement. Permettez-moi de transmettre à monsieur Viau et au curé Laberge une invitation de première importance commandée par notre évêque Monseigneur Langlois.

Le clerc marqua une pause, attendant répliques ou consentements qui ne vinrent pas. Il continua.

— L'évêque aimerait vous recevoir en fin de journée, vendredi prochain, le 10 octobre. Il serait très important que vous puissiez être là.

Laberge et Viau hochèrent la tête en signe d'assentiment.

Emma stupéfiée ne disait mot. Cet homme était si étrange qu'elle n'arrivait pas à le définir. Quelque chose en lui paraissait inhumain.

Le clerc enfila son gant et recula de quelques pas avant de s'incliner de nouveau. Puis il leur tourna le dos pour se diriger d'un pas rythmé vers un coupé Chevrolet noir stationné près de la grosse Chrysler de Laberge.

— Ce type est incroyable, affirma enfin Albert.

— Mais qui est-ce ? demanda Emma.

— J'ai soif, j'ai faim ! lança Laberge pour dévier la conversation.

— Moi aussi, répondit Albert en entraînant le curé vers la maison, viens, je t'offre une bière.

— Et je suppose que tu n'as rien d'autre que de la Black Horse, comme toujours ?

— Monsieur est difficile ! À cheval donné, on ne regarde pas la bride.

— Ça va, je n'ai rien dit...

Emma écarta les bras en signe de désespoir avant de les rattraper.

— Dites donc vous deux, les harponna-t-elle. Je vous trouve un brin insultants ! Ne croyez pas que vous allez vous en tirer comme ça! Si vous pensez que je vais vous préparer à manger alors que vous me traitez de la sorte! Je veux savoir d'où sort ce gars-là!

3

*P*aris, France.
Le dimanche 5 octobre 1941.

Une pluie brouillardeuse tombait sur Paris.

La lumière auréolait les lampadaires dégoulinants et créait une ambiance lugubre. Une ambiance qui donnait à penser que l'humidité n'était pas seule responsable du sentiment morbide qui donnait froid dans le dos au promeneur nocturne.

Comme une ombre sans visage, la femme quitta la rue du Quatre-Septembre pour s'engager dans une ruelle obscure qui se perdait en droite ligne entre des bâtiments étagés aux murs en brique rouge, délavés par le temps. La noirceur du lieu la fit marcher dans une flaque d'eau profonde qui acheva de lui mouiller complètement les pieds. Sans y porter la moindre attention, elle atteignit deux grandes portes qu'elle palpa de la main pour repérer la plaque recouvrant la serrure à secret. Elle la fit basculer sur ses charnières afin d'avoir accès à la serrure. Glissant le bout de ses doigts le long de la porte sur le froid métal, elle compta deux têtes de rivet et appuya fermement sur la deuxième pour faire mouvoir le secret. Puis, déplaçant le grand sac en toile qu'elle portait en bandoulière, elle mit la main dans sa poche pour y chercher la clef, fouillant en même temps l'obscurité du regard, pour le cas où elle aurait été suivie. Mais il n'y avait que le bruit de la pluie mêlé à celui des rares véhicules circulant plus loin sur les boulevards.

Trempée jusqu'aux os, la femme inséra la clef dans la serrure et la tourna, afin de libérer la porte qu'elle poussa aussitôt de l'épaule pour se mettre à l'abri. Elle jeta un dernier coup d'œil à la ruelle sans vraiment y voir quoi que ce soit. C'était un temps à ne pas mettre un chat dehors.

Elle referma doucement la porte en acier pour éviter de faire du bruit et barra de l'intérieur. Puis, déposant son sac, elle resta là un moment, appuyée contre le mur, à regarder l'eau dégouliner sur le sol et se répandre sur le dallage en béton autour de ses pieds.

Élizabeth Montjean ne sortait plus que la nuit.

Depuis l'entrée des nazis dans Paris et le début de l'occupation en juin 1940, son existence avait pour ainsi dire été réduite à néant. Après plus d'un an de dictature allemande, la Ville lumière s'était éteinte peu à peu. Et tout était venu à manquer.

Activement recherchée par l'armée allemande depuis sa spectaculaire évasion de l'Ahnenerbe trois ans plus tôt, Élizabeth avait quitté son petit appartement de l'hôtel de Cluny et s'était terrée dans les bureaux abandonnés de l'ARC, au cœur de la galerie Vivienne. Lorsque Robert

Desfontaines, chef de l'ARC à Paris (celui dont le nom ne doit jamais être écrit ni prononcé), avait ordonné le transfert des archives vers le château de Pomboz en Savoie, elle avait obstinément refusé de partir avec eux. Pourtant, près de deux millions de personnes avaient déjà quitté la région parisienne. Desfontaines avait tout essayé. Il lui avait affirmé qu'elle serait en sécurité là-bas, puisque la zone sud du pays resterait «libre», sous l'autorité du gouvernement collaborationniste de Vichy[1]. Mais ses mots n'avaient rien donné.

Quelqu'un devait rester à Paris et servir de contact pour l'ARC.

Quelqu'un devait surveiller les nazis et la progression de leur plan d'envahissement.

N'était-elle pas coopérante? Elle continuerait de l'être mais en y ajoutant un nouveau registre: la collaboration à la résistance.

Et puis la librairie qui cachait l'ARC était restée ouverte et servait encore de parfaite couverture. Personne ne pouvait soupçonner l'existence d'une aire viable derrière les rayons chargés de bouquins de la librairie.

Il était pourtant interdit de sortir la nuit. Un couvre-feu avait été décrété par les Allemands, obligeant les habitants à s'enfermer la nuit tombée, à fermer portes et volets ou à condamner leurs fenêtres en y accrochant des rideaux bleu foncé. Mais Élizabeth préférait évoluer dans la pénombre plutôt que de risquer les contrôles et la surveillance de plus

---

1. Le gouvernement de Vichy désigne le régime politique dirigé par le général Philippe Pétain pendant l'occupation allemande, du 10 juillet 1940 au 20 août 1944. Son siège se situait à Vichy, en zone dite «libre».

en plus insupportables qui sévissaient le jour. Ses contacts la renseignaient et lui permettaient de se ravitailler. Elle postait des lettres, sous un faux nom, qui comprenaient des messages codés à l'intention de Desfontaines installé à Pomboz. Et elle ne manquait pas d'écrire à Édouard au collège de Valleyfield, avec l'excuse de fournir des nouvelles à Coppegorge et Langlois sur sa condition et la vie dans Paris, réglée par la dictature et les pénuries. Son retour de courrier se faisait par le biais d'un charcutier du cinquième arrondissement, dont le frère habitait la zone libre avec sa femme qui avait de la famille au Canada. Ainsi, tout soupçon était écarté. Elle pouvait d'un côté faire transiter des informations et de l'autre, donner signe de vie. Même si tout cela restait extrêmement risqué.

Élizabeth attrapa son sac rempli de fruits, de légumes, d'un pain rond, ainsi que d'un camembert de Normandie dans sa boîte en bois. Elle avait la chance, malgré la pénurie de nourriture qui sévissait dans la capitale française, d'être approvisionnée en vivres par certains contacts, à qui elle se refusait tout de même de donner sa position. Sa réserve de bois de chauffage arrivait à sa fin et elle avait commencé à brûler les meubles lorsque nécessaire pour alimenter la cheminée. Il lui restait bien une poche de charbon qu'elle conservait en dernier recours. Le libraire qui, à l'aide de son commerce, avait toujours servi de façade pour l'ARC était de plus en plus nerveux et aurait souhaité qu'elle s'en aille. Il menaçait maintenant de fermer boutique, sachant trop bien que si jamais la cachette d'Élizabeth était découverte par les nazis, il le paierait de sa vie. Avec une minime réserve de mazout et l'hiver qui approchait, elle se retrouverait dans une fâcheuse position si le libraire décidait de déguerpir. Elle avait donc abandonné la viande à cuire pour les charcuteries, lorsqu'elle pouvait s'en procurer, et mangeait le plus souvent ses légumes crus.

Élizabeth traversa le petit hangar dans lequel elle se trouvait pour passer une seconde porte qu'elle referma soigneusement derrière elle. Là, elle poursuivit son chemin à travers l'obscur corridor, faiblement éclairé d'une ampoule falote. Elle pénétra avec un soupir de soulagement dans les locaux jadis occupés par l'ARC et retira son imper trempé pour enfiler un paletot en laine qui lui arracha un frisson suivi d'une bouffée de chaleur. Alors qu'autrefois cet endroit bouillonnait d'activité et d'énergie, il ne s'en dégageait plus maintenant qu'une atmosphère sordide de tombeau délaissé.

Élizabeth se planta devant le miroir terne et piqué qui était accroché dans le réduit qui lui servait de garde-manger. L'image éculée qu'il lui renvoya la troubla. À cinquante et un ans, sa vie était misérable et se comparait à celle des sans-abri qui mouraient chaque nuit dans les rues. Ou à celle de ces réfugiés qui tentaient de fuir l'occupation allemande sans savoir ce qu'allait leur apporter la journée suivante.

Elle avait teint ses cheveux en blond et les avait coupés court, espérant par ses yeux bleus et sa connaissance de la langue allemande être capable de se tirer d'affaire advenant un contrôle ou un imprévu. Mais ses yeux jadis magnifiques avaient perdu de leur éclat, tout comme leur lueur maligne qu'une seule personne était capable d'aviver. Cernés de noir et de rides accusées, ils ne savaient plus parler. Ils regardaient vers le sol avec dépit et ne plongeaient dans ceux d'un autre que très rarement. Pourtant, ce qui la surprenait toujours, c'était que sa forme physique ou sa santé générale ne semblait nullement se détériorer malgré les privations ou le temps qui passait. Elle se sentait forte et solide et s'adonnait chaque jour à un peu d'exercice. Depuis la guérison miraculeuse qu'Édouard avait exercée sur elle trois ans plus tôt dans les cachots de l'Ahnenerbe, elle se sentait très bien. Beaucoup mieux en fait qu'une femme de cinquante et un ans. Son allure était piètre, voire grotesque, mais ce n'était qu'une allure, une image. Elle savait que cela n'était qu'un état qui se voulait passager. Un jour, cette guerre allait finir et peut-être même quitterait-elle la France.

Ce visage que lui renvoyait son reflet dans le miroir était éteint. Un seul sourire pourrait l'illuminer.

Mais Élizabeth avait depuis longtemps cessé de sourire.

Ses lèvres arides et décolorées ne s'étiraient plus que pour bâiller de fatigue ou pour parler.

Que très rarement.

Tout comme elle avait oublié le jour de son dernier sourire, la dernière fois où elle avait fait l'amour semblait quelque chose d'encore plus perdu aux confins de sa mémoire. Qui donc de toute façon pourrait encore vouloir d'elle?

L'envie de se jeter dans la gueule des nazis lui avait quelques fois traversé l'esprit. Ils la tueraient et puis tout serait terminé. Fini les manigances, les mensonges, les conquêtes, les dictateurs, les mages rouges et la fuite! Fini aussi le regard admiratif d'Édouard...

Mais ce n'était qu'une idée qui surgissait dans les moments de désespoir. Elle savait fort bien que jamais elle ne pourrait mettre sciemment fin à ses jours.

Laberge était le seul à être capable de la regarder avec sincérité pour lui affirmer qu'elle était belle. Elle voyait et sentait son dévouement. Elle était persuadée qu'il l'aimait. Mais autant elle pouvait sentir sa sincérité, autant elle percevait la détresse qui bloquait ses mots et ses gestes. Elle aurait donné n'importe quoi pour qu'il succombe à l'envie qu'il réfrénait de l'embrasser et la prendre dans ses bras pour lui chuchoter son amour. Car même un chuchotement aurait suffi. Peu lui importait le reste du monde.

Vu son état, elle n'était pas mieux que le curé, bien qu'elle n'ait jamais fait le vœu d'abstinence ou de chasteté.

Elle ouvrit les pans du manteau en laine noire pour observer son cou amaigri qui semblait s'être allongé.

Bon sang, s'il me voyait...

Une nouvelle bouffée de chaleur embrasa son corps et elle referma le manteau en le serrant contre sa poitrine.

Parlant du loup...

Elle connaissait trop bien la raison de cette sensation troublante qui la faisait chavirer presque toutes les nuits. Sans aucun doute, il s'agissait d'Édouard qui la sondait à distance. La puissance de transmission du curé et sa capacité à franchir ses frontières personnelles étaient devenues si grandes que cette façon de s'assurer qu'elle était toujours vivante la brûlait de l'intérieur jusqu'à lui faire rougir les joues. Son cœur se serrait et la sueur inondait son dos au déclenchement de fortes réactions émotionnelles. Mais malgré le malaise, elle bénissait ce sentiment qui lui donnait l'impression d'être moins seule. Elle savait que le curé pensait à elle et chaque jour, il lui envoyait ce message implicite pour le lui faire savoir.

C'est Coppegorge qui lui avait un jour affirmé que des expériences menées en France avaient démontré que tout ce qui était lié au niveau physique dans cette vie pouvait être ressenti. Ainsi, quelqu'un pouvait fort bien hériter des traits ou des talents d'un ancêtre qu'il n'a jamais connu. C'est la mémoire héréditaire. Et que dire du rapport unique qui existe entre de vrais jumeaux?

Élizabeth et Édouard n'étaient pas liés physiquement. Du moins n'avaient-ils pas encore été jusque-là. Mais la guérison qu'avait effectuée le curé sur sa personne dans les geôles de l'Ahnenerbe à Berlin trois ans plus tôt avait été le fruit d'un échange de paramètres énergétiques qui avait mêlé leurs destinées à jamais. Pour Élizabeth Montjean, il était hors de question qu'elle meure par cette guerre sans avoir revu Édouard. Bien qu'elle sache pertinemment qu'il serait à peu près impossible à Laberge d'entrer et de circuler en France.

— Pourquoi me trouves-tu belle? lui avait-elle un soir demandé.

Ils sortaient de table au cours d'un week-end passé chez Albert et Emma au printemps 1939. Elle avait aussitôt regretté ses mots et avait gardé le silence en évitant le regard du curé. Ils marchaient l'un à côté de l'autre en s'éloignant de la maison en pierre. Après qu'ils furent passés devant les jardins d'Emma, Laberge avait enfin trouvé quelque chose à dire.

— Quelle question! avait-il répondu. Je n'en sais rien!
Je suppose que c'est parce que je te trouve simplement
belle…

— C'est la réponse facile.

Laberge l'avait entraînée en souriant vers le gigantesque
saule pleureur qui semblait aussi vieux que les oliviers du
jardin de Gethsémani. Deux câbles suspendus à une énorme
branche qui s'étirait à l'horizontale retenaient une balançoire, simple planche de bois, assez large pour permettre à
deux personnes de s'asseoir côte à côte.

Épaule contre épaule, Élizabeth avait attendu une nouvelle réponse à sa question. La chaleur d'Édouard traversait
son manteau long pour se propager de manière réconfortante
au corps de la Française.

— Tu sais, cette discussion que nous avons eue ce soir,
avec Albert et Emma, quand je vous expliquais que selon
moi, tout ce qui est, n'est que manifestation de l'esprit?

Élizabeth avait hoché de la tête pour dire oui.

— Eh bien, puisque je crois que notre esprit n'est pas
seulement une façon de penser mais bien un état d'être, on
peut supposer qu'il crée pour nous la perception du temps
et de l'espace, de la matière solide et de l'énergie pure. Notre
esprit est pareil à l'Univers, infini et sans aucune limite. Ce
qui revient à dire qu'il nous est possible d'expérimenter
l'immensité de l'Univers! Sans esprit pour le comprendre,
il n'y a plus d'existence, donc plus d'Univers. L'homme est
sans contredit une image miroir de l'Univers, tant par son
corps que par son esprit.

— Je ne vois pas où tu veux en venir.

— Quand je te regarde, répliqua le curé à voix basse et en l'étudiant attentivement, je vois absolument tout. Je vois le reflet de l'Univers tout entier. À travers ta voix, j'entends le chant des oiseaux. Quand tu prends ma main, je suis touché par la vérité. Quand tes cheveux sont en bataille, je sens le vent. Quand tu es là, tout est là. Et dans le bleu de tes yeux peut disparaître un océan tout entier. Car tout naît, existe et disparaît avec l'esprit.

— Édouard, je…

— Non, ne dis rien s'il te plaît. Je serais moi-même chassé en enfer par l'évêque s'il entendait mes paroles.

— Et pourtant…

— Et pourtant, je les ai dites et je ne les regrette pas. Je te trouve belle d'être ce que tu représentes pour moi. Je te trouve belle d'être, tout simplement. C'est ce que je ressens quand je te regarde.

Élizabeth aurait voulu lui dire que jamais personne ne lui avait rien dit d'aussi beau et d'aussi sincère. Elle aurait voulu lui sauter au cou, lui arracher son collet romain et lui faire l'amour, là, sous ce saule séculaire, malgré les moustiques qui se faisaient de plus en plus insistants avec le soir tombant.

Mais Élizabeth avait gardé le silence.

Entre chien et loup, elle avait soutenu le regard du curé, parvenant tout de même à y lire l'authenticité. La balançoire bougeait tout doucement, comme une confortable berceuse, au rythme de la poussée de leurs jambes. Le chant des grenouilles, qui se réappropriaient les marécages de la forêt, semblait leur parvenir de partout à la fois, comme pour protéger les mots doux des oreilles indiscrètes.

Élizabeth s'avoua, en son for intérieur, que ce moment avec Édouard avait été le plus romantique de toute sa vie. Ce qui renforça en elle la décision de rester vivante.

Afin de vivre encore ce genre de moment.

Le regret rongeait parfois Élizabeth Montjean.

Le regret de ne pas être restée au Québec après avoir terminé la retranscription et le rapport sur les chroniques de Caïn, qu'elle avait obtenues du vampire lors de son séjour dans le monde d'Agharta, trois ans plus tôt[1].

Les conclusions de ce rapport avaient conduit à un imbroglio entre Coppegorge et l'évêque de Valleyfield, Monseigneur Joseph-Alfred Langlois. Le Français avait fait jurer Élizabeth sur la sainte Bible de garder sous silence ce qu'ils avaient retranscrit dans ce rapport. Elle avait même dû mentir à Édouard à ce sujet, ce qui n'avait pas manqué de l'attrister, bien qu'elle n'en ait pas laissé paraître la moindre trace. En fin chroniqueur, Caïn semblait tout relater, jusqu'à l'histoire de sa naissance. Et en fin manipulateur, il avait fait cadeau à Élizabeth d'un seul de ses carnets, judicieusement choisi, afin de jeter le trouble chez ceux qui en prendraient connaissance. Évidemment, il était impossible de juger de la véracité des propos retranscrits dans le cahier. Et se fier à la parole d'un vampire qui jetait à bas les fondations mêmes de l'Église de Jésus-Christ

---

1. Voir *Agrippa – Le monde d'Agharta*, Éditions Michel Quintin.

était impossible à moins d'effectuer de sérieuses vérifications. Il avait donc été décidé de taire les écrits de Caïn, jusqu'à ce qu'une étude confirmant ou infirmant ses propos soit amorcée.

Mais l'entrée du Canada dans une nouvelle guerre mondiale était venue bouleverser tous les plans. Sous l'insistance du Vatican, le rapport ainsi que le carnet devaient leur être acheminés dans les plus brefs délais. Théodore Coppegorge avait d'abord été offusqué que l'évêque de Valleyfield ait pris seul la décision d'avertir le Saint-Siège de l'existence de ces sombres chroniques. Au su de la gravité de ces révélations sans fondements et jusqu'à preuve du contraire, il aurait été plus avisé de taire le message du vampire. Le pape avait ordonné le rapatriement des documents dans un coffret scellé que lui seul était autorisé à ouvrir. Un émissaire de la cité du Vatican avait été dépêché jusqu'à l'évêché de Valleyfield et avait brisé le sceau de son *informi rosso* devant l'évêque pour prendre connaissance de ses instructions[1].

Mais Coppegorge avait fait une erreur lors de l'envoi du carnet renfermant les écrits de Caïn. Il avait par inadvertance inséré dans le coffret la copie carbone du rapport sur lequel il avait apposé sa signature aux côtés de celle d'Élizabeth. Ainsi, le Saint-Père saurait inévitablement qu'il n'avait entre les mains qu'une copie qui n'était pas censée exister et que l'original se trouvait toujours à Valleyfield.

---

1. L'*informi rosso*, ou le rapport rouge, consistait en un petit parchemin roulé dans un ruban rouge et portant le sceau du Saint-Office. Son porteur ne devait l'ouvrir qu'une fois arrivé à destination afin de connaître les détails de sa mission.

Élizabeth avait violemment fustigé Coppegorge lorsqu'il lui avait avoué son erreur et qu'il l'avait convaincue de ne rien dire à l'évêque. Après l'avoir fixé droit dans les yeux, elle lui avait conseillé de se trouver très loin quand les hommes en noir du Vatican viendraient pour récupérer l'original du rapport. Fâchée par le malaise et le mensonge qui régnait entre les murs de l'évêché, elle avait claqué la porte et avait inventé d'autres prétextes pour expliquer à Édouard qu'il lui fallait rentrer en France.

Puis la guerre avait éclaté.

Au lendemain du déclenchement de ce second grand conflit mondial, l'univers tout entier avait semblé suspendu entre des temps perdus. L'attention du monde s'était tournée vers cette menace grandissante, jusqu'à en oublier de vivre. Et Élizabeth, recherchée par les nazis, s'était retrouvée coincée dans Paris.

L'espionnage et le contre-espionnage étaient devenus des activités envahissantes qu'il fallait surveiller au même titre que le fascisme ou le communisme. Une nouvelle forme d'Inquisition venait de voir le jour. Plus moderne, plus subtile.

Au Québec, on l'avait vue frapper un grand coup au milieu de l'année 1940 lorsque le parti fasciste d'Adrien Arcand avait été carrément dissous par la Gendarmerie royale canadienne. Ses membres emprisonnés ou bannis, le parti avait éclaté et c'en avait été fini de la menace fasciste au pays. Arcand avait été accusé de vouloir renverser le gouvernement et toute constitution fasciste dans l'avenir avait été interdite par la loi. Enfermé dans une prison depuis lors, Arcand demeurait un véritable héros pour les partisans emprisonnés avec lui. Ces derniers lui avaient même fabriqué un «trône» de fortune où il continuait de discourir allègrement sur ses vues pour le Canada quand Hitler aurait mainmise sur le monde.

Élizabeth avait quitté le Québec en proie à la frustration et au remords. Frustrée face à l'attitude de Coppegorge et de l'évêque et inquiète de les laisser seuls avec cette épée de Damoclès que représentaient les chroniques de Caïn au dessus de leur tête. Frustrée par sa décision de quitter Édouard et prise du remords de l'avoir tourmenté plus d'une fois.

Mais comment aurait-il pu en être autrement?

Elle se sentait à ce point attachée à l'homme qu'il lui était terriblement difficile d'admettre comme étant logique le fait de devoir empêcher ce partage pourtant si naturel. Quelque chose s'était produit, là-bas, dans les cachots de l'Ahnenerbe à Berlin, quand Édouard l'avait soulagée de ses blessures. Une communion d'énergie aussi forte qu'une communion des corps. Le sentiment d'être pénétrée si profondément dans son être, que chaque fibre la composant s'était mise à crier de l'intérieur. Une impression choquante mais bienfaitrice qui l'avait inondée comme une vague énorme et bouillonnante. Et son cœur lui avait fait mal, écrasé par une surcharge d'amour qui ne pourrait jamais être rendue.

C'était fondamentalement terrible.

Et chaque nuit, avant de s'endormir, elle ressassait cette scène parmi tant d'autres, pour tenter de comprendre.

Comprendre ce que ce curé obstiné était venu faire dans sa vie. Cette vie qui pourtant lui échappait et la conduisait lamentablement vers une mort certaine.

Mais qu'elle soit lamentable ou non, la vie conduit toujours – et inéluctablement – à la mort.

Bien qu'incapable de s'arracher aux images qu'elle entretenait au sujet d'Édouard, elle se détourna du miroir pour faire disparaître le reflet qu'il lui renvoyait.

Tout en frottant contre son manteau une pomme qui avait perdu sa fermeté, elle se rendit dans l'ancien bureau de Robert Desfontaines, le chef des opérations logistiques de l'ARC en France et pour toute l'Europe occidentale. Là, elle mit le contact au poste radio Ducastel qui, grâce à une antenne bien camouflée, lui permettait de syntoniser Radio Londres. Elle reconnut une sonate pour piano de Schubert en se laissant tomber dans un fauteuil placé tout près de la radio et croqua sans grand plaisir dans la chair molle de sa pomme.

Bercée par la musique, Élizabeth ferma les yeux et tenta elle aussi de rejoindre Édouard en continuant à s'accrocher à ces moments où ils avaient été proches. Proches de succomber.

Comme cette nuit chez Albert où elle avait glissé ses doigts sur sa poitrine en s'approchant le regard en feu avec une envie brûlante de l'embrasser. Ou cet après-midi orageux où dans la voiture, elle avait frôlé sa bouche de ses lèvres pourprées par l'envie. Elle avait senti une telle retenue chez le curé qu'elle avait préféré mettre fin à son supplice et s'éloigner bêtement. Et il y avait eu cette soirée brumeuse, où ils avaient enfermé l'*Agrippa* subtilisé aux nazis dans la chambre forte de l'église St.Matthew.

Construite quelques années plus tôt avec la permission de la communauté anglicane, la prison des *Agrippas* était une forteresse inviolable. La tribune de l'officiant qui couvrait l'arrière de l'église avait été entièrement démontée, et ses pièces en bois numérotées, avant d'ouvrir un espace suffisamment grand sur la crypte pour y faire passer la chambre forte. À la fin des travaux, la tribune avait été fidèlement assemblée comme à l'origine. Et seule une trappe dans le plancher, barrée de deux serrures nécessitant deux clés différentes, trahissait l'existence d'une cave dans ce bâtiment presque centenaire.

C'est en manipulant cette trappe que Laberge s'était blessé la main sous les yeux d'Élizabeth et de Théodore Coppegorge. Elle lui avait glissé des mains et en voulant la rattraper, l'un des pênes lui avait entaillé la paume. Après s'être assuré que tout allait bien, Coppegorge avait emprunté l'escalier pour descendre dans la crypte.

Le sang avait lentement fait son chemin pour émerger de la blessure et le curé avait cherché au fond de sa poche le mouchoir en tissu qu'il traînait toujours. Élizabeth avait délicatement saisi sa main blessée entre les siennes. Puis, très doucement, elle avait approché de son visage la main du curé, qui avait aussitôt suspendu sa recherche. Elle avait examiné la coupure de plus près, sous la lumière blafarde que diffusaient les deux seules lampes à huile demeurant dans l'église. Tout autour, les ombres noires créées par le feu de ces sources de lumière avaient semblé les épier sans la moindre discrétion.

Dans un silence enveloppant, brisé seulement par les mouvements de Théodore Coppegorge qui s'affairait plus bas dans la crypte, Élizabeth avait été fascinée par l'idée séduisante du fluide magique qui circulait dans les veines de son ami. Le sang coulait déjà entre ses doigts lorsqu'elle avait approché de sa bouche la main du curé sans ne jamais quitter son regard. Recouvrant la coupure de ses lèvres brûlantes, elle y avait ensuite appuyé sa langue pour arrêter la faible hémorragie. Laberge avait retenu son souffle, fouetté d'émotions vertigineuses et de désirs furieux. Et pour la première fois, il avait eu le sentiment que cette femme possédait la capacité d'occuper toute la place dans ce vide béant, que même Dieu n'avait jamais su combler. Élizabeth n'occultait pas son souvenir d'Hélène Myers, cette femme qu'il avait autrefois tant aimée. Elle ne changeait rien non plus à son désir de servir Dieu pour le plus grand bien des hommes. Elle était simplement la pièce manquante au puzzle de son existence. Même si obstinément, il se refusait toujours à l'admettre.

Tout cela, Élizabeth Montjean le savait. Elle le percevait dans son regard, dans le mouvement de ses lèvres qui brûlaient du désir de parler mais qui continuaient à se taire, et dans ce geste instinctif qu'Édouard avait de porter la main droite à sa poitrine, afin de sentir la présence du médaillon renfermant la photo jaunie d'Hélène. Et dans les bureaux froids et désertés de l'ARC au cœur de ce Paris occupé par l'ennemi, elle se rattachait chaque nuit à ces souvenirs fugaces, qui constituaient pour elle l'unique définition d'un amour véritable. Le seul qu'elle ait jamais connu.

Serrée dans son manteau, Élizabeth se sentait isolée, délaissée. Elle vérifia machinalement la présence de son pistolet de poche *Le Français* 6,35 mm. Puis, recroquevillée dans le gros fauteuil capitonné installé tout près du poste radio, elle ferma les yeux et chercha au fond d'elle un endroit où le calme aurait pu se cacher.

Elle sombra graduellement dans le sommeil, bercée par un ensemble de violons, qui achevaient la *Suite n° 3* de Bach.

La berline BMW 335 se gara tous feux éteints en bordure de la rue du Quatre-Septembre. Les quatre hommes à l'intérieur étaient tous tournés vers l'entrée de la ruelle sombre qui se trouvait sur leur gauche. Lorsqu'ils furent assurés qu'il n'y avait personne dans les environs, le chauffeur descendit prestement et se dirigea vers le coffre arrière, bientôt imité par ses trois compagnons. Il leur tendit à chacun une robe de moine noire avec capuce qu'ils revêtirent aussitôt.

Nicolas Estorzi ajusta le cordon et releva le capuce pour cacher son visage. Au moins, la pluie avait-elle cessé. Cela rendrait les choses plus faciles. Le fond de la ruelle était plongé dans l'obscurité et s'il avait fallu que la pluie s'en mêle, les quatre agents auraient eu bien du mal à s'y retrouver. Estorzi leva les yeux vers l'enseigne bleue fixée sur le mur du bâtiment et qui indiquait la rue du Quatre-Septembre, ainsi nommée en l'honneur de la proclamation de la IIIᵉ République, le 4 septembre 1870.

— Saviez-vous que la rue du Quatre-Septembre s'appelait autrefois la rue du Dix-Décembre?

Les trois autres le dévisagèrent, perplexes.

— Ce n'est pas une blague, conclut-il fort sérieux. Allons-y !

Les quatre hommes traversèrent la rue et s'engagèrent dans la ruelle, en longeant dans l'ombre le mur en brique du haut bâtiment se trouvant sur leur gauche. Ils avancèrent en silence, rompus qu'ils étaient à ce genre de mission.

Nicolas Estorzi se retrouvait une fois de plus à faire une incursion dans un pays occupé par les nazis. Parlant couramment la langue de Goethe, il n'en était pas à sa première sortie sur les territoires du Reich. Il se savait activement recherché et se devait d'être très prudent. Mais personne n'avait jamais vu son visage ni même entendu son nom. Il était le prêtre-agent le plus efficace du service de contre-espionnage du Vatican créé sur l'ordre de Pie X en 1910 : l'Entité. Il allait et venait à travers toute l'Europe, effectuant des transports de fonds ou de messages pour les plus hautes instances ecclésiastiques et planifiant recherches, vols, conspirations, trahisons, chantage et assassinats au nom de Dieu et de la foi catholique. C'est pour cette raison qu'il se faisait appeler le Messager.

Estorzi avait été recruté des années auparavant par le tout-puissant cardinal Matisse Rabanel qui dirigeait d'une main de fer l'Entité. Le cardinal, un homme grand à la très forte carrure, au regard bleu intense et aux cheveux rasés de près, arborant le bouc et la moustache en mémoire du christianisme originel, savait ordonner sans causer le moindre questionnement. Si le cardinal ordonnait de liquider quelqu'un afin de protéger ou de défendre la foi, on le faisait sans discuter. Comme le pape, il était la voix de Dieu. Les hommes de l'Entité, son bras exécuteur.

Lorsqu'ils arrivèrent devant les grandes portes, Estorzi donna un nouvel ordre.

— Serrurier!

Ce dernier s'exécuta sans attendre, déposant un sac en cuir sur le sol avant d'en tirer une lampe torche qu'il utilisa pour repérer la plaque qui recouvrait la serrure. Après une brève étude, il tenta sans succès de crocheter le système.

— C'est une serrure à secret, conclut-il. Il faut d'abord que je localise le déclencheur primaire avant de pouvoir crocheter la serrure. Mais ça ne devrait pas être long. Le déclencheur n'a d'autre choix que de mettre le doigt sur la porte.

Le serrurier ne mit pas deux minutes à trouver la fausse tête de rivet qui actionnait le déclencheur. Il crocheta aisément la serrure et poussa de l'épaule dans la porte pour la faire tourner sur ses gonds. Lorsqu'ils furent tous à l'intérieur, le serrurier balaya la pièce de son faisceau lumineux et repéra l'interrupteur sur le mur qu'il actionna une fois que la porte fut refermée.

— Nous y voilà, dit-il en rangeant ses outils dans son sac.

Estorzi tira de sa poche l'*informi rosso*, un petit rouleau de parchemin. Il le montra aux trois hommes l'accompagnant afin qu'ils puissent tous constater que le sceau était intact. Un sceau rompu avant d'avoir atteint le site d'une mission était passible de mort immédiate.

Lorsqu'il eut l'assentiment de ses trois moines noirs, le Messager brisa le sceau et parcourut le texte des yeux avant d'en résumer la lecture.

— Messieurs, pour ceux d'entre vous qui l'ignorent, nous nous trouvons présentement dans les locaux secrets du bureau principal de l'Alliance des Religions du Christianisme en Europe. Ou si vous préférez, l'ARC. Le dirigeant civil de l'ARC qui se fait appeler DR est un ami de longue date du cardinal Rabanel. Mais voilà que ce DR, dont nul ne connaît le nom véritable, semble s'être évaporé dans la nature sans en avertir le Vatican, juste avant l'entrée des Allemands dans Paris. Le cardinal est très mécontent et tient absolument à retrouver le déserteur. Je doute qu'ils soient encore amis. Notre mission est de fouiller discrètement les lieux, de chercher des indices, de récupérer ce qui pourrait être utile et d'éliminer quiconque pourrait encore se trouver en ces lieux. Me suis-je bien fait comprendre, messieurs ?

Les moines noirs acquiescèrent tous d'un signe de tête affirmatif.

— Chauffeur ?

— Oui, Messager ?

— Je préférerais que tu nous attendes à la voiture afin que tu puisses faire le guet de l'extérieur. Je suppose l'endroit vide et nous serons assez de trois.

— Comme vous voudrez.

Le chauffeur s'exécuta et le serrurier referma la porte derrière lui.

— Sommes-nous prêts ?

Les deux moines noirs restant avec Estorzi tirèrent leur Beretta 34 de sous leur robe de bure. Ils passèrent la seconde porte et avancèrent à pas de loup à la lumière d'une seule lampe torche, dans le grand passage qui menait aux bureaux de l'ARC.

Élizabeth n'ouvrit pas les yeux tout de suite.

Elle émergeait lentement d'un sommeil sans rêves et n'entendait que le grésillement du poste radio resté allumé. La programmation avait dû cesser pour la nuit et ne reprendrait qu'au petit matin. Pourtant, un nouveau bruit, plus subtil, se confondait au crépitement provenant du haut-parleur.

Élizabeth étira le bras pour éteindre le poste radio.

Derrière elle, plus loin au fond de la pièce, quelqu'un manipulait la poignée de la porte.

Elle ouvrit brusquement les yeux mais il était trop tard pour bouger. La porte s'ouvrait sur le grand bureau du chef des opérations de l'ARC et le faisceau d'une lampe torche balayait la pièce. Élizabeth resta calée dans son fauteuil, à l'abri du regard des intrus, afin de se donner encore un peu de temps pour réfléchir. Plus loin en face d'elle, un miroir lui permettait de voir entrer les trois hommes vêtus comme des moines. Des moines noirs.

Elle glissa prudemment sa main dans la poche de son manteau afin d'aller y chercher le petit pistolet qui s'y trouvait. Mais elle suspendit son geste, surprise par la voix basse d'Estorzi qui avait également aperçu son reflet dans la glace.

— Je vous demande, pour votre propre protection, de lever les mains en l'air, de vous lever de ce fauteuil et ensuite de vous tourner lentement vers nous. Je ne le répèterai pas.

Élizabeth retrouva son calme et se leva tranquillement avant de se tourner face aux trois moines noirs.

— Veuillez maintenant vous avancer et vous mettre à genoux, les mains dans le dos, juste ici, continua Estorzi en pointant le sol du doigt juste devant lui.

Alors qu'elle s'exécutait, Élizabeth tenta de jouer sur son allure négligée pour expliquer sa présence.

— J'ai trouvé la porte ouverte dans la ruelle et l'espace vide, prétendit-elle. Comme je dormais dans la rue, j'ai décidé de m'y installer.

— C'est ce que nous allons voir.

Le serrurier lui mit les menottes aux poignets avant de la relever.

Alors qu'il éclairait la pièce, Estorzi se tourna vers l'autre moine noir.

— Archiviste, peux-tu la contrôler?

— Oui, bien sûr.

L'homme s'installa derrière l'ancien bureau de Desfontaines et y posa un livre qu'il commença à feuilleter. À chacune des pages figurait la fiche descriptive de l'un des agents de l'ARC. Le serrurier planta Élizabeth debout face au bureau, juste sous le plafonnier. Au bout d'un moment, l'archiviste leva le doigt.

— J'ai trouvé! Elle s'appelle Élizabeth Montjean. Elle est un peu différente de la photo mais pas de doute, c'est bien elle.

Le Messager s'approcha jusqu'à se trouver très près de son visage.

— Vous êtes certain de ce que vous dites? demanda-t-il à l'archiviste.

— Je suis catégorique, monsieur. Il s'agit bien d'Élizabeth Montjean, née à Colmar le 15 juillet 1890 d'un père français et d'une mère allemande. Diplômée en archéologie médiévale de l'Université de la Sorbonne en 1917, avec une spécialité en iconographie et en paléographie, elle fut recrutée par le musée de Cluny dès la fin de ses études. Cinq ans plus tard, on la retrouve membre de l'obscure Confrérie de Tiffauges qui selon nos sources n'existe plus. Puis, coopérante et espionne pour l'Alliance des Religions du Christianisme. Grâce à sa connaissance de l'allemand, elle a infiltré le parti nazi en 1935 jusqu'à son arrestation en 1938. Elle s'est évadée et est, à ce jour, toujours recherchée par la Gestapo. Elle parle couramment quatre langues et est habilitée à tuer.

— Vous m'avez menti, affirma Estorzi tout en réprimandant la Française d'un index accusateur.

— Qui pourrait me le reprocher?

— Vous avez tout à fait raison, très chère.

— Puis-je alors vous demander ce que vous avez l'intention de faire de moi?

— Tout de suite les grandes questions existentielles... Mais dites-moi, n'êtes-vous pas curieuse de d'abord savoir qui nous sommes?

— Mais je le sais très bien! Vous êtes les moines noirs du contre-espionnage papal. Votre service, que l'on nomme à voix basse l'Entité, a été créé voilà plus de trente ans par le pape Pie X et est aujourd'hui dirigé par le cardinal Matisse Rabanel. Bien qu'il se soit toujours refusé à l'avouer.

— Mais que voilà une femme bien informée! s'exclama Estorzi en faisant sourire ses deux comparses.

— Rabanel est d'ailleurs un proche de celui qui occupait ce bureau avant que les Allemands n'entrent dans Paris, poursuivit Élizabeth sans se démonter.

— Oui, je sais. Celui dont le nom ne doit jamais être écrit, ni prononcé…

— Je doute fort que le pape soit au courant de tous vos agissements, monsieur… pardonnez-moi je n'ai pas bien saisi votre nom.

— Mon nom n'a aucune importance, je suis un exécuteur. Voilà tout ce que vous avez besoin de savoir à mon sujet. Quant au pape Pie XII, il n'a pas à être ennuyé avec de vains détails. De plus, il est essentiel d'être capable de juger entre ce qu'il est convenu de faire et ce que le pape ferait. C'est pourquoi il est préférable que nous prenions certaines décisions à sa place.

— Et quelle est donc la raison de votre effraction en ces lieux?

— Le cardinal Rabanel est très fâché contre son ancien ami DR. Car celui-ci a quitté Paris en emportant toutes les archives de l'ARC sans sa permission et sans même lui faire savoir où il allait. Mais grâce au ciel, vous êtes là! Et vous savez sûrement où se sont terrés DR et sa bande. Alors, vous allez pouvoir me le dire.

Curieusement, Élizabeth se mit à rire. Elle qui n'avait pas ri depuis des lunes se trouvait maintenant entre les mains d'un nouveau tortionnaire qui se devait de la garder en vie pour les informations qu'elle détenait, mais qui n'hésiterait certainement pas à lui faire très mal pour essayer de lui tirer les vers du nez. La situation devenait si pathétique qu'elle ne pouvait s'empêcher de rire de son triste sort.

— Vu les circonstances, je ne vois vraiment pas ce qui peut vous faire rire, ajouta Estorzi.

Élizabeth préféra garder le silence et reprendre son calme. Elle se contenta de dévisager le Messager pour tenter d'y lire ses intentions. Ce dernier, troublé par le bleu profond des yeux de la Française, préféra détourner le regard. Il signifia au serrurier d'amener la prisonnière au centre de la pièce. L'autre s'exécuta et la frappa du pied derrière les genoux afin de la faire tomber au sol.

À partir de ce moment, le cerveau d'Élizabeth se mit à fonctionner à toute vitesse. Les choses se corsaient et peu importe ce qu'elle répondrait, les moines noirs ne la laisseraient sûrement pas en vie. Lorsque le serrurier arma son Beretta et vint se placer devant elle pour pointer l'arme en direction de sa tête, elle décida de la phase un de son plan de survie.

— Vous me voyez navré d'en arriver à cette extrémité, commença le Messager, mais étant donné votre force de caractère, je crois qu'il vaut mieux passer tout de suite aux moyens les plus persuasifs.

— À quoi bon? lui répondit Élizabeth. Quoi que je dise, vous me tuerez de toute façon.

— Comment pouvez-vous en être sûre? Êtes-vous réellement déterminée à courir ce risque?

Élizabeth évalua rapidement la situation et enregistra la position des trois hommes dans l'espace qui l'entourait. Le serrurier était face à elle et la tenait en joue. Sur sa droite, assis derrière le bureau, l'archiviste observait la scène. Son pistolet était négligemment posé sur le bureau. Dans son dos se tenait le Messager, utilisant cette méthode d'interrogation qui voulait que seule la voix soit plus intimidante que la présence. Agenouillée au milieu d'eux, les mains menottées dans le dos, la tête basse et les yeux clos pour retrouver toute sa concentration, Élizabeth définit mentalement les limites de l'endroit où se passerait dans quelques minutes une seule et unique action qui déciderait de sa vie ou de sa mort. Elle se rappela Édouard et sa façon bien à lui de concentrer ou de manipuler l'espace. Elle devrait user de ce qu'elle-même était capable de faire. Et elle aurait besoin de toute sa concentration pour y arriver. Mais pour l'instant, elle devait gagner du temps afin de parvenir à un état de plein contrôle de ses émotions. Ensuite, elle devrait visualiser sa propre évasion jusqu'à en obtenir la certitude dans le temps. Elle décida pour l'heure de poursuivre la discussion avec le Messager.

— Ce n'est pas un risque que je cours, monsieur, mais plutôt une évidence que je peux lire en vous.

— Mais, instruisez-moi, chère dame, répondit-il d'un ton de charme piqué de curiosité, à quoi donc reconnaissez-vous le mensonge dans mes gestes ou mes paroles ?

La captive continua de fixer le plancher puisque de toute façon elle ne pouvait pas voir son interlocuteur qui s'obstinait à rester dans son dos.

— Vos yeux vous trahissent, monsieur, déclara Élizabeth avec assurance, ils sont gris et fuyants vers les côtés. Ce qui m'indique que vous êtes un homme froid, malhonnête, calculateur, égoïste et entêté. Les yeux qui fuient de gauche à droite sont la plupart du temps les yeux d'un homme malhonnête. Cependant, il ne faut pas juger trop vite. Certains timides ont les yeux fuyants vers les côtés. D'autres encore peuvent avoir le regard fuyant à cause d'une situation qui attire leur attention et qui se passe à côté ou derrière eux. Mais dans votre cas, monsieur, il n'y a aucun doute, mon diagnostic est juste. Vos yeux gris sont toujours mi-clos et de plus vos paupières sont lourdes et épaisses, ce qui confirme votre penchant pour le mensonge, la sournoiserie et même la cruauté.

Un silence s'installa dans la pièce, bien plus lourd que les paupières du Messager.

Élizabeth pouvait sentir la tension et la colère qui émanaient de derrière elle et qui emplissaient l'ancien bureau du chef des opérations de l'ARC. Elle leva lentement les yeux vers le serrurier qui la pointait toujours de son Beretta à canon court. Elle enveloppa l'arme de son esprit et en visualisa le mécanisme dans sa tête. Élizabeth connaissait bien les modèles 34 et 35 de Beretta. Elle savait qu'en plus d'être doté d'un cran de sûreté à la gâchette, le pistolet en possédait un autre supplémentaire au chien que personne n'utilisait jamais. Elle fixa le Beretta et se concentra sur le petit levier, visualisant dans son esprit son lent mouvement de bascule. La position de l'arme dans la main du serrurier l'empêchait toutefois de voir si l'action qu'elle commandait dans son esprit prenait véritablement place dans la réalité. Elle continua donc sans arrêt de voir cette sûreté facultative au pistolet en position de retenue du chien. Sa vie se jouerait sur la réussite de ce seul mouvement de télékinésie. Et cette pensée lui arracha un sentiment de terreur qu'elle réfréna aussitôt. Pour elle qui avait presque souhaité mourir quelques jours auparavant, l'envie de vivre venait maintenant prendre toute la place dans son réservoir à désirs.

— Puisque vous gardez le silence sans vouloir confirmer ma description des traits majeurs de votre personnalité, j'en conviens que je ne me suis pas trompée. Après tout, qui ne dit mot consent... n'est-il pas vrai?

— Vous ne direz rien, n'est-ce pas, mademoiselle Montjean?

La question avait été posée par le Messager sur un ton chargé de brutalité.

Le moment était tout proche.

— Je ne dirai rien, en effet...

Nicolas Estorzi recula de quelques pas, jusqu'à s'appuyer contre la porte qui permettait de sortir du bureau pour rejoindre la salle de réunion. De là, il était possible de passer dans une salle d'archives qui, grâce à une porte secrète, donnait sur la librairie de la galerie Vivienne qui leur servait de couverture.

Le Messager se laissa emporter par la haine subite qu'il éprouva pour la Française. Il savait qu'il ne pourrait rien en tirer et son désir de la voir morte vint le submerger comme une vague furibonde.

— Vous me voyez navré alors...

— Vous mentez encore, vous ne l'êtes pas du tout…

Élizabeth croisa les yeux du serrurier qui fuirent aussitôt vers Estorzi dans le but de recevoir l'ordre. Lorsque l'homme armé baissa de nouveau le regard vers elle, Élizabeth le toisait encore avec défi.

L'homme appuya sur la détente en clignant des yeux. Le chien du pistolet avança à moitié en émettant un bruit de percussion, retenant le coup de feu. Le cœur d'Élizabeth se mit à accélérer en cognant contre sa poitrine et tous ses muscles se tendirent, prêts à bondir en avant.

Incrédule, le serrurier ramena l'arme vers lui en la pointant sur sa gauche afin de voir le côté de la carcasse.

Élizabeth repoussa mentalement le levier de sécurité avec toute la force dont elle était capable. Le chien se libéra et frappa le percuteur qui fit partir le coup. L'archiviste, qui se trouvait toujours assis au bureau, reçut le projectile 9 mm en pleine poitrine et bascula par en arrière avec la chaise. Profitant de la surprise, Élizabeth sauta en avant et frappa violemment de l'épaule le serrurier qui perdit l'équilibre et alla se cogner la tête contre le montant d'une bibliothèque chargée de livres, juste derrière lui. Elle lui asséna un violent coup de pied au visage qui lui fit perdre connaissance avant de se jeter au sol et de rouler sur le Beretta pour le saisir de ses mains menottées.

Reprenant ses esprits, le Messager bondit en avant mais retint son geste lorsqu'il constata que la Française avait l'arme en main. Elle tira deux coups au hasard en faisant dos à Estorzi mais manqua sa cible. L'Italien se rua sur la porte de sortie et la referma derrière lui. Élizabeth s'approcha rapidement et se tourna pour pousser le verrou. Lâchant le Beretta, elle fouilla les poches du serrurier toujours inconscient pour y retrouver la clé des menottes. L'homme perdait son sang par une large blessure à la tête. Elle réussit à se défaire de ses entraves et les jeta rageusement par terre.

Élizabeth s'approcha de la porte en se frottant les poignets. Il ne fallait pas que le Messager puisse s'enfuir. Elle récupéra d'abord les Beretta et les fourra dans la poche de son manteau. Puis, armant son petit pistolet *Le Français*, elle retourna vers la porte et l'ouvrit toute grande en se plaquant contre le mur. La salle de réunion était vide et l'autre porte sur le mur opposé, entrouverte. Elle franchit en courant la distance la séparant de celle-ci pour se retrouver dans la salle d'archives. La porte secrète permettant d'accéder à la librairie était ouverte et un bruit de vitre fracassée lui parvint. Elle se rua dans la librairie pour voir le Messager s'enfuir après avoir brisé la vitrine donnant sur la galerie Vivienne. Elle tira deux fois encore, mais en vain. Le bruit du pas de course du Messager sur les planchers mosaïqués de la galerie se répercutait en écho.

Élizabeth décida de revenir sur ses pas. Puisque les moines noirs étaient arrivés par la ruelle arrière, c'était là que le Messager irait d'abord. Elle devait être là avant lui.

Elle se faufila par la porte secrète composée d'un rayon chargé de bouquins anciens et courut à travers la salle d'archives et la salle de conférence, butant sur une chaise au passage et percutant de la hanche le coin de la grande table. Lorsqu'elle déboucha dans le bureau, un homme se tenait là, un air d'incompréhension sur le visage : le chauffeur.

Il leva son arme trop lentement et n'eut aucune chance. Élizabeth lui avait déjà logé une balle en plein front.

Elle jura devant cette mort inutile et enjamba le cadavre pour courir jusqu'au hangar arrière. Elle ouvrit la porte métallique donnant sur l'extérieur au moment même où un bruit de moteur qui démarre se faisait entendre. Elle courut dans la ruelle pour finalement aboutir dans la rue du Quatre-Septembre alors que la BMW 335 s'éloignait. Elle visa la lunette arrière mais la voiture était déjà loin. De plus, des coups de feu risqueraient d'alerter une patrouille allemande.

Elle resta là un moment, les bras ballants au milieu de la rue. Un filet de sang provenant d'une écorchure due aux menottes se faufilait lentement à l'intérieur de sa main gauche.

Maintenant elle n'avait plus le choix. Elle devait quitter l'ARC et tenter de rejoindre la Savoie jusqu'au château de Pomboz. Elle s'en voulut à cet instant de ne pas avoir écouté Desfontaines.

Elle emprunta la ruelle vers le hangar.

D'abord faire le ménage. Se débarrasser des corps.

Quant au serrurier, s'il n'était pas déjà mort, elle devrait l'abattre. Cette pensée la fit frissonner.

Elle referma sur elle la porte du hangar et verrouilla à double tour.

4

Désert de Gobi, Mongolie.
Le lundi 6 octobre 1941.

Piloté de main de maître par un militaire aussi téméraire que chevronné, le Haunebu plongea dans les nuages avec soudaineté. N'eût été leur ceinture pour les maintenir contre leur siège, les passagers se seraient retrouvés un peu partout dans l'habitacle. Au moment où Skoll, le puissant mage rouge, ouvrait la bouche pour passer un commentaire acide sur l'homme aux commandes, le disque volant marqué de la croix de la *Luftwaffe*, l'armée de l'air allemande, dévia brusquement de sa course. Le cœur de Skoll, tout comme celui des autres occupants, se souleva dans sa poitrine et ils ne purent réprimer une exclamation lorsque l'appareil se redressa et qu'ils se retrouvèrent cette fois écrasés dans leur siège. Une nouvelle accélération se fit sentir et une vibration envahit toute la structure sous le son des rugissants moteurs Thulé Tachyonator. Skoll cessa de lutter contre la poussée et laissa sa tête s'appuyer contre le dossier de son siège.

Lorsque l'appareil ralentit enfin, les passagers s'étirèrent tous le cou pour voir à travers les hublots. Une étendue sans fin de sable et de pierres composant le désert de Gobi leur apparut à perte de vue.

La première fois que Skoll avait amené des scientifiques dans cette région, il avait remis au navigateur les coordonnées exactes du repaire de ceux qu'il appelait les Supérieurs Inconnus, situé au cœur de l'étrange cañon de *Yollin Am*. Bien que caché par une perpétuelle tempête de sable qui balayait de ses vents puissants le plateau désolé, le cañon existait bel et bien et abritait une petite cité aux allures patriciennes de Grèce antique.

Puisque cette étendue désertique qui était la plus grande du monde allait du nord de la Chine au sud de la Mongolie, les légendes des deux pays rapportaient la tenue de guerres anciennes et datant de plusieurs milliers d'années. Les mythologies de fondation de la Chine racontaient en long et en large une série de conflits contre les barbares de l'Atlantide qui connurent un aboutissement avec les guerres de Yi et sa victoire sur les dix Soleils. Selon les anciens, des armements fabuleux aux puissances dévastatrices auraient transformé cet immense territoire jadis fertile, en l'un des plus grands déserts de la Terre.

Composé de vastes plaines, de dunes et de hautes chaînes de montagnes, cachant par endroits de gigantesques fossiles de dinosaures, le désert n'était à présent sillonné que par des groupes nomades, habitant dans des yourtes et se déplaçant au gré des saisons.

Le Haunebu s'approcha du sol et poursuivit sa course à vitesse réduite en se dirigeant vers la tempête. Il entra sans ralentir dans le nuage de sable qui secoua ses occupants. Mais il en ressortit quelques secondes plus tard pour s'approcher du grand cañon qui leur apparut comme une fracture géante dans l'écorce terrestre. L'engin volant y plongea doucement pour en longer les parois rocheuses pendant encore quelques minutes. Puis la cité leur apparut, écrin de blancheur dans ce monde de pierres et de sable ocré.

L'atterrissage se fit tout en douceur sur les trains à suspension, équipés de larges pneus. Une fois les moteurs Tachyonator complètement arrêtés, on fit ouvrir le panneau mobile renfermant l'escalier et les passagers purent descendre. Les soldats de la garde SS accompagnant Skoll, Martin Bormann – le nouveau conseiller de Hitler – et deux scientifiques opérant pour le compte des nazis, entourèrent l'appareil afin d'y monter la garde.

Le mage rouge entraîna directement Bormann et les scientifiques vers le Temple des Supérieurs Inconnus. Ceux-là mêmes qui quelques années auparavant avaient donné aux nazis la technologie des moteurs Tachyonator propulsant le Haunebu.

Bien que les scientifiques allemands qu'accompagnait Skoll en fussent à leur cinquième visite en ces lieux depuis la découverte par Fenrir, l'exilé de l'écrin hyperboréen renfermant les cristaux mémoriels, Bormann, lui, y venait pour la toute première fois[1].

---

1. Voir *Agrippa – Le monde d'Agharta*, Éditions Michel Quintin.

AGRIPPA

La façade du Temple, incluant le portail et les colonnes, avait été sculptée dans la roche sur une hauteur monumentale. Elle produisait d'ailleurs une impression unique de par le contraste entre sa hauteur et le peu de recul dont on disposait pour l'admirer. Une fois passé le portail, la petite troupe se dirigea vers un grand corridor mal éclairé, orné de fresques et de peintures difficiles à distinguer. Plus loin, deux gardes porteurs d'armes d'hast introduisirent Skoll et les Allemands dans la rotonde sacrée, grande salle circulaire surmontée d'une coupole creusée dans la pierre et enrichie de peintures. Là siégeaient les dix-huit Supérieurs Inconnus, qui pénétrèrent dans la rotonde par une entrée opposée. Leur boîte crânienne allongée, couverte d'un bonnet en épousant la forme, donnait une apparence mystique et irréelle à ces individus qui survivaient là depuis des milliers d'années, conséquemment à l'effondrement de leur antique monde, celui de l'Hyperborée. Ils s'assirent derrière trois tables en pierre safranée installées en cercle le long des murs. Trois tables accueillant chacune six membres.

Skoll s'inclina et Bormann claqua des talons, les mains derrière le dos.

Le nouveau conseiller et secrétaire particulier d'Adolf Hitler était entré en fonction quatre mois auparavant. De taille moyenne, mais de constitution solide, avec un regard d'aigle supportant un front balafré sous des cheveux grisonnants, Bormann se voyait déjà l'éminence grise du parti nazi. Évoluant dans l'ombre du *Führer* au point de se fondre en elle, il ne visait pas moins que le poste de chef de la chancellerie.

L'homme de quarante et un ans avait relevé le défi à la suite du transfuge de Rudolf Hess maintenant prisonnier des Britanniques.

Le 10 mai 1941, sous prétexte de vouloir essayer un petit avion Messerschmitt BS110, Hess s'était dirigé droit sur l'Angleterre. Essuyant au-dessus de l'Écosse les tirs nourris de la DCA[1], il avait sauté en parachute, abandonnant l'avion. S'étant brisé la cheville en touchant le sol, il n'avait pu aller bien loin et avait été capturé par la police militaire pour être ramené à la tour de Londres. Prétextant vouloir négocier une paix avec le Royaume-Uni, Hess avait demandé à rencontrer le duc d'Hamilton qu'il disait connaître d'avant la guerre.

Fou de rage, Hitler avait crié à la folie de Hess, affirmant qu'il n'avait agi que sur sa seule initiative. Peu de temps après, Martin Bormann succédait au fugitif, fier de cet avancement inattendu.

Accumulant la confiance en lui devant ces hommes aussi étranges qu'impressionnants, le conseiller se lança dans une explication résumant les avancées dans la construction du marteau de Thor en Europe. Toutefois, ses savants avaient encore besoin des traducteurs pour une partie des plans ainsi que de nouveaux détails inhérents à certains calculs ou équations.

Bientôt leur assura-t-il, dans deux ans, peut-être trois, le marteau de Thor serait achevé et fonctionnel. Et son pouvoir

---

1. DCA, sigle de «défense contre aéronefs». Moyens militaires utilisés contre des attaques aériennes ennemies.

de destruction ferait pencher définitivement l'équilibre des puissances en faveur de l'Allemagne.

— Il est très important pour vous de prendre conscience de la capacité d'anéantissement que vous aurez bientôt entre les mains, expliqua l'un des Supérieurs Inconnus. Cette arme est un outil de dissuasion et non d'offensive. Utilisée dans un tel but, elle pourrait non seulement mettre fin à votre guerre mondiale définitivement, mais aussi faire en sorte qu'à l'aube de la prochaine, vos semblables n'auraient plus que des pierres à se lancer pour se battre entre eux. Est-ce que vous me comprenez bien ?

Alors que Bormann gardait la tête bien droite, Skoll baissa la sienne en fermant un instant les yeux. Les réflexions affluèrent dans son esprit en attendant la réponse probablement mensongère que ferait Martin Bormann.

Depuis la découverte des cristaux mémoriels par son rival Fenrir, Skoll se posait de dérangeantes questions entre la décision des Supérieurs Inconnus de remettre la force entre les mains des nazis et l'attitude de ces derniers quant à leurs plans de conquête. Un doute subsistait dans son esprit. Un doute qui commençait à prendre toute la place. Mais il était trop tard pour reculer.

Skoll croyait avoir tout vu. Aidé de Fenrir trois ans plus tôt, il était parvenu à ouvrir l'écrin renfermant les cristaux par l'activation dans l'ordre de dix-neuf mouvements à glissière. Il avait inséré l'un des cristaux à mémoire dans le petit canon de projection en cristal de quartz également contenu dans l'écrin. Grâce à une simple source lumineuse et aussi à Weisthor, avec ses enregistrements des chants magiques caréliens, ils étaient parvenus à stabiliser un large rai de lumière vive projeté contre un mur du laboratoire où ils se trouvaient. Skoll avait simplement eu l'idée de se retrouver au centre de la lumière en espérant y distinguer quelque chose. Ce qu'il y avait découvert en s'y fondant et en créant la panique dans le laboratoire avait dépassé toutes ses espérances.

Il venait de faire l'une des plus importantes découvertes de toute l'histoire de l'humanité.

Le mage rouge s'était obligé au contrôle de sa propre personne lorsqu'il s'était retrouvé dans un univers virtuel splendide aux trois dimensions aussi stupéfiantes que réelles. Ses yeux avaient fini par s'habituer à la forte lumière, et les formes d'un monde inimaginable s'étaient lentement matérialisées devant lui. Une ville à l'architecture aérienne et élégante s'étendait tout autour dans une blancheur rappelant à Skoll les villes grecques de la mer Égée. Plusieurs tours, pyramides et édifices s'élevaient autour du palais royal ainsi qu'un stade magnifique bâti à ciel ouvert. Partout, les statues en orichalque s'intégraient dans des fontaines en bronze ou en pierre, alimentées par un grand canal traversant la ville en son centre. Ce canal allait rejoindre la mer, où étaient amarrés de nombreux navires de transport ou militaires. Fasciné par tant de beauté et de richesse, Skoll avait pour un moment perdu la notion du temps et de la prudence. Un homme avait alors émergé du néant, au cœur d'une grande artère, traversée par des véhicules silencieux, qui semblaient propulsés aisément par une source d'énergie propre. L'homme, noir comme une veuve et paré d'une extrême gravité, était venu directement vers lui. Seuls ses longs cheveux blonds, ses bracelets en or et son élégant pectoral en ivoire, créaient contraste dans son sombre accoutrement.

— Pour toi qui me vois et m'entends, avait dit l'homme, tu dois savoir que ce que tu comprendras de moi est ce que nous appelons une «intention transparente». Elle t'est présentement suggérée et c'est pourquoi elle t'est compréhensible dans ta propre langue. Mon nom est Thor. Et je suis le chef d'un clan scientifique qui a voué son existence à l'avancement de la science et des technologies.

Skoll avait d'abord écouté l'homme sans l'entendre. Il était trop stupéfié pour être capable de porter la moindre analyse logique. Il s'était ensuite fouetté intérieurement afin de ne rien manquer de ce qui lui serait révélé, conscient qu'il s'apprêtait à entendre une histoire inconnue des hommes depuis plus de dix mille ans.

Lorsque Thor entra dans le vif du sujet pour expliquer la chute de sa ville qu'il nommait «Asgard», les magnifiques bâtiments composant la cité ainsi que ses avenues se détériorèrent graduellement, marquant le passage accéléré du temps entre les époques. Les véhicules s'immobilisèrent et sombrèrent dans l'abandon et le nombre des passants diminua jusqu'à presque disparaître. Thor attira Skoll sur un passage au bord du grand canal où flottaient maintenant quantité d'immondices. Le rapport qu'il fit des raisons ayant provoqué pareil déclin étonna Skoll à de multiples reprises. Les circonstances entourant la chute de l'Hyperborée et de sa capitale Asgard correspondaient en tous points, mais d'une façon plus réaliste, au crépuscule des dieux de la mythologie nordique. Pour les nazis qui s'acharnaient à rechercher leurs ancêtres dans ces dieux nordiques, ils n'allaient pas être déçus. Considérant l'allure physique de Thor et des avancées technologiques apparentes dans un monde aussi ancien, Adolf Hitler avait peut-être raison d'y rattacher les origines du peuple allemand.

Tout avait commencé longtemps auparavant, pendant l'âge d'or de l'empire hyperboréen. Une doctoresse en génétique de grand renom appuyée de trois assistantes et d'un clinicien de talent avaient mis au point ce qui devait s'avérer être le bras armé le plus puissant d'Hyperborée : l'homme-loup, ou lycanthrope. Il avait fallu plus de vingt-cinq années de recherches pour parachever la technique et encore vingt ans pour faire évoluer les créatures, toutefois le temps ne restait qu'un détail dans l'univers de cette race supérieure. Se disant descendants des anges déchus, qui à l'origine se rebellèrent et terminèrent leur existence sur la Terre, les Hyperboréens, dotés de cette essence divine, se prévalaient du droit d'accès au fruit de l'arbre de vie et de celui de la connaissance. Bien que mystérieuse et inexpliquée, cette dernière citation avait laissé Skoll pantois. Le mage rouge avait affaire à une race de demi-dieux qui avaient la possibilité de jouir d'une longévité inespérée et de connaissances poussées. Et ils avaient été les créateurs de la race des loups, celle-là même dont Skoll était le descendant.

Perturbé par ces lumières qui éclairaient ses propres origines, Skoll comprit tout au fond de lui pourquoi les Supérieurs Inconnus se liaient aux Êtres de la Lune pour reprendre le pouvoir sur la Terre. L'Histoire ne faisait que se répéter. Tout n'était que cycles éternels. Et toutes ces mises en scène, soigneusement orchestrées sur des périodes de l'ordre de milliers d'années, faisaient peut-être au fond réellement partie d'un vaste plan initial. Un plan constitué de mouvements aussi subtils que ceux d'une horloge, où des mondes se superposaient les uns à la suite des autres, après que toute trace de la mémoire du précédent eut été effacée. Aussi sûr que le soleil se lève chaque matin, les Hyperboréens avaient régné sur le monde, forts d'un pouvoir incommensurable. Et ils avaient tout perdu. Seuls ces dix-huit représentants de la race, qui se faisaient maintenant appeler les Supérieurs Inconnus, avaient trouvé le moyen de survivre grâce à leur intellect hors du commun. À présent, ils faisaient de nouveau appel à la branche de mercenaires qu'ils avaient créée pour reprendre le monde.

Skoll s'était arraché à ses rêveries et à ses conclusions. Il avait attentivement écouté ce Thor raconter ce qui avait mené un monde si puissant au bord de l'abîme.

— C'est suite à l'arrogance, à l'effronterie, à la corruption et à la malversation, avait poursuivi Thor, que le peuple d'Asgard a connu la perte. La soif du pouvoir et la certitude de le détenir pour toujours ont provoqué la haine et la jalousie chez certains d'entre nous. Le pouvoir ne reste jamais longtemps entre les mêmes mains. Le profit de l'un est toujours le dommage de l'autre. Cet état si grand a sombré dans la guerre civile. Tous nos vassaux, Nains, Géants, sauf les Hommes qui demeuraient neutres et en leur territoire, se rebellèrent contre nous derrière la force obscure de nos propres généticiens et de leurs créatures. Cette ville, que tu vois ici vide et abandonnée, a subi autant d'assauts désespérés qu'il y eut de morts entre ses murs...

Skoll avait écouté le discours de Thor, secoué par l'émotion. Il aurait tant voulu avoir le magnétophone apporté ce jour-là par Weisthor afin d'enregistrer les mots du scientifique! Tous les noms qu'il entendait faisaient référence à des dieux de la mythologie nordique! L'idée que le hasard fut une chose impossible lui avait alors traversé l'esprit. Il devait y avoir une raison plus que surnaturelle pour que cet enregistrement soit parvenu à sa connaissance. Pourquoi, à ce moment précis de sa vie, Skoll devait-il tout apprendre sur ses origines, sur celles des Supérieurs Inconnus et découvrir en plus la technologie ultime qui éliminerait tout rapport de force entre les Allemands et le reste de la Terre? Cela ne pouvait être autre chose que le Destin.

Skoll y croyait dur comme fer.

Il se trompait pourtant.

Une guerre civile et totale avait atteint son paroxysme jusqu'à conduire des individus à poser des gestes désespérés. Skoll savait déjà, en entendant parler Thor, que la solution finale qu'il avait prise avait été sans lendemain.

Bien sûr, tout cela avait pris racine au cœur de la cité, au centre du pouvoir central, là où un chef nommé Odin, s'évertuait à songer aux moyens les plus vils pour régner sans partage sur le monde. Sa soif de pouvoir l'avait amené à s'entourer de devins et de magiciennes capables selon lui de prédire l'avenir. Et Odin croyait fermement que connaître l'avenir était non seulement l'apanage des dieux, mais aussi le procédé ultime pour modifier la Destinée.

Pour Odin, le meilleur moyen de maintenir la paix et de conserver des relations lui assurant l'impunité avec les autres races connues était de les garder dans l'ignorance sans leur concéder la moindre opportunité d'avancement technologique.

Les Hommes ne lui causaient de toute façon pas vraiment d'inquiétude. Ils avaient depuis longtemps négocié un vaste territoire appelé «Midgard», où ils vivaient de manière neutre, sans interaction directe avec les autres peuplades. Leur technologie était de bas niveau. Ils montaient à cheval, chassaient encore à l'arc ou à la javeline et se battaient avec des armes de fer. Ils ne connaissaient pas les secrets de la propulsion autonome mais possédaient en revanche d'excellents bâtisseurs et sculpteurs. Ils avaient la patience de prendre le temps de construire d'intéressants édifices et Odin avait toujours résisté à l'envie de consulter leurs architectes pour la cité d'Asgard. Amener les Hommes à travailler dans la capitale hyperboréenne les conduirait à se frotter à des sciences et des techniques qu'ils n'étaient pas encore prêts à assimiler. Mieux valait ne pas trop chercher à les rendre curieux.

Puis il y avait les Nains. Ayant prouvé leur existence avant celle des Hommes, les Nains avaient pour ainsi dire une humeur belliqueuse et vivaient principalement dans des cavernes ou des abris en pierre. Bons mineurs, ils extrayaient du sous-sol différents minerais qu'ils revendaient ou échangeaient avec les Hyperboréens. Mais il était toujours difficile de négocier avec eux.

Pour le peuple des Géants, c'était un peu plus compliqué. Gros et brutaux, les Géants étaient des êtres chaotiques qui se refusaient à tout accord ou discussion. Impulsifs, belliqueux comme les Nains mais avec des effets beaucoup plus dévastateurs, ils étaient constamment surveillés et gardés à distance. Considérés comme des ennemis directs par les Hyperboréens, possédant eux aussi la connaissance du fer, ils étaient séparés de Midgard, la terre des Hommes, par une haute chaîne de montagnes.

Thor avait consacré sa vie entière à protéger la cité et le monde d'Hyperborée. Fort d'incroyables moyens technologiques allant de la machine volante aux armes de guerre, il avait permis à Odin d'asseoir un pouvoir juste et conciliant, bien que sans réplique, sur une étendue de terre et de mer qui couvrait à peu près l'ensemble de tout le monde connu et habitable.

Lorsque la doctoresse qui se faisait appeler la Déesse Blanche, lui apporta la possibilité de recréer des êtres féroces, forts et rapides, capables de transmutations corporelles des plus spectaculaires, Odin donna aussitôt son aval. En intégrant le cycle immuable de l'essence divine à la capacité redoutable d'un animal de meute des tout premiers temps – le loup –, la capitale Asgard possèderait une force de frappe capable de se rendre là où aucun véhicule ni aucune machine volante ne pouvait encore aller. La soumission des races serait totale et sans appel.

Des dizaines, voire des centaines d'années avaient passé. L'obsession d'Odin de conserver pour une minorité les fruits de l'arbre de vie avait stoppé depuis longtemps toute progression démographique dans la cité-État. Les attaques de Géants se faisaient de plus en plus fréquentes ainsi que les querelles avec le peuple nain. Les Hommes se détournaient encore plus de l'Hyperborée, s'occupant à être entièrement autonomes. Railleries, révoltes, attaques terroristes, tentatives d'assassinat, coups d'État ou coups montés, corruption et limogeages, finirent par prendre toute la place. Et le pire des malheurs à s'abattre sur Odin, la désertion de la Déesse Blanche, de ses assistantes Valkyries et du clinicien Loki. Avec toute la meute des hommes-loups dirigée par Fenris, le premier, pourtant jusque-là fidèle à la cité qui l'avait vu naître.

Désespéré, Odin continuait à consulter ses oracles pour y voir un avenir meilleur que celui qui s'annonçait. Il fut assailli par d'horribles visions sous l'effet de drogues hallucinogènes qui devaient lui permettre de visualiser l'ordre et la justice revenus dans l'immense pays qu'il tenait à conserver. Partout la mort. Partout des morts-vivants réduits à l'état de charognes, pataugeant dans des eaux troubles de moisi et chauffées par un soleil noir. Les cadavres tentaient de fuir mais étaient rattrapés par des loups aux crocs disproportionnés qui déchiraient leur chair putride et pourrie. Puis Odin vit les Géants, les Nains et les Hommes arriver par centaines sur des navires de guerre pour achever ce qui restait du pouvoir des dieux.

Encore perturbé par la transe que les Sages lui avaient fait subir, Odin en était venu à la conclusion que seul un être aussi brillant que dérangé était capable de conduire à la réalisation de pareille vision. Il n'en vit qu'un seul : Loki le clinicien.

Il devrait absolument le capturer.

Depuis que Skoll avait tout appris sur l'existence de l'Hyperborée grâce aux révélations du cristal mémoriel, il ne voyait plus du tout les Supérieurs Inconnus de la même façon. Ces êtres étaient humains, quoi qu'ils pussent affirmer sur leur filiation divine. Ils étaient différents certes, mais leur nombre, tout comme le passage des siècles, avait rendu leur existence précaire. Peu importait qu'ils possédaient ce qu'ils appelaient le fruit de l'arbre de vie, il n'en restait pas moins que survivre à des millénaires d'évolution, de changements climatiques et géographiques et à toute autre sorte de catastrophe naturelle, laissait des traces profondes dans le corps et l'esprit. Leur vie était un psychodrame. Leur présent était devenu un jeu de scènes réelles qu'ils abordaient de manière à tenter d'oublier les situations traumatisantes du passé. Ils étaient les reliques d'une histoire dont les hommes avaient pourtant été témoins, mais qui était devenue légende et mythologie après que le souvenir se fut estompé, des dizaines de générations plus tard. Le mage rouge n'entendait pratiquement plus Martin Bormann discourir à ses côtés. Il songeait à ces êtres, oubliés dans l'antichambre de l'éternité et qui souhaitaient encore reconquérir la Terre.

Skoll soupira. Ce qu'ils étaient en train de commettre aujourd'hui, avec le plan de guerre mondiale qui se déroulait comme prévu, n'était que la réparation de ce qui avait été commis dans ce passé lointain par les hommes-loups, ancêtres des Êtres de la Lune. Tout comme les Supérieurs Inconnus, les hommes et certains animaux, les bêtes de la Lune avaient survécu jusqu'à ce jour. Elles avaient arpenté cette Terre parfois inhospitalière jusqu'à devenir des praticiens solides de la magie rouge qui revendiquaient maintenant leur place comme décideurs du sort du monde. Les hommes avaient trop longtemps possédé ce monde. Ils ne lui donnaient plus aucune direction. Que les Allemands soient ou non les descendants directs des Hyperboréens, ils n'en avaient cure, ce qui comptait était qu'ils servent les desseins du plan de guerre, qu'ils maintiennent le grand voile devant la face des autres nations et qu'ils permettent aux Supérieurs Inconnus de réintégrer le monde en tant que conseillers des dirigeants.

Skoll ne put s'empêcher de comparer ce qu'il avait vu à travers l'enregistrement de Thor avec ce qu'il avait aujourd'hui sous les yeux. L'attitude de ces êtres fabuleux avait manifestement été façonnée par les siècles. Leur maintien, leur attitude, leurs mots, tout cela avait également évolué pour tirer un trait sur leur passé révolu.

Thor avait fait voir à Skoll comment Odin avait réussi à piéger Loki, le clinicien rebelle, qui était parvenu à retourner les hommes-loups contre l'autorité du pouvoir. La façon dont Odin avait traité la chose et la manière dont Loki était tombé dans le piège démontraient clairement que l'intelligence ne garantissait en rien la cohérence. Mais tout cela s'était passé voilà si longtemps! Comment juger aujourd'hui attitude et raisonnement aussi anciens? Alors que des armées de Nains et de Géants avançaient vers Asgard et que les derniers soldats d'Hyperborée s'affairaient à renforcer les défenses de la cité et à circonscrire les attaques terroristes commandées par les hommes-loups, Odin organisa un banquet.

Il y invita tous les grands de ce monde à commencer par Loki en personne. Dans le but d'ouvrir la porte à des discussions qui pourraient conduire à un accord. Cependant, mené par la vengeance, le but d'Odin était tout autre.

Loki était entré seul, attendu dehors par deux hommes-loups au corps massif et musculeux. Tout de suite, il fut écœuré par le faste du service et les manières hautaines de ces descendants des dieux qui avaient perdu tout repère. Dans un accès de rage, le clinicien s'était saisi d'un couteau et l'avait habilement lancé dans le dos d'un jeune esclave qui avait laissé choir sur le sol le plateau de viandes rôties qu'il transportait avant de s'y effondrer à son tour face première.

Ayant ainsi obtenu l'attention générale, Loki avait dévisagé les participants un à un avant de finalement s'arrêter sur Odin.

— Comment ne peux-tu pas te rappeler ce jour, lui cria-t-il, où mêlant notre sang, nous avions fait le serment de rester amis jusqu'après la mort et de ne jamais boire l'un sans l'autre?

AGRIPPA

Devant le silence consterné d'Odin, Loki avait pointé à la ronde un doigt vengeur et avait pris à partie plusieurs invités, dénonçant crimes, turpitudes, affaires sordides, escroqueries et corruptions. Plusieurs visages empourprés directement visés tentèrent en vain de le faire taire en lui criant des injures. Rien n'y fit. Loki continua de déballer les pires secrets et manigances dont il avait par le passé été le témoin tout en reculant vers la porte. Il se tut un instant en posant la main sur la poignée de bronze devant une assistance muette de surprise. Puis il proféra sa dernière menace, déclarant que les loups allaient bientôt prendre la ville et réduire à néant le règne des dieux de l'Hyperborée.

Mais la solide porte refusa de s'ouvrir. Le piège s'était refermé sur Loki. Des soldats firent irruption dans la salle et se saisirent de lui pour lui passer les chaînes. Revenus de leur surprise, pris d'un subit accès de rage, les invités du banquet se levèrent d'un bond et se ruèrent vers le prisonnier pour le rouer de coups. Les gardes les laissèrent donner libre cours à leur colère et maintinrent Loki face à ses bourreaux.

Hors les murs de la ville, les loups avaient hurlé à la mort en s'attaquant aux portes. Ils avaient été abattus sans la moindre pitié par les soldats postés sur les toits.

Skoll avait été transporté dans cet univers virtuel vers le cachot du prisonnier. Le mage rouge avait l'impression de se déplacer dans cet enregistrement, à travers les scènes qui attisaient sa curiosité.

Dans une ancienne prison située dans les entrailles de la terre, le traître gisait entravé. Enchaîné au sol sur les abords d'une source méphitique, le dos plaqué contre les arêtes vives d'un affleurement de roc, Loki crachait sur quiconque tentait de l'approcher. Odin oublia dès ce moment l'amitié qui les avait un jour liés. Il s'éloigna en secouant la tête et en faisant un signe de la main aux bourreaux qui exécuteraient bientôt la sentence du tourment. Ces derniers, protégés d'une combinaison spéciale, se saisirent dans une boîte de deux serpents venimeux. Les tenant fermement, ils les firent mordre Loki sans relâche, jusqu'à ce que des centaines de morsures boursouflent son corps meurtri et qu'il se retrouve au bord de l'inconscience, épuisé par ses cris de souffrance. Il trouva en lui la force de proférer une dernière bravade, qu'il dit assez fort pour qu'Odin l'entende.

— Qui sait mourir n'a plus de maître…

— Mais je n'ai nullement l'intention de te faire mourir, répliqua Odin, je veux seulement que tu souffres !

Au loin, les hommes-loups se sentaient perdre une partie d'eux-mêmes.

Tous ceux qui les entendirent hurler à la mort et à la vengeance furent saisis d'effroi.

Odin frissonna. Il sut que la fin était proche. Le règne des dieux connaîtrait son dénouement.

Skoll avait laissé les Supérieurs Inconnus faire plus ample connaissance avec le volubile Martin Bormann. Ils paraissaient très intéressés par l'homme et son passé, ainsi que par la qualité de ses rapports avec le *Führer* Adolf Hitler. Bormann lui, visiblement impressionné par les personnages qu'il venait de rencontrer, semblait bien en voie de leur plaire.

Le grand mage rouge repoussa en arrière les pans de sa cape et resta dans l'ombre des colonnes de la façade du Temple. Dehors, le soleil était trop brûlant. Mais à peine quelques pas à l'intérieur, l'air y était beaucoup plus frais.

Skoll savait qu'une tragédie aux dimensions colossales avait rayé de la carte l'Hyperborée. Cela s'était passé bien avant le grand Déluge et pourtant, les dégâts avaient été presque aussi importants à l'échelle du globe. Et c'était bien ce qui l'inquiétait. Son rival Fenrir, retourné au Canada, ainsi que tout l'état-major du parti nazi, ne semblait pas s'alarmer outre mesure de la force de frappe du marteau de Thor. Les savants allemands qui avaient déserté le pays au profit de l'Amérique avaient maintenant perdu tout intérêt. Ces traîtres avaient beau travailler sur un projet de bombe à fission pour le compte des Américains, plus personne ne s'en souciait. Toutes les énergies étaient concentrées sur la construction du marteau de Thor. Aussi, des centrales entières ainsi que des lignes à haute tension aériennes composant un tout nouveau réseau de transport d'électricité étaient en développement. Uniquement pour fournir la puissance à l'arme légendaire! Si un pan entier de continent avait été anéanti par cette arme de destruction à grande échelle et qu'une charge de vingt kilotonnes sous la forme d'une bombe A ne pesait plus vraiment lourd dans la balance, il devenait inquiétant de penser que dans deux ans, tout au plus trois, une telle puissance de feu serait disponible. Et entre les mains des nazis…

Pourtant, l'humanité avait survécu. Les hommes, la faune, la flore et les dix-huit Supérieurs Inconnus. Mais combien d'années avaient été nécessaires pour que le monde redevienne ce qu'il avait été avant ? Combien de temps pour que l'avancement perdu de la science ne soit rattrapé ?

Thor avait résumé à Skoll ce qu'avait été leur propre fin du monde. Une hécatombe à l'envergure inégalée qu'ils appelleraient le *Ragnarök*. Le crépuscule des dieux.

Puis il avait revêtu son armure de combat.

Déjà prophétisé depuis longtemps par leurs propres divinités, le Ragnarök semblait inévitable aux yeux des Hyperboréens. Depuis la fondation du monde, sa destruction en était déjà annoncée.

Vraiment, en toute chose il faut considérer la fin.

Skoll se répétait cette citation de La Fontaine qui prenait là un sens tout nouveau. Mais diable, il s'agissait là de la fin d'un monde ! Comment les derniers habitants de l'Hyperborée avaient-ils pu ainsi abandonner tout espoir et s'avouer vaincus uniquement parce que la fin avait un jour été prophétisée ?

Thor était apparu flamboyant dans une armure de guerre magnifique. Skoll avait même souri à l'évocation du guerrier mythologique romantique. Son vêtement protège-corps était constitué de cuir noir et de lamelles métalliques. Un casque en fer au poli éclatant protégeait sa tête tout en laissant dépasser ses longs cheveux blonds. Ses gants d'un matériel inconnu, mais apparaissant extrêmement flexibles, couvraient ses mains qui tremblaient. À son cou pendait l'effigie dorée d'un marteau, entièrement ciselée de motifs spiralés. Ses jambes étaient cachées jusqu'à mi-cuisse par de hautes bottes en cuir noir.

Le son grave d'un cor retentit au loin. C'était la sentinelle.

Skoll en eut la chair de poule.

— C'est l'heure, avait gravement prononcé Thor. Toutes les créatures vivantes, intelligentes et infernales vivant à l'extérieur de ces murs vont maintenant sortir. Et toutes les créatures vivantes et intelligentes vivant à l'intérieur de ces murs vont périr. Nous avons créé une race qui ne peut pas dominer, car si ce n'est nous, il n'y aura personne. Les bêtes de la Lune viendront et avec elles, tous les animaux dangereux de la création. La Déesse Blanche les laissera et considèrera à la toute fin de s'asseoir sur le trône d'Odin. Mais elle ne sait pas encore ce qui l'attend. Car aujourd'hui, qui prend de force rien ne prend...

Les Géants attaquèrent les murailles d'Asgard de leurs lourdes machines de guerre en faisant trembler la terre. Le parc de la cité qui comprenait le plus vieil arbre encore connu fut rasé sans détour. Les Nains vinrent derrière et furent dépassés par la meute d'hommes-loups avec en tête Fenris le premier, qui attendaient la sape des murailles pour entrer dans la ville. Depuis longtemps les Hyperboréens subissaient leur déclin tout en agissant comme frappés d'immortalité. Ils avaient toujours pu compter sur leur supériorité technologique et leur maîtrise du pouvoir. Mais ce règne sans partage, cette fausse assurance et cette arrogance avaient aiguisé la frustration de leurs vassaux. Appuyés de la Déesse Blanche et de ses hommes-loups, les dieux verraient se coucher un dernier soleil. Un dernier crépuscule.

Les soldats hyperboréens s'installèrent pour surveiller les murs, principalement concentrés près des portes de la ville.

Caché au cœur d'un tombeau secret, Odin consultait encore le patron de ses devins. Lorsque le vieil homme lui confirma que rien ne pouvait plus empêcher la marche implacable du destin, qu'il n'y avait plus rien à faire et que tôt ou tard ils seraient tous massacrés, Odin retourna auprès de ses hommes pour les préparer au combat. Ils étaient bien inférieurs en nombre, les autres peuplades arrivant par dizaines de milliers, mais leurs armes bien plus avancées leur feraient subir de lourdes pertes. Peu importe que le combat soit perdu d'avance. Ils mourraient tous et les emporteraient avec eux. Ainsi laveraient-ils leur honneur et nettoieraient-ils le monde.

Odin serra pour une toute dernière fois la main du commandant des armées et de Thor, son maître d'œuvre. Ce dernier se dirigea d'un pas pressé vers un grand bâtiment annexé au palais. Skoll émit en pensée l'intention de le suivre et ses pas le conduisirent vers l'entrée du bâtiment, à la suite de Thor. Arrivé devant la grande porte qui commença à se soulever, Thor se tourna vers Skoll.

— Pour toi qui m'écoutes et me vois, dit-il, j'utiliserai notre dernier et unique vaisseau encore fonctionnel pour retarder les armées et déclencher l'ultime offensive. Je remettrai cet enregistrement aux hommes de l'autre côté des montagnes. Certains d'entre eux fuiront au loin.

Thor pointa du doigt une haute tour dont le sommet se déployait lentement d'un côté comme de l'autre. Lorsque les deux côtés furent descendus, la forme de l'instrument rappelait celle d'un marteau géant.

— C'est de là que viendra la punition...

Thor entra dans le bâtiment qui cachait un grand engin volant de forme circulaire, réplique presque identique du Haunebu conçu par les Allemands. Des canons étaient montés sur une tourelle fixée sous l'appareil, lui-même supporté par un triple train d'atterrissage. Le scientifique s'engouffra dans le disque volant et mit les moteurs en marche. Skoll s'imposa instinctivement de se retrouver à l'extérieur du bâtiment, ce qui l'amena aussitôt après dans la cour du palais.

L'engin volant sortit du grand hangar en flottant doucement à quatre pieds du sol. Il semblait beaucoup plus stable et manœuvrable que sa version moderne allemande. Une fois dehors, Thor lança le bolide qui s'éleva rapidement pour foncer hors de la cité sous les vivats des soldats.

Skoll fut alors plongé dans une vision qui le porta aux nues, observant la terre vue du ciel, comme s'il se trouvait aux côtés de Thor dans le disque volant. Il pouvait voir les immenses armées des Géants et des Nains attaquer Asgard pendant que des milliers d'hommes-loups attendaient que les murs tombent. Plus loin, venant de la mer, une flottille d'inquiétants navires approchaient des côtes avec à leur bord des guerriers barbares provenant des confins du continent. Aussi loin que le regard pouvait porter, Skoll pouvait apercevoir des armées couvrir la plaine immense qui faisait face à la cité et longeait le bord de mer. C'en était fait de la race des demi-dieux hyperboréens. Pour une raison impossible à définir, toutes les créatures vivantes peuplant le monde semblaient se réunir pour converger vers la cité d'Asgard afin de mettre un terme à son existence.

Thor décida d'attaquer les bateaux près de la côte pour empêcher les barbares de mettre pied à terre. Les canons de son vaisseau crachèrent des projectiles qui enflammaient les navires et en tuaient les occupants. Effectuant passage après passage, il bombardait ces êtres sauvages qui ne voulaient que la guerre et le combat. Mais ils étaient si nombreux qu'ils détournèrent son attention des défenses de la cité qui étaient sur le point de tomber.

Skoll était fasciné par les images qui lui étaient renvoyées. Il comprit à ce moment pourquoi Thor avait qualifié son enregistrement d'«intention transparente». Aussitôt que son esprit exprimait le souhait ou l'envie de se trouver en un endroit précis, les visions se modifiaient pour lui faire voir ce qu'il voulait. Ainsi transporté à l'intérieur des murailles de la cité, il s'y trouva juste à temps pour assister à l'effondrement d'une partie des murs qui entraînèrent avec eux la structure supportant le portail principal.

À la tête de l'armée des Hyperboréens, Odin était couvert d'un vêtement protecteur alliant le métal à un tissu spécial. Coiffé d'un casque doré orné des ailes d'un aigle et armé d'un lance-projectile au long canon, il se précipita en vidant son chargeur sur les assaillants qui entraient dans la cité avec la rage du désespoir et le mépris du condamné à mort.

Des centaines d'hommes-loups s'engouffrèrent par la brèche entre les Géants et les Nains qui enjambaient un peu plus difficilement les amas de pierres effondrées. Fenris le premier repéra facilement Odin qui manquait de munitions et se défendait avec la crosse de son arme. Il coura droit vers lui avec une vitesse déconcertante et le percuta avec une violence inouïe, projetant l'autre à terre, lui faisant perdre son casque. Fenris se pencha vers lui et le prit à la gorge. Ses griffes s'enfonçaient dans la peau du chef hyperboréen et sa bave lui coulait sur la figure à mesure qu'il s'approchait de son visage.

— Dis-moi où est Loki... cracha-t-il entre ses dents acérées.

Odin, complètement terrassé, se soumit à la force de son ennemi.

— Dans les prisons souterraines...

D'un geste brusque, Fenris ouvrit de ses griffes la gorge d'Odin.

À la mort de leur chef, les derniers soldats hyperboréens perdirent toute cohésion. Les Nains leur tailladèrent les mollets et les tendons d'Achille avec de courtes lames aiguisées et les Géants achevèrent de les mettre en pièces à coups de hache et de massue.

Fenris connaissait bien les lieux. Comme plusieurs de ses congénères, il avait vu le jour au sein de la cité qu'ils s'évertuaient présentement à saccager. Alors qu'il fonçait dans les escaliers le menant aux cachots, il chercha pendant une seule seconde les raisons qui le poussaient à agir de la sorte. La seconde d'après, tout était oublié. Il voulait bien se soumettre à la Déesse Blanche, mais jamais à un gouvernement qui se croyait au-dessus de tout. Les empires ne sont pas seulement faits pour régner, ils doivent aussi s'effondrer, tôt ou tard. Ainsi va le monde.

Fenris atteignit les cachots qui baignaient dans une semi-pénombre. Aucun garde ne s'y trouvait. Un bruit de chaînes frottant contre des rochers attira son attention. Il découvrit Loki, affaibli, mais vivant. Il s'employa à le libérer de ses chaînes et à le remonter à l'air libre. Loki grimaça et cligna des yeux lorsqu'il émergea à la lumière du jour, au milieu des combats. Fouetté par une montée d'adrénaline, il ramassa au sol une courte épée et un peu plus loin, une dague abandonnée. Couvert de sang et d'ecchymoses, il se rua dans les combats avec une folie meurtrière.

La cité était en flammes.

À bord de son vaisseau, Thor pouvait voir les colonnes de fumée monter vers le ciel. Il passa en rase-mottes au-dessus d'Asgard en utilisant ses dernières munitions pour abattre quelques Géants. Les larmes aux yeux, il observa les vautours et les charognards se jeter déjà sur les cadavres qui jonchaient le sol. Tout brûlait, tout était détruit. Le parc jadis magnifique situé à l'entrée de la ville était en cendres. Les arbres anciens, les bosquets sacrés, jusqu'à la terre étaient calcinés. Les grandes stèles runiques avaient été brisées et jetées à terre.

Thor fut tout à coup arraché à sa peine par la vue d'un groupe de Géants se dirigeant vers la haute tour où était déployé le marteau. Il fonça vers celle-ci, à court de munitions, incapable des moindres représailles.

Sauf une seule.

L'ultime et dernier assaut.

Thor guida son engin volant vers les montagnes, là où se trouvait le monde des Hommes. Il le poussa jusqu'à ce que les vibrations des propulseurs Tachyonator deviennent dangereuses pour la stabilité puis actionna le pilote automatique. À côté de lui, dans la cabine de pilotage, était installée une seconde console déjà alimentée en courant et qui contrôlait à distance la haute tour qu'Odin avait surnommée « le marteau de Thor ».

Gêné par son casque qui lui enserrait la tête, Thor l'arracha d'un geste brusque et le jeta au sol dans l'habitacle. Ignorant son chagrin, il accéda au clavier de la console et entra d'une main tremblante le protocole de préparation de la tour. Après quelques secondes, lorsqu'il reçut la confirmation d'une possibilité d'activation, il enclencha sans même hésiter la mise sous tension.

Alors qu'il passait au-dessus des montagnes en se sanglant solidement dans son siège, Thor perdit une partie de ses facultés auditives et sentit une pression sur ses tempes. Le ciel sembla s'embraser tout autour dans des nuances de rouge, d'orange et de blanc intense. La réalité tout comme la terre se déforma et même la voûte céleste donna l'impression de s'effondrer. Thor se sentait comme au milieu du souffle brûlant d'un dragon. La lumière de cet incendie gigantesque et subit l'aveugla.

Le marteau de Thor avait répondu à l'appel et avait dégagé sa surcharge d'énergie électrique pour embraser le ciel et la terre dans un orage électromagnétique titanesque. Le monde se calcina et se lézarda, générant des éruptions volcaniques et des tremblements de terre à grande échelle. La mer, les fleuves et les rivières furent chassés de leurs lits et les falaises s'effondrèrent.

Malmené au-dessus des montagnes, le disque volant perdit sa puissance et tout pouvoir électrique l'abandonna. Il chuta vers le monde des Hommes et alla s'écraser aux abords d'une petite ville déjà craquelée par les mouvements de la terre.

Rien ne pourrait maintenant arrêter la réaction en chaîne en train de se produire. L'embrasement du ciel, la fureur des volcans et les tremblements de terre libèreraient une énergie telle, qu'une hausse des températures était à prévoir. Un pan entier de continent allait basculer dans la mer, provoquant le plus gigantesque tsunami de l'histoire du monde qui pourrait bien aller jusqu'à déplacer la Terre sur son axe. La condensation issue de la chaleur entraînerait la formation de nuages qui noieraient la terre sous une pluie diluvienne. Après avoir été embrasé, le monde serait noyé.

Skoll avait vu Thor survivre quelques minutes à l'écrasement de son appareil.

À l'agonie, tout comme le monde dont il avait amorcé la destruction, il tenait dans sa main l'écrin qui contenait les cristaux mémoriels. Il s'arracha de ce qui restait du poste de pilotage en roulant à l'extérieur par les baies vitrées brisées. À travers le voile de sang qui couvrait ses yeux, il vit des hommes à cheval s'approcher. Lorsqu'ils sautèrent à bas de leurs montures pour venir vers lui, il tendit l'écrin dans un geste ultime, conscient que la mort était sur le point de le prendre.

Un homme s'était agenouillé près de lui et lui avait soulevé la tête pour l'aider à respirer. Sans comprendre, l'inconnu avait pris l'écrin que Thor lui tendait avec un regard désolé et l'avait regardé rendre l'âme, impuissant.

Dans son agonie, un seul mot s'était avéré compréhensible.

— Fuyez...

Ainsi avait donc disparu l'Ancien Monde.

Et malgré tout avaient survécu les espèces.

Appuyé contre le cadre en pierre de l'imposante porte du Temple, Skoll se représentait mentalement les vagues déferlantes se répandant sur la terre brûlante et balayant tout sur leur passage.

Mais où pouvait donc se trouver cette fameuse Hyperborée? Sur le bord de la mer, c'est certain, mais laquelle? Près d'une chaîne de montagnes... La géographie du monde a d'ailleurs sûrement changé après la grande catastrophe et au cours des millénaires qui ont suivi. Si le désert de Gobi en était aujourd'hui la position, la cité se serait trouvée du côté du Pacifique. Mais l'Hyperborée est réputée depuis toujours être une terre du nord. Alors peut-être du côté du bassin de l'Atlantique Nord ou de la mer de Norvège?

En considérant les écrits grecs, qui affirment l'existence – il y a plus de dix mille ans – d'un cataclysme terrible ayant causé d'immenses vagues déferlantes, il serait pensable que l'épicentre du désastre ait été situé plus au nord. Dans la mer Égée, l'île de Santorin a été en grande partie détruite et l'onde de choc a poursuivi sa route jusqu'à la Crète, submergeant le palais du roi Minos, rayant de la Terre la culture minoenne, pour finalement se briser sur les côtes de l'Égypte.

Les Supérieurs Inconnus avaient spécifié un jour à Skoll que les survivants de leur race s'étaient plus tard séparés, créant ainsi deux souches hyperboréennes. Les Ases, de la lignée d'Odin, de nature guerrière et conquérante, s'approprièrent l'Afrique du Nord pour fonder les dynasties de pharaons qui régnèrent pendant des siècles. Les Vanes, plus pacifiques, allèrent tenter leur chance de l'autre côté de l'Atlantique.

Il était aisé de concevoir pourquoi l'on retrouvait encore aujourd'hui de grandes pyramides élevées tant en Égypte qu'en Amérique du Sud. Mondes pourtant séparés l'un de l'autre par des milliers de milles de terre et d'océan.

Les courbes créées par les crêtes de vagues et les montagnes usées s'effacèrent lentement dans l'esprit du mage pour laisser place à la courbure des hanches de Katja Arbenz, que les hommes du Reich appelaient avec un peu de moquerie, Mlle Docteur. Depuis quelques jours déjà, Skoll songeait à se retrouver seul avec elle, mais l'éloignement causé par les obligations l'en avait empêché. Il se promit qu'à son retour, il irait la retrouver.

— Maître Skoll?

Le mage rouge se retourna, à peine fâché d'être subitement tiré de sa rêverie. Un garde du Temple venait le chercher.

— Monsieur Bormann ainsi que les hommes l'accompagnant réclament votre présence.

— J'arrive tout de suite…

Skoll n'aimait pas ce Bormann. Il lui avait préféré Hess. Mais Hess n'était plus. Il fallait donc composer avec le choix du *Führer*.

Le mage avait les mains moites sans même savoir pourquoi.

Les images du cataclysme provoqué par la mise sous tension du marteau de Thor restaient gravées dans son esprit. Il se frotta le visage de ses mains, comme pour en arracher les visions funestes.

Masquant son agitation, il se dirigea d'un pas sûr vers la salle de réunion.

5

alaberry-de-Valleyfield, Québec.
Le vendredi 10 octobre 1941.

La Chrysler noire pilotée par Édouard Laberge filait en direction ouest sur le rang Sainte-Marie pour rejoindre Salaberry-de-Valleyfield. À ses côtés, Albert Viau lui faisait la lecture de certains passages de son nouveau manuel d'instructions à l'usage des cantonniers, émis depuis peu par le ministère de la Voirie du Québec.

— Il semble bien que notre premier ministre poursuive les réformes, constata Laberge, il pousse vers le progrès et qui pourrait l'en blâmer!

— Je suis d'accord pour ce qu'il a fait en matière d'éducation, de travail et même pour accorder le droit de vote aux femmes, mais les nouvelles obligations auxquelles font maintenant face les cantonniers amènent une surcharge de travail! Et nous n'avons pas le choix de nous y mettre, car le gouvernement a instauré un système de points pour apprécier la valeur des cantonniers! Toute inspection des divisionnaires ou autres officiers supérieurs du département peut entraîner la perte de points.

— Et qu'arrive-t-il si un cantonnier perd trop de points?

— Il peut perdre son emploi!

— Voilà bien là un aperçu de l'ère moderne dans laquelle nous entrons, songea Laberge, compétition, performance... Il y aura toujours un homme pour en remplacer un autre...

— Mais ce qui me choque le plus, continua Albert, c'est la franchise directe avec lequel ce manuel a été élaboré. En ce qui concerne les points justement, vois sur quoi les critères seront basés : l'économie dans l'exécution des travaux, l'ordre et la méthode, l'activité, la ponctualité et, la meilleure, la docilité à suivre les instructions reçues!

Laberge s'esclaffa sur cette dernière ligne, sachant fort bien que la docilité et l'obéissance n'étaient pas les plus grandes vertus de son ami.

— De plus, poursuivit Albert dans sa lecture, le cantonnier doit donner tout son temps au service du département. Il doit être sur le chemin de sept heures du matin à six heures du soir (sauf une heure pour dîner), il doit être poli et courtois vis-à-vis de ses supérieurs ou du public. Si sa section est en parfait état, la surface des routes parfaitement unie, ses accotements propres et réguliers, ses fossés bien nettoyés et ne contenant pas d'eau stagnante, si ses tas de pierre, de sable ou de gravier sont bien arrangés, ses barils de bitume bien disposés par rangées, si tous ses garde-fous sont blancs et bien droits, de même que tous les autres signaux de la route et patati et patata, cela produira une excellente impression sur le public qui ne tardera pas à manifester sa satisfaction aux autorités du département qui, à son tour, saura en attribuer le mérite à qui de droit.

— Évidemment, le coupa Laberge, ça ajoute un peu plus de pression sur tes épaules. Tu fais très bien ton travail Albert, et je suis sûr que personne ne peut trouver à redire là-dessus. Mais peut-être ces mesures ont-elles été rendues nécessaires à cause de certains types qui ont trop longtemps abusé du système. Mais tu viens d'avoir une augmentation de salaire et puis c'est quand même grâce aux libéraux que tu as eu cet emploi! Qui plus est, grâce à Emma, tu récoltes bien des revenus supplémentaires à élever des cochons, des dindes et à vendre des œufs!

— Je ne me plains nullement de mon sort, confirma Albert, j'accepte juste difficilement cette manière qu'ils ont de dire les choses et de cacher le fouet derrière un système de pointage. Je sais ce que j'ai à faire et je le fais au mieux de ma logique. Personne ne m'a jusqu'à présent reproché ma façon de faire.

— Alors, oublie tout ça! Oublie le système de points et l'être supérieur qu'est le divisionnaire! Continue simplement à faire ce que tu fais.

— Ouais, n'empêche que je n'aime pas beaucoup ce genre de manipulation dissimulée sous le couvert de l'amélioration.

— Allons, nous y sommes presque, lança Laberge en tournant sur la rue de l'Église qui menait à l'évêché. Mais je dois t'avouer que j'ai comme une impression bizarre en ce qui a trait à la réunion de ce soir.

— Moi aussi d'ailleurs. Et depuis un bon moment déjà. On dirait qu'à mesure que le monde s'enfonce dans cette nouvelle guerre, la personnalité des gens change... le moral est à la baisse. Par exemple, quand l'été dernier le gouvernement a annoncé le rationnement de l'essence, ça a drôlement secoué les gens.

Laberge approuva d'un signe de tête en garant la Chrysler dans le stationnement de l'évêché. Leur monde était en train de changer par la faute d'une poignée d'hommes assoiffés de pouvoir qui vivaient de l'autre côté de l'océan et qu'ils n'avaient jamais importunés.

C'était inacceptable.

— Tu crois que Coppegorge nous a réservé l'un de ses bons vins ? s'enquit Albert en rangeant son manuel. Je l'ai trouvé bien préoccupé la dernière fois où je l'ai vu.

— Ça ne l'empêchera pas de nous sortir un grand cru, le rassura Laberge, à moins que la guerre n'ait mis fin à son importation !

Ils claquèrent les portières en riant et se dirigèrent vers l'entrée. Albert y fut le premier et tint la porte pour le curé.

— Les collets romains d'abord...

Une fois à l'intérieur, ils s'arrêtèrent dans le hall qu'ils trouvèrent faiblement éclairé et particulièrement silencieux. Ils attendirent quelques instants et Albert tira la grosse montre *Waltham* du fond de sa poche. L'horloge qui siégeait toujours sur sa tablette de bois affichait vingt minutes de retard. Il s'approcha et prit la clé qui était juste à côté avant d'ouvrir la porte vitrée ornée de dessins dorés. Il ajusta les aiguilles et remonta les ressorts de mouvement et de sonnerie pour ensuite tout remettre en place.

— Voilà, fit-il après coup. C'est plutôt étrange, non? Et puis, où est le clerc?

— Je n'en sais rien, ça fait trois semaines que je n'ai pas mis les pieds ici. La rentrée des étudiants du collège m'a tenu bien occupé.

— Habituellement, il se précipite pour nous accueillir avec ses grands airs...

— Plutôt étrange, en effet, ajouta Laberge l'air soupçon-neux, je trouve l'endroit bien calme. Allons voir en bas, mais soyons sur nos gardes.

Alors qu'ils avançaient lentement en regardant tout autour, Albert glissa la main dans son manteau et en tira le vieux Remington .44 de son oncle Thomas. Les yeux du curé s'agrandirent lorsqu'il aperçut l'arme.

— Mais qu'est-ce que tu fais avec ce revolver? lui demanda-t-il à voix basse. Tu sais bien que le port d'armes est interdit!

— Et la guerre? Et les Êtres de la Lune? Et les tentatives qu'ils ont faites pour me tuer? Tout ça est légal peut-être? Tu crois qu'ils ont d'abord obtenu la permission? Je me protège et je protège ma famille avant de me demander si ce que je fais est légal ou non.

— Bon sang Albert... nous sommes dans les locaux du diocèse de Valleyfield! Là où réside l'évêque! Et tu te pro-mènes avec un calibre .44 à la main! Range-le, s'il te plaît.

Viau s'exécuta et remit le Remington dans sa poche inté-rieure sans quitter son ami des yeux.

— Merci… maintenant, allons faire un tour à la salle des archives pour voir si quelqu'un s'y trouve.

Charlie, le gros chat que Monseigneur Langlois avait adopté quelques années auparavant, traversa le hall en courant, surprenant les deux hommes qui sursautèrent. Le félin se rua vers l'escalier qui menait aux archives secrètes et disparut à leur regard.

— Torrieu de chat, fit Albert en portant la main à sa poitrine, il m'a flanqué une de ces peurs !

— À moi aussi ! Cet animal donne toujours l'impression d'être à la recherche de quelque chose. Il arpente le bâtiment, longe les murs, fixe les plafonds…

— Il est vrai qu'il n'a pas le comportement oisif du chat qui se laisse vivre et dort toute la journée. On dirait presque qu'il effectue des rondes de surveillance !

— Une chose est sûre, il surveille son évêque…

Ils atteignirent le haut des marches du grand escalier qui menait au repère de Théodore Coppegorge. Albert, la main dans son manteau, descendait juste derrière le curé. Arrivés en bas, ils passèrent de chaque côté du grand sceau de la salle des archives de la chancellerie, intégré au plancher en silice.

Des voix leur parvinrent du fond de la bibliothèque, là où se trouvait le bureau de Coppegorge. Ils reconnurent tout de suite la voix de ce dernier et celle de son interlocuteur, l'évêque Joseph-Alfred Langlois. Ils s'engagèrent entre les rayons de livres et accélérèrent le pas pour les rejoindre. Lorsqu'ils débouchèrent au bout de la rangée, un troisième personnage se trouvait avec leurs amis. Ils se turent à leur approche.

Comme si un malaise s'installait sans raison, Laberge blagua pour briser la glace.

— Ne me dites pas que nous nous sommes trompés de journée !

Ils rirent et Coppegorge se leva, imité aussitôt par l'évêque et l'étranger, qu'il présenta sans plus tarder aux deux arrivants.

— Messieurs, laissez-moi vous présenter Johnny X, fit Coppegorge. Vous ne le connaîtrez que sous ce seul pseudonyme. Johnny, voici Albert Viau, l'un de nos coopérants, et Édouard Laberge, l'un de nos meilleurs prêtres-agents.

L'homme s'inclina en serrant les mains.

— C'est pour moi un grand plaisir de vous rencontrer, messieurs, fit-il poliment avec un dur accent germanique.

— Je suggère que nous passions tout de suite au salon, si vous n'y voyez pas d'inconvénient, proposa Langlois. Nous avons bien le temps pour un apéritif avant le repas. Et nous serons plus à l'aise pour discuter du sujet qui nous préoccupe.

Sans attendre la moindre réponse, l'évêque passa le premier pour rejoindre l'escalier. Coppegorge entraîna Johnny X par l'épaule et Albert jeta un regard interrogateur à Édouard qui lui répondit d'un haussement d'épaules.

Ils ne tarderaient sûrement pas à en apprendre un peu plus sur cet énigmatique personnage.

La pointe du clou lacéra l'épaule d'Oksir.

Coincé à plat ventre dans le plafond, entre le rez-de-chaussée et le premier étage de l'évêché, l'homoncule créé par Fenrir serra les mâchoires pour retenir son cri. Là où il se trouvait, Oksir avait passé plusieurs nuits pour ménager une ouverture à travers l'un des médaillons de bois sculptés qui étaient apposés tout autour du plafond du salon. Impossible à détecter, l'interstice lui permettait d'avoir une vue acceptable sur la pièce et d'entendre tout ce qui s'y disait.

Ayant perçu sa douleur, son maître le contacta afin de s'enquérir de sa condition. Depuis la naissance de la petite créature engendrée par la magie de Fenrir trois ans plus tôt, le lien télépathique le reliant à ce dernier n'avait cessé de croître et de se préciser. L'homoncule était d'une aide précieuse pour le mage rouge, qui pouvait ainsi surveiller les moindres faits et gestes des hommes de l'Église.

— *Je me suis blessé à l'épaule, maître,* expliqua mentalement l'homoncule en visualisant dans son esprit primitif le visage de Fenrir.

— *Prends garde à toi Oksir,* répliqua Fenrir qui sentait la nervosité s'emparer de sa créature, *tu dois rester fort pour servir notre cause. Tu sais que je compte beaucoup sur toi.*

— *Oui, maître. Je vois et j'écoute. C'est tout ce qu'il faut que je fasse.*

— *Tu es un bon homoncule, mon Oksir… Rappelle-toi, tu es mes yeux et mes oreilles chez nos ennemis.*

— *Oui maître, je vois et j'écoute…*

Fenrir bascula la tête en arrière jusqu'à ce qu'elle s'appuie sur le tronc du gros orme au pied duquel il s'était installé.

Le soir tombait et toute la journée il avait senti le besoin de faire un retour aux sources, de retrouver l'animal en lui, de passer une nuit de chasse nocturne. Les vastes forêts qui entouraient la région de Saint-Urbain-Premier lui procuraient ce sentiment d'évasion et de liberté sauvage. Le mage rouge pouvait donner libre cours à ses instincts bestiaux. Il pouvait méditer, réfléchir, pousser encore plus loin ce contrôle unique qu'il possédait sur son propre sang. La perception qu'il avait de son énergie intérieure lui permettait d'influencer la structure chimique de tous ses fluides vitaux jusqu'à son ADN. Cette propension à la transformation génétique le rendait capable des pires délires et des actes les plus cruels. Il était un loup. Et ce loup devenait de plus en plus dangereux.

Fenrir avait été contraint de quitter l'Allemagne pour revenir en Amérique comme suite à l'amorce du projet entourant la construction du marteau de Thor. Une fois l'arme au point, plus rien n'empêcherait les nazis de dominer l'Europe et de mettre à genoux l'arrogante Amérique.

Le mage Skoll avait les faveurs du parti nazi et Fenrir le savait. Il en éprouvait une certaine jalousie qui élevait un mur entre les deux hommes. Qu'importe. Il fallait aller de l'avant et il y avait ici quelque chose de nouveau dont il voulait maintenant s'emparer : la collection de livres noirs d'Henri Corneille Agrippa.

De longues heures de lecture sur le sujet lui avaient appris qu'entre 1509 et 1515, Agrippa avait réussi à composer cinq livres importants de magie occulte, sa main tremblante guidée par celle du Grand Adversaire. C'était du moins ce qu'il affirmait. En plus de faire croire que celui qui parviendrait à réunir les cinq volumes accèderait au pouvoir occulte suprême. Cette simple citation n'avait eu de cesse de le hanter des nuits durant.

Mais que pouvait bien représenter le pouvoir occulte suprême?

Il n'y avait qu'une seule façon de le découvrir. Réunir les cinq *Agrippa* existants.

Quatre étaient déjà enfermés dans l'inviolable chambre forte de l'église St.Matthew. Il fallait attendre que le cinquième y soit déposé. Et surtout être là avant que la porte ne se referme.

C'était pour cette raison que Fenrir s'était fait discret depuis son retour et avait donné des ordres précis et explicites afin que ni Viau, ni Laberge, ni personne de leur entourage ne soit embêté ou agressé. Mieux valait faire le mort, attendre et écouter. Le temps n'avait aucune importance.

Le jour viendrait, c'était écrit.

Et il serait prêt.

Malgré le malaise que pouvait inspirer la présence d'un inconnu, Laberge avait subtilement émis à l'endroit de l'évêque la remarque qu'il réprimait depuis quelques minutes. L'entrée de l'évêché était ouverte et personne n'était présent à la réception. Ce qui de prime abord, avait bien sûr inquiété les deux hommes. L'évêque les avait évasivement rassurés en les informant que le clerc assigné à la réception était absent.

— Mes amis, commença Coppegorge une fois qu'ils furent au salon, comme vous devez vous en douter, je ne peux plus m'approvisionner en vin à cause de la guerre. Ce qui est un désastre en soi ! Heureusement, il me reste en réserve quelques bouteilles de Château Bélingard qui pourront nous dépanner !

— On saura s'en contenter, fit Laberge en échangeant un clin d'œil complice avec Albert.

— Oui, on n'est pas difficiles, répondit ce dernier.

— Trêve de plaisanteries, messieurs, les coupa l'évêque en se laissant tomber dans son fauteuil. Il semble que des temps difficiles se profilent à l'horizon. Et nous devons nous y préparer dès maintenant.

— Pardonnez mon commentaire, Monseigneur, intervint Laberge en acceptant la coupe que Coppegorge lui tendait, mais je ne comprends pas pourquoi nous attendons que les temps difficiles se présentent pour agir. J'ai l'impression que depuis le début de la guerre, nous préférons rester sur nos positions de ce côté-ci de l'Atlantique, comme une autruche qui se met la tête dans le sable en espérant que personne ne puisse la voir.

— Il n'y a pas que le désir d'agir qui soit en cause, Édouard, lui répondit Langlois, mais il y a aussi les moyens mis à notre disposition. Il faut des autorisations, de l'argent, des mesures de sécurité, des informations pertinentes et précises. C'est ce que nous n'avions pas et que nous avons maintenant. Et c'est aussi pour cette raison que nous avons invité Johnny X à venir nous rencontrer. Tu auras besoin de ses lumières.

— Plaît-il?

Laberge était soudainement inquiet. Lui qui avait déjà commencé à se préparer à une incursion en France s'attendait maintenant à être réquisitionné pour quelque chose d'autre. Il croisa les bras en signe d'attitude défensive.

Albert enfila la moitié de sa coupe de rouge du Périgord en sentant s'installer la tension.

La porte s'ouvrit brusquement dans un bruit de verre et de porcelaine s'entrechoquant. Les cinq hommes sursautèrent en se retournant.

Florence, l'excellente cuisinière de l'évêché, entrait en poussant son chariot chargé de plats. Charlie lui passa entre les jambes, la bousculant presque. Il vint se placer aux pieds de l'évêque et leva les yeux au plafond.

— Ce gros chat m'exaspère, souligna-t-elle pour que Langlois puisse l'entendre.

— Allons Florence, la rassura l'évêque, c'est parce qu'il vous aime bien!

— Il aime surtout que je le nourrisse!

Les quatre hommes sourirent et regardèrent la femme déposer les plats sur la table. Le fumet des saucisses de porc cuites au four dans une sauce à l'érable dont elle avait le secret envahit la pièce. Une platée de pommes de terre fumantes et un bol d'épinards cuits sur lesquels fondaient deux gros carrés de beurre complétaient le tout.

— Je reviendrai plus tard avec dessert et café, les informa-t-elle en quittant le salon.

Comme attirés par le parfum invitant d'une femme fatale, les quatre hommes se levèrent pour faire honneur à la table.

Une fois qu'ils se furent tous servis, Laberge revint à la charge afin d'obtenir des réponses à ses questions.

— Vous piquez ma curiosité, Monseigneur, poursuivit-il sur un ton à peine sarcastique, ainsi que la présence de ce monsieur X.

Langlois jeta un coup d'œil à Coppegorge qui, entre deux bouchées et une gorgée, lui enjoignit d'être patient.

— Mangeons d'abord, Édouard, suggéra-t-il. Je t'expliquerai ensuite le but de ta prochaine mission.

Langlois se leva pour marcher droit sur le chat qui longeait le mur en gardant toujours les yeux au plafond. Ses miaulements plaintifs étaient agressants et l'évêque le souleva non sans peine pour le sortir du salon.

— Va plus loin, Charlie, dit-il en le grondant, tu es insupportable.

Lorsque l'évêque lui ferma la porte au nez, le gros chat y donna un coup de patte, frustré d'être incompris.

Alors qu'ils se servaient et se passaient les plats comme s'ils n'avaient pas mangé depuis trois jours, Laberge plongea dans les yeux pâles surmontés d'épais sourcils qui agissaient tel un masque devant le visage de Johnny X. Comme s'il avait su lire les pensées du curé, Coppegorge suggéra au mystérieux individu de leur parler un peu de ses activités.

— Auriez-vous l'amabilité de nous parler un peu de vous, cher ami, lui dit l'archiviste sur un ton affable, je suis certain que mes deux compagnons se posent présentement de nombreuses questions.

— Avec plaisir, monsieur, répondit Johnny en redéposant sur la table le plat de pommes de terre. Vous comprendrez qu'il me sera impossible de vous dévoiler ma véritable identité. Ce sera également la dernière fois que vous me verrez. À moins d'un surprenant hasard. Je suis né en Allemagne, à Nordenham, en 1894. Après avoir travaillé comme agent double pour le MI6 en Grande-Bretagne, j'ai été recruté il y a deux ans par votre Gendarmerie royale afin d'infiltrer le regroupement fasciste du Parti national-socialiste chrétien. Comme vous le savez, ce parti a été dissous par la GRC l'an dernier et plusieurs de ses membres emprisonnés. J'ai été en partie responsable de leur débâcle.

— Voilà qui vous rend déjà plus sympathique, blagua Albert en faisant sourire les autres.

— Avant de me retrouver au Canada, poursuivit l'espion, j'ai voyagé dans toute l'Europe, l'Amérique du Sud et l'Extrême-Orient à la demande des services de renseignements du MI6 de la Grande-Bretagne et du FBI américain.

— Tout cela est très impressionnant, le coupa Laberge, mais pourquoi ?

— Je suis anticommuniste et je m'oppose à toute forme de dictature. Je ne supporte pas l'état-major allemand qui dirige présentement les destinées de mon pays et qui s'apprête à dévaster l'Europe. Cette folie doit être arrêtée et je ferai ce que je peux pour aider ceux qui pensent comme moi.

— C'est grâce à certaines informations qu'il a obtenues directement d'Allemagne et à sa grande connaissance des pays d'Amérique latine que Johnny nous a été d'une grande utilité, affirma l'évêque.

— Et qu'en est-il de ces précieuses informations? questionna Laberge.

— Elles vous aideront à la préparation de votre départ prochain pour le Mexique, lui répondit Johnny.

Un silence pesant s'abattit sur la table.

Coppegorge versa du vin à tout le monde.

Oksir fut parcouru de frissons lorsque les hommes se levèrent de table pour passer au salon devant la cheminée. Albert s'occupa de relancer le feu alors que Coppegorge approchait des fauteuils. Florence entra et vint déposer sur la table basse un cabaret en argent porteur d'un plat de petits gâteaux, d'une cafetière, d'un sucrier et d'un pot au lait. Elle leur laissa des tasses et des cuillères avant de débarrasser la table et de sortir avec son chariot. Une fois la porte refermée, les hommes se servirent un café.

— Florence n'aime pas vraiment faire le service, n'est-ce pas? demanda Albert à l'évêque qui plongeait dans le sucrier avec sa cuillère.

AGRIPPA

— J'ai fini par m'y faire... Cela dit, elle est une excellente cuisinière et ménagère. Je ne la changerais pour rien au monde.

Coppegorge prit une gorgée de café noir puis se dirigea vers la grande carte géographique du diocèse suspendue au mur. Il leva la main vers le support fixé au plafond et abaissa une nouvelle carte qui vint couvrir la première.

— Je n'ai pas eu la chance de voir le clerc, continua Albert en changeant de sujet.

— Il est en voyage aux États-Unis, répondit Langlois, quelques renseignements à glaner. Il est très efficace dans ce domaine. Théodore, lorsque vous serez prêt?

Albert se laissa retomber dans son fauteuil, conscient que l'évêque venait de mettre un terme à ses questionnements. Une tension palpable régnait dans l'évêché. Albert la sentait et soupçonnait son ami d'être sur le point d'exploser. Il jeta un coup d'œil vers le curé qui étudiait déjà la nouvelle carte que Coppegorge venait de dérouler.

— Voici la carte du Mexique, confirma ce dernier. Et bien que nous en connaissions peu à son sujet, il reste tout de même notre deuxième voisin, au sud des États-Unis. Tu te souviens Édouard qu'à votre retour du monde d'Agharta, Élizabeth et toi, avez affirmé que lors de la réunion des trois grands chefs à l'école des sorciers en Espagne, le général Franco avait cité les écrits de Cortés.

— C'est exact, fit Laberge.

— Selon ses dires, les chroniques du conquistador confirmaient un lien entre celui-ci et Henri Corneille Agrippa, au point que le mage lui aurait confié l'un de ses livres de magie occulte. Livre qu'il aurait apporté au Nouveau Monde et qui l'aurait sans doute aidé à faire la conquête du Mexique.

— C'est ce qu'il a dit.

— Aussitôt après, j'ai repris contact avec ce Basque qui vous avait guidé dans les monts Maudits jusqu'à l'entrée de l'école des sorciers.

— Vous voulez parler d'Antonio Abadias ? Le gardien du refuge de la Rencluse ?

— Tout à fait. Il avait autrefois été coopérant pour l'ARC et moyennant certaines promesses accompagnées d'une certaine somme, il n'a pas hésité à reprendre du service et à quitter les Pyrénées pour se rendre à Séville afin d'y retrouver l'un de ses anciens contacts. Celui-ci est parvenu à le mettre en relation avec l'un des dirigeants de la grande bibliothèque de l'Université de Séville, qui comprend une imposante collection de *Fondo Antiguo*, ou si vous préférez, de fonds anciens. Et c'est là qu'il a eu accès aux *Chroniques des Conquêtes*. Puis, par le fait même, aux mémoires de Cortés...

Fenrir jubilait.

Et il était impatient. Il saurait bientôt grâce à Oksir ce que préparait encore l'évêché. La conception de cet homoncule avait été l'une de ses plus belles réalisations des derniers temps. Il s'était même pris d'une réelle affection pour la petite créature, qui la lui rendait bien.

Le mage rouge attendait depuis si longtemps ce moment qu'il ne tenait plus en place. Skoll avait refusé de partager avec lui ce qu'il savait de l'existence d'un autre *Agrippa* et cela avait aussitôt réveillé les vieilles rancunes entre les deux mages. Et voilà qu'ici, à des milliers de milles de l'Allemagne, il percerait non seulement le secret de Cortés et du dernier *Agrippa*, mais il y aurait un homme qui irait le chercher pour lui. Lorsque les cinq *Agrippa* seraient réunis, il élaborerait un nouveau plan pour s'en emparer.

Cette apparence de loup hideux qu'il était capable d'adopter, en altérant les réactions chimiques dans son sang et son ADN par le contrôle de sa propre énergie vitale, le rendait de plus en plus menaçant. Il hurla à la lune décroissante, encore assez forte pour éclairer les bois entre le passage des nuages.

Charlie bondit sur le lit de la chambre inoccupée où se trouvait la trappe donnant accès au grenier. De là, il sauta sur le rebord de la fenêtre creuse puis sur une haute commode à tiroirs. Il leva les yeux vers cet accès aux combles qui lui était interdit. Ou plutôt inaccessible. Pourtant, la créature se cachait encore là, il le savait. Mais comment diable lui mettre la patte dessus? Son instinct de chasseur était aussi fort en lui que son instinct de préservation. La créature constituait un danger, c'était tout ce qu'il sentait. À la seule pensée de pouvoir la capturer, les griffes émergèrent d'elles-mêmes de ses pattes avant.

Jusqu'à venir se planter dans le bois tendre de la commode.

✦ ✦ ✦

— Vous devez comprendre, messieurs, expliqua Johnny X avec son accent étranger, que le danger de guerre en Europe a toujours été celui d'une guerre entre l'Allemagne et la France. Et puisque cette Allemagne nazie est une évidence acquise et confirmée, elle attirera l'Europe dans un désordre absolu et un chaos général jusqu'à produire la ruine totale de l'Occident. Bien que nous sachions pertinemment que des ténèbres surgit toujours la lumière, les conséquences risquent d'être graves et de rejaillir sur plusieurs générations.

— Un astrologue a l'autre jour affirmé que le thème astrologique de Mussolini est tout à fait semblable quoiqu'en plus médiocre à celui de Napoléon, raconta Coppegorge. Le drame est écrit dans les astres, vers les mêmes âges.

— On ne peut malheureusement pas se fier à des astrologues pour fonder les rêves de libération de l'Europe, intervint Langlois.

Laberge détestait la tournure que prenait la discussion, sans ne jamais en venir au fait. Voilà que les écrits de Cortés avaient été mis en plan pour raviver le sujet de l'heure, celui d'une guerre qui s'annonçait planétaire. Il était perdu dans ses pensées qui allaient rejoindre Élizabeth. Il porta la main à sa poitrine afin de sentir ce qui se trouvait sous ses vêtements. Le médaillon renfermant la photo d'Hélène et la dernière lettre d'Élizabeth glissée dans sa poche intérieure. Tiraillé entre le regret et le remords, il éprouva en plus la désagréable impression de se voir obligé d'aller au Mexique. Cette pensée le submergea au point de le noyer dans sa colère. L'ARC avait attendu des années avant de passer aux actes pour récupérer l'*Agrippa*. La guerre avait laissé sur la glace l'expédition des nazis et l'ARC de son côté, avait été loin de donner la priorité aux recherches pour confirmer l'endroit exact qui cachait le livre noir. Son intention d'aller retrouver Élizabeth en France pour la ramener avec lui allait bientôt être anéantie. Il se tourna vers Albert qui avait le regard perdu dans le feu de la cheminée.

Pauvre Albert... Lui qui ne souhaite que le bien des siens et de pouvoir vivre en paix avec eux...

— Je crois que nous nous éloignons du sujet, mes amis, dit tout à coup Langlois comme s'il avait su lire dans la pensée du curé. Théodore, je vous saurais gré de continuer.

— Par où commencer... murmura l'archiviste pour lui-même.

Les autres étaient tous tournés vers lui, attendant son exposé. La morosité s'était emparée de la petite assemblée avec la sournoiserie d'un chat guettant un oiseau. Cela ne leur ressemblait pas.

Johnny X bougea sur sa chaise, cherchant à être plus à son aise. Parce qu'en fait, il ne l'était pas du tout. Il ne songeait plus qu'à quitter cet endroit et à les laisser à leurs problèmes. Il apprécia le fait de pouvoir travailler seul et de prendre au pied levé les décisions qui s'imposaient, même si cela l'obligeait, la plupart du temps, à risquer sa vie.

— Commençons par le but, se lança-t-il enfin. Tu dois bien te douter, Édouard, que la nouvelle quête qui nous préoccupe a un rapport avec ce supposé dernier livre d'Agrippa caché au Mexique. Grâce à Abadias et aux *Chroniques des Conquêtes*, nous savons avec exactitude où se trouve le livre maudit. Et puisque Élizabeth n'est plus opérationnelle du côté de nos services de renseignements, c'est grâce à Johnny X que nous avons été informés que les nazis étaient fins prêts à lancer leur expédition pour aller le récupérer.

— Élizabeth se trouve coincée en zone occupée par choix, s'insurgea Laberge, de plus, elle est activement recherchée! Et c'est uniquement pour vous tenir informés du mouvement des nazis dans Paris qu'elle a fait ce choix! Comment pouvez-vous affirmer qu'elle n'est plus opérationnelle alors qu'elle risque sa vie pour l'ARC en restant dans la ville?

— Je ne critique en rien les aptitudes ou les décisions d'Élizabeth, répondit Coppegorge. J'expose simplement les faits. Elle peut peut-être observer, mais pas opérer, c'est tout. Alors ta mission, si tu l'acceptes, sera de te rendre sur place avant les Allemands et de nous rapporter ce livre, afin que nous puissions l'enfermer avec ses congénères, dans la chambre forte de l'église St.Matthew.

Laberge ferma les yeux afin de donner à son esprit la latitude pour réfléchir. Son but d'entrer clandestinement en France par le sud pour retrouver son amie venait d'être saboté par cette nouvelle affectation. Ce rôle de prêtre-agent commençait à lui peser. Pareille à la vie sous un régime hitlérien, la sienne ne lui appartenait plus. Il devait obéir à son évêque et faire une croix sur la liberté de ses actes. Cette comparaison retentit en lui comme une gifle en pleine figure.

— Si je l'accepte... fit-il en reprenant les paroles de Coppegorge. Suis-je donc libre de refuser?

— Non.

Ce seul mot de la part de l'évêque se voulut pareil à une seconde gifle.

Écrasé dans son fauteuil, le menton au creux de la main, Albert observait la scène en silence avec une inquiétude croissante.

Laberge ouvrit les yeux pour rencontrer le regard auscultateur de l'évêque. Tout ce qu'il avait mis au point venait d'être anéanti. Il ne pouvait en effet refuser cette mission.

— Sans jamais nous laisser abattre, il faut être conscients que tout ce que nous produisons ou mettons en œuvre par nos efforts, peut être détruit par un effet totalement adverse, expliqua Langlois qui semblait une fois de plus lire dans l'âme du curé. À force de travail et d'années de pratique, un homme peut devenir un pianiste admirable. Mais toutes ces années d'efforts seront rayées en un instant, par un seul accident qui lui écrasera les doigts. La vie est un risque calculé. Mais un risque tout de même.

Le curé savait trop bien que son «amitié profonde» pour Élizabeth ne faisait pas l'unanimité. Langlois la trouvait sûrement un peu trop profonde et il ne se gênait pas pour le lui rappeler. Coppegorge en éprouvait du malaise mais n'osait lui en parler. Albert lui, n'en faisait pas le moindre cas. Et ne serait-ce que pour cette seule raison, l'amitié du curé lui était acquise à vie.

— Alors j'irai, déclara Laberge, ainsi soit-il.

— Parfait, échappa Coppegorge dans un soupir de soulagement tout en s'approchant de la carte du Mexique.

Langlois baissa les yeux, visiblement soulagé, et se gratta la tête en faisant pleuvoir des pellicules blanches sur ses épaules.

— Johnny X se chargera un peu plus tard de t'informer sur ton contact mexicain, continua l'archiviste, mais pour l'instant, je vais t'instruire sur le lieu. C'est grâce à un chroniqueur nommé Bernal Díaz del Castillo, qui accompagna Cortés dans toutes ses aventures, que nous sommes au fait de ce qui entoure l'expédition que le conquistador avait mise sur pied afin de se débarrasser de l'*Agrippa*. Les chroniques manuscrites de del Castillo furent découvertes dans une bibliothèque de Madrid en 1632 et publiée sous le nom de *L'histoire véridique de la conquête de la Nouvelle-Espagne*. Il y décrit la conquête de l'Empire aztèque et surtout les cent dix-neuf batailles auxquelles il participa aux côtés de Cortés. Certains détails furent bien sûr volontairement omis lors de la publication. Incluant un chapitre entier sur le fameux livre noir maléfique. Il a fallu trois nuits de recherches à Antonio Abadias dans le manuscrit original, pour mettre le doigt sur les détails de l'histoire qui nous intéresse. Et cette histoire, messieurs, est tout à fait fascinante. Il ne fut jamais spécifié pourquoi, ni comment Cortés était entré en possession du livre de magie. De deux choses nous sommes sûrs : d'abord, malgré tout ce qu'a pu lui faire subir le livre noir, il a jugé l'épisode suffisamment important pour le relater dans le détail ; ensuite, il a côtoyé Henri Corneille Agrippa alors que celui-ci était entré au service du roi Ferdinand II d'Aragon. Agrippa lui a-t-il donné ce livre? Cortés l'a-t-il volé? Nul ne le sait. Mais peu importe comment il l'a eu. Ce qui nous intéresse, c'est comment et où il s'en est débarrassé. Et ça, nous le savons grâce à notre brave chroniqueur Bernal Díaz del Castillo qui a pris la peine de scrupuleusement tout noter. C'est au cours d'une journée d'octobre 1522 que Cortés et quelques hommes ont remonté la rivière Tecolutla dont l'embouchure se situe ici, pas tellement loin du port de Veracruz, jusqu'aux ruines de la cité perdue d'El Tajín. Mais la journée avait très mal débuté pour Cortés qui était fou de rage. Quelques heures avant, il s'était fait ravir, à son nez et à sa barbe par des corsaires français, deux galions chargés à ras bord d'or, d'argent et de pierres précieuses qui venaient d'appareiller pour l'Espagne. Cortés échappa donc de justesse aux corsaires et parvint comme convenu aux ruines de la cité oubliée, guidé par sa maîtresse, la fidèle Doña Marina, une Indienne qui lui avait été offerte quelques années auparavant. Leur intention était de jeter l'*Agrippa* au creux d'un bâtiment appelé la pyramide des niches.

— Et c'est vraiment une pyramide? s'informa Laberge.

— Comme son nom l'indique, oui.

— Je croyais qu'il n'y avait des pyramides qu'en Égypte, intervint Albert.

— Il s'en trouve également au Mexique, le renseigna Coppegorge, sauf qu'elles sont un peu différentes de celles d'Égypte. Elles sont étagées et comportent souvent un grand escalier sur l'un de leurs flancs qui permet d'atteindre un autel sacrificiel ou un accès menant à ses profondeurs. Fait à noter, la pyramide des niches tire son nom des trois cent soixante-cinq niches qui la composent, réparties sur ses six degrés. Vous comprendrez que je n'ai aucune photo à vous montrer. Toutefois, j'ai cette reproduction d'une gravure ancienne qui vous donnera un aperçu de la majesté du lieu.

Coppegorge tendit la copie de la gravure à Laberge qui s'en saisit machinalement. On y voyait la fameuse pyramide, entourée d'une végétation luxuriante composée de palmiers et d'autres arbres gigantesques parcourus de lianes.

— Comme je le disais plus tôt, il semblerait que ce soit Doña Marina, la maîtresse de Cortés, qui les ait guidés jusqu'à ce lieu qu'elle devait connaître. Del Castillo affirme dans ses écrits que selon les dires de la jeune Indienne, le site envahi par la végétation comprendrait plus d'une centaine d'édifices qui auraient été construits bien des siècles auparavant. Sur la gravure, l'on voit bien les six étages de la pyramide percés des trois cent soixante-cinq niches représentant vraisemblablement l'année solaire. Et à son sommet, une plateforme sculptée à l'image de dieux et d'animaux sacrés.

— Assez impressionnant, jugea Laberge pour lequel l'étude de la gravure faisait renaître en lui son désir de voyages et d'aventures.

— Bref, poursuivit l'archiviste, le but de l'opération pour Cortés, était de monter jusqu'à la porte située au sommet, de descendre l'*Agrippa* le plus profondément possible dans la pyramide et de faire sauter le toit afin de sceller l'entrée. Pour ce faire, il avait amené avec lui un artificier qui s'affaira à poser des explosifs autour de la plateforme supérieure.

Doña Marina était avec lui, ainsi que les deux hommes portant le coffre contenant le livre d'Agrippa. Díaz del Castillo était resté en bas avec les autres hommes installés autour de la pyramide pour monter la garde. En principe, tout devait être terminé en moins de quarante-cinq minutes. Sauf que les choses tournèrent mal! Nos amis espagnols avaient à peine pris leurs positions lorsqu'ils furent attaqués par une horde de guerriers vêtus de peaux de jaguars. Del Castillo les cite ainsi dans ses chroniques: les hommes-jaguars.

— Ce ne fut décidément pas une bonne journée pour Cortés, fit Albert.

— Vraiment pas, confirma Coppegorge. Les hommes-jaguars étaient de farouches guerriers conduits par quatre prêtresses aux cheveux blonds et à la peau blanche. Le chroniqueur a indiqué, selon les dires de Doña Marina, que ces femmes étaient les gardiennes de la mémoire et qu'elles appartenaient à une cité cachée dans la forêt, dont les habitants avaient tous la peau claire. Les Indiens les considéraient comme les descendants des dieux.

— Voilà qui est fascinant, dit Langlois fort étonné, croyez-vous que cette peuplade existe toujours aujourd'hui?

— Nul ne le sait, Monseigneur. La cité perdue de El Tajín ne se situe pas dans une région très fréquentée. Bien qu'elle ne se trouve pas tellement loin du port de Veracruz, seuls quelques archéologues français s'y sont intéressés jusqu'à présent.

— Jusqu'à présent...

Johnny X avait presque coupé la parole à Coppegorge. Ce dernier le considéra un instant tout en gardant le silence.

Voyant que l'espion ne s'avançait pas plus loin, il poursuivit son exposé.

— Jusqu'à maintenant en effet, puisque nos amis les nazis sont en train de mettre sur pied une expédition dans le but d'étudier les ruines précolombiennes du Mexique. C'est du moins le prétexte qu'ils ont donné au gouvernement mexicain, en plus d'un certain montant en marks allemands, pour avoir accès à leur territoire avec leur équipement.

— Mais dites-moi, intervint Albert toujours piqué de curiosité, qu'est-il arrivé à Cortés et ses soldats après l'attaque des hommes-jaguars?

— Encore une fois, Cortés s'en est sorti, avec la plupart de ses hommes. Les hommes-jaguars les attaquèrent avec une pluie de flèches et de pierres. Le chroniqueur del Castillo fut lui-même blessé au dos par une pierre. Au cours de la bataille, l'artificier qui avait préparé la charge pour faire sauter la partie supérieure de la pyramide perdit la vie. Et c'est Doña Marina, mortellement blessée, qui mit le feu aux poudres pour provoquer l'explosion sous les yeux d'Hernán Cortés, complètement stupéfait. Les Espagnols finirent par retraiter jusqu'à leur petit bateau pour fuir à la rame en descendant la rivière. Cortés avait peut-être réussi à enfermer l'*Agrippa* dans un sanctuaire inviolable, mais il avait perdu son interprète, sa négociatrice, la femme qu'il aimait et qui l'avait épaulé dans ses conquêtes depuis le début.

Songeur, Albert ne put s'empêcher de faire le lien entre l'histoire de son ami John Dwyer et celle de Cortés. Enfant, John avait accompagné son père pour jeter au fond de la crypte de l'église St.Matthew l'*Agrippa* que sa famille avait conservé pendant des années. Et son père y avait après coup laissé la vie.

— C'est là que se trouve le dernier *Agrippa*, poursuivit Coppegorge. C'est dans cette pyramide oubliée non loin de Veracruz qu'il nous attend depuis plus de quatre siècles.

— Nous savons que l'*Agrippa* ne peut être détruit, ajouta Langlois. Il est donc là quelque part, enterré sous les pierres ou au pied de l'escalier au cœur de la pyramide, près des restes de Doña Marina. Dieu garde l'âme de cette femme courageuse.

— Je me suis moi-même rendu dans le Veracruz par le passé, expliqua Johnny X, car le Veracruz n'est pas seulement un port ou une ville, c'est maintenant un État. Il ne vous sera donc pas nécessaire de descendre plus au sud jusqu'à la ville. Il se trouve une petite cité encore plus près des ruines d'El Tajín. J'y ai un contact auquel je vous recommanderai. C'est un excellent guide et il saura vous conduire jusqu'à la cité perdue où se trouve la pyramide. Son nom est Manuel Escobar. Je vous fournirai aussi des cartes géographiques qui vous aideront dans vos déplacements. Et puis je ferai un bout de chemin avec vous. Je dois me rendre à Houston, au Texas.

— Qu'allez-vous faire au Texas ? demanda Laberge qui se sentait soudain un peu trop pris en charge.

— Ne le prenez surtout pas mal, répondit aussitôt Johnny X, mais cela ne vous regarde en rien.

— C'est un peu direct, mais ça a au moins le mérite d'être clair…

— Nous utiliserons les lignes aériennes postales pour arriver jusque-là. Les avions postaux sont très coopératifs du point de vue de la sécurité nationale. Mais au Canada, la ligne aérienne transcontinentale s'ouvre de plus en plus au transport de passagers. Et les États-Unis ont eux aussi plusieurs tronçons de créés. Nous partirons donc du nouvel aéroport de Dorval et nous ne ferons qu'une seule escale à Chicago avant de rejoindre Houston. De là, vous devrez vous débrouiller par vos propres moyens.

— Je devrais arriver à m'en tirer...

— C'est par le train que vous atteindrez la frontière mexicaine et que vous gagnerez la ville de Papantla, en suivant la côte du golfe du Mexique. Je suis certain que vous apprécierez la beauté du paysage.

— Je suis impatient de faire mes bagages...

— Allons Édouard, les coupa Coppegorge, arrête de faire le cynique. Johnny tente seulement de te rendre la vie plus facile pour cette mission.

— Non, laissez, monsieur Théodore, répliqua Johnny de son accent marqué et pas le moins du monde impressionné, l'animosité, les malaises ou les frustrations glissent sur moi comme l'eau sur le dos d'un canard. Je ne me sens pas touché ni concerné par ce que peut dire le prêtre Édouard. Je fais ce que j'ai à faire et ce que je crois juste. Je n'ai pas à gérer les états d'esprit de qui que ce soit.

— Ah bien vous alors, fit Albert, on peut dire que vous ne passez pas par quatre chemins !

— Je prends toujours le plus court, en effet.

— À la bonne heure, se ravisa Laberge pour empêcher la discussion de déraper, parions qu'au bout de notre voyage, nous partagerons une franche camaraderie vous et moi, monsieur Johnny!

— Si vous le permettez, messieurs, trancha Coppegorge pendant qu'Albert ajoutait du bois dans la cheminée, j'aimerais rappeler à votre mémoire tout comme à votre conscience certains faits préoccupants qui font dorénavant partie de notre existence.

Albert referma les deux portes pare-étincelles cadrées en cuivre martelé et retourna à son fauteuil. Le bois sec crépitait dans la cheminée à mesure que le feu reprenait de la vigueur, tout en produisant un éclairage doux qui animait une multitude d'ombres dansantes à la grandeur du salon.

— Le monde entier semble subir le désarroi provoqué par la guerre comme une fièvre contagieuse, poursuivit Coppegorge. L'homme a abandonné son essence, son destin originel pour se lancer à la conquête du monde sensible. Il remet maintenant en question tous les dogmes, toutes les assises, toutes les doctrines qui nous ont guidés jusqu'ici. Une grande confusion règne sur notre temps. Toutes les valeurs y sont mêlées, réévaluées ou détruites. Les forces en présence ou opposées, qui agissent ou réagissent, produisent un chaos mondial et déstabilisant qui cause à son tour une influence abusive sur tout homme. Certains observateurs ont même osé mettre un nom au résultat néfaste de cette influence : le prestige du désordre. Il apparaîtra dès lors que ce simple mot, ce « désordre » dont nous faisons le triste constat, ne signifie pas uniquement une organisation mauvaise ou une incohérence matérielle. Il implique désormais la trahison totale de la véritable nature humaine qui devrait tendre tout naturellement à l'ordre et à l'équilibre. Les hommes savent à présent, par une expérience chèrement acquise, qu'à travers complots et danses subtiles ou brutales dans les corridors des chancelleries, peut se dresser l'implacable spectre de la mort violente. Notre vie est en jeu à chaque jour qui passe, messieurs. Et tant que nous ne connaîtrons pas l'issue de cette guerre, nous subirons le profond désarroi. Si les nazis règnent un jour sur l'Occident, il n'y aura plus de religion. Il n'y aura que la décision du *Führer*. Le minage a déjà commencé. Une attaque vile et sournoise qui aura l'effet de ruiner peu à peu ce que le Christ a légué au monde depuis deux mille ans!

Albert et Édouard observaient attentivement Coppegorge, ne comprenant ses paroles qu'à moitié. Comme s'il avait saisi leur trouble, l'archiviste français ramena son exposé sur un terrain plus ferme.

— Même ici, loin de l'Europe, continua ce dernier, il est de notre devoir de faire tout ce qui nous est possible pour enrayer la marche des nazis. Ils ne doivent, sous aucune considération, mettre la main sur l'*Agrippa* du Mexique. Et que je sois bien entendu. Tous les moyens nécessaires à l'échec de leur mission devront être envisagés et employés.

Laberge et Johnny X acquiesçaient lentement de la tête comme pour montrer qu'ils avaient bien compris le sens des paroles de Coppegorge. L'évêque avait le regard rivé au sol. Albert, lui, avait toujours le menton appuyé au creux de la main. Un calme apparent se dégageait de sa personne, alors qu'il sentait la chaleur assoupissante du feu caresser le côté gauche de son visage.

— Je crois que nous avons suffisamment trempé dans le pessimisme pour ce soir, déclara Langlois comme arraché d'un coup à sa torpeur. Il ne faudrait pas que cela nous empêche de dormir. Vous avez encore quelques jours devant vous afin de vous préparer, dit-il ensuite à l'intention du curé et de l'espion. Faites-le avec minutie et discernement.

Ils finirent leur verre dans le silence.

Couché à plat ventre dans l'étroite section limitée par le plafond du rez-de-chaussée et le plancher du premier étage, Oksir tremblait de tous ses petits membres. Bien sûr, il n'avait presque rien mangé depuis des jours mais cela n'avait aucune importance. Seul ce qu'ordonnait le maître comptait. Et ce que celui-ci venait d'apprendre grâce à lui le comblait de bonheur. Il se sentait utile et cela lui procurait une certaine assurance qui se traduisait en une vilenie et une méchanceté accrues. Les rassurantes paroles du maître Fenrir retentirent dans son esprit primal.

Tu as bien fait, mon Oksir, tu as très bien fait… Qu'est-ce que je ferais sans toi? Repose-toi maintenant et prends des forces.

L'homoncule jeta un dernier coup d'œil à la fissure qui lui donnait un point de vue sur le fameux salon stratégique de l'évêché de Valleyfield. Les hommes s'étaient levés et quittaient la pièce l'un après l'autre. Lorsque la porte fut refermée, il recula toujours à plat ventre, le plus discrètement possible. Il rejoindrait le mur qui lui permettrait d'atteindre les combles, là où il y avait de l'espace et où l'air était bon.

Lorsqu'il emprunta son passage pour monter vers les combles, les miaulements farouches du gros chat de l'autre côté le figèrent d'effroi pendant quelques secondes. Quand il reprit son ascension, il trembla de plus belle.

6

Château de Wewelsburg, Allemagne.
Le samedi 11 octobre 1941.

La phase finale de la transformation arracha un cri au mage rouge bien malgré lui.

Skoll se redressa de toute sa hauteur et longea la douve qui ceinturait une partie du château de Wewelsburg, toujours en cours de restauration. Son pas quelque peu hésitant trahissait les effets du choc qu'il subissait lorsqu'il quittait les traits du loup pour retrouver forme humaine.

La silhouette imposante du massif château triangulaire se découpait dans les ténèbres comme un spectre effrayant et l'austérité du bâtiment prenait réellement tout son sens à la tombée de la nuit ou lors d'un clair de lune. Voulue par Himmler et conçue par l'occultiste Karl Weisthor, la forteresse magique et impénétrable abritait de plus en plus de scientifiques et de chercheurs, regroupés afin de mettre en lumière l'histoire unique du peuple germanique.

AGRIPPA

Skoll avait présidé une réunion de mages rouges dans la mythique forêt de Teutberg, non loin du château. Il avait émis certaines réserves quant à la coopération entre les Êtres de la Lune et le parti nazi, apportant quelques bémols à ce qu'il conviendrait de faire pour la bonne marche de leur entreprise. La marche des Allemands, pareille à la *Marche impériale* de Wagner, faisait vibrer la terre et semblait impossible à arrêter. Leur fanatisme féroce laissait présager une ère de destruction bien plus qu'une ère de contrôle et de manipulation de masses. La construction du gigantesque marteau de Thor, cette arme meurtrière et absolue, repoussait peut-être un peu trop loin les limites de ce qu'un peuple asservi pourrait supporter. Il est bien de gagner une guerre, mais régner sur des ruines ne signifie aucunement le gage d'une éclatante victoire.

Les mages rouges, tous assis sur de longs troncs d'arbres abattus, avaient patiemment écouté discourir leur chef. Parés d'une cape rouge sombre et le pourtour des yeux couvert d'un masque en cuir de même couleur, ils lui avaient permis d'aller jusqu'au bout de sa réflexion. Mais à la fin, ils n'avaient pas semblé partager ses inquiétudes.

— Je crois qu'à ce point de la guerre, avait dit l'un d'eux, il ne nous est plus permis d'intervenir dans les décisions stratégiques. Le plan suit son cours. Les Allemands seront les maîtres de l'Europe et leur suprématie ne pourra être contestée par quiconque. Ce n'est quand même pas le Canada et les États-Unis qui courront le risque de tenter de libérer l'Europe ! Attendez la fin du conflit, attendez que la Grande-Bretagne soit soumise et vous verrez, ils resteront bien sagement de leur côté de l'Atlantique et s'arrangeront pour mettre à profit les accords économiques qui leur seront proposés.

— Et que faites-vous des trois niveaux, avait dit un autre, il faut respecter les trois niveaux !

— Qu'est-ce que vous me chantez là ? avait demandé Skoll légèrement impatient.

— L'Univers infini se charge tout naturellement de régler les choses sur des plans à trois niveaux, avait répliqué le mage masqué en frappant du poing dans sa main. Retrouvez-vous devant une rivière et vous n'y verrez que trois possibilités : la rive où vous vous trouvez, la traversée et l'autre rive. Vous êtes face à une montagne ? Il y a le pied, l'ascension et le sommet. Vous êtes vivant ? Il y a la naissance, l'existence et la mort. Et je pourrais continuer ainsi pendant toute la nuit ! Il en va de même pour la guerre, maître Skoll. On la déclare, on la livre et on la gagne...

Skoll avait gardé le silence tout en se faisant la réflexion qu'on pouvait aussi la perdre. Mais il avait devant lui une assemblée gagnée d'avance à la victoire imminente des Allemands sur le reste de l'Europe. De plus, ils fondaient de grands espoirs sur le pacte de l'Axe, qui unissait l'Allemagne à l'Italie fasciste de Mussolini et à l'empire du Japon. Ensemble, ils pourraient bien un jour dominer le monde.

Les sens en furie, Skoll avait chassé après l'assemblée. Sous l'apparence de l'homme-loup qui faisait de lui une bête de la Lune, le mage rouge avait épanché sa rage dans le sang des animaux de la forêt. Sa formidable capacité à contrôler sa propre énergie pour modifier ses fluides jusqu'à son

ADN, faisait de lui un être plus que magique. Il devenait une créature farouche et dangereuse, que tout être vivant doté d'un minimum d'instinct cherchait à éviter.

Skoll préférait néanmoins les manipulations d'énergies associées à la magie aux transformations physiques qui lui donnaient l'impression de se déchirer les chairs. Bien sûr, le sentiment de puissance que lui procurait la force brute de l'homme-loup n'avait pas son égal. Mais sa personnalité s'y fondait, jusqu'à disparaître complètement, pour ressurgir tout à coup telle une rivière souterraine, de façon absolument torrentielle.

Après sa monstrueuse métamorphose et sa chasse effrénée, Skoll avait perdu tous ses vêtements. Il ne lui restait que sa cape, en maints endroits déchirée, avec laquelle il parvint néanmoins à se couvrir avant de gagner le pont menant à l'entrée du château.

Les gardes l'éclairèrent d'abord puis le reconnurent ensuite.

Ils s'écartèrent pour lui permettre de passer, affichant toutefois un air inquiet qui ne laissait aucun doute quant à l'idée qu'ils se faisaient de l'homme.

D'un pas rapide, Skoll se dirigea vers ses appartements en espérant ne rencontrer personne. Ses pensées étaient encore confuses et son pas mal assuré. Une horloge sonna les vingt-trois heures, lui rappelant la réunion nocturne commandée par le *Führer* pour le douzième coup de minuit.

Un bain s'imposait. Le mage entra dans ses appartements et referma la porte derrière lui. Avant même qu'il n'eût rejoint l'interrupteur, il sentit la présence dans la pièce.

— Ne crains pas, susurra la voix féminine, je t'attendais…

Skoll reconnut avec soulagement la voix de Katja Arbenz, la spécialiste en formation des espionnes du parti nazi, que les hommes du Reich surnommaient Mlle Docteur. Le mage marcha vers le lit et laissa tomber sa cape. Il pouvait lui-même sentir l'odeur de sang, de bois et de terreau que son corps exhalait. Une faible lueur entrait par la fenêtre, ne laissant deviner que les formes. Lorsque la femme se frotta contre lui en le pétrissant de ses mains, de la boue séchée tomba sur le sol. Elle lui enfonça lentement ses ongles dans le dos et sentit croître son désir comme une montée de violence parmi une foule en colère.

— Viens là, murmura-t-elle encore comme un succube, nous avons assez de temps…

Les pas de Skoll résonnèrent dans le grand corridor menant à la salle des généraux. Le garde posté devant la porte leva la tête en l'entendant approcher. Il s'écarta pour lui céder le passage et referma derrière lui.

À l'intérieur, le mage s'arrêta un instant sous les voûtes à croisées d'ogives qui composaient un cloître circulaire autour de la salle, sorte de galerie ouverte maintenant recouverte d'un long tapis en velours rouge. Il retrouva son calme et avança dans la pièce pour se diriger vers les hommes installés dans les larges fauteuils en cuir sombre disposés en cercle. Derrière eux, sous les voûtes du cloître, une bibliothèque avait été aménagée regroupant plusieurs livres sur ses étagères. Le mage eut le temps de reconnaître quelques gros volumes des dictionnaires Maiers avant de s'arrêter près du cercle de fauteuils.

— Skoll! s'exclama Hitler en le voyant apparaître, nous vous attendions!

Les regards convergèrent tous vers le chef des Êtres de la Lune. Le chef de la SS Heinrich Himmler, celui surnommé l'archange du mal Reinhard Heydrich, le chef de l'aviation Hermann Göring, le conseiller Martin Bormann, le chef de la propagande Joseph Goebbels et l'archéologue Herbert Jankuhn, tous l'observaient avec une attention soutenue qu'il détesta immédiatement.

Incapable de déterminer si les propos d'Hitler tenaient du sarcasme ou de la sincérité, Skoll décida de ne pas y porter attention.

— Désolé mon *Führer*, répondit-il, j'ai été pour ainsi dire retenu bien malgré moi.

— Je n'en doute pas mon ami, fit Hitler, nous connaissons tous votre rigueur.

— Je tâche en effet de la maintenir, monsieur.

Derrière le *Führer* se tenait un homme que Skoll n'avait encore jamais vu. Ce dernier, garde du corps personnel d'Hitler, le suivit des yeux sans faire le moindre mouvement jusqu'à ce qu'il soit installé dans son fauteuil.

Rochus Mish était entré au service de la garde rapprochée d'Adolf Hitler quelques jours plus tôt. L'homme de vingt-quatre ans vouait une totale admiration à son chef et lui était entièrement dévoué. Grand, large d'épaules, le regard fixe à travers ses yeux gris, Mish était une machine parfaitement rodée. On disait de lui qu'il avait développé une maîtrise de l'analyse et un sens de l'anticipation hors du commun après qu'il eut frôlé la mort lors d'une grave blessure par balle au niveau de la poitrine.

Skoll qui sentait ce regard gênant posé un peu trop long-temps sur sa personne, forma mentalement une élévation de la pression dans l'oreille interne du garde du corps afin d'affecter le liquide endolymphe qui assurait son équilibre. L'homme bascula lentement sur sa droite et dut se retenir au fauteuil d'Hitler pour ne pas chuter. Skoll cessa aussitôt son manège, un sourire à peine perceptible apparaissant au coin de ses lèvres.

— Puisque nous voilà tous réunis, enchaîna Herbert Jankuhn, et avec la permission de notre *Führer*, je voudrais vous faire part d'un projet captivant dont l'aboutissement sera le départ prochain d'une expédition dont la préparation est maintenant presque achevée.

Skoll leva les yeux vers l'archéologue, étonné de ne pas avoir été mis au courant ni même consulté. Il se doutait bien que cela avait quelque chose à voir avec le livre noir caché au Mexique et dont le général Franco avait fait grand état. Jankuhn était enfin parvenu à convaincre Hitler et Himmler du potentiel de ce livre de magie noire. Il n'était pas facile de détourner leur attention du projet de construction du fameux marteau de Thor.

— Le journal d'Hernán Cortés, poursuivit l'archéologue en brandissant le vieux manuscrit dans sa main, que nous a gracieusement fourni notre allié le général Franco, a permis de retracer toute la saga d'un fabuleux livre de magie qui aurait aidé le conquistador à mettre à genoux l'Empire aztèque au début du XVIᵉ siècle. Ce livre, écrit de la main même de l'archimage Henricus Cornelius Agrippa et confié par ses soins à notre ami Cortés, est enseveli au cœur d'une pyramide située non loin du port de Veracruz au Mexique. Il est là, il nous attend et nous irons le prendre. Ce livre n'est pas seulement un artefact archéologique de premier ordre, il est aussi un sujet d'étude qui pourrait nous aider à notre tour à vaincre les peuples que nous voulons soumettre. Je pense entre autres à la Grande-Bretagne qui, par sa situation géographique, nous donne du fil à retordre.

Jankuhn marqua une pause puis continua.

— Je constate l'étonnement sur votre visage, dit-il pour Skoll, mais ne m'en voulez pas. J'ai agi dans le meilleur de nos intérêts, pour ne pas vous dévier de votre mission première : faire le lien entre les scientifiques et les Supérieurs Inconnus pour la construction du marteau de Thor. Ceci dit, je me suis tourné vers les meilleurs, afin que tout soit préparé avec minutie pour éviter que ne se répète l'échec de notre expédition au monde d'Agharta. Je ne blâme personne. Mais nous n'étions pas prêts. La magie, le surnaturel ou le paranormal requièrent une approche qui diffère fort de celle adoptée avec les hommes.

Skoll écarta les bras en signe de soumission. Puisque tout est prêt et que les meilleurs sont concernés, ils n'auraient certes pas besoin de lui ! Pourtant, l'attrait et la fascination qu'exerçait sur lui le pouvoir d'un véritable livre noir écrit par Agrippa lui dictaient de tout mettre en œuvre pour faire partie de cette aventure. Dès lors, il se ravisa et jugea qu'il était préférable d'abandonner toute ironie. Surtout devant le *Führer* qui lui portait jusque-là une certaine estime.

— Je ne passerai pas par quatre chemins, messieurs, dit-il tout de go, je tiens beaucoup à faire partie de cette expédition.

Hitler frappa dans ses mains en faisant sursauter tout le monde.

— À la bonne heure Skoll, explosa-t-il visiblement heureux, c'est ce que j'espérais vous entendre dire! Continuez Jankuhn.

— Bien sûr, *mein Führer*. Nous savons donc, comme je le disais précédemment, où se trouve le livre magique. Le récupérer ne posera aucun problème.

— Aucun en effet, le coupa Reinhard Heydrich, puisque cette fois je serai moi aussi de la partie. Et ceux qui m'accompagneront seront triés parmi les hommes du *Einsatzgruppen*, mon commando d'intervention[1]. Certains de ces hommes sont en formation spéciale pour l'invasion de la Grande-Bretagne. Ils seront les plus qualifiés à agir sur un terrain hostile. Croyez-moi, aucune magie ne saura arrêter mes *Einsatzgruppen*.

— Ça, je n'en doute pas, continua Jankuhn, car nous serons fort bien équipés cette fois. Le Reich a mis à notre disposition les sous-marins U-553 et U-995 sous les ordres

---

1. Les *Einsatzgruppen*, aussi connus sous le nom de Commandos de la mort, étaient des détachements semi-militaires qui agirent principalement dans les pays occupés de l'Est. Leur mission, qui en était une d'extermination, était de traquer et d'éliminer toute forme d'opposition au nazisme. En trois ans, ils assassinèrent plus d'un million de personnes.

du commandant Karl Thurmann, lesquels sont présentement amarrés sur le littoral français à la base navale de Brest. C'est de là que nous partirons, messieurs. Un petit hydravion ainsi que quatre véhicules amphibies seront accrochés aux sous-marins et nous permettront une fois là-bas de remonter la rivière Tecolutla jusqu'aux ruines d'El Tajín, la cité perdue où se trouve la pyramide dite «des niches».

— À vous entendre, jugea Skoll, cette cité ne semble plus très perdue...

— Le terme «oubliée» aurait peut-être été plus convenable, pardonnez-moi.

— Il n'y a pas de mal. Mais dites-moi, sommes-nous vraiment les seuls à connaître l'emplacement du livre noir?

— Je ne vois pas comment quelqu'un d'autre aurait pu être mis au courant de l'existence de ce livre.

— Je ne sais trop... je pensais encore à cette espionne française, Élizabeth Montjean, qui semble s'être fondue dans la nature.

— Aux dernières nouvelles, précisa Heydrich, elle se trouvait au Canada, en compagnie du mage puissant qui est au service de l'Alliance des Religions du Christianisme. Mage qui, soit dit en passant, vous a damé le pion lors de votre séjour sous la terre.

— Vous êtes injuste Heydrich, s'indigna Skoll, nous avions une horde de vampires enragés à nos trousses qui voulaient nous ouvrir la gorge. Cela ne dépendait pas uniquement du mage canadien.

— Ça, je peux aussi vous l'affirmer, intervint Jankuhn, car j'y étais.

— Mages ou vampires, glissa encore l'archange du mal, cela n'aura aucune espèce d'importance devant mes commandos de la mort. Avec tout le respect que je vous dois *Herr Führer*, je reste sceptique face à ces manifestations que je considère comme de la pure manipulation. Si quoi que ce soit ose venir seulement tenter de nuire à la bonne marche de cette mission, il sera impitoyablement exterminé.

— Votre confiance est rassurante, ajouta Skoll, me voilà l'esprit tranquille. Je ne crois pas qu'ils auront toutefois l'occasion de faire de grandes interventions cette fois-ci.

Un silence tomba sur la petite assemblée qui arma aussitôt le canon du doute dans la tête du mage rouge. Il ferma un instant les yeux pour sentir la respiration des hommes présents près de lui. Il détecta un changement dans la pression de l'air, une variante dans le flot d'énergie et une anxiété palpable. Lorsqu'il ouvrit les yeux, Himmler s'éclaircit la gorge et ajusta sur son nez ses petites lunettes rondes.

— Vous êtes à présent au courant de la première partie de cette expédition, commença-t-il, je vais maintenant vous expliquer quel en sera le but ultime, une fois que vous aurez récupéré le livre d'Agrippa.

Bien qu'il ne le montrât aucunement, Skoll se sentait agacé par cette attitude de conquérants de l'Antiquité qu'affichait sans pudeur l'état-major du troisième Reich. Il fallait bien l'admettre, Hitler avait réussi à donner au peuple allemand, un sentiment de puissance collective incomparable.

Goebbels, le ministre de la Propagande, avait depuis des années admirablement organisé d'immenses rassemblements afin de consolider cette idée. L'idéal de grandeur ainsi promis par le *Führer* avait enthousiasmé la jeunesse qui s'était découvert un nouveau sentiment patriotique. Conquérir un plus grand espace vital pour le peuple allemand était devenu une idée partagée et à laquelle la plupart des citoyens avaient adhéré. Jamais la confrérie des Êtres de la Lune n'aurait pu songer à pareille manipulation de masse. Encore moins à la conquête d'autant de pays en si peu d'années. Le plan allait selon les espérances, mais il ne fallait pas échapper les guides du cheval de tête.

Himmler s'apprêtait à exposer les grandes lignes du reste de la mission, encouragé par le visage souriant et triomphant du *Führer*. Et Skoll comprendrait bientôt pourquoi sa présence dans cette expédition était bien plus requise que seulement espérée.

— Selon le journal de Cortés, dit Himmler, qui repose sur les genoux de notre ami Jankuhn, le livre de magie de notre compatriote Agrippa aurait servi à accéder à des sphères parallèles qui se situeraient à des niveaux différents dans l'espace-temps. Niveaux que Cortés appelait « entre-temps ».

— Si ce savant traître d'Albert Einstein ne s'était pas enfui en Amérique, l'interrompit Hitler, il nous aurait été bien utile dans la compréhension de ce livre.

— Mais *Herr* Skoll saura assurément s'acquitter de cette tâche avec succès, le rassura Himmler, c'est précisément pourquoi il nous accompagnera.

— J'ai un peu de mal à vous suivre, monsieur, admit Skoll, je croyais que l'enjeu de cette mission consistait uniquement en la récupération de l'*Agrippa*.

— Au commencement oui, répondit Himmler, mais un nouvel élément est venu s'ajouter, faisant du livre un outil à la mission et non plus son but ultime. C'est vous Skoll qui avez introduit l'ancien conseiller du *Führer*, Rudolf Hess, aux Supérieurs Inconnus dans le désert de Gobi.

— Un autre traître! hurla Hitler.

— C'est moi, en effet...

— Eh bien, ce dernier avait amorcé avec eux l'unification d'un puzzle que jamais nous n'aurions cru possible. C'est aussi pour cette raison que le lancement de cette opération au Mexique a été tant retardé.

— Je ne comprends pas...

Skoll avait l'impression d'être le dindon de la farce. Lui qui avait tant apporté aux nazis, les voyait maintenant s'efforcer de le surprendre et de le surclasser dans le seul but de démontrer leur supériorité.

— Vous allez bientôt comprendre, reprit Himmler. Depuis fort longtemps, les Êtres de la Lune ont pactisé avec les ancêtres des Supérieurs Inconnus. Nous sommes d'accord sur le fait que ces hommes, car ce sont des hommes du peuple des Ases, bien que provenant d'une autre époque, sont parvenus à assurer leur survie grâce à ce qu'ils appellent les «fruits de l'arbre de vie», qu'ils avaient eux-mêmes volés aux Vanes, les descendants des premiers habitants de notre terre, que certains se plaisent même à appeler les Anges.

— Tout ça, c'est de la foutaise! s'exclama Reinhard Heydrich qui ne se gênait jamais pour exprimer ses opinions, même devant le *Führer*.

— C'est ce que nous verrons une fois là-bas, répliqua Himmler. Ne croyez pas que nous ayons monté pareille expédition pour le simple plaisir de faire une virée sur les plages du golfe du Mexique.

Heydrich décida d'ignorer la remarque et chercha son étui à cigarettes dans la poche intérieure de son veston.

— Lorsque nous avons montré le journal de Cortés aux Supérieurs Inconnus, reprit Himmler, ces derniers ont aussitôt fait la connexion. Les Espagnols ont essuyé une attaque d'hommes-jaguars conduits par quatre prêtresses blondes à la peau claire surnommées les Gardiennes de la Mémoire. Les Ases, ou les Supérieurs Inconnus si vous préférez, sont convaincus qu'il s'agit de leurs vieux ennemis, les Vanes, réfugiés là-bas dans une sphère autre que l'espace-temps dans lequel nous évoluons.

— Bon sang, laissa échapper Skoll, êtes-vous conscient de ce que vous dites?

— Oh que oui, répondit Himmler, et qui plus est, vos amis les Supérieurs Inconnus se meurent. Car les fruits dérobés à l'arbre de la vie arrivent à la fin de leur synthèse. Et bientôt, leur rêve d'immortalité s'évanouira avec eux.

Skoll revoyait à la vitesse de la pensée l'assemblage des pièces du puzzle qu'avait posé Himmler. Des dizaines de milliers d'années auparavant, les Ases, race de terribles guerriers, avaient dérobé aux Vanes, descendant des Anges, les fruits de l'arbre de vie. Ce qui leur avait permis de tenir la mort en échec tout ce temps. Maintenant que ces fruits leur manquaient, ils demandaient aux nazis, à qui ils avaient donné leur science, de leur venir en aide. Mais pourquoi ne pas d'abord en avoir parlé à Skoll ? Pourquoi les Supérieurs Inconnus se servaient-ils des nazis pour atteindre les Vanes jusque dans une autre sphère ?

Tant de millénaires s'étaient écoulés depuis la disparition du monde originel ! Skoll connaissait bien sûr cette vieille légende qui racontait le vol des pommes magiques dans le verger secret. Les Supérieurs Inconnus étaient-ils à ce point désespérés ? Rien ni personne ne peut être assuré de l'éternité.

La réponse s'imprima dans l'esprit de Skoll au moment même ou le fameux archéologue Herbert Jankuhn se levait pour prendre la parole.

— Nous comptons sur vous, Skoll, lui lança-t-il à la volée, et sur votre maîtrise de la magie, pour utiliser le livre qui commande aux sphères et qui nous permettra de voyager à travers l'entre-temps jusqu'au refuge des Vanes. Et là, de gré ou de force, nous récolterons les fruits de l'arbre de vie.

Jankuhn se dirigea ensuite vers un objet posé entre deux colonnes et recouvert d'un drap noir. Il le retira d'un coup pour découvrir un caisson métallique unique en son genre.

— Ce caisson autonome à température et à humidité contrôlées est à lui seul un véritable microclimat. Il fonctionne à l'aide d'un générateur intégré qui tire son énergie d'une batterie d'accumulateurs conçus par la compagnie

AGRIPPA

AFA[1]. Il nous permettra de rapporter non seulement les fruits, mais aussi les rameaux et des racines de cet arbre de vie dont l'homme fait si grand cas depuis les débuts du monde. Et un jour, nous récolterons les fruits de l'éternelle jeunesse et assurerons au troisième Reich et à sa domination sur le monde un règne sans fin.

Ils applaudirent tous aux dernières paroles de l'archéologue, excepté Reinhard Heydrich qui était occupé à tirer une bouffée de fumée de sa cigarette.

Lorsque les applaudissements prirent fin, Skoll, encore sous le choc, tâcha de rester terre à terre.

— Et puis-je savoir si la date du départ est déjà arrêtée ? demanda-t-il en espérant avoir suffisamment de temps pour se préparer.

— Nous appareillerons de Brest le 27 octobre prochain, lui répondit Jankuhn, ce qui vous laisse deux semaines pour vous y préparer.

Joseph Goebbels, le ministre de la Propagande, qui était resté coi, s'éclaircit la gorge de manière à attirer l'attention. Jankuhn se tourna vers lui pour prendre conscience de son omission, bien involontaire.

— Trop absorbé que j'étais dans les détails de cette expédition historique, corrigea-t-il, j'en oubliais un élément des plus importants ! À la suggestion du ministre de la Propagande, le projet d'emmener une équipe de tournage pour faire un film documentaire fut soumis à l'approbation du

---

1. L'AFA, ou *AccumulatorenFabrik Aktiengesellshaft*, a fabriqué au cours de la Deuxième Guerre mondiale des milliers de batteries de toutes sortes pour l'armée nazie, en employant des travailleurs forcés issus des camps de concentration.

Führer. J'ai le plaisir de vous informer que cette proposition fut acceptée et que la réalisatrice Leni Reifenstahl[1] accompagnera la mission au Mexique. Avec un caméraman, bien entendu.

Tandis que Goebbels était tout sourire, Skoll lui, était démonté. Il croisa le regard d'Heydrich qui affichait la même expression désabusée. Avec un film réalisé sur pareille expédition de conquête outre-Atlantique, la force de la propagande du Reich – alors appelée l'éducation du peuple – atteindrait des sommets jusque-là inégalés. Comme l'affirmait d'ailleurs Hitler, un mensonge répété dix fois reste un mensonge; répété dix mille fois, il devient une réalité.

— Trève de sérieux, messieurs, décida ce dernier, et goûtons plutôt ce brandy français qui dort sur la table.

Comme toujours, personne n'osa s'opposer aux désirs du *Führer*.

---

1. Leni Reifenstahl est née à Berlin le 22 août 1902. Danseuse, actrice, photographe et réalisatrice, elle est remarquée par Hitler pour qui elle tournera plusieurs films documentaires et de propagande. Après la fin de la Seconde Guerre mondiale, elle sera rejetée par les cinéastes pour s'être associée au nazisme. Elle se tournera alors essentiellement vers la photographie et obtiendra des accréditations officielles pour couvrir les Jeux olympiques de Munich en 1972 et de Montréal en 1976. Après avoir survécu à un accident d'hélicoptère au Soudan en 2000 et avoir présenté son dernier film en 2002, elle s'éteint le 8 septembre 2003 à l'âge de 101 ans.

7

Château de Pomboz, Savoie.
Le mercredi 16 *octobre* 1941.

Élizabeth cacheta l'enveloppe et s'assura une dernière fois de l'exactitude de l'adresse.

La lumière de la lampe à l'huile produisait un éclairage insolite, entre les murs épais de la tour d'angle des murailles à demi effondrées du vieux château savoyard.

Elle laissa tomber l'enveloppe sur la petite table avant de frotter ses yeux fatigués. Le lit l'attendait, juste au-dessus. Elle n'avait qu'à gravir la petite échelle en bois pour y arriver. Mais elle savait trop bien que malgré la fatigue elle n'arriverait pas à trouver le sommeil.

Dehors, il faisait nuit noire et rien ne bougeait.

Un peu plus tôt, alors qu'elle avait écrit à Édouard dans le but de le rassurer et de lui faire savoir qu'elle avait quitté Paris pour un endroit qu'elle ne pouvait bien sûr pas nommer, elle s'était surprise à pleurer à chaudes larmes. Elle avait pleuré parce qu'elle se sentait seule et abandonnée, elle avait pleuré parce que la France était tombée, elle avait pleuré parce que sa vie n'avait aucun sens et elle avait pleuré parce qu'elle en était réduite à pleurer.

Son cœur semblait sur le point d'exploser et sa poitrine lui faisait mal comme une brûlure grave en voie de guérison. Elle n'avait pour ainsi dire plus rien excepté la vie. Et cette vie était mise à prix, tant par l'Église que par les nazis.

Élizabeth était parvenue à traverser la France, de Paris à Chambéry, tout à fait inhabituellement et avec une chance insolente. Ainsi, aussitôt après l'attaque des moines noirs de la branche de contre-espionnage du Vatican que les gens du milieu appelaient l'Entité, Élizabeth avait décidé de quitter la ville pour retrouver Robert Desfontaines en Savoie. Depuis la reddition, les armées allemandes avaient séparé la France en deux régions; celle du nord dite «occupée», qu'elles contrôlaient entièrement avec le mur atlantique, et celle plus au sud dite «libre», sous l'autorité d'un gouvernement français installé à Vichy et dirigée par le maréchal Philippe Pétain, qui pratiquait une politique controversée de collaboration avec les nazis. Le défi pour Élizabeth avait été de quitter la zone occupée pour rejoindre le château de Pomboz où s'étaient terrés Robert Desfontaines et quelques membres de l'ARC qui avaient choisi de le suivre. Là, un foyer de la Résistance s'organisait, vivait et perpétrait des attentats, derrière la couverture offerte par la châtelaine du lieu, la comtesse Noriane de Combaz.

La nuit où elle avait quitté les bureaux de l'ARC à Paris, Élizabeth avait trouvé refuge chez un ami de longue date, qui transitait les fruits et légumes avec un étalage ayant pignon sur rue sur le boulevard des Italiens. Troublé, il l'avait cachée non sans grande inquiétude. Le plan d'évasion avait été décidé la nuit même. Au matin, un camion d'oignons et de pommes de terre devait être chargé sur une plateforme de train en direction de Bourges.

Il n'y avait pas d'autre option.

Élizabeth avait été frottée de la tête aux pieds avec des oignons crus et quelques pelletées de terre grasse et odorante dans le but de tromper le nez des chiens. Elle avait ensuite été enfermée dans un grand sac avec une provision d'eau et de tranches de pommes séchées. Un petit support en bois avait été sommairement construit autour de la cachette, avant que les autres sacs ne soient empilés par-dessus, jusqu'à combler la benne du gros camion Berliet qui avait été conduit de bonne heure à la gare des Gobelins.

Élizabeth avait chassé toute pensée pouvant nuire à son passage au sud. Aucune peur, que ce soit du noir, de la claustrophobie ou des Allemands, n'avait trouvé place dans son esprit. Elle avait cherché le calme, la détente, l'abandon, le détachement. La pire chose qui pût lui arriver serait de mourir.

Quand le camion était descendu de la plateforme ferroviaire à Bourges, récupéré par un chauffeur instruit de la présence de l'espionne dans son chargement, les gardes nazis n'avaient contrôlé que les factures décrivant la marchandise et sa quantité. Ce n'est qu'une fois rendu à la frontière entre les zones libre et occupée qu'une inspection plus poussée avait été effectuée.

En plus de vérifier les papiers de marchandise et d'identité, les soldats allemands avaient glissé leurs baïonnettes entre les sacs pour piquer violemment au hasard. Et l'odorat des chiens n'avait rien détecté.

Vingt-neuf heures après son départ de Paris, le chauffeur du Berliet déchargea avec empressement et à l'aide de deux comparses, les sacs de pommes de terre au fond d'un entrepôt de Charlieu. Ils eurent peine à croire que la femme sale et méconnaissable à qui ils prêtèrent assistance pour sortir du fond de la benne, ait pu survivre à pareil voyage. Élizabeth les avait repoussés, refusant leur aide au moment où ils avaient voulu la supporter.

Elle s'était éloignée en titubant sur quelques pas, avant de se vomir l'estomac, appuyée contre un pilier.

Les trois hommes avaient échangé un sourire devant la grossièreté de ses jurons.

Elle allait bien.

Le domaine de Pomboz comportait un avantage majeur dans la lutte contre l'envahisseur nazi.

Donné par le comte de Savoie en 1164 aux moines cisterciens occupant l'abbaye royale d'Hautecombe[1], située non loin de là sur les rives du lac du Bourget, le château resta leur propriété jusqu'en 1635. Malheureusement, en

---

1. L'abbaye d'Hautecombe fut fondée en 1125 par le comte Amédée III de Savoie. Depuis le XIIᵉ siècle, elle est la nécropole des comtes de Savoie ainsi que des princes et princesses de cette dynastie. Le dernier roi d'Italie, Humbert II, y fut inhumé en 1983.

1866, un violent incendie lui a fait perdre en grande partie son aspect d'origine. Mais le mur d'enceinte reste, sentinelle imperturbable et éternelle, formant un quadrilatère dont chacun des angles est flanqué d'une massive tour ronde à meurtrières.

C'était dans l'une de ces tours qu'Élizabeth Montjean avait élu domicile.

Elle referma la lourde porte en bois pour se retrouver dans l'air frais d'une nuit claire et bruyante, animée par une multitude de créatures nocturnes qui s'égosillaient pour un public invisible.

Élizabeth descendit les marches en pierre et arriva dans l'enceinte du château. Pour la première fois depuis long-temps, elle se sentait en sécurité. Elle pouvait sentir la vie et la mort à travers les siècles d'histoire qu'avait traversés ce château. Elle y sentait jusqu'à en trembler, les joies et les peines, les guerres acharnées et les paix retrouvées, les amours célébrées et les cœurs brisés. Le sentiment d'un lieu sacré et sans âge emplissait l'enceinte comme l'encens au cœur d'un sanctuaire. Et cette impression d'une âme ancienne toujours présente avait le don de rassurer qui-conque y pénétrait.

Les preuves des origines plus que millénaire du château n'étaient plus à faire. Les vestiges d'un *castrum*[1] gallo-romain avaient été exhumés en maints endroits tout autour. Mais plus encore, et c'est ce qui en faisait cet atout majeur pour la Résistance, un important réseau de galeries souterraines

---

1. Le mot latin *castrum* indiquait une petite agglomération fortifiée, souvent située en hauteur.

reliant des salles spacieuses et hautes de plafond situées de huit à douze mètres sous la terre couraient sous le château. La comtesse de Combaz affirmait que ces salles souterraines n'étaient que des lieux d'extraction pour les pierres de taille, des carrières qui avaient plus tard été reliées par des tunnels. Ces souterrains composaient un véritable musée, une mine d'informations inestimables sur la période de l'occupation romaine. Ainsi, alors que certaines salles étaient admirablement finies, incluant sculptures, frises, bas-reliefs, autels païens ou christianisés et architecture de support, d'autres en revanche montraient nettement toutes les étapes d'extraction de la pierre, depuis les premiers enlèvements guidés par une faille, jusqu'aux derniers, abandonnés en cours de travail. On y retrouvait même les restes d'un ate-lier de sculpture, qui comportait en certains endroits des dessins, des calculs et des comptes, gravés sur des fronts de taille.

Ces témoins oubliés permettaient avec une quasi-certitude de dater les souterrains du Ier siècle après Jésus-Christ.

Élizabeth se faufila dans la pièce abritant les latrines communes et s'y arrêta pour se soulager. Elle gratta une allumette et mit le feu à une bougie à demi consumée, qui tenait par un monceau de cire fondue sur un vieux bougeoir en fer forgé. Ensuite, elle se dirigea jusqu'au mur du fond et ouvrit lentement la porte donnant sur ce qui avait dû être jadis la salle des chevaliers. Envahie par des cordées de bois de chauffage et des tas de gravats, il y aurait eu beaucoup à faire pour lui redonner son faste d'antan. La flamme dansante de la bougie éclaira les poutres géantes en châtaignier qui retenaient encore la poussée des murs de la haute salle depuis des siècles. Élizabeth traversa la vaste pièce obscure en s'orientant sur un rai de lumière émanant de sous une autre porte, qui lui permit de pénétrer dans la salle du pressoir, elle aussi abandonnée depuis longtemps. Au niveau du sol en terre battue, une plaque en acier équipée de roues de fer et montée sur deux rails avait été repoussée et découvrait une ouverture conduisant vers les galeries souterraines. Elle s'engagea prudemment dans l'escalier en pierre aux marches humides, usées par le temps et le pas des hommes. Une fois parvenue au bas de l'escalier, elle souffla la bougie et déposa le bougeoir à ses pieds. Droit devant s'étendait un long couloir en pente descendante. Des fils électriques couraient le long d'une de ses parois afin de l'éclairer à intervalles réguliers et d'alimenter trois des salles souterraines. Élizabeth traversa le long corridor en pierre pour aboutir dans la première salle. Là, Robert Desfontaines était attablé et absorbé dans l'écriture d'un document. C'est à peine s'il leva les yeux lorsque Élizabeth entra. Une vieille radio reliée par câble jusqu'à une antenne posée sur le château diffusait à travers des grésillements une émission produite par la BBC à Londres, *Les Français parlent aux Français*, qui proposait à la face des Allemands des commentaires et des reportages dans le but de servir la cause des résistants.

Élizabeth avait été heureuse de retrouver Desfontaines, bien qu'elle se gardât de le montrer. Elle avait par contre été étonnée de le trouver seul, les autres membres de l'ARC ayant préféré se disperser dans la France libre pour aller rejoindre famille ou amis. La guerre semblait avoir mis un frein à tout, comme si la vie ne se réduisait plus pour certains qu'à un inexorable abandon.

En plus de la propriétaire du château, la comtesse de Combaz – qui tenait à ce titre par respect pour ses ancêtres –, Élizabeth avait aussi fait la connaissance de l'ingénieur Lionel Loup, concepteur de la fameuse voiture Delage qui avait permis à Édouard de venir la sauver des griffes des nazis à Berlin quelques années plus tôt[1]. Loup avait fui l'Allemagne au début de la guerre avec sa fille Ursula, pour retrouver Desfontaines qui lui avait offert de mettre son talent d'inventeur au service de la Résistance.

Quand l'ingénieur avait su que c'était indirectement par la faute d'Élizabeth que sa Delage avait été détruite, il avait d'abord froncé les sourcils avant d'affirmer qu'il s'agissait là au moins d'une noble cause.

— Qu'est-ce que tu fais, DR ? lui demanda Élizabeth qui continuait malgré tout à l'appeler par ses initiales inversées.

— Je n'arrive pas à dormir, répondit l'autre, et toi non plus à ce que je vois.

— J'ai écrit à Édouard. Tu crois que les moines pourraient utiliser leur système et la poster pour moi ?

— Mais bien sûr, voyons ! Les moines d'Hautecombe sont nos alliés dans cette guerre. Si tu voyais la quantité d'armes et de munitions que nous avons cachées dans les tombeaux d'Amédée IV et de Philippe Ier... Bon sang, j'espère que de

---

1. Voir *Agrippa – Le monde d'Agharta*, Éditions Michel Quintin.

là-haut ils nous pardonneront, sinon je serai hanté jusqu'à la fin de mes jours!

Élizabeth sourit à la dernière remarque de Desfontaines.

Celui-ci se surprit d'ailleurs à la trouver belle. Quand son visage s'illuminait d'un sourire, elle pouvait même éclairer un souterrain! Quand elle était arrivée dans un état lamentable, les vêtements déchirés et couverte d'ecchymoses, la comtesse s'était aussitôt occupée d'elle. Après quelques jours de repos, Élizabeth retrouvait lentement cette beauté sauvage et naturelle à laquelle tout homme normalement constitué ne pouvait être insensible. Elle avait repris l'exercice, entraî-nant avec elle Ursula Loup dans des courses à pied effrénées sur les terres du château, ou des marches vertigineuses en montagne, sur les versants du mont du Chat.

— Tu n'as pas répondu à ma question, s'entêta-t-elle, qu'est-ce que tu manigances? À qui écris-tu?

— Te voilà bien curieuse! J'ai l'impression d'être en train de faire une folie.

— Qu'est-ce que tu me chantes là?

Desfontaines tira de sous une pile de papiers une affiche bilingue, en français et en allemand. Il la tendit à Élizabeth qui s'en saisit sans comprendre.

— Lis, dit-il.

Au centre de l'affiche publicitaire, une photographie montrait deux géants aux longues capes noires et à la chevelure hirsute. Entre eux, une femme leur arrivait à la taille. L'image était saisissante, à n'en pas douter. Il s'agissait de *L'Anneau du Nibelung*, ce cycle de quatre opéras inspiré de la mythologie nordique, œuvre magistrale composée par Richard Wagner. Les Allemands avaient décidé de démontrer leur conquête jusque dans les arts. Les quatre opéras seraient joués en trois jours à l'Opéra de Paris, du 28 au 30 novembre inclusivement.

— Tu n'hallucines pas chère amie, ajouta Desfontaines, les nazis vont mettre sur pied trois jours d'opéra à Paris avec la plus grande allégorie philosophique et musicale jamais créée : *L'Anneau du Nibelung* de Wagner. Tous les artistes seront bien sûr allemands ; un véritable orchestre wagnérien qui regroupera plus de cent vingt-cinq musiciens ! Ils auront du mal à tous tenir dans la fosse de l'Opéra !

Élizabeth semblait complètement absorbée par l'affiche qu'elle tenait entre ses mains. Les nazis voulaient ajouter l'humiliation à l'insulte en produisant un spectacle comme nul autre pareil dans la capitale. Wagner avait basé cette tétralogie d'opéras sur le modèle du théâtre grec antique en quatre actes. Tout y est mêlé : la poésie, la musique, le théâtre et la peinture. Ensemble, ils subliment les sens du spectateur ravi qui se sent transporté pendant des heures dans un monde mythologique et sans âge.

— Et à qui écrivais-tu à l'instant ? demanda encore Élizabeth en émergeant de ses pensées.

— J'entretiens une correspondance avec une riche et influente famille de négociants parisiens qui sont des amis de longue date. Bien que ceux-ci se donnent beaucoup de mal pour adopter en façade une collaboration des plus nettes avec les Allemands, ils glanent en fait des renseignements de grande importance pour la Résistance. Et ils le font au péril de leur vie. Le chef de famille s'appelle

François Gibert et, avec sa femme Lyne, il sera aux premières loges de chacun des opéras. Ses deux filles sont de plus ardemment courtisées par de jeunes officiers nazis. Je ne serais pas surpris qu'elles reçoivent à leur tour des invitations.

— Mais qu'est-ce que tu as en tête au juste?

— Je n'en sais trop rien. Je voulais d'abord savoir si l'état-major allemand serait au nombre des invités d'honneur...

— Tu parles du *Führer* lui-même?

— Oui... bien sûr.

— Et il sera présent?

— Pas la moindre idée. Gibert a bien tenté d'en savoir plus long, mais aucune information quant à la présence de quelconques hauts gradés ne sera divulguée.

— Et tu crois vraiment que les nazis vont se donner tout ce mal, uniquement pour faire un spectacle au gratin mondain de la ville de Paris? Il est évident qu'Hitler y sera, je le connais, il est bien trop orgueilleux pour laisser passer pareille occasion de se réjouir sur le dos des Français.

— J'ai tendance à penser comme toi.

— Et serait-ce trop m'avancer que de penser que ton ami François Gibert a l'intention d'organiser un malheur au cours de l'une de ces soirées?

— Grand Dieu, jamais de la vie! Si Gibert se commettait en tentant quoi que ce soit, il y perdrait la vie avec le reste de sa famille! Et puis, il ne nous serait plus d'aucune utilité!

— Vraiment DR... ce type est ton ami!

— Je suis… pragmatique, c'est tout.

— Alors, si je comprends bien, il ne se passera rien.

— Si. Il se passera quatre jours de concerts, de théâtre, d'opéras et de propagande nazie.

— Et nous laisserons passer la chance d'avoir ensemble les hauts dignitaires allemands au même endroit, sans que personne n'intervienne.

— Ça dépend.

— Ça dépend de quoi?

— De la réponse que j'obtiendrai suivant cette lettre, que j'étais sur le point d'achever avant que tu ne viennes me déranger. Et je dois encore la transcrire au propre.

— Ne fais pas le malin avec moi, DR. Dis-moi ce que tu as en tête.

Élizabeth le fixait intensément comme pour décoder les pensées qui se bousculaient dans la tête du chef déchu de l'ARC. Le crayon à mine posé sur la table se mit à rouler rapidement et bascula avant de s'écraser sur le sol. La frustration d'Élizabeth se traduisait parfois en d'incontrôlables réactions liées à ses pouvoirs de télékinésie.

Desfontaines se pencha sans quitter son regard et ramassa le crayon à la mine brisée.

— Ne me dis pas que tu as l'intention de te rendre seul là-bas, DR…

— Cela ne te concerne pas pour l'instant Élizabeth, je n'en suis qu'à l'ébauche d'un projet…

— Une ébauche? Tu te fous de ma gueule? Combien de lettres as-tu déjà échangées avec ce Gibert? Si tu te rends seul là-bas et que tu tentes un geste dans la salle, tu seras abattu dans la seconde qui suivra! C'est du suicide! Va plutôt te balancer en bas de la Dent du Chat!

Élizabeth s'était levée d'un coup en renversant presque sa chaise. Elle arpentait la pièce, furieuse de ne pas pouvoir frapper dans les murs en pierre sans se blesser.

Desfontaines se tenait la tête entre les mains. Il était visiblement fatigué et inquiet.

— Je ne suis plus rien, avoua-t-il afin de briser le silence, je ne contrôle plus rien et je ne sais plus en qui avoir confiance. J'ai quitté les bureaux de l'ARC à Paris comme un voleur coupable de méfaits. Je l'ai fait parce que je n'avais plus aucune confiance en mon homologue Matisse Rabanel au Vatican. Depuis que cet homme dirige les services secrets du Vatican qu'il nomme l'Entité, il ne fait que multiplier les trahisons au nom du pape et de l'Église. Ce qu'il veut maintenant, c'est assimiler l'ARC à son organisation pour la commander à sa façon. Et moi, par ma fuite, j'en ai causé la dissolution en France.

— Mais Rabanel t'aurait tué! Vois ce que ses moines noirs ont essayé de me faire! C'est la guerre qui est à blâmer, DR, et non toi!

— Tu l'as dit Élizabeth, c'est la guerre qui est responsable. Et c'est pourquoi je dois aller là-bas pour tenter d'y mettre un terme si j'en ai la chance. Même si je dois y laisser ma vie.

Élizabeth vint s'appuyer sur la table de ses deux mains et se pencha vers Desfontaines.

— Alors, emmène-moi avec toi, dit-elle entre ses dents serrées par la fureur, obtiens-nous le droit d'entrer par la grande porte de l'Opéra. Il est évident qu'Hitler assistera aux spectacles. Et s'il est là, nous l'abattrons, de manière à ce que les nazis n'y voient que du feu.

Desfontaines acheva d'aiguiser son crayon. Il plongeait dans le bleu profond des yeux d'Élizabeth au point de ne plus réfléchir. Qu'il abandonne ou bien qu'il meure, Desfontaines cèderait le contrôle entier de l'ARC au Vatican, mais sous les auspices du cardinal Rabanel. Et advenant une victoire totale de l'Allemagne à l'issue de cette guerre, il en serait fait de l'Église.

— Que décides-tu, DR?

L'insistance d'Élizabeth était presque insupportable. Le crayon bougea dans la main de Desfontaines, mais il le retint cette fois en serrant les doigts.

— D'accord, arrête-toi, fit-il. François Gibert doit contacter un imprimeur reprographe de ses amis qui travaille pour la maison Eugène Belin à Paris. Ce sont eux qui sont responsables d'imprimer les invitations ainsi que la liste officielle des invités qui servira au contrôle des entrées. Car il y aura sûrement contrôle...

— Bien évidemment. Et?

— Il était prévu qu'une invitation factice avec un faux nom soit préparée à mon attention et que ce nom soit ajouté sur toutes les listes d'invités.

— Et tu comptais assister à un opéra de Wagner seul et sans escorte?

— Bien! J'en ferai faire deux alors! Et tu pourras peut-être fouiller dans la garde-robe de la comtesse de Combaz pour trouver quelque chose à te mettre!

— Je n'hésiterai pas à lui demander!

— Parfait! Nous mourrons avec classe!

— Il est hors de question que je meure! Il n'est pas dit que je me ferai tuer par un stupide nazi! J'ai bien l'intention de voir cette guerre se terminer et d'aspirer à une vie normale, dans un endroit normal et avec quelqu'un un tant soit peu normal!

— À la bonne heure! Comme tu veux! Maintenant, tu dois me laisser finir cette lettre.

— Mais avant DR, je veux que tu fasses quelque chose pour moi.

— Tout ce que tu voudras! Si ensuite tu pars et me laisses tranquille.

— J'aurai besoin d'une arme. Courte, démontable, dissimulable...

— Ça, c'est mon domaine...

Élizabeth Montjean et Robert Desfontaines se tournèrent ensemble vers le tunnel d'entrée.

La large silhouette de l'ingénieur Lionel Loup y prenait toute la place.

— Elle sera même précise et dévastatrice, ajouta-t-il sans l'ombre d'un sourire.

Élizabeth acquiesça lentement de la tête. Elle souhaita la bonne nuit à Desfontaines et se dirigea vers l'ingénieur qui s'effaça pour la laisser passer. Arrivée à sa hauteur, elle se tourna vers lui et le regarda droit dans les yeux.

— Surprenez-moi, lui dit-elle avec une assurance indiscutable dans la voix.

Puis elle remonta le tunnel sans rien ajouter de plus.

8

*B*ureau du pape, Cité du Vatican.
Le vendredi 18 octobre 1941.

Matisse Rabanel écoutait patiemment les élucubrations du pape Pie XII.

Ce dernier, qui était bien connu pour partager des recherches laborieuses et souvent dépourvues de sens avec les affaires de la politique vaticane et internationale, s'était lancé dans une explication fantaisiste sur les écrits de Molière.

— Je ne peux conclure autrement, à la suite de toute cette recherche à laquelle je me suis livré, expliqua le pape en replaçant sur son nez ses petites lunettes aux verres ronds. Je vous l'ai déjà dit, cardinal Rabanel, il est peu probable, voire impossible que le nommé Jean-Baptiste Poquelin dit Molière, soit véritablement l'auteur des œuvres qu'il a signées.

— Très Saint-Père, je…

— Je vous l'affirme et j'écris présentement une thèse sur le sujet. Cet homme était un ivrogne, un ignorant et un plagiaire de province qu'aucun succès personnel n'appelait à une si grande destinée. J'ai retrouvé dans une biographie de 1682 un élément fort important, où il est mentionné que Molière fit à Paris quelques mystérieux voyages pour y tenir autant d'entretiens avec «quelques personnes de considération».

Rabanel essayait de le détourner de ses idées en s'interposant de temps à autre, sans grand succès.

— Très Saint-Père, tenta-t-il encore, les Allemands poussent de plus en plus dans le but d'infiltrer le Vatican et nous espionnent avec une insolente insistance. Reinhard Heydrich, le chef du bureau principal de sécurité du Reich, que l'on surnomme l'archange du mal, utilise un moine bénédictin du nom de Keller en tant qu'informateur. Ce Keller est un homme dangereux et dénué de tout scrupule et son but n'est que de voir s'effondrer l'Église au terme de cette guerre!

— Ça aussi, je vous l'ai déjà dit, murmura Pie XII en affichant soudain une mine plus que sombre, les nazis ne sont que des faux prophètes à l'orgueil de Lucifer! Ils sont possédés par la superstition de la race et du sang!

— Il y a des choses dont nous devons discuter...

— Qui sont ces personnages, cardinal Rabanel?

— Eh bien, Reinhard Heydrich est le chef du...

— Non! Je parle de ces personnages de considération que Molière a pu rencontrer à Paris et avec lesquels il s'est livré à d'énigmatiques transactions!

Rabanel prenait conscience que le pape était si torturé intérieurement par les décisions à prendre et la peur des représailles, qu'il préférait par moments, comme l'autruche, se mettre la tête dans le sable pour s'empêcher de perdre la raison. Il le savait pourtant surdoué et doté d'une mémoire et d'une intelligence hors du commun. Mais tout homme n'était pas au-delà du danger de perdre le contrôle. Et c'est pourquoi Rabanel prenait souvent des décisions pour le pape. Sans même lui en parler.

Pie XII avait un soir avoué à Rabanel être convaincu que son prédécesseur, Pie XI, avait été assassiné par son médecin personnel sur l'ordre de Mussolini. Quel sort l'attendait alors ? Ses propres faiblesses le désolaient, il avait donc choisi la voie du diplomate artisan de la paix, plutôt que celle du martyr.

— Comment ce comédien de fête foraine s'est-il retrouvé du jour au lendemain payé, protégé par le roi et présentant son premier chef-d'œuvre ? questionna-t-il encore. La transformation fut trop subite ; un baladin médiocre et sans génie ne peut assurément pas devenir le premier esprit de son temps et aligner les triomphes aussi soudainement. De plus, il se moque dans ses pièces des hauts fonctionnaires et des gens de la noblesse sans ne jamais subir aucune poursuite.

— Vous m'avez déjà exposé vos théories à ce sujet, fit Rabanel désespéré.

— Louis XIV est Molière, cher monsieur Rabanel, il n'y a aucun doute ! Bientôt je posséderai toutes les preuves ! Je déposerai des arguments décisifs ! Rien n'arrêtera la vérité lorsqu'elle éclatera au grand jour.

— Mais en attendant, il reste la guerre Très Saint-Père, les ennemis du monde et les ennemis du Vatican.

— Oui, les ennemis du monde... parlez-moi d'eux, cardinal Rabanel...

— Certainement. D'abord il y a des traîtres, entre nos propres murs! Le bureau de l'ARC stationné à Paris a disparu et nul n'a pu encore retrouver la trace de son chef en fuite.

— Mais pourquoi ce cher DR aurait-il fui de la sorte? Pouvez-vous me le dire?

Pie XII fixait intensément Matisse Rabanel. Ce dernier soutint habilement son regard pendant de longues secondes avant de formuler sa réponse.

— Je n'en sais rien.

— Que voilà une réponse bien vague, cher ami!

— Je ne vois qu'une seule solution... Devant la menace, mon ami DR est passé du côté obscur...

— Mais qui ou quoi aurait bien pu le pousser à commettre pareille hérésie? C'est de la haute trahison!

— Et c'est pourquoi il nous faut tout mettre en œuvre pour le retrouver. Il ne faut surtout pas oublier que DR est appuyé d'une ex-espionne de l'ARC extrêmement dangereuse. Elle a pour nom Élizabeth Montjean et de plus, elle est à moitié allemande de par sa mère.

— Élizabeth Montjean... chuchota le pape en retirant ses petites lunettes rondes et en se frottant les yeux. N'est-ce pas celle qui nous a fait parvenir ce rapport détaillé sur ce présumé livre relatant les chroniques de celui qui prétend être Caïn?

— C'est bien elle, Très Saint-Père. Et elle a été assistée dans la production de ce rapport par l'un de nos compatriotes, l'archiviste Théodore Coppegorge qui gère une cellule de l'ARC basée au Canada.

Le pape explosa.

— C'en est trop, se fâcha-t-il, je ne peux croire que l'on perde un temps précieux à de pareilles folies !

— Vous savez comme moi que des organisations très anciennes opèrent dans toutes les sphères de notre monde. Il ne faut rien prendre à la légère. Souvenez-vous des paroles publiques du président Wilson aux États-Unis ; tous les grands hommes du commerce, de la production ou de la politique savent qu'il existe une puissance si bien organisée, si subtile, si complète et si persuasive, qu'ils font bien, lorsqu'ils en parlent, de parler doucement et d'en avoir peur.

— Ce ne sont là que propagande et contrôle des masses ! Il est facile de faire peur en semant le doute et la discorde. Faire croire au monde que les vampires ou toute autre bête féroce puissent exister relève de la démence.

— Certains témoins oculaires semblent pourtant y croire fermement, incluant cette Élizabeth Montjean. Raison de plus pour la retrouver avec DR, notre chef disparu de l'ARC. Ils sont en France, je le sais. Me donnez-vous le mandat et l'autorisation de lancer un avis de recherche parmi nos hommes, Très Saint-Père ?

— Les chroniques de ce présumé Caïn sont-elles donc si importantes à vos yeux ? Pourtant, elles ne m'intéressent en rien.

— C'est pour cette raison que je suis là. Il vous est impossible d'étudier tous les dossiers qui nous sont soumis.

Laissez-moi opérer en votre nom. Et occupez-vous de la politique internationale.

Le pape laissa échapper un long soupir, comme pour tenter de chasser toute l'angoisse qui le compressait.

— Pourquoi donc avons-nous cette discussion, dites-moi? demanda-t-il à Rabanel.

— Peut-être pour les mêmes raisons qui font que vous essayez de me convaincre que Louis XIV est Molière. Nos intérêts et nos craintes divergent, Saint-Père. Et il est de ces choses dont il ne faut parler que très doucement...

— Faites le nécessaire, cardinal Rabanel. Faites en sorte de mettre un frein aux tentatives du Reich d'infiltrer le Vatican. Quoi qu'il en coûte. Et retrouvez le chef de l'ARC à Paris! Grand Dieu, cet homme a disparu en emportant avec lui toutes les archives concernant les opérations passées et en cours dans toute l'Europe! Il faut récupérer ces filières! Et ce livre mensonger de ce Caïn, vous l'avez?

— Oui Saint-Père, on me l'a fait parvenir...

— Oubliez-le, confinez-le aux archives secrètes avec ce damné rapport. Nous avons bien d'autres chats à fouetter.

Rabanel se leva et s'inclina devant le Saint-Père. Puis il fit demi-tour et quitta le bureau. La porte claqua un peu trop bruyamment, faisant sursauter le pape.

Pie XII avait de quoi être inquiet des représailles. Quatre ans plus tôt, alors qu'il était secrétaire d'État au Vatican, il avait rédigé une encyclique pour son prédécesseur Pie XI, condamnant vertement le nazisme. Après avoir été nommé pape en 1939, il avait encore dénoncé les persécutions du nouvel ordre nazi. Ce qui lui avait valu d'être sévèrement condamné et mis en garde par les hauts dirigeants du Reich. On le pressait de choisir un camp. Et il n'en était jamais entièrement capable. Comment rester politiquement neutre? Comment éviter les massacres et les déportations? Comment encourager la résistance sans être convaincu de pousser encore des gens à la mort?

Le monde de la guerre, ou plutôt ce chaos généralisé qui interdisait aux hommes de penser logiquement, était un état dont son esprit se sentait éloigné. Négocier avec la folie du chaos était inconcevable. Il lui fallait pourtant trouver une solution. Une solution qui sauverait l'Église de la destruction et qui ferait en sorte de ne pas réduire la cité du Vatican au rang de musée. Une solution qui viendrait enrayer la domination nazie et la dictature fasciste avant que les Alliés ne les anéantissent par la force, semant encore la mort et la désolation.

Mais à lui seul, il ne pourrait rien empêcher.

Pie XII jeta ses petites lunettes sur la table près de lui et tira de sa poche un mouchoir blanc brodé dans un coin aux armoiries du Vatican. Il considéra un moment les clefs de Saint-Pierre croisées, jusqu'à ce que ses yeux brouillés de larmes ne pussent plus les distinguer.

Le cardinal quitta le bureau du souverain pontife d'un pas ferme, en direction de l'aile de la curie romaine où se situait sa chambre. Il avait hâte d'être seul, hâte de ne pas avoir à discourir ou à répondre à des questions.

Il trouva la porte de sa chambre entrouverte, ce qui ne fut pas sans l'inquiéter. Il l'ouvrit toute grande afin de s'assurer que personne ne se cachait derrière et avança dans la pénombre de la grande pièce. Il distingua une forme humaine confortablement installée dans un fauteuil adossé à la fenêtre.

— Ne soyez pas craintif, cardinal Rabanel, ce n'est que moi, fit la silhouette en étirant le bras vers l'interrupteur d'une lampe sur pied.

La lumière éclaira le visage de Nicolas Estorzi, cet espion de l'Entité qui se faisait appeler le Messager. Rabanel échappa un soupir de soulagement et referma derrière lui.

— Je déteste quand vous faites ce genre d'incursion, Estorzi, murmura l'imposant cardinal.

— Alors? Votre entretien avec notre Saint-Père a-t-il été fructueux?

— Comment savez-vous que j'étais dans son bureau?

— Peu importe. Je veux simplement savoir si vous avez eu le Permis.

— Je suppose qu'il serait possible d'interpréter les paroles du pape ainsi, glissa Rabanel. Il m'a dit de faire le nécessaire, quoi qu'il en coûte…

— L'expression «quoi qu'il en coûte» pourrait-elle alors être substituée à «par tous les moyens»?

— C'est ce que nous dirons. Je n'ai jamais attendu après le pape pour accorder des Licences[1]. Considérez dès maintenant que vous en avez une si vous parvenez à retracer Élizabeth Montjean ou même le chef traître de l'ARC. Mais en ce qui

---

1. Le Permis ou la Licence référait en fait à une autorisation de tuer.

concerne ce DR, il ne faudra pas l'éliminer avant d'avoir récupéré les archives de l'Alliance.

— Cette garce d'Élizabeth Montjean a bien failli me tuer à Paris. La prochaine fois, elle ne m'échappera pas. Je la traquerai à travers toute l'Europe et sur ma foi, ce continent n'est pas assez grand pour qu'elle puisse s'y cacher.

— Puisque nous parlons de cette chère mademoiselle Montjean, il serait important que je vous rappelle un léger détail qui a pour particularité de continuer à m'agacer très sévèrement.

— Je sais…

— Je ne vous apprendrai rien en vous disant qu'il y a trois ans de cela, cette femme s'est échappée du quartier général de l'Ahnenerbe à Berlin, aidée d'un soi-disant mage canadien, qui aurait semé le désordre sur sa route au cours d'une spectaculaire évasion. Même si les Allemands n'ont fait aucun cas de cet affront, sa tête a été mise à prix par la Gestapo et il ne serait sûrement pas dans son intérêt de se présenter sur un territoire occupé par les nazis.

— Je suis au courant de ces détails. Ils m'avaient déjà été rapportés avant que je ne fasse sa rencontre. Je dois avouer que je ne m'attendais pas à la trouver seule dans les bureaux de l'ARC. Ce fut une surprise totale. De plus, je n'ai pas l'habitude de travailler en équipe. J'ai pour principe de toujours travailler seul. La présence des moines noirs de l'Entité m'a peut-être nui ou a peut-être influencé mes agissements au cours de cette fameuse nuit.

— Ne cherchez pas d'excuses, elles sont inutiles. Pour faire suite à cette remarquable évasion, Élizabeth Montjean et le mage se sont retrouvés au cœur d'une expédition organisée par les nazis dans le but d'atteindre un monde souterrain. Ils ont non seulement fait échouer la mission, mais sont réapparus au Canada peu de temps après. Le rapport sur cette mission reste hors de ma portée. Je sais que le bureau responsable de l'ARC là-bas profite de son éloignement pour s'autogérer et prendre ses propres décisions.

— Peut-on l'en blâmer?

— Là n'est pas la question. Au retour de leur voyage au cœur de la terre…

— Vous êtes sûr que cette histoire est vraie? En ce qui me concerne, cela ne tient pas debout. C'est un peu trop inspiré du roman de Jules Verne.

— Je me fie à ce que nous avons glané comme informations chez les nazis. Je n'étais pas là…

— Vous êtes encore préoccupé par ce livre alors.

— Le rapport émis par l'archiviste du bureau canadien et auquel Élizabeth Montjean a participé, stipule que le carnet des chroniques de Caïn doit être considéré comme un document authentique.

— Il a beau être authentique, mais est-il véridique?

Rabanel prit une grande inspiration et la garda un instant avant de la relâcher en un soupir de désespoir.

— Ce qu'il renferme pourrait être extrêmement compromettant pour l'Église, expliqua-t-il.

— Le croyez-vous véridique?

— Vous êtes tenace, monsieur le Messager, lui fit remarquer le cardinal. Veuillez considérer pour l'instant ce que renferme ce livre comme le contenu d'un *informi rosso* dont le sceau n'a toujours pas été rompu. Lorsque l'heure viendra, si vraiment vous avez besoin de savoir, alors vous saurez. Et vous aurez la permission de rompre le sceau. Je suis en possession de ce carnet mais pas de la copie originale du rapport...

— Voilà réellement ce qui vous chicote...

— Oui, l'archiviste canadien a conservé l'original. Et je voudrais bien savoir pourquoi.

— Est-ce là une demande, cardinal?

— Non, pas encore. Nous avons pour l'heure à nous occuper de ce qui est en tête de la liste des priorités.

— Croyez-vous que l'archiviste ait l'intention d'utiliser l'original de ce rapport comme une monnaie d'échange dans une tentative de chantage?

— Je n'en sais rien. Mais j'espère pour lui que ce n'est pas le cas...

Les deux hommes s'observèrent un moment. L'état politique et diplomatique dans lequel se retrouvait le Vatican au milieu de cette guerre qui prenait des proportions planétaires était alarmant. Nul n'était en mesure de prévoir l'issue de cette catastrophe mondiale. Il fallait pour l'instant survivre.

Depuis le début de l'année, les services de renseignements allemands sous la poigne de l'archange du mal, Reinhard Heydrich, avaient redoublé d'ardeur dans le but d'infiltrer le Vatican. Le Reich définissait l'Église en termes de «catholicisme politique» et ne négligeait pas le pouvoir qu'elle pourrait déployer. D'où la nécessité de la surveiller de près.

Rabanel avait un œil en permanence sur l'attaché de l'ambassade d'Allemagne au Vatican. Il ne lui faisait aucunement confiance mais ne parvenait pas à le coincer. L'homme au visage couturé de cicatrices était si affable, si conciliant et si charmant, qu'il se faisait facilement inviter dans les salons de la société du Saint-Siège par les cardinaux profascistes.

Pourtant, après enquête sur la personne, le Messager avait rapporté au cardinal Rabanel que l'attaché de l'ambassade était un homme violent, dangereux et qui prenait un malin plaisir à blesser et faire du mal.

— Me donnez-vous la licence pour retrouver Élizabeth Montjean et le chef de l'ARC ? demanda enfin Estorzi.

— Oh que oui ! Mais prenez bien garde à retrouver les archives conservées par l'ARC.

Le Messager se leva lentement de son fauteuil, comme si certaines de ses articulations avaient été douloureuses.

— Mais dites-moi, commença-t-il, ce fameux carnet, qui risquerait selon vos dires d'ébranler les colonnes de l'Église, qu'en avez-vous fait ?

— Cela restera livre mort, répliqua aussitôt Rabanel, il est déjà bien en sûreté dans les archives secrètes.

L'espion acquiesça de la tête et passa devant le cardinal pour se rendre à la porte. La main sur la poignée, mais sans se retourner, il posa une dernière question.

— Cet homme, ce DR qui était à la tête de l'ARC, n'était-il pas un de vos amis proches ?

Rabanel jeta un coup d'œil à son lit avant de répondre. Il avait vraiment besoin de dormir.

— Il l'était, dit-il simplement.

9

Dorval, Québec.
Le jeudi 23 octobre 1941.

Édouard avait pris soin de faire retaper son vieux sac de voyage en cuir, qui l'avait depuis des années accompagné dans toutes ses aventures. Le cordonnier avait bien tenté de le persuader d'en acheter un nouveau, mais le curé avait été intraitable sur la question. Faute de pouvoir faire une vente, l'homme qui connaissait bien Laberge avait alors suggéré à ce dernier ce qu'il serait utile de faire pour que la bagagerie puisse lui résister encore quelques années. Sur trois jours, le cordonnier avait réhydraté le cuir en appliquant en couches successives un mélange d'huiles de sa composition. Il avait remplacé les ferrures en laiton ainsi que les gros clous dorés qui se trouvaient en dessous. Les coutures avaient été repassées, parfois même en surpiqûre sur des pièces rapportées aux endroits trop usés. Le résultat avait été plus que satisfaisant et le curé avait payé le cordonnier rubis sur l'ongle, sans poser la moindre question.

AGRIPPA

Accompagné d'Albert et de son compagnon de voyage, Johnny X, Édouard marchait en silence vers le terminal de l'aéroport. Il sentait de nouveau les idées conflictuelles se bousculer dans sa tête. D'un coup, il s'efforça de revenir à la réalité afin de ne pas inutilement inquiéter son ami avant le départ.

— J'espère que cette fois, lança-t-il à la blague, l'avion se rendra à bon port sans mauvaise surprise.

— Pourquoi dites-vous cela ? s'informa Johnny X alors qu'Albert souriait à la remarque.

— Parce que je n'ai pas eu beaucoup de chance avec les transports aériens dans les dernières années, répondit le curé.

— Sans compter que tu auras deux avions à prendre avant de te rendre à Houston, intervint Albert.

— Ouais...

— Allons donc, les rassura l'espion, les moyens de transport ont évolué ! Je me sens très en sécurité à bord d'un gros porteur. Il n'y a vraiment rien à craindre, croyez-moi.

— Et puis il y aura plein de gros sacs remplis de courrier, continua Albert, en cas d'écrasement, ça pourra amortir le choc...

— Très drôle, fit Laberge en lui donnant un coup d'épaule, quel boute-en-train tu fais, tu devrais m'accompagner !

— Peut-être une autre fois...

Albert leur ouvrit la porte du terminal et les invita à entrer. Juste au-dessus, une grande affiche en bois admirablement décorée portait l'inscription latine *Ego Porta Mundi*[1],

---

1. «Je suis la Porte du Monde» (latin).

signifiant l'importance que se donnait déjà ce nouvel aéroport de Montréal.

Dorval avait été inauguré en grandes pompes à peine deux mois auparavant.

Dès le début de la guerre, l'aéroport de Saint-Hubert avait été réquisitionné par le ministère de la Défense dans le but d'en faire une base militaire. Le trafic aérien civil avait donc été transféré à ce nouveau site aéroportuaire aménagé sur l'île de Montréal et comprenant trois pistes pavées. Dorval restait néanmoins à moitié sous l'emprise de l'armée, abritant un centre de commandement de la *Royal Air Force* ayant pour mission d'envoyer des avions vers l'Angleterre pour appuyer les forces alliées.

Partout dans le terminal, des gens marchaient dans tous les sens parmi les nombreux militaires pour quérir ou leur billet, ou leurs bagages. Il y avait là une surprenante animation qui surprit Albert et Édouard qui y venaient pour la première fois.

— Je vous vois étonnés, messieurs, fit Johnny X de son accent rocailleux, il s'agit pourtant d'un bel aéroport!

— L'aéroport est superbe, il n'y a pas de doute, reprit Laberge, c'est la quantité de gens qui m'étonne. Tu as vu tout ce monde, Albert?

— Les trains seront bientôt à leur tour remisés aux oubliettes... On passe à une autre étape. Pourtant, nous sommes en temps de guerre, je suis moi aussi étonné de voir tant de monde...

Johnny X les entraîna vers le comptoir de *Trans Canada Airlines*, compagnie avec laquelle ils embarqueraient pour

Chicago qui serait leur première escale. Alors que l'homme tendait leurs passeports et s'entretenait avec l'employé de la ligne aérienne, Albert attira Édouard un peu plus loin.

— Je ne suis pas à l'aise Édouard, lui dit-il sans perdre une seconde, toute cette histoire de nazis que tu as dans les pattes ne me dit rien qui vaille. Récupérer un *Agrippa* devient deux fois plus dangereux à cause de cette menace supplémentaire que ces marcheurs au pas cadencé représentent.

— Je ne suis pas plus rassuré que toi, approuva le curé, il se passe des choses étranges à l'évêché. Il y flotte comme un malaise palpable qui sent un peu trop le mensonge ou la tromperie.

— Et ça fait peur de penser que le mensonge se retrouve parmi ceux en qui nous mettions notre confiance...

— Franchement Albert, je commence à en avoir assez de tout ça. J'en ai assez des mensonges, des manigances et des stratagèmes. J'en ai assez des inquiétudes et des guerres. J'en ai assez de faire le scout toujours prêt...

Albert considéra son ami avec étonnement. Il n'était pas dans les habitudes du curé d'exploser ainsi.

— Est-ce que tu songerais à raccrocher tes patins, demanda-t-il perplexe, à rendre ton tablier ?

— Je songe à ce que je voudrais vraiment Albert, à la vie que je pourrais avoir et qui aurait un sens plus personnel et non porté vers le sacrifice, la mortification, la crainte ou l'abstinence...

Albert écarquilla les yeux en signe de surprise.

Johnny X rappliqua au même moment avec les billets. Il tendit son passeport au curé.

— Nous… nous poursuivrons cette conversation à ton retour si tu veux bien, lui signifia Albert.

Laberge garda le silence, regrettant déjà d'en avoir trop dit.

Le DC-4 se posa sans problème sur l'unique piste du *Chicago Air Park* qui servait presque exclusivement aux services aériens de la poste. Laberge se rassura en se répétant que l'appareil dans lequel il se trouvait passager n'était pas forcément obligé de s'écraser.

Les conversations avaient été sommaires entre les deux hommes durant les trois heures et demie de vol. Laberge avait préféré se refermer sur lui-même alors que Johnny X, respectant ce choix, avait dormi pendant près de deux heures. Il aurait bien le temps de donner ses dernières recommandations au curé avant de le mettre dans le train pour le Mexique.

Ils passèrent au comptoir des correspondances internes et allèrent s'installer sur un banc en bois dans un grand hangar, où était garé l'avion toujours en cours de chargement de fret.

— Ça va? demanda Johnny sans grand intérêt mais plutôt pour briser le silence.

— Très bien, assura calmement Laberge.

— J'espère vraiment que tout se passera bien pour vous là-bas.

— Moi aussi…

— J'aurais aimé vous accompagner, vous savez. Mais je serai retenu aux États-Unis quelque temps.

— Ça ne fait rien, j'ai l'habitude.

— Vous ne semblez pas très excité face à cette mission, est-ce que je me trompe ?

— Est-ce que vous seriez excité vous, si... et puis laissez tomber, vous ne pourriez pas comprendre.

— Bien au contraire, cher monsieur le curé...

— Ne m'appelez pas comme ça, voulez-vous.

— Mais pourquoi ? N'est-ce pas ce que vous êtes ? À un médecin on dit docteur, à un avocat on dit maître...

Laberge baissa les yeux. Habillé comme il l'était, avec son vieux sac de voyage qui ne paraissait plus son âge entre les pieds, il n'avait rien d'un curé. De plus, aller combattre et prendre la vie d'autrui ne correspondait nullement à la philosophie catholique ni aux enseignements du Christ. Il en avait assez de ce mal, il en avait assez de le voir se répandre partout. Il aurait préféré fermer les yeux et ne pas regarder. Faire semblant que tout cela se terminerait tout à coup, comme ça, tout seul. Que les fous qui avaient provoqué la guerre finiraient par entendre raison. Que ceux qui ne rêvent que de contrôle et de domination en arriveraient à partager leur puissance plutôt que de la faire valoir.

— Oui, c'est ce que je suis...

— Il vous faut vous reprendre mon ami, lui conseilla Johnny X. Sinon vos ennemis verront en vous. Et vous échouerez. Vous me semblez perturbé intérieurement...

Laberge sourit à cette remarque.

— Ne le sommes-nous pas tous ? demanda-t-il en relevant la tête pour croiser le regard gris de l'espion.

— Je suppose que nous sommes tous des névrosés, répondit ce dernier. À des niveaux différents, bien sûr. Heureusement...

— Vous ne voulez toujours pas me dire ce que vous venez faire aux États-Unis ?

— Si je vous avouais les grandes lignes de ce que je m'apprête à faire, non pas parce que j'ai confiance en vous, mais uniquement parce que je vous sens troublé, vous prometteriez de ne pas me juger ?

Le curé éclata de rire.

— Quel personnage vous faites, lui lança-t-il, vous êtes insaisissable ! Il est impossible de savoir où mettre la virgule dans la phrase incohérente que vous êtes ! Qui serais-je pour vous juger ? En tant que prêtre, ne suis-je pas tenu par le secret de la confession ?

Johnny X rit à son tour.

— Vous marquez un point, mon ami, fit l'espion, ce qui me donne une bonne raison de vous faire des confidences.

Le pilote et son copilote pénétrèrent dans le hangar et se dirigèrent vers le Douglas DC-3, prêt pour le décollage. On appela les passagers inscrits, qui étaient au nombre de six. Laberge et Johnny X laissèrent monter les autres avant de se lever. À travers les vitres du cockpit, ils pouvaient déjà voir le pilote s'installer. Ils grimpèrent et empruntèrent les dernières places disponibles aux côtés des grosses boîtes remplies de colis et des sacs en toile bourrés de lettres. Les sièges métalliques sans confort étaient fixés à la carlingue, tout comme les ceintures. Les quatre prochaines heures en vol promettaient d'être longues. Par chance, l'emplacement des deux compères leur permettrait de discuter sans être entendus. Ils pourraient ainsi poursuivre leur discussion après le décollage, une fois que le bruit des moteurs couvrirait leurs mots secrets.

Les engins furent lancés et le monoplan quitta le grand hangar dans un bruit assourdissant, amplifié par l'effet des murs de tôle. Laberge vérifia sa ceinture, à peine anxieux. Johnny X lui, souriait.

Le bolide s'élança sur la piste et le pilote poussa les gaz à fond.

— Ne vous en faites pas ! dit Johnny X en se penchant vers le curé, le Douglas DC-3 est un très bon appareil ! Très performant, très robuste !

— Vous avez oublié très fiable !

— Fiable aussi ! Ne vous inquiétez pas !

Alors qu'il prenait de la vitesse, l'arrière-train de l'appareil se souleva puis ce fut le décollage. La sensation de brutale élévation à plus de vingt pieds par seconde cloua momentanément les passagers sur leur siège. Laberge retint instinctivement sa respiration et récita en lui-même une courte prière à saint Joseph de Cupertino, le patron des aviateurs et des voyageurs en avion.

Le ronflement des moteurs du DC-3, qui se voulait plus bruyant que ne l'eurent souhaité les passagers, empêcha toute tentative de sommeil comme toute trop longue discussion.

Johnny X revint néanmoins sur les raisons qui l'amenaient à Houston, après que Laberge eut insisté une fois de plus.

— Mon cher, avoua Johnny X, je me spécialise dans l'espionnage, le contre-espionnage et les opérations illégales. Je dois dire que selon moi, l'un ne va pas sans les autres. Avec la venue de la guerre, je suis devenu ce que l'on pourrait appeler, un espion privé.

— Vous voulez dire que vous travaillez pour votre propre compte, et non pour un gouvernement?

— C'est exactement ça. Rien ne m'empêche de travailler pour les gouvernements, comme je le fais présentement pour le gouvernement canadien. Mais ce sont eux qui font appel à mes services. Je ne suis pas en quelque sorte l'un de leurs agents. Je ne suis personne.

— D'où votre pseudonyme de Johnny X.

— Oui. Voyez-vous, Je viens d'être employé ici par une firme privée d'espionnage, qui est en fait soupçonnée de faire du contre-espionnage au Canada pour le compte des nazis. J'ai accepté l'offre de cette firme d'être enfermé dans la prison du comté de Harris, près de Houston, dans le but de recueillir les aveux spécifiques d'un certain prisonnier. En acceptant ce travail pour eux, je gagnerai leur confiance, pour ensuite obtenir des renseignements sur leur propre organisation afin de les échanger au Service de Renseignements du Canada, qui m'emploie lui aussi. Je fais donc d'une pierre deux coups! Je récolte deux salaires, je brûle les nazis et j'aide le Canada qui me donne asile.

— Vous êtes cinglé, savez-vous? s'exclama Laberge sans pouvoir s'empêcher de sourire.

AGRIPPA

— Pensez à ce que vous aller faire, mon ami, lui rappela Johnny X. Vous conviendrez que je ne suis pas plus cinglé que vous...

Un vent chaud soufflait sur Houston, soulevant des nuages de poussière à travers ses bourrasques.

Laberge jeta son sac de voyage à côté du lavabo des toilettes de l'aéroport Hobby. En se passant de l'eau froide sur le visage, il pensa à remercier saint Joseph de Cupertino pour s'être rendu sain et sauf à bon port. Le reste du voyage se ferait par voie terrestre, ce qui ne l'inquiétait pas outre mesure. Il s'essuya le visage du revers de sa manche de chemise et se hâta, le manteau au bras, de rejoindre Johnny X.

Le nuit ne tarderait pas à tomber et les deux voyageurs se rendirent cogner à la porte d'un hôtel modeste qui, sans être particulièrement propre et accueillant, avait le mérite de se trouver dans une ruelle à l'abri du bruit et des grands vents. De gros nuages s'amenèrent, poussés par le vent, annonciateurs de pluie prochaine.

Laberge découvrit sa petite chambre avec bonheur. Il jeta le sac de voyage sur une chaise et son manteau par-dessus. Johnny X lui avait donné rendez-vous une demi-heure plus tard pour siroter un whisky sous le porche de l'hôtel. Il se laissa tomber sur le lit avec un soupir de soulagement. La porte restée ouverte permettait au vent de s'engouffrer par l'unique fenêtre en un agréable courant d'air. Le curé ferma les yeux et rappela à sa mémoire les paroles de l'espion. Il devrait se concentrer sur sa mission, dès maintenant.

Mais les mots, les images et les idées se bousculaient dans sa tête comme autant de conflits douloureux.

Édouard n'avait jamais eu l'impression d'avoir failli à son serment de prêtre prononcé lors de son ordination presque trente ans auparavant. Il avait été fidèle à la doctrine qu'on lui avait enseignée et avait tâché de faire le bien autour de lui et d'instruire ses semblables. Les dons qu'il possédait l'auraient, des siècles plus tôt, fait juger par l'Église pour hérésie. Aujourd'hui pourtant, cette même Église utilisait ses services pour contrer le mal. Que penser? L'Église est-elle régie par la volonté de Dieu ou bien par celle des hommes? Les dogmes montrés furent-ils adaptés par ces derniers ou véritablement légués par Dieu? Qui est Dieu? Est-il une créature céleste dotée de raisonnement ou cette énergie cosmique dans laquelle baigne toute la Terre? Quand un mage utilise l'énergie de l'Univers, se sert-il de Dieu? Alors pourquoi Dieu permettrait-il que certains mages usent de lui à des fins mauvaises?

Le dilemme restait entier. Édouard se questionnait de plus en plus sur ce qu'il était et ce qu'il ressentait. Être prêtre revenait-il à dire que le seul sentiment d'amour qu'il soit possible d'éprouver doive être dirigé vers Dieu?

La remise en question était flagrante et impossible à contourner. Elle était là, devant lui, prenant toute la place, comme un nuage de brouillard qu'il fallait absolument traverser.

Quelques semaines auparavant, il avait discuté avec une jeune fille disciple des Témoins de Jéhovah. Nonobstant le fait que la jeune femme fût tout à fait charmante, ils avaient échangé un bon moment sur les poursuites que subissait le mouvement religieux en Europe de la part des nazis. Deux choses l'avaient marqué. D'abord, le plaisir que lui procurait la présence d'une femme agréable, puis l'attachement indéfectible qu'éprouvait celle-ci à l'endroit de Jéhovah. Que rien ne me sépare de Jéhovah, que jamais je ne défaille lorsque je suis corrigée par Jéhovah, c'est à Jéhovah que je m'attache, je ne veux que me rapprocher de Jéhovah, je marche par la foi et non par la vue...

Mais que reste-t-il aux hommes comme place à prendre? Ne vivons-nous pas d'abord avec les hommes avant de vivre avec Dieu? Nous voyons d'abord les hommes avant de voir Dieu! La communauté du monde est composée d'hommes! Ne voir que Dieu ne revient-il pas à tourner le dos à ceux avec qui nous partageons cette Terre?

L'apôtre Paul disait que le bien qu'il voulait, il ne le faisait pas, mais que le mal qu'il ne voulait pas, il le pratiquait. Au lieu de ressentir de la déception, Paul aurait plutôt dû éprouver la satisfaction d'avoir compris une vérité inéluctable: comme tout ce qui existe en ce bas monde, l'homme est imparfait. Et comme Laberge se refusait à admettre l'existence d'un dieu autoritaire, vengeur et punitif, il ne pouvait alors que croire en un Dieu de bonté qui acceptait les faiblesses et comprenait l'imperfection.

Il glissa la main dans la poche intérieure de son vieux manteau pour en tirer la dernière lettre d'Élizabeth, un peu froissée, reçue quatre semaines plus tôt. Il se laissa tomber sur le petit lit.

Je ne suis pas celle que tu crois, lui avouait-elle.

Il lui avait répondu le soir même, à la lueur de sa lampe de bureau Emeralite, lui jurant qu'il le savait, qu'elle était unique et exceptionnelle, forte et courageuse et que jamais il n'avait connu quelqu'un comme elle. Il aurait voulu lui dire plus mais déjà ces mots lui avaient fait hésiter à refermer le rabat de l'enveloppe. Il rageait de se sentir coupable pour la seule et unique raison d'être prêtre.

Et encore, en relisant ces mots tracés d'une main qu'il sentait pourtant hésitante, il douta.

Laberge se leva d'un bond et remit la lettre dans sa poche de manteau. Puis il glissa le vieux sac en cuir sous le lit.

Il était temps d'aller boire un verre.

Tôt le lendemain, après avoir enfilé un solide petit déjeuner, Laberge fit ses adieux au sympathique hôtelier avant d'être entraîné par Johnny X vers la gare. Là, plutôt qu'un train, c'était un bus Kenworth qui l'attendait.

— Ce sera plus rapide pour rejoindre la frontière, l'assura Johnny X.

— Si vous le dites.

— Vous avez bien fait de suivre mon conseil et de revêtir l'habit de prêtre pour cette partie du voyage. Le collet romain pourrait vous aider au Mexique. Il devrait inspirer le respect.

— «Pourrait»?

— Ne vous en faites pas, tout ira très bien. Tout est noté sur la feuille que je vous ai remise. Une fois arrivé à la frontière, le bus s'arrêtera à Brownsville, à la gare frontalière. Vous y serez dans un peu plus de quatre heures. De là, vous prendrez le train en direction de Tampico/Veracruz et vous descendrez à l'arrêt Papantla de Olarte. Vous avez l'adresse de votre contact, Manuel Escobar. Informez-vous et rendez-vous chez lui. Papantla est une petite ville et on vous aidera à le trouver. D'où l'habit de prêtre...

— Je vois...

L'espion tendit la main au curé sans rien ajouter de plus.

— Je ne sais trop si je dois vous remercier de m'avoir emmené jusqu'ici, fit Laberge avec un mince sourire.

— Cela n'est pas nécessaire. Je vous dis plutôt adieu. Car il y a peu de chances que nous nous revoyions dans cette vie.

Laberge lui serra la main en acquiesçant de la tête, ne trouvant rien à répondre. Il grimpa dans le bus et posa son sac sur le porte-bagages au-dessus du siège libre derrière le conducteur. Il s'appuya contre la vitre et jeta un coup d'œil à l'extérieur.

Johnny X s'éloignait déjà.

Et il ne se retourna pas une seule fois.

Tel que le curé l'avait prévu, les quatre heures et quarante minutes nécessaires pour arriver à la frontière mexicaine avaient été très longues. Il n'y avait pas de comparaison possible avec le train qui serait beaucoup plus confortable. Il descendit du bus, le dos de sa chemise noire trempé et ses pas soulevant la poussière sur le sol desséché.

Il se rendit au comptoir de la gare et y acheta son billet de train. Le prochain départ étant dans deux heures, cela lui laissait le temps de prendre une bouchée.

Les gens sur son passage le saluaient avec amabilité. Il dut se rendre à l'évidence que l'espion avait eu tout à fait raison quant au collet romain.

Laberge entra à l'hôtel de la gare, bondé d'autant de Mexicains que d'Américains. L'espagnol se mêlait à l'anglais dans une cacophonie bruyante et indéchiffrable. Un couple qui en avait visiblement terminé se leva pour offrir la petite table qu'il occupait au curé. Celui-ci accepta de bonne grâce et s'installa en déposant son sac entre ses pieds. Une serveuse à l'allure hispanique et au teint basané accourut aussitôt en se faufilant tant bien que mal entre les gens et les tables.

— Qu'est-ce que ce sera pour vous, *señor cura*? demanda-t-elle avec le sourire.

Laberge détailla discrètement ses formes accortes et lui sourit à son tour.

— Qu'avez-vous donc à me proposer?

Elle lui annonça le menu du jour qui, selon elle, était le meilleur choix à faire. Puisqu'il n'y avait rien d'autre de toute façon à cette heure de la journée.

Tenaillé par la faim, après s'être fait brasser par le bus sur trois cents milles, il opta pour l'assiette et une bière fraîche.

AGRIPPA

Il mangea avidement la chair de poulet désossée et les légumes presque crus, avant d'avaler les dernières gorgées restant au fond de sa chope de bière. Tout autour lui apparaissait une mixité d'habitants locaux et de voyageurs provenant des deux pays, discutant de façon animée dans cet antre étrange, repaire mystérieux d'âmes en voyage. Laberge sourit, en comparant cet hôtel à un quelconque paradis nous attendant après la mort : partout des âmes en transit provenant de pays différents. Avec une provision illimitée de bière bien froide.

Le curé paya son repas à l'agréable serveuse en la gratifiant d'un généreux pourboire. Le sourire heureux qui accompagna son remerciement le convainquit d'avoir fait une première bonne action dans sa journée.

Il quitta l'hôtel comme l'eût probablement fait Johnny X, sans un regard en arrière.

Alors qu'il marchait de nouveau vers la gare, Laberge eut tout le loisir d'observer la vie mouvementée et rocambolesque de la petite ville frontalière, siège de tous les trafics. Entre les gamins détrousseurs, les musiciens de rue et les prostituées aguichantes, passaient des Indiens métissés au regard sombre et à la pauvreté honteuse.

Observé de tous, le curé n'en était pas moins salué avec courtoisie par ceux qui croisaient sa route. Il gardait néanmoins un œil attentif sur son sac qu'il tenait bien serré contre sa jambe.

En milieu d'après-midi, il accéda aux quais et monta dans un antique wagon à la propreté douteuse. Peu lui importait l'état des lieux, il ne souhaitait que rouler pour enfin parvenir à destination.

Laberge se surprit de son impatience lorsque le train s'ébranla pour glisser sur les rails. Il n'était pas encore arrivé qu'il souhaitait déjà partir pour se retrouver sur le chemin du retour. Il avait beau chercher dans sa tête un plan d'intervention, il ne trouvait rien. Cette mission ne l'inspirait guère et la situation inconnue du lieu vers lequel il se rendait ne lui facilitait pas la tâche.

Laberge était contrarié de devoir arriver à Papantla dans la soirée. Les choses en seraient peut-être compliquées pour cette raison. Peut-être aurait-il dû attendre le prochain train deux jours plus tard. Mais Johnny X avait semblé pressé de l'expédier vers sa mission et il avait préféré n'opposer aucune résistance et se laisser prendre en charge pour une fois.

La route empruntée par la voie ferrée devint spectaculaire à partir de la *Laguna Madre*, gravissant des caps rocheux pour ensuite descendre en slalom au bord de falaises escarpées donnant sur la mer à perte de vue.

Un homme vint s'asseoir près de lui avec un sourire laissant apparaître une dentition maintes fois réparée à la feuille d'or.

— Dites *padre*, commença-t-il en espagnol afin de voir si l'autre le comprenait, d'où venez-vous ?

— Du Canada, répondit Laberge, tout de même heureux d'avoir une occasion de pratiquer la langue castillane.

— Alors, soyez le bienvenu chez nous! Vous n'avez de toute façon pas du tout l'air d'un Texan! Comment trouvez-vous le paysage?

— C'est magnifique.

— Bientôt, nous atteindrons la *Ciudad Victoria* et nous nous trouverons à la hauteur du Tropique du Cancer. C'est parfait pour admirer le coucher du soleil.

— Je n'en doute pas!

— Mais, s'il vous plaît *padre*, faites quand même une petite prière pour que nous arrivions tous sains et saufs à destination!

— C'est déjà fait mon bon ami, vous pouvez me croire.

Comme l'homme se levait en riant pour retourner à sa place vers l'avant du wagon, le train freina brutalement, projetant les passagers en avant. Laberge s'écrasa dans le dossier de la banquette devant lui et eut tout juste le temps d'étirer la main afin d'«embuller» d'une énergie protectrice l'homme encore debout à qui il venait tout juste de parler. Ce dernier rebondit avant de frapper l'avant de la voiture et se retrouva étendu au sol jusqu'à ce que le train s'immobilise complètement. Il se tourna vers Laberge, incapable de comprendre le pourquoi de sa bonne fortune.

Des coups de feu retentirent et l'on entendit des cris accompagnés de bruits de vitres brisées. Les gens se jetèrent au sol en hurlant, paniqués.

— ¡ *Los guerilleros!*

Édouard se déplaça à genoux de l'autre côté du wagon afin de voir de quoi il s'agissait. Des tirs nourris provenaient de l'arrière du convoi, comme si un siège était en cours.

Alors qu'un groupe de cavaliers cernaient le train, trois hommes armés firent irruption dans la voiture. Laberge se leva d'un bond pour s'interposer mais l'un d'eux lui braqua aussitôt le canon de son revolver sur le front.

— Je suis désolé *padre*, mais si vous tenez à poursuivre votre ministère sur vos deux jambes, vous allez devoir retourner à votre place.

Laberge inspira profondément avant d'obéir et de retourner sur sa banquette.

— Que tout le monde retourne à sa place et reste bien tranquille, scanda le *guerillero* d'une voix autoritaire, il ne vous arrivera rien si vous suivez nos instructions.

L'homme qui, quelques minutes plus tôt, avait discuté avec Laberge, vint s'asseoir à ses côtés.

— Je suis navré pour la prière, lui glissa Laberge, ça ne marche pas à tous les coups…

L'autre le regarda, le visage apeuré.

Les coups de feu cessèrent bientôt et le train appartint aux *guerilleros*. Tout le long de la voie, des hommes à cheval montaient la garde. Les passagers crurent d'abord à un braquage en règle pour l'argent et les bijoux, mais rien de tout cela ne se produisit.

Au bout d'un moment, un homme monta dans la voiture pour parler à ses compagnons. L'un d'eux s'approcha de Laberge et lui fit signe de le suivre. Ramassant son sac, le curé se leva lentement sans le quitter des yeux.

— Qu'est-ce que vous me voulez? lui demanda-t-il.

— Vous n'êtes pas en position de faire des demandes *padre*, répondit l'autre, suivez-nous sans discussion.

Laberge quitta le wagon accompagné de deux hommes. Ils remontèrent les cinq voitures qui composaient le train pour rejoindre le wagon de queue aux vitres éclatées. Sur le sol, cinq hommes en tenue militaire étaient étendus sur le ventre avec les mains sur la nuque. Tenus en respect par quelques *guerilleros*, ils avaient vraisemblablement été capturés pour prendre de force le contenu de ce dernier wagon.

Les *guerilleros* incitèrent le curé à monter dans la voiture à la pointe du canon. L'autre obtempéra, jugeant qu'il était encore trop tôt pour envisager une action et peut-être mettre en danger la vie des passagers.

Quand Laberge pénétra dans la voiture, il dut faire un pas de côté pour ne pas glisser dans le sang. Plus loin, étendu sur une banquette, un homme gisait couvert de sang, avec une ceinture en cuir en guise de garrot au milieu de la cuisse.

— Approchez *padre*, fit-il en le voyant, comme vous pouvez voir, vous n'avez rien à craindre de moi. Si mes hommes vous ont amené ici, c'est pour deux raisons. La première, c'est que celui qui fait habituellement office de chirurgien parmi nous ne nous a pas accompagnés aujourd'hui. Puisque vous avez fait théologie, vous avez sûrement fait anatomie et science du corps humain au cours de vos études. Suffisamment du moins pour diagnostiquer cette blessure par balle à ma jambe. La deuxième, c'est que si l'artère est touchée et que je doive mourir au bout de mon sang, vous serez là pour me donner les derniers sacrements.

Laberge laissa promener son regard autour du wagon. Une quantité impressionnante de coffrets métalliques et de sacs, tous marqués de la Banque Centrale du Mexique, étaient attachés ensemble dans ce qui constituait, sous l'apparence d'une voiture de passagers, un wagon de transport de valeurs camouflé. Gardé seulement par les cinq militaires couchés sur le sol, le siège n'avait pas été bien long avant qu'ils ne se rendent, plutôt que de se faire tuer. Mais celui qui semblait être le chef des *guerilleros* avait malencontreusement été blessé par une balle, perdue ou destinée.

— Comment la Banque du Mexique peut-elle procéder à un transport de valeurs dans une voiture qui n'est même pas blindée? demanda-t-il à haute voix plutôt pour lui-même.

— Il se passe des choses au Mexique, *padre*, qui pourraient vous surprendre encore plus, répondit le blessé dans un français fort correct. Mon nom est Cuauhtémoc Gómez et je suis le chef de ces fidèles *compañeros*.

— Oui, vous avez vraiment de quoi être fier... répliqua le curé sans se montrer impressionné.

— L'heure n'est pas à la moquerie, *señor cura*, et je vous ferai remarquer que vous n'êtes pas en position de discuter. Si j'étais vous, je me pencherais tout de suite sur cette blessure avant qu'elle ne s'aggrave, au même titre que votre situation...

Ne voyant pas d'autre alternative pour l'instant, Laberge déposa son sac et prit les choses en main.

— Libérez cette table et amenez-la ici, demanda-t-il aux hommes présents, puis installez le blessé dessus. J'y verrai plus clair.

Ils s'exécutèrent et déposèrent un peu maladroitement leur chef sur la table, arrachant à Cuauhtémoc Gómez quelques cris de douleur.

— Je ne vous surprendrai pas en vous disant que cela risque de vous faire mal, lui expliqua Laberge en l'examinant. Vous avez une balle dans la jambe, tirée par un ami, sûrement, qui a dû se loger contre le fémur puisqu'elle n'est pas ressortie. Le projectile a évité de peu la rotule, ce qui vous aurait fait exploser le genou. Dans les circonstances, vous avez eu de la chance. Vous avez perdu du sang certes, mais l'artère fémorale ne semble pas atteinte. J'aurai besoin d'une paire de pinces et d'une bouteille de whisky ou du plus fort alcool que vous pourrez trouver.

Lorsqu'on apporta la bouteille de whisky au curé, celui-ci la déboucha et la tendit à Gómez.

— Enfilez-en une bonne rasade, ça vous calmera un peu.

L'autre s'exécuta et avala quelques bonnes gorgées avant de remettre la bouteille au curé en faisant la grimace.

Sans avertissement, Laberge vida le liquide dans la blessure afin de la désinfecter, provoquant cris et sursauts chez le chef des *compañeros*.

— C'est maintenant que ça va faire mal...

Le curé glissa son index dans la blessure jusqu'à la seconde phalange avant de toucher la balle. Le sang se mit à couler et il demanda à l'un des hommes de resserrer le garrot.

— Mais pourquoi diable êtes-vous donc toujours en révolution dans ce pays? exprima Laberge comme une question autant que comme une constatation.

— Vous ne pourriez pas comprendre, *padre*, expliqua Gómez. Ce que nous voulons, c'est l'établissement d'une république démocratique populaire, c'est pour cela que nous nous battons. Nous ne sommes pas qu'un simple mouvement de *guerilla*, nous sommes l'Armée populaire révolutionnaire ! Et pour réunir cette petite armée d'hommes, nous avons fusionné avec le Parti révolutionnaire ouvrier clandestin, l'Union du peuple, le Parti des pauvres, le Front de libération nationale, le Parti démocratique populaire révolutionnaire, le...

— Bon ça va, le coupa le curé, vous avez raison, je n'y comprends rien ! Je vais plutôt tenter d'extraire cette balle.

Puis soudain, à l'extérieur, un bruit de tonnerre, encore des cris, encore des coups de feu.

Laberge leva la tête pour voir dehors et étouffa un juron.

Le train avait été arrêté expressément en un endroit qui longeait le bord de la mer, afin d'éviter toute fuite possible de ce côté.

Maintenant, venant de l'ouest et descendant des collines derrière lesquelles le soleil se couchait, un contingent de l'armée à cheval fonçait droit sur les révolutionnaires. Plus haut, une pièce d'artillerie commençait à tirer ses premières salves en direction des rebelles révolutionnaires, touchant le sol très près du train. Une véritable batterie de campagne contre-guérilla se mettait en branle.

— Vous devez faire vite, *padre*, hurla Gómez alors que ses hommes s'installaient dans les fenêtres pour se préparer à l'attaque, ou nous mourrons tous! L'armée n'a que faire de quelques pertes civiles. L'argent est bien plus important! Comprenez-vous un peu mieux pourquoi nous nous battons?

— Vous devez laisser sortir les passagers du train!

— S'ils sortent, ils se feront tuer! Vaut mieux qu'ils restent à l'abri des wagons! Dépêchez-vous! Finissez le travail!

Des coups de mortier frôlaient le train ou passaient par-dessus pour aller se perdre dans la mer. Les balles sifflaient tout autour et frappaient les voitures en un bruit terrifiant.

Laberge tira Gómez en bas de la table et travailla sur le sol recouvert d'éclats de vitre, afin d'extraire la balle.

Il la toucha de nouveau et la visualisa contre l'os de la cuisse. Reculant lentement le doigt, Laberge attira la balle vers lui pour la décoller du fémur. Gómez hurlait à travers les cris et les coups de feu à mesure que la balle faisait le chemin en sens inverse pour quitter son corps. Fouillant dans la blessure, le curé la saisit enfin entre le pouce et l'index pour l'extraire complètement. Il la montra à Gómez qui regarda l'autre sans comprendre.

— Ne bougez pas, ordonna Laberge qui, après avoir jeté la balle au sol, appliquait fermement sa main à plat sur la blessure.

Il se concentra en appuyant son front sur le dos de sa main et fit abstraction de la diversion qui régnait à l'extérieur. Autour de lui, les hommes à genoux tiraient à travers les vitres brisées de la voiture pour défendre le train alors que les militaires continuaient de déferler du versant des collines en tirant au fusil d'assaut ou à l'arme de poing. Le bruit était assourdissant et, ce qui au départ se voulait un braquage facile, se transformait rapidement en un piège mortel pour la petite armée révolutionnaire et peut-être même pour les civils qui se trouvaient coincés dans le train.

Laberge s'apprêtait à répéter ce qu'il avait déjà fait pour Élizabeth dans les caves de l'Ahnenerbe. Il utiliserait son pouvoir pour accélérer la guérison. Il visualisa la blessure et s'activa à imaginer en accéléré la restauration des tissus, la cautérisation des vaisseaux, la solidification des os, l'arrêt du saignement et la désinfection. Il imagina la jambe de Gómez avant l'impact par balle et poussa à travers sa main toute l'énergie qu'il pouvait puiser dans cet environnement de combat.

Gómez se mit à hurler et à tenter de se débattre mais le curé le retint fermement jusqu'à ce qu'il n'en soit plus capable. Lorsque l'autre se libéra, ce fut pour constater que sa blessure, bien que toujours présente, avait en grande partie été soignée.

Il saisit le curé par le col et l'attira à lui alors qu'un obus de mortier venait secouer le train sur ses rails.

— Mais quel diable d'homme êtes-vous donc ? s'écria-t-il à travers le chaos.

— Nous verrons cela plus tard, voulez-vous ? Essayons d'empêcher le massacre. Vous allez envoyer un homme à l'avant et remettre le conducteur sur son siège ! Il faut qu'il mette le train en marche ! Il faut partir d'ici !

— Mais comment allons-nous partir ? Ils sont sur le point de nous tomber dessus !

— Ça, j'en fais mon affaire, occupez-vous de relancer la locomotive.

Cuauhtémoc Gómez se rua vers l'avant de la voiture en tapant sur l'épaule de quelques-uns de ses hommes. Encore sous le choc de ce qu'il venait d'expérimenter, il n'avait même pas songé à discuter les ordres du curé. Ils sortirent entre les deux wagons et longèrent la ligne du côté des falaises, protégés des tirs de l'armée par les voitures leur faisant écran, pour rejoindre la locomotive en tête de train.

Laberge s'approcha des fenêtres sur les genoux, installé entre deux tireurs. Il put dès lors prendre conscience de l'attaque militaire qui leur tombait dessus.

Il s'adossa contre la paroi et ferma les yeux. La locomotive vert et blanc piquetée de rouille attachée à ses cinq wagons de passagers apparut dans son esprit. Il s'imagina la regarder de loin. Puis il écarta les mains pour former un gigantesque écran de confusion qui parviendrait à faire disparaître le train de la vue des soldats. Ensuite il étendit le contenu de l'immense confusion jusqu'à la plaine tout entière et aux flancs des collines. Il y chassa l'air jusqu'à en annuler les différences de pression atmosphérique, le vent tomba, la température et la densité de l'air chutèrent, les tirs d'artillerie et les coups de feu cessèrent, puis les hommes laissèrent tomber leurs armes pour se prendre la tête à deux mains, victimes d'un déséquilibre trop subit.

Alors, le train disparut à leurs yeux comme à tous leurs sens de compréhension.

Il ne restait qu'un brouillard laiteux qui cachait même la mer.

Il n'y avait que le silence et un sentiment de faiblesse immaîtrisable qui ne poussait qu'à l'abandon.

Un mince filet de souvenirs comme à la suite d'un rêve léger.

À peine cinq minutes.

Les moteurs diesel de la locomotive démarrèrent.

Puis l'embrayage se fit sentir en un choc sourd et le train se remit lentement en mouvement. Dans le wagon, Laberge enjoignit les hommes de rester calmes. De ne pas bouger, ne pas tirer, ne pas parler. Juste attendre.

Le train finit par prendre de la vitesse et à s'éloigner du lieu de l'attaque. Laberge, toujours assis sur le sol couvert de sang et de débris de verre et de métal, commençait à se détendre et à diminuer graduellement le lien qu'il gardait avec son écran de confusion. À un certain moment, l'écran pourrait rester en suspension pendant quelques heures de manière autonome, jusqu'à s'amenuiser et se dissiper, tant dans l'atmosphère que dans le souvenir des hommes du contingent militaire, qui seraient depuis longtemps rentrés à leur camp de base. Heureusement pour eux, seul leur chef serait blâmé et sommé de fournir une explication qu'il ne serait pas en état de donner.

Le chef de l'Armée populaire révolutionnaire, Cuauhtémoc Gómez, suivi de deux de ses hommes, franchit les traverses, de wagon en wagon, à travers les passagers prostrés, jusqu'à ce qu'il parvienne à la voiture de queue, où il retrouva Laberge et bien sûr, l'argent de la Banque Centrale.

— Ah bien, vous alors! dit-il au curé en l'aidant à se relever.

— Ça va, merci.

— Grand Dieu, mais c'est moi qui devrais vous remercier, continua Gómez, vous nous avez sauvé la vie!

— Ne vous méprenez pas, monsieur le révolutionnaire, ironisa Laberge, nous avons tous failli nous faire tuer par votre faute!

— Ma faute? Ma faute? Et qui donc a tiré à boulets rouges sur le train?

— Et qui donc l'a braqué ce foutu train, pour s'emparer de l'argent de la Banque Centrale?

— Écoutez, calmons-nous, voulez-vous…

Gómez tira une caisse en fer remplie de billets de banque et s'en fit un siège. D'un signe de la main, il invita Laberge à également s'asseoir.

— Savez-vous d'où me vient mon nom de Cuauhtémoc, *señor cura*?

Laberge secoua la tête en signe de négation.

— C'est en l'honneur de mes ancêtres aztèques et du dernier empereur qui portait ce nom que ma mère m'a nommé ainsi. Depuis la venue des conquistadors, mon pays, tout comme d'autres de l'Amérique du Sud, a beaucoup souffert. Il s'est trouvé désorganisé et n'a jamais pu recouvrer sa grandeur d'antan. Arrachez à un pays toutes ses richesses naturelles et réduisez son peuple en esclavage, vous constaterez que probablement jamais ce pays ne pourra se relever. Ou sinon il y mettra des siècles. Quand j'étais petit, mes parents et les autres anciens de mon village observaient toujours les rites ancestraux liés aux cinq Soleils. J'ai vu officier des chamans et été témoin de phénomènes aussi provocants que déroutants. Aujourd'hui, j'ai observé le même genre de phénomènes. Je m'incline devant vous, *padre*, car je sais ce que vous êtes, bien que je ne sache pas qui vous êtes, ni ce que vous faites ici.

En signe de respect, Cuauhtémoc Gómez inclina la tête. Tous ses hommes l'imitèrent.

Lorsqu'il leva de nouveau les yeux vers Laberge, il sourit.

— Mais j'ai vraiment besoin de cet argent, *padre* !

Laberge finit par sourire à son tour.

— Je ne peux pas être d'accord avec le vol de cet argent. Mais là n'est pas le but de ma mission. Et la guerre que vous menez n'est pas la mienne.

— Il nous faut absolument faire plus ample connaissance, mon ami. Nous avons encore du temps devant nous. Bientôt, je ferai à nouveau stopper le train pour détacher ce wagon. Vous pourrez ensuite reprendre votre route.

— Je tâcherai donc de regarder dans la direction opposée lorsque vous détacherez le wagon, accepta Laberge.

— Je vous dois beaucoup. Vous m'avez guéri et vous nous avez tous sauvés de ce piège horrible. Que pourrais-je faire pour vous en échange ?

Le curé réfléchit un instant puis son regard s'éclaira.

— Puisque comme vous le dites, suggéra-t-il, nous n'avons d'autre choix que de faire plus ample connaissance, j'en profiterais peut-être pour vous demander une petite faveur.

— ¡ *Ay caramba* ! s'étonna Gómez. Dites vite *padre*, dites vite ce que vous voulez ! Je vous l'accorde !

AGRIPPA

Le train entra en gare de Tampico avec beaucoup de retard, sérieusement amoché et un wagon en moins.

Laberge en descendit en vitesse et se fondit dans la foule sur les quais de la gare. Mieux valait ne pas rester là. Il se rendit au comptoir des réservations et décoda le grand tableau des horaires réguliers affiché là. Il en serait quitte pour attendre au lendemain avant le passage du prochain train en direction de Papantla. Encore deux heures de voyage et il y arriverait.

Il remarqua la préposée qui l'observait à cause de l'état lamentable de ses vêtements. Il en profita pour se renseigner sur un hôtel où il pourrait passer la nuit. Elle l'informa que puisqu'il était prêtre, il n'aurait qu'à se rendre à la grande église coloniale située non loin de la gare et qu'on l'hébergerait pour la nuit. Elle lui remit un papier avec le nom du prêtre et lui souhaita bonne nuit.

Édouard laissa la gare derrière lui et se dirigea sur les hauts clochers pour rejoindre l'église.

Il traversa une place publique flanquée de cafés et de vendeurs qui ne manquèrent pas de le héler. Plus loin, un quatuor jouait une musique endiablée devant des gens qui dansaient avec passion et joie. Arrivé de l'autre côté, il emprunta la rue faisant face à la blanche et imposante église.

Le fait d'être à la fois si loin de chez lui et si près d'une nouvelle quête pour reprendre un livre noir causa en lui une anxiété nouvelle, excitée par le rythme exaltant de la musique.

Il souhaita ardemment pouvoir prendre un bain.

10

Sainte-Clotilde-de-Châteauguay, Québec.
Le samedi 25 octobre 1941.

Le vent soufflait fort dehors, provoquant des sifflements inquiétants dans la maison en pierre.

La nuit d'automne était tombée depuis un bon moment déjà, appuyée par les nuages gris recouvrant le ciel. Le hurlement des loups et le jappement des chiens, charroyés par le vent, se faisaient entendre en sourdine à travers les murs épais.

Albert Viau arpentait la cuisine de long en large les mains dans le dos. Plus loin, dans une chaise berçante, Emma assistait à son manège en rapiéçant un pantalon de travail. Tout avait déjà été rangé après le repas du soir et dans la salle, devant la cheminée, s'étaient attablés Léo, Lucien et les frères Ernest et Henri Laframboise, pour une partie de Romain 500.

— Savez-vous, dit Léo, que le jeu de cinquante-deux cartes n'existe pas sous cette forme par hasard?

— Que veux-tu dire? fit l'un des Laframboise.

— Qu'un jeu de cartes a quatre types de figures, le pique, le trèfle, le cœur et le carreau. Tout comme il y a quatre saisons. Il y a treize cartes par type de figure, donc cinquante-deux au total. Tout comme il y a cinquante-deux semaines dans l'année. Cinquante-deux étant aussi le double de vingt-six, qui représente le nombre de lettres de l'alphabet.

— Il y en a vingt-six? se surprit Ernest. Il est vrai que je ne sais pas lire...

Emma souriait en écoutant discrètement et à distance la discussion des jeunes hommes. Albert retira un rond du poêle pour embraser le bout d'une éclisse qui lui permit d'allumer sa pipe.

— J'aurais souhaité avoir des nouvelles d'Édouard, dit-il enfin, ce voyage au Mexique ne me fait pas bonne impression.

— Allons, sois patient, répliqua Emma, il t'a dit qu'il t'enverrait une carte une fois à destination. La poste en partance du Mexique peut prendre un moment avant d'arriver jusqu'ici! On ne connaît rien de ce pays.

— Je sais, tu as raison...

— Mais tout semble si bizarre depuis quelque temps, je n'arrête pas de penser à ça.

— C'est à cause de la guerre?

— Je crois que tout est à cause de la guerre. J'ai l'impression qu'elle a commencé bien avant septembre 1939... Je ne comprends pas pourquoi les vieux pays éprouvent sans cesse le besoin de se battre ou de s'envahir. Tu nous vois ici, toujours en guerre contre les États-Unis?

— Grand Dieu non!

Albert s'approcha d'elle et l'entoura de ses bras.

— Tu sais bien que je te protègerais, murmura-t-il à son oreille, je ne les laisserais sûrement pas t'enlever...

— Ça serait pourtant une façon de te débarrasser de moi...

— Ce n'est pas mon intention. Je t'ai, je te garde.

— C'est bon de le savoir...

Ils s'embrassèrent doucement alors que les gars, attablés plus loin devant la cheminée pour leur partie de cartes, riaient et se taquinaient bruyamment.

— J'ai toujours cette peur de la conscription, lui avoua Emma en regardant les jeunes au-delà de la porte ouverte, je ne pourrais pas supporter qu'ils les obligent à aller se battre.

— Je n'y tiendrais pas non plus. Je n'exigerais certainement pas d'un jeune ce que j'ai moi-même refusé de faire pour la guerre de 14-18. Cette guerre ne nous concerne pas et nous ne devrions pas avoir à y prendre part.

— Ce n'est pas l'avis de l'Empire britannique.

— Ils n'imposeront pas la conscription pour le service militaire outre-mer cette fois, poursuivit Albert. Le gouvernement l'a promis l'an dernier par la loi sur la mobilisation des ressources.

— Et tu crois toujours aux promesses des politiciens?

— Je ne devrais peut-être pas. Dans *La Presse* de ce matin, que j'ai feuilletée au magasin général...

— Ça ne coûte pas cher pour lire le journal... c'est une forme d'abonnement?

— En quelque sorte. J'y jette un coup d'œil en allant chercher le courrier.

— Et que disait-on dans *La Presse*? le pressa Emma.

— On disait que le parti conservateur et même l'armée faisaient des pressions sur le premier ministre Mackenzie King, pour qu'il relance la conscription afin d'envoyer des troupes supplémentaires en Europe.

— Prions pour qu'il tienne sa promesse, souhaita Emma, même si c'en était une... électorale.

Quelqu'un cogna fermement à la porte de la cuisine, faisant sursauter ensemble Emma et Albert.

Il était étonnant qu'à cette heure du soir, un individu vienne cogner à l'arrière de la maison. Seul quelqu'un possédant la connaissance des lieux pouvait rejoindre cette porte dans le noir. Confiant suite à cette déduction, Albert approcha de la porte.

— Qui est là? demanda-t-il d'une voix forte faisant même taire les quatre gars dans la pièce voisine.

— C'est moi, monsieur Viau, ouvrez s'il vous plaît, j'ai à vous parler.

— Vous!

Albert ouvrit tout grand la porte, surprenant à son tour le visiteur. Celui-ci entra accompagné d'un coup de vent froid. Le clerc au nom inconnu, au service de l'évêque de Valleyfield, retira aussitôt son chapeau pour s'incliner légèrement, de par son extrême politesse habituelle.

— Madame Viau, mes hommages, commença-t-il. Je suis désolé de vous déranger à pareille heure, monsieur Viau, mais il faut que vous m'accompagniez. S'il vous plaît.

Albert stupéfait ne trouvait pas les mots pour répondre.

— Mais où donc voulez-vous aller à cette heure et par ce temps ? s'informa enfin Emma.

— Je vous attends dehors, suggéra-t-il à Albert. Encore une fois, pardonnez-moi du dérangement.

Il sortit sans rien demander de plus, enfonçant son chapeau pour qu'il ne parte au vent en refermant la porte.

Albert leva les yeux vers les quatre garçons appuyés dans l'encadrement mouluré, qui l'observaient étonnés.

— Vous n'avez pas une partie de 500 à jouer ? leur faisant aussitôt tourner les talons.

Emma se leva et déposa son reprisage avant d'aller vers son mari qui enfilait impatiemment son manteau.

— Fais attention, le supplia-t-elle

— C'est ce que je fais, l'assura Albert en étirant le bras au-dessus d'une armoire pour prendre son revolver Remington et le glisser dans la poche intérieure du manteau.

— Tu sais que tu n'as pas le droit de te promener avec ça ! le réprimanda-t-elle à voix basse.

— C'est ma façon à moi de faire attention, lui répondit-il sur le même ton avant de l'embrasser. Je reviendrai vite. Enfin, aussi vite que je pourrai. Ne t'inquiète pas.

Il la serra encore avant d'ouvrir la porte pour faire entrer une nouvelle bouffée d'air froid. Emma ferma sur elle les pans de sa veste et choisit d'ajouter du bois dans le poêle. La nuit serait fraîche.

Elle espéra seulement qu'elle ne serait pas en plus porteuse de mauvaise nouvelle.

Albert tomba face à face avec le clerc en tournant le coin de la maison. Il sursauta et laissa échapper un juron en le percutant presque.

— Torrieu! lança-t-il, vous m'avez flanqué une de ces frousses!

— Suivez-moi s'il vous plaît...

Albert lui emboîta le pas pour rejoindre la voiture de l'évêché stationnée devant la maison.

— Mais où allons-nous au juste? demanda-t-il au clerc après s'être repris.

— Pas très loin.

— Bon, d'accord, c'est déjà ça...

— Montez s'il vous plaît, fit le clerc en ouvrant la portière côté conducteur pour s'installer derrière le volant. Albert obtempéra et s'assit près de lui côté passager, dans la grosse berline Chevrolet de l'évêché qui sentait encore le neuf.

Alors que la voiture reculait jusque devant la grange, Albert pouvait voir la forme des visages dans les fenêtres de la maison, qui guettaient leur départ. La berline descendit l'allée entre les gros arbres et tourna à gauche une fois rendue à la route.

— Vous ne voulez toujours pas me dire où nous allons? risqua encore Albert. Est-il arrivé quelque chose à Édouard? Vous avez eu de ses nouvelles?

— Soyez patient, monsieur Viau. C'est l'évêque qui m'a chargé de vous prendre chez vous.

— Nous allons à Valleyfield?

— Non pas.

— Mais où alors?

— Je vous l'ai dit. Pas très loin.

Albert jugea donc qu'il valait mieux être patient et garder le silence. Pas très loin voulait aussi dire pas longtemps. Il serait bientôt fixé.

Le clerc engagea la berline sur le Deuxième rang et n'eut qu'à rouler une minute avant de tourner sur le Troisième. Albert ne fut pas vraiment surpris lorsqu'un peu plus tard, ils s'arrêtèrent dans le stationnement de la gare Holton.

La conception sommaire de la petite gare de Sainte-Clotilde était même devenue superflue au fil des ans. Le trafic ferroviaire, tant pour les marchandises que pour les passagers, avait considérablement diminué au profit des automobiles et des camions.

Aux côtés de la voie principale se trouvaient deux voies de service accessibles aux locomotives via un poste d'aiguillage manuel. L'une d'elles, parallèle à la voie principale, se terminait cent pieds plus loin sur un butoir. L'autre s'éloignait un peu plus, pour se perdre dans un vétuste hangar en tôle ouvert aux deux bouts, qui avait autrefois servi d'atelier d'entretien.

C'est vers ce hangar que le clerc entraîna Albert Viau, qui serrait contre lui les pans de son long *drover coat* pour se protéger du vent et des quelques gouttes de pluie que les lourds nuages échappaient.

Albert reconnut le pick-up Ford du chef de gare Alphonse Chevigny, stationné à sa place habituelle près du petit bâtiment rouge bordeaux. Ce qui ne fut pas sans le surprendre à pareille heure du soir.

Lorsqu'ils pénétrèrent dans le hangar, Albert fut encore plus étonné d'y trouver sur les rails, une petite locomotive attachée à une voiture de passagers éclairée de l'intérieur. Des tentures sombres y habillaient les fenêtres et les armoiries du diocèse de Valleyfield se voulaient la seule décoration sur le noir métallique de ce wagon. Enfin, attaché à celui-ci, se trouvait un petit fourgon de même couleur, spécialement conçu pour le transport d'une automobile. Les portes en étaient ouvertes et deux rampes métalliques en descendaient jusqu'à terre.

— Faites attention à la marche, monsieur Viau, fit le clerc toujours aussi prévoyant. Il invita Albert à monter d'un geste de la main.

L'autre s'exécuta en attrapant la main courante en acier. Il poussa la porte sans même chercher à cacher son étonnement. Dans un salon bien aménagé où brûlait un feu de bois dans une petite fournaise en fonte, l'attendaient l'évêque Joseph-Alfred Langlois et l'archiviste Théodore Coppegorge.

— Ah! Albert! s'exclama Langlois, viens mon ami, nous t'attendions.

— Donnez-moi votre manteau, monsieur Viau, lui proposa le clerc dans son dos.

Albert songea au revolver dans sa poche intérieure. Il retira lentement le long manteau et passa devant le clerc pour l'accrocher lui-même aux crochets fixés sur le mur près de l'entrée. Il s'avança ensuite vers les deux hommes pour leur serrer la main et se laisser tomber dans un fauteuil.

— Je te vois étonné, Albert, reprit Langlois, mais le diocèse dispose de cette voiture spéciale stationnée à la gare de Salaberry-de-Valleyfield depuis longtemps déjà. Elle fut fort bien aménagée par mon prédécesseur. On y trouve en plus de ce salon de représentation, un bureau de travail, une chambre à coucher et bien sûr, une salle de bains.

— C'est que je n'avais jamais vu cette voiture auparavant, avoua Albert en jetant un œil du côté du clerc resté debout près de la porte.

— Elle ne sort en effet que très rarement. Mais nous avons choisi ce soir de venir jusque chez toi plutôt que de te demander une fois de plus de te rendre à Valleyfield.

— Mais que se passe-t-il, questionna Albert un brin d'inquiétude dans la voix, cela concerne-t-il Édouard ?

— Pas du tout. Bien que nous n'ayons toujours pas de nouvelles de lui. Souhaitons que nous en recevions bientôt pour le savoir bien arrivé à destination. En fait, si nous tenions à te rencontrer ce soir, Théodore et moi, c'est pour une raison bien particulière. Sois assuré que nous avons longuement discuté, réfléchi et mûri notre décision avant de t'en faire part. Pour cette raison, tu devras en garder le secret absolu.

— Je crois que j'ai su garder assez de secrets jusqu'ici pour que vous puissiez me faire confiance.

— C'est aussi notre avis, répliqua l'évêque. Je laisserai donc Théodore te mettre dans la confidence et au courant de ce qui nous préoccupe.

Coppegorge acheva de leur verser à tous les trois un verre de bourbon avant de se lancer dans son explication.

— Il y a trois ans, se lança-t-il, lors du retour d'Édouard et d'Élizabeth de leur périple au centre de la Terre, tu te souviens que cette dernière avait rapporté un carnet manuscrit que lui avait remis celui qui se donnait pour nom Caïn.

— Je me souviens aussi que tu en as fait l'étude par la suite avec Élizabeth justement.

— C'est exact. Ce que nous y avons découvert nous a laissés tant dans l'inquiétude que dans la consternation. Ce carnet n'a pas été donné à Élizabeth par hasard. Il y avait aussi le plan d'un être mauvais à vouloir faire le mal et semer le doute.

— C'est si grave? s'inquiéta Viau.

— Cela pourrait le devenir, l'assura Coppegorge.

— Alors?

— Alors, ceci confirmerait d'abord nos pires craintes. Celles qui manifestent l'infiltration des Vampires et des Êtres de la Lune parmi les plus grandes organisations humaines depuis des siècles et des siècles.

— Quel genre d'organisations? s'enquit Albert en s'inquiétant toujours plus.

— Les sociétés publiques, privées ou secrètes, les gouvernements des pays riches ou émergents, les religions...

— Êtes-vous en train de me dire que ces monstres s'infiltrent jusque dans l'Église catholique?

— Les écrits de Caïn ne font pas seulement mention d'une infiltration Albert. Ils parlent aussi de fondation...

Albert avala une bonne gorgée de bourbon. Il grimaça à peine lorsque le liquide lui inonda le gosier. Tous les arguments imaginables qui faisaient de lui un homme à la piété tempérée trouvaient ici leur raison d'être dans cette affirmation de Coppegorge. La seule pensée que les êtres qu'il détestait le plus au monde et qu'il avait combattus jusqu'à y risquer sa vie puissent être à l'origine d'une religion à laquelle des millions de ses semblables adhéraient le terrassa.

Pendant un moment il n'y eut plus rien.

Plus un mot, plus une pensée, pas la moindre émotion.

Il ne restait que le goût sec et boisé du bourbon dans sa bouche.

Puis la machine se remit en branle et un flot d'idées vint submerger son esprit. Des idées de mort, de trahison, de mensonges et de désespoir.

L'évêque et Coppegorge guettaient sa réaction, espérant une attitude ouverte et favorable.

— Je ne comprends pas, murmura Albert, te rends-tu compte de ce que tu dis, Théodore ?

— Malgré le fait incontestable que les Vampires et les Êtres de la Lune s'évitent naturellement, enchaîna Coppegorge, il n'en reste pas moins que où se trouvent les uns, il y a aussi les autres.

— Mais tu parles de fondation ! La fondation de l'Église ! Il y a deux mille ans !

Le clerc se rapprocha discrètement, jusqu'à sortir de l'ombre. Il épiait les moindres mouvements d'Albert, prêt à intervenir pour le cas où sa réaction deviendrait incontrôlable.

— Tu sais comme moi que ces êtres sont très anciens et qu'ils peuvent vivre sur des périodes qui dépassent notre entendement, continua Coppegorge. Il pourrait s'avérer possible, voire logique, qu'ils puissent s'ingérer dans les affaires humaines.

— On a qu'à regarder ce qui a déclenché la guerre, intervint Langlois, on peut l'interpréter de bien des façons. Et puis nous savons déjà que les Êtres de la Lune sont les alliés des nazis au même titre qu'ils furent ici les alliés des fascistes et des chemises bleues. Heureusement que la Gendarmerie royale a pu démanteler l'organisation avant qu'elle ne prenne trop d'expansion sur notre territoire. Mais qui sait ce qu'ils manigancent maintenant ? Ils attendent leur heure, c'est certain.

— Mais pour ce qui est de l'Église... balbutia Albert qui songeait à son Emma si dévote.

— Voilà justement le but de cette réunion secrète, avoua Coppegorge.

— Et qu'en est-il d'Édouard ? Est-il au courant de tout cela ?

— Édouard n'est pas au courant, confirma l'archiviste. J'ai fait jurer le secret à Élizabeth et compte tenu de la gravité de ce que nous avons trouvé dans ces chroniques, je n'avais d'autre choix que de les faire parvenir directement aux archives secrètes du Vatican.

— Mais pourquoi ne pas avoir averti Édouard ?

— Nous ne voulions pas qu'il se sente détourné du but de sa mission au Mexique. Il aura suffisamment d'imprévus à gérer pour récupérer l'*Agrippa*.

— Et sachant cela, pourquoi Élizabeth est-elle retournée en France ?

— Élizabeth est une patriote, ajouta Coppegorge, sa cause dépasse les frontières de l'Église. L'avenir de son pays est plus que jamais en jeu dans cette guerre. Et Dieu sait que je suis moi-même concerné par le sort de notre mère patrie.

— Qu'attendez-vous donc de moi alors ? demanda Albert, cherchant à aller droit au but.

— Je dois d'abord te mettre au courant de certains faits, afin que tu comprennes bien ce que nous attendons de toi.

Coppegorge était ainsi fait. Il devait toujours s'en tenir à ses sempiternelles explications, afin que tout soit bien compris de tout un chacun avant de faire sa demande. Ainsi, avec une compréhension précise de la situation, il était plus difficile de lui servir un refus.

— Les chroniques de Caïn, poursuivit-il, sont truffées de détails intéressants sur l'Histoire avec un grand « H ». C'est ainsi qu'il nous est possible d'affirmer que les Caïnittes, cette race ancienne de vampires, a trouvé le moyen de s'infiltrer dans toutes les sphères de notre monde. Il nous est donc permis de penser qu'avec les Êtres de la Lune, ils ont influencé l'évolution des hommes, et ce, jusqu'à aujourd'hui. Sans que rien ni personne ne puisse les en empêcher. De ce fait, Caïn relate un épisode bien précis, où il fait mention que malgré une position assez proche dans l'entourage de l'ancien président américain Abraham Lincoln, il n'avait pu empêcher son assassinat, qu'il disait avoir été commandé par les Jésuites.

— Mais ma parole, Théodore, le coupa Viau en s'avançant sur le bout de son fauteuil, tu dis n'importe quoi !

— Je te relate les faits rapportés dans ce document Albert, je ne sais pas plus que toi ce qu'il vaut, mais si tu suis mon raisonnement, je crois que notre expérience de vie nous enjoint à porter attention à ces propos.

Albert se ravisa et se laissa retomber contre le dossier avant d'enfiler une nouvelle gorgée de bourbon.

— Il est dit que Lincoln écrivait tout, continua Coppegorge, qu'il tenait un journal exhaustif de ses mémoires et de ses actions. Ce qui est tout à fait vrai. Car c'est là-bas, à Washington, que s'est rendu notre ami récemment.

Coppegorge désignait le clerc silencieux de la main.

— Il s'y est rendu à ma demande, confia l'évêque, dans le but d'aller vérifier un détail. Le sauf-conduit que procure l'ARC ouvre bien des portes, incluant celles de la bibliothèque de la Maison-Blanche. C'est un actif coopérant à Washington qui nous a mis en contact avec Charles Douglass, l'homme chargé de la bibliothèque. Il est d'ailleurs le petit-fils du fameux Frederick Douglass, qui a activement participé à l'abolition de l'esclavage aux États-Unis. Cet homme, pourtant né esclave, était parvenu à gagner sa liberté pour devenir un homme politique et un écrivain. Enfin, notre ami s'est donc rendu là-bas rencontrer ce monsieur Douglass qui lui a aimablement ouvert la chambre forte des documents reliés aux présidents des États-Unis.

— Il fallait à tout prix qu'il y ait un lien avec Lincoln, relaya Coppegorge, puisque les chroniques de Caïn faisaient état d'un mystérieux prêtre canadien anticatholique faisant partie de ses amis proches.

— Mais quel était le lien ? voulut savoir Albert qui tentait de s'y retrouver.

— Caïn affirme que Lincoln aurait tout écrit, tout ! Tout sur les sociétés secrètes qui l'avaient approché, tout sur ce qu'il aurait appris sur elles, tout sur ce qui a déclenché la guerre de Sécession, tout sur ceux qui cherchaient à l'éliminer. Mais que pressentant sa mort, il aurait confié ces révélations au fameux prêtre anticatholique.

— C'était donc ça que votre « assistant » était censé chercher en se rendant là-bas, compris Albert.

— Tout à fait, confirma l'évêque. Sauf qu'il ne l'a jamais trouvé. Dans la section où sont parfaitement rangés les écrits d'Abraham Lincoln, il manque manifestement un cahier. Il y a bien trop peu d'éléments rapportés pour les années 1864 et 1865. Il faut qu'il y ait un autre document, tel que le suggère Caïn.

— Mais que suggère-t-il au juste votre fameux Caïn? demanda Albert, fatigué de les voir tourner autour du pot.

— Que Lincoln aurait justement confié à son ami, le prédicateur anticatholique canadien, tout ce qu'il savait et que personne avant lui n'avait jamais osé révéler. C'est par trop inquiet de voir ces révélations souiller sa personne, son gouvernement ou mettre en danger sa vie et celle de ses proches, qu'il avait décidé de faire entreposer en lieu sûr ses notes.

— Mais qu'est-ce que c'est que ce prêtre anticatholique, s'impatienta Viau, un prêtre ne peut pas être anticatholique!

— Celui-là oui, expliqua Coppegorge. Il s'est détourné de l'Église de Rome pour aller vers le presbytérianisme. Et il s'est même attaqué à elle par la suite de manière acharnée.

— Vous semblez bien le connaître alors…

— Il n'y a qu'un seul prêtre canadien répondant à cette description et ayant connu le président Lincoln. Il s'appelle Charles Chiniquy.

— Je ne connais pas ce nom…

— Évidemment, Chiniquy est mieux connu dans les milieux de l'Église, répliqua Coppegorge, mais il a pourtant une feuille de route bien garnie. Il est entre autres célèbre pour avoir mené au Québec une campagne efficace contre l'alcool dans les années 1840. On peut même dire qu'il avait acquis à ce moment une réelle popularité.

— Mais alors que s'est-il passé ?

Ce prêtre rebelle intéressait tout à coup Albert, toujours assis sur le bout de son fauteuil.

— Ses talents d'orateur l'aidèrent à convaincre les foules et en peu de temps, des dizaines de milliers de personnes devinrent des adeptes de ce nouveau mouvement antialcool appelé *La Tempérance*. Mais Chiniquy est critique face à la pratique des prêtres, il refuse de se soumettre et des rumeurs d'inconduite sexuelle planent même au-dessus de sa tête. Il est alors chassé par l'Église et envoyé comme prêtre missionnaire aux États-Unis près de Chicago dans une paroisse catholique. Mais très vite, il se frotte aux évêques irlandais et finit par se faire excommunier en 1856.

— Ce que tu me racontes là est presque incroyable, commenta Albert, je n'étais pas du tout au courant de cette histoire. Mais je ne vois toujours pas le rapport avec l'assassinat du président…

— Tu vas bientôt comprendre, le rassura Coppegorge. Donc, après son excommunication, Chiniquy rompt tout lien avec l'Église catholique et entraîne même sa petite paroisse avec lui pour fonder sa propre Église, affiliée à l'Église presbytérienne de Chicago. C'est à partir de ce moment qu'il se lancera dans des prédications incendiaires sur l'Église de Rome, affirmant qu'elle base sa théologie sur des rites païens et adorateurs qui bafouent les Évangiles. Sa vendetta va même jusqu'à accuser l'Église de multiples complots pour avoir mainmise sur l'Amérique tout entière. Il déclenche donc bagarres et prises de bec partout où il passe et est victime de plusieurs tentatives d'assassinat dont il échappe toujours.

— Pardonnez-moi de vous interrompre Théodore, intervint l'évêque, mais est-ce bien nécessaire de raconter toute cette histoire?

— Je crois qu'Albert doit savoir à quel genre d'homme il aura affaire...

— Mais, de quoi parles-tu...

— Laisse-moi finir, Albert, fit Coppegorge suffisamment convaincant pour que l'autre continue de l'écouter. Chiniquy poursuit sa lutte contre l'Église, persuadé qu'elle tente de l'assassiner, qu'elle pousse certains pays d'Europe à envoyer en Amérique des immigrants catholiques pour combattre les protestants et qu'elle complote contre le président.

— Était-ce vrai?

La question d'Albert jeta un froid dans la voiture, comme si la porte avait été brutalement grande ouverte.

— Nous ne sommes pas réunis ce soir pour juger l'Église sur un passé supposé dont nous n'avons aucune preuve, s'insurgea l'évêque.

Viau choisit de se taire à la suite de la remarque cinglante de Langlois. Il regarda Coppegorge pour l'inviter à poursuivre.

— Lorsqu'en 1855, Chiniquy se retrouva traîné en justice pour une cause d'immoralité envers une proche parente d'un prêtre, aucun avocat ne voulut prendre sa défense. Bien qu'il clamât son innocence en affirmant que tout cela avait été inventé de toutes pièces par les évêques catholiques de Chicago, il se retrouva derrière les barreaux. Seul un jeune avocat accepta de prendre sa défense. Il s'appelait Abraham Lincoln.

— Cette histoire tient presque du roman d'aventures, glissa Albert étonné.

— Oh que oui! affirma Coppegorge en profitant de cette occasion pour leur resservir du bourbon. Et Lincoln a si bien défendu Chiniquy, qu'il obtint même d'un témoin ayant surpris le complot des évêques de venir témoigner contre eux. Le témoignage fut rendu avec tant de précision que nul doute ne persista. Il s'agissait bel et bien d'une machination ourdie dans le but de détruire le père Chiniquy. Malgré sa liberté retrouvée, Chiniquy fut fort attristé d'avoir créé des ennemis à son nouvel ami Abe Lincoln. C'était du moins ce qu'il croyait à ce moment et il fut toujours inquiet pour la vie de son ami qui devait être élu président des États-Unis cinq ans plus tard. Tel que le décrit Caïn dans ses chroniques, ce fut au tour de Lincoln un jour de demander service à Chiniquy. Et il lui confia probablement des secrets d'une importance capitale visant non seulement les États du monde, mais aussi son Église.

— Et comme justement une partie de ses notes semblent manquantes, releva Albert, vous croyez tous deux que ce prêtre les aurait conservées en sa possession tout au long de sa vie sans ne jamais rien révéler de leur existence.

— C'est un peu ça, oui...

— Mais je comprends mal, continua Albert, pourquoi Lincoln aurait confié ces secrets à Chiniquy.

— Il l'aurait fait au cas où quelque chose de terrible lui arriverait...

— Mais justement, quelque chose de terrible est arrivé! Il a été tiré en pleine tête à bout portant! Pourquoi Chiniquy n'a-t-il rien fait s'il était en possession de tant de secrets?

— Ce n'est pas si simple, intervint Langlois, reportons-nous dans le temps. Chiniquy traînait derrière lui un lourd passé au moment de la mort de Lincoln en 1865. S'il avait fallu qu'il tente de faire des révélations percutantes sur les manipulations religieuses ou gouvernementales, je n'aurais pas donné cher de sa peau. Je crois qu'il savait, après tous ses combats, qu'en ce XIXe siècle, révéler que le monde entier fonctionnait sous la main d'une obscure dictature n'aurait fait que nuire plutôt que d'aider.

— Vous croyez vraiment que c'est ce que révèlent ces écrits? interrogea Albert.

— Si l'on en croit Caïn, c'est possible. Et même pire encore!

— Mais je ne vois pas ce que je viens faire dans toute cette histoire, reprit Viau. Chiniquy était devenu Américain, comment pourrait-on retracer après tout ce temps ce qui a pu lui appartenir?

— Mais Chiniquy est revenu, mon ami, lui expliqua Coppegorge, après ses déboires aux États-Unis et le meurtre de Lincoln, notre guerrier évangélique a poursuivi sa croisade, appuyé par les protestants, faisant des tournées de conférences partout au Canada et aux États-Unis, jusqu'en Europe et même en Australie! Il avait déjà plus de quatre-vingts ans lorsqu'il s'arrêta enfin pour revenir au village qui l'avait vu naître.

— Je vois, fit Viau, et je suppose que c'est dans ce village précis que vous voudriez que j'aille fourrer mon nez...

— On ne peut rien te cacher, mon cher, avoua Coppegorge avec un sourire.

— Et pourrais-je savoir où se trouve ce village? Je suppose qu'il n'est pas très loin...

— Pour la distance, tout dépend de quel point de vue on se place...

— C'est à Kamouraska, Albert, trancha l'évêque.

— Quoi! À Kamouraska! Mais c'est à deux jours de route d'ici! Réalisez-vous ce que vous me demandez là? J'ai une famille ici, moi!

— Albert, ne t'emporte pas, l'avertit Langlois, nous sommes très conscients de ce que nous te demandons. Et nous n'avons pas l'intention de t'obliger à te rendre là-bas. Mais j'espère sincèrement que guidé par la charité qui t'anime, pour le bien de l'Église et le salut de ton pays comme celui des âmes qui l'habitent, tu feras ce sacrifice.

L'évêque parla encore avec force et conviction. Il en appela aux sentiments les plus nobles de la conscience d'Albert, jusqu'à ce que celui-ci cède enfin.

— Je dois aussi en discuter avec ma femme, les informa-t-il, car je ne sais pas comment elle réagira.

— Tu ne dois en aucun cas lui expliquer les vraies raisons de ton voyage à Kamouraska, le prévint l'évêque. Et puis ça ne durera pas plus d'une semaine.

— Voilà que vous me facilitez la tâche, ironisa Albert. Il faut que je lui mente en plus !

— Je ne te demande pas de lui mentir, Albert, le reprit Langlois sur la défensive, mais uniquement d'omettre les raisons dont nous avons discuté ce soir. Tiens-toi prêt à partir au courant de la semaine prochaine. Nous te fournirons une voiture, des cartes, de l'argent et tu pourras t'arrêter au Grand Séminaire de Québec pour y passer la nuit, aussi bien à l'aller qu'au retour. Je les avertirai de ton passage.

— Et une fois à Kamouraska, qu'est-ce que je ferai ?

— Théodore s'occupera de te fournir le nom d'un homme, là-bas, qui est un coopérant.

— Évidemment…

— Sa famille aide d'ailleurs l'Église depuis trois géné-rations. Il pourra te donner un coup de main dans tes recherches.

— Alors, pourquoi ne lui demandez-vous pas de les faire, ces recherches ?

— Parce que je te connais et que j'ai confiance en toi. De plus, s'il y a quoi que ce soit à rapporter, tu pourras le faire en toute confidentialité.

Albert se leva et posa son verre sur la table. Dans la petite fournaise, le bois s'était presque entièrement consumé. Elle ne dégageait plus autant de chaleur.

— Si vous n'y voyez pas d'inconvénient, proposa Albert, j'aimerais qu'on me reconduise chez moi.

— Certainement, mon ami.

Albert serra la main que Langlois lui tendit. Puis il fit de même pour Théodore Coppegorge.

Aucune autre parole ne fut prononcée. Il attrapa son manteau au passage et le clerc ouvrit aussitôt la porte pour le laisser passer.

Lorsque quelques minutes plus tard il descendit de voiture devant la maison en pierre, il quitta le clerc en claquant la portière, sans même lui dire bonsoir.

�֍ �֍ ✖

— Croyez-vous que cela soit une bonne idée, Théodore? demanda l'évêque assailli par le doute.

— Bien sûr que si, monseigneur. Albert est l'homme de la situation. Il est curieux, débrouillard et discret. S'il y a quelque chose à trouver là-bas, il le trouvera.

— Tu as sûrement raison. Mais ça me fait tout de même de la peine d'insister à ce point jusqu'à ce qu'il accepte.

— Avons-nous le choix, monseigneur? Il faut faire disparaître tout ce qui pourrait entraîner une menace pour l'Église. Et Dieu sait que si les nazis et les Êtres de la Lune prennent le contrôle de l'Europe au terme de cette guerre, ils feront tout pour la réduire à néant ou en prendre les guides.

— Je me sens bien impuissant face à cette gigantesque machine de haine et de propagande...

Coppegorge glissa la main dans sa poche et en ressortit une enveloppe.

— Le maître de poste du collège m'a remis cette lettre ce matin, dit-il, elle vient de France et est adressée à Édouard. C'est l'écriture d'Élizabeth… signe qu'elle va bien…

— Vous pouvez me la laisser, fit Langlois en tendant la main pour prendre l'enveloppe, je la garderai jusqu'à ce qu'il revienne.

Sans discuter, l'archiviste remit la lettre à l'évêque.

Au même moment, le clerc entra dans la voiture. Il s'essuyait calmement les mains avec un linge en coton, signe qu'il avait fait monter la Chevrolet dans le fourgon et rentré les rampes.

— Pardonnez-moi, messieurs, fit-il sur un ton toujours aussi doucereux, je viens de parler au chef de gare et au conducteur de la locomotive, nous pourrons partir bientôt. La voie est libre.

11

Sainte-Clotilde-de-Châteauguay, Québec.
Le dimanche 26 octobre 1941.

C'était l'une de ces soirées parfaites et trop rares qui ne se produisent qu'une fois par saison. Le temps était frais certes, mais pas désagréable. Il n'y avait qu'un vent berceur, pour faire bruisser les feuilles colorées mais en train de mourir et qui s'accrochaient encore à la vie, à leur arbre. L'odeur champêtre du terreau de feuilles, mêlée à celle de l'humus et de la bruyère, emplissait les sens comme un appel de la terre mère et de la nature en changement. L'automne avait cela de précieux et de mystérieux; il était capable de se rappeler l'été, en un redoux de quelques jours qui composait une symphonie naturelle que tout homme connaissait depuis sa tendre enfance. C'était l'été indien.

Il n'y avait rien de comparable à cette passion automnale qui apportait avant l'hiver de nouveaux légumes allant du vert à l'orangé. Toutefois, les préparatifs pour la saison froide se faisaient toujours dans une sérénité conventuelle, un peu mélancolique. Comme si l'annonce d'une année passée sonnait le glas d'une année de vie, semblable à un songe léger qui se dissipe.

Une fois dehors, Albert déposa la main sur l'épaule de son vieil ami Will Cunningham.

— Je ne saurais assez te remercier, Will, d'accepter de garder un œil sur Emma et les enfants pendant mon absence.

Le franc-maçon de la loge de Hemmingford donna un coup de coude à Albert.

— Tu sais, Albert, ce n'est pas ce qu'il y a de plus désagréable que de garder un œil sur Emma...

— Que je te prenne à y mettre plus qu'un œil! fit Albert en repoussant son ami.

Ils éclatèrent de rire tous les deux et s'éloignèrent de la maison dans le noir pour se diriger vers la grange.

— Elle t'en veut de partir pour Kamouraska? demanda Cunningham qui avait bien vu le léger malaise qui flottait dans la maison.

— C'est certain. Elle comprend mais s'inquiète en même temps. Je suppose que c'est normal. Surtout de la part d'une femme.

— Je crois que les femmes ont un talent indéniable pour se faire du mauvais sang...

— Peut-être bien. Mais ça fait quand même plaisir de savoir qu'elles s'en font pour nous!

— Tu sais, Albert, j'ai eu une mère autoritaire et punitive. Et mon père, qui était plutôt doux et conciliant, répétait ce proverbe comme une mise en garde. Et je ne l'ai jamais oublié.

— Et quel était ce proverbe ?

— Un homme ne peut rien posséder de plus précieux qu'une bonne femme. Et rien de pire qu'une mauvaise.

— Pas de doute mon vieux, ça veut tout dire…

Ils rirent encore et Albert ouvrit les portes doubles de la grange avant de chercher de la main l'interrupteur électrique pour y allumer l'unique ampoule.

Mal à l'aise de devoir expliquer à Emma, sans pouvoir lui dire la vérité, qu'on lui avait demandé de partir à Kamouraska pour au moins une semaine, Albert avait choisi la transparence. À son retour tardif de la réunion avec l'évêque et l'archiviste du diocèse de Valleyfield, il avait été franc avec elle quant au but de cette rencontre. En lui avouant du coup qu'on avait fermement insisté pour qu'il ne révèle pas l'objet de sa quête. Le grand respect d'Emma pour l'institution de l'Église lui avait fait accepter la mission d'Albert. Mais en laissant néanmoins planer un malaise et une tristesse qu'elle était incapable de cacher.

— Comment était ta mère, Albert ?

La question de Cunningham prit Albert de court. Il se souvenait mal de sa mère.

— Je ne l'ai pas beaucoup connue, avoua-t-il enfin, elle est morte alors que j'avais neuf ans. Quand je pense à elle, c'est comme une impression de rêve en train de s'évanouir avec le temps. Et comme je n'ai pas d'image, de photographie d'elle, ses traits sont flous et incertains dans ma mémoire. Mais je me souviens qu'elle était très bonne. Elle était douce dans ses mouvements, comme si la maladie l'avait ralentie. Mais comme je te le disais, tout cela est un peu vague dans mon esprit.

Le franc-maçon alla frotter le chanfrein de son cheval qui broutait tranquillement une fourchée de foin frais. Albert lui avait proposé de le rentrer dans la grange avant le repas pour lui éviter la tombée de la fraîche après le coucher du soleil.

Cunningham décida de ne pas poursuivre sur le sujet des mères. Il semblait évident que pour l'un comme pour l'autre, le sujet n'avait rien de joyeux.

Il s'était rendu chez Albert en fin d'après-midi, empruntant à cheval les sentiers de bûcherons et les routes de fermes ou de pâturages pour rejoindre Sainte-Clotilde. Will adorait les chevaux. Il utilisait encore fréquemment ce moyen de transport, tant par nostalgie que par amour des bêtes. Une paire de vieilles sacoches en cuir attachées à l'arrière de la selle et qui semblaient toujours pleines, ainsi qu'un fusil de chasse calibre .16 accroché devant dans un étui en toile jaunâtre associé à la Grande Guerre, complétaient son ensemble de cavalier.

Albert avait émis le souhait de raccompagner son compagnon jusqu'à mi-chemin vers Hemmingford. Cela lui donnait du coup une occasion de sortir son vieux cheval sans nom, qui lui restait un ami fidèle depuis bien des années. Et puis une sortie nocturne à cheval par un temps pareil n'avait pas de prix.

Il étendit avec un soin méticuleux le tapis de selle sur le dos du cheval avant d'y jeter la selle elle-même. Alors qu'il ajustait la sangle sous le ventre de l'animal qui ne bronchait pas, il songea au jour où celui-ci arriverait au terme de sa vie. Certains avaient des chiens, Albert lui, avait son vieux hongre noir. Il ne devrait pas être permis à certaines races d'animaux de vivre moins longtemps que les humains. Perdre un animal docile et attachant après une amitié de plusieurs années pouvait se révéler aussi douloureux que la perte d'un être humain.

— Quel âge a ton cheval? demanda Cunningham comme s'il avait su lire dans les pensées de son compagnon.

— Je n'en ai pas la moindre idée...

— Voilà que ce cheval, en plus de ne pas avoir de nom, n'a pas d'âge!

— C'est exactement ça, fit Albert en passant le mors de bride à l'animal. En fait, lui et moi, nous nous préoccupons peu de savoir le nom ou l'âge que les hommes pourraient nous donner. Quand je monte ce cheval, il n'y a que nous deux et le temps qui passe.

Cunningham entraîna son cheval hors de l'écurie en souriant. Il ouvrit ensuite l'une des sacoches de selle pour en sortir une lanterne et trois tiges métalliques qu'il entreprit de visser l'une dans l'autre. Albert fit à son tour sortir son cheval avant de refermer les portes doubles.

— Quelle soirée magnifique... Tu ne trouves pas, Will?

La voix d'Emma les fit sursauter dans la lumière argentée du premier quartier de lune. Ils ne l'avaient pas entendue arriver.

— De vrais gamins, dit-elle avec un sourire dans la voix, qui veulent encore jouer aux coureurs des bois...

Albert vérifia le cran de sûreté de son Bayard avant de le glisser dans l'étui en cuir qu'il enfila en bandoulière.

— Et tu as quelque chose contre les coureurs des bois ? lui demanda-t-il en s'approchant doucement pour la prendre dans ses bras.

— Rien de tout, je les trouve tout à fait charmants...

Elle l'embrassa, faisant fondre d'un seul coup le malaise qu'avait provoqué l'annonce de son départ pour Kamouraska.

Will Cunningham tourna la tête et leva les yeux vers la lune.

Il aimait que les gens soient heureux autour de lui.

— C'est très ingénieux de ta part, Will, admira Albert une fois qu'ils eurent quitté la ferme pour pénétrer dans la forêt.

Cunningham se contenta de sourire sans rien répondre. L'inventif franc-maçon avait fait coudre une longue bande en cuir rigide sur le quartier droit de sa selle afin d'y insérer une tige filetée en trois parties qu'il vissait les unes aux autres. Montée d'une partie crochetée, la tige lui permettait d'y suspendre une petite lanterne sourde où il brûlait des bouts de chandelles. En plus de signaler sa présence, cet éclairage de fortune fournissait suffisamment de lumière pour y voir un peu. Aidé de la lune et de l'instinct de l'animal, il s'était depuis nombre d'années ainsi promené dans les bois après la nuit tombée.

Ils empruntèrent la piste qui s'éloignait de la rivière et qui allait plein est, en direction de Barrington. Albert suivait son ami de près. Les deux hommes ne parlaient pas. Ils écoutaient la vie nocturne de la forêt qui produisait comme chaque soir une nouvelle composition musicale en l'honneur de la nature. Sûrement que s'il avait fait plus chaud, des lucioles silencieuses auraient accompagné leur parcours.

Lorsqu'ils croisèrent le chemin Napper, Will se tourna vers Albert.

— Ça te dirait qu'on se fasse un feu? J'ai même de quoi faire du café.

— Ces sacoches ne sont pas pleines pour rien! Je te suis!

— Je connais un endroit parfait, pas très loin d'ici.

Ils suivirent la route un moment jusqu'à ce que Cunningham entre de nouveau dans la forêt. Ils passèrent entre des arbres serrés et de hautes herbes desséchées, puis traversèrent une légère dépression. Une fois de l'autre côté, l'espace entre les arbres se dégagea. À la lumière de la lanterne sourde, les ruines de hauts murs en pierre apparurent. Pareils à des sentinelles figées par le temps, ils gardaient tout autour des pierres tombales brisées, penchées, usées et noircies par l'humidité et les thalles aplatis des lichens.

— Tu connaissais cet endroit Albert? demanda le franc-maçon en sautant à bas de cheval.

— Je dois avouer que j'en avais entendu parler, mais je n'ai jamais cherché à savoir où ça se trouvait. De plus, je ne passe jamais par ici. Mais tu m'en bouches un coin mon vieux…

— Je savais que ça te plairait. Cet endroit est un lieu sacré pour les Irlandais. Ce sont les ruines de l'église et du cimetière St.Paul.

— Les gens dorment, ça, c'est sûr…

Albert leva les yeux vers la cime des arbres pour y apercevoir la lune au travers. Il ne parvenait pas à décider si l'endroit lui flanquait la trouille ou s'il le trouvait tout simplement merveilleux. Le lieu avait été abandonné des dizaines d'années auparavant et les arbres avaient poussé autour des ruines et à travers les tombes. Will approcha, armé de sa lanterne.

— Faut ramasser un peu de bois.

Ils récupérèrent des branches et s'installèrent entre les murs de l'église. Il n'y avait pas la moindre trace du toit ni de la façade, les matériaux ayant été récupérés par des citoyens après l'abandon du bâtiment au milieu du siècle précédent.

Le feu se mit à crépiter et prit de la vigueur, éclairant ce qui avait été autrefois l'intérieur d'une église. Will prépara sa petite cafetière bosselée et la déposa dans la braise aux côtés du feu.

— Je vais te montrer quelque chose, dit-il à Albert en prenant une branche un peu plus longue dont le bout enflammé lui servit de torche.

Il entraîna son ami derrière l'église puis s'orienta quelques instants dans la pénombre avant de découvrir la pierre tombale qu'il cherchait. Au loin, un loup hurla.

— Regarde, dit-il encore en approchant la flamme, tu vois le nom sur la pierre ?

Albert lut à haute voix.

— *John Napper. September 21ˢᵗ 1858. Born in Ireland, 1777...*

— Tu sais maintenant pourquoi la route qui passe près d'ici s'appelle le chemin Napper[1].

— En effet... mais que s'est-il passé au juste? Pourquoi l'endroit a-t-il été déserté?

— Personne n'en sait trop rien. Il s'agissait pour la plupart de colons irlandais ayant voulu fonder une communauté. Quelque chose les aura chassés peu de temps après...

— Ils auront quand même eu le temps d'y enterrer quelques morts.

— Même un peu trop, c'est ce qui est le plus étrange... L'eau doit bouillir, le café sera bientôt prêt.

— Tu traînes toujours tes casseroles avec toi?

— Juste la cafetière... Elle me fait apprécier les moments de solitude.

Lorsqu'ils s'installèrent près du feu, les chevaux semblaient s'être déjà assoupis. Le cheval d'Albert ne bougeait pas, comme perdu dans des souvenirs d'une jeunesse fougueuse et passée.

Will versa le café dans les tasses fini grès, aussi bosselées que la cafetière.

— Il faut que je te dise, Albert, commença-t-il, que j'ai eu des informations d'un ami de la police provinciale. Certains fascistes, sympathisants des chemises bleues et arrêtés depuis plus d'un an, ont déjà commencé à être libérés de prison.

---

1. Les ruines de l'église et du cimetière St.Paul existent bel et bien au milieu de la forêt, ainsi que décrit dans le roman. Tout comme la tombe de John Napper, d'ailleurs. On peut évidemment accéder au site via le chemin Napper.

Tes amis les frères Nicholson viennent de retrouver leur ferme de Saint-Urbain-Premier.

Viau serra les lèvres. Son départ pour Kamouraska tombait mal. La crainte de voir se rallier à nouveau les deux mauvais frères avec les Êtres de la Lune n'avait rien pour le réjouir. Sans compter qu'une vengeance à son endroit restait toujours dans la mesure du possible.

— Je sais ce que tu penses, Albert, continua Will, tu crois qu'ils viendront se venger de toi. Mais n'en sois pas si sûr. Depuis la dissolution du parti fasciste d'Adrien Arcand, les choses se sont tassées et tout est redevenu beaucoup plus calme. Je ne serais pas surpris que le conflit en Europe ait attiré les mages rouges là-bas.

— Ils y sont présents, ça, c'est certain, renchérit Albert. Édouard a eu l'occasion de se frotter à l'un d'eux là-bas. Ils appuient les nazis dans leurs conquêtes et nuisent aux Alliés. Peut-être as-tu raison, peut-être sont-ils tous retenus par la guerre. Qu'est-ce qui pourrait bien les intéresser ici ?

— Ne soit pas dupe, mon ami. Les vastes territoires sans défense que constituent certaines régions canadiennes sont dans la visée des nazis. Les Américains ont beau rester neutres, ils feraient bien de se préparer, car bientôt le jour viendra où ils auront à intégrer le conflit eux aussi. Sinon le monde tombera aux mains des Allemands et des mages rouges.

— C'est un bien sombre tableau que tu brosses là, Will...

— Les nazis rasent tout ce qui leur fait obstacle. C'est la supériorité de leur aviation qui joue en leur faveur. Et leur manque total de conscience. Vois ce qu'ils ont fait aux villes qui ont osé leur résister! Ils les ont bombardées et rasées! Ils n'ont que faire des grandes villes. Ils veulent un espace vital.

— Pas étonnant que la France ait capitulé. Elle ne voulait pas voir sa capitale réduite en cendres.

— Considérant la valeur historique et architecturale de Paris, en plus de tous les trésors du patrimoine mondial qu'elle abrite, c'eût été un véritable désastre que cette ville soit détruite. Et les nazis n'auraient pas hésité à y semer des bombes malgré tout.

— Jamais je n'aurais cru possible qu'un conflit mondial puisse à nouveau se produire après la guerre de 14-18. Le monde est fou.

— C'est pourquoi je continue à me promener à cheval et à me faire du café sur les braises... Je préfère communier avec la nature plutôt qu'avec les hommes.

Ils restèrent là longtemps, cherchant branches mortes à briser et brûlant même brindilles et pommes de pin. Ils discutèrent de tout et de rien, de leur vie, leurs passions, leurs espérances et leurs amours. Assis près du feu sur quelque pierre recouverte d'une vieille couverture repliée, Albert et Will sentaient la chaleur réconfortante caresser leur visage. Ils se plaisaient secrètement à penser que les hauts murs en ruine de l'enceinte sacrée leur apportaient sécurité et protection. Et que les morts enterrés, dispersés tout autour, pourraient les protéger comme un régiment de valeureux soldats.

Le sujet de la guerre finit par refaire surface en parlant des persécutions conduites contre les francs-maçons en Europe.

— Tous les régimes totalitaires, expliqua Cunningham, que ce soit les fascistes, les communistes ou les nazis, puisent leur haine des francs-maçons dans un livre obscur que l'on appelle les *Protocoles des Sages de Sion*. Certains disent que ce livre fut inventé de toutes pièces par la police russe au début du siècle. Ces fameux protocoles se voudraient les comptes rendus de réunions secrètes tenues par une mystérieuse assemblée appelée les Sages de Sion.

— Bon sang, fit Albert, pourquoi tant de mystères et de sociétés secrètes! C'est à croire que le monde en est truffé.

— Et il l'est! L'homme a de tout temps voulu jouer son prochain, le manipuler, le tromper et en dernier recours, lui faire la guerre. Pas étonnant de découvrir autant d'organisations secrètes œuvrant dans l'ombre, pour influencer toutes les sphères de la société.

— Mais est-ce que les poursuites s'étendent jusqu'à la France, maintenant qu'elle est conquise?

— Plus que jamais! Les nazis affirment qu'une conspiration ourdie par les Juifs et les sionistes est en cours, afin de saper de l'intérieur tous les pouvoirs en place. Tout cela dans le but d'asseoir un jour, sur un gouvernement mondial, un souverain juif. Il est entendu que dans ce complot, les francs-maçons sont du côté des Juifs. Depuis des années, une police antimaçonnique existe au sein de la SS

LE GRAND VOILE

en Allemagne. Et elle y a démantelé toutes les loges. Cette horrible répression se propage maintenant à tous les pays conquis par les nazis. Tous les documents et toutes les archives sont saisis dans les loges, dans l'espoir de mettre à jour ce fameux complot juif. Mais je doute que ce ne soit là que leur seule excuse.

— Mais justement, c'est difficile de cerner exactement ce que vous faites. Qu'y a-t-il donc de si précieux dans ces archives ?

— Les choses diffèrent entre nous et l'Europe. Là-bas, les corporations existent depuis le XIe siècle. Elles plongent leurs racines parmi les grands bâtisseurs du Moyen Âge, dans les guildes de maçons et de tailleurs de pierre qui travaillaient à la construction des cathédrales. Ces hommes utilisaient la truelle, l'équerre et le compas, d'où la provenance des symboles maçonniques.

— J'ai l'impression qu'ici, la franc-maçonnerie est plutôt une affaire d'Anglais, constata Albert.

— Tu n'as pas tort. L'Angleterre et l'Écosse sont toutes deux considérées comme les pays d'origine de la franc-maçonnerie. Sur les milliers de francs-maçons qu'il y a au Canada, je ne sais pas si on en trouverait cinquante de francophones. Il n'y en a aucun dans la loge d'Hemmingford, en tout cas.

— Peut-être parce qu'en plus d'être gardés à l'écart par les Anglais, nous n'arrivons pas à voir l'utilité d'une pareille organisation.

— Les valeurs de la loge d'Hemmingford ne sont pas secrètes. Il est dit que : tout homme qui croit en Dieu ; qui croit que les humains se doivent d'agir honorablement envers quiconque et toute chose, de laisser à leurs descendants un monde meilleur que celui qu'ils ont connu, et de respecter l'opinion d'autrui; qui croit qu'il est plus plaisant de donner que de recevoir; qui croit que la bonté d'âme et la compassion sont des valeurs essentielles; qui croit qu'il est important d'être un bon citoyen envers ses semblables et son pays; qui, enfin, croit que tous les hommes sur terre devraient vivre comme les frères qu'ils sont; tout homme qui croit cela, donc, peut devenir un franc-maçon. Mais pour en voir et en connaître toute l'utilité, il faudrait aussi que tu souhaites y être admis. Nous te l'avons offert, si tu t'en souviens bien...

— Et j'ai refusé. Je m'organise très bien tout seul.

— Ah oui?

Albert lorgna du côté de son ami qui jetait quelques bouts de branches dans le feu.

— Qu'est-ce que tu veux insinuer? lui demanda-t-il sans s'empêcher de sourire.

— Tu t'acoquines pourtant bien avec ton évêque et l'ARC... N'est-ce pas là une vaste organisation secrète et mondiale? Ne t'en vas-tu pas à Kamouraska à sa demande, pour une petite mission secrète dont tu refuses de me donner les détails?

— Quel mauvais groin tu fais! lui lança Albert sans cesser de sourire. Je te parlerai de Kamouraska lorsque j'en reviendrai. Si jamais il y a quoi que ce soit à en dire. En attendant, tu veilles de près sur ma femme. Mais pas trop!

Leur rire résonna entre les murs aveugles.

— D'accord, je fais en quelque sorte partie de cette organisation, mais non en tant que membre. Plutôt comme un coopérant qui peut à l'occasion fournir ses services.

— Comme organiser des batailles épiques la nuit au bord du fleuve, avec les Indiens et les chemises bleues! Et y entraîner ses amis au risque de les faire tuer…

Ils eurent une pensée pour l'agent Bétournay qui avait perdu la vie cette nuit-là à Caughnawaga, après avoir sauvé la leur à de multiples reprises. Armé de sa puissante carabine Garand, Bétournay avait tiré plusieurs chargeurs sur les bêtes de la Lune et leurs monstres du haut du pont Mercier. Jusqu'à ce qu'il trouvât la mort aux mains de Fenrir.

— Excuse-moi, Albert, ajouta Cunningham conscient du couteau qu'il venait de tourner dans la plaie de son ami, ce n'est pas ce que je voulais dire. Nous t'avons accompagné cette nuit-là, de notre propre chef, en notre âme et conscience. Tu n'as pas à te sentir coupable de ce qui est arrivé.

— C'est tout de même arrivé, répondit Albert.

— Nous savions tous qu'il y avait danger. C'était notre décision, à chacun de nous.

— C'était stupide! Si seulement nous avions su que les fascistes seraient tous arrêtés deux ans plus tard! Si seulement la Gendarmerie royale avait agi plus tôt!

— Ça ne les aurait pas empêchés ce soir-là de fouiller et de piller la réserve et d'entrer en conflit avec les Mohawks. Le drame était inévitable. Au moins les Indiens étaient-ils prêts, grâce à nous.

Albert jeta plus loin le fond de sa tasse de café devenu froid.

— Je crois qu'il est temps de rentrer, fit-il songeur.

— Ta vieille bête ne devrait pas avoir de mal à te ramener chez toi, l'assura Cunningham. Si du moins tu arrives à la réveiller !

— Ne te moque pas de mon cheval, répondit Albert, il est sensible...

Ils démontèrent efficacement leur camp de fortune alors que le feu ne se réduisait qu'à des braises rougeoyantes. Ils remontèrent en selle pour retourner en direction du chemin Napper.

Contrairement à ce qu'avait cru Cunningham, Albert ne trouva même pas son cheval assoupi.

12

apantla, Mexique.
Le dimanche 26 octobre 1941.

Les pieds boueux et les vêtements poussiéreux, Édouard Laberge lança d'abord son sac en bord de chemin avant de sauter en bas de la benne du camion qui l'avait embarqué quelques minutes plus tôt.

Un problème mécanique survenu à Tuxpan avait contraint la locomotive à reporter son voyage au lendemain, laissant les voyageurs en plan. C'était le Mexique, lui avait-on répondu.

Incapable de rester en place plus longtemps alors qu'il se trouvait si près du but, il avait demandé l'aide d'un paysan. Parce que le siège côté passager avait disparu et que des caisses en bois remplies de courgettes l'avaient remplacé, l'homme avait aimablement accepté de laisser monter le *padre* à l'arrière de son camion.

Laberge lui envoya la main et le remercia.

AGRIPPA

— *Gracias, que Dios le proteja*[1]...

L'autre se contenta de se signer et d'envoyer la main au curé en affichant un sourire semi-édenté.

Debout au beau milieu d'un carrefour à l'entrée de la ville, Laberge ferma un instant les yeux pour laisser passer la poussière soulevée par le départ du camion. Une odeur d'huile brûlée produite par l'échappement suivit aussitôt après.

Lorsqu'il ouvrit les yeux, Papantla s'offrit à son regard, écrin de blancheur et de verdure flanqué d'un océan de bleu s'étendant à perte de vue.

Il s'engagea sur cette route pour finalement entrer dans la ville et se diriger sans hésitation vers une fontaine communale qui occupait le centre d'une place ouverte devant une magnifique église blanc et rouge. La place était pratiquement déserte en cette fin d'après-midi et personne ne fit seulement attention à lui. Il s'aspergea le visage et emplit sa gourde d'eau fraîche, à la fois heureux et inquiet d'être parvenu à destination. Il toucha à travers sa chemise le médaillon renfermant le portrait d'Hélène, et remercia cet ange gardien qui, se plaisait-il à croire, veillait encore sur lui. Immanquablement, le visage d'Élizabeth vint se superposer à celui d'Hélène. Laberge souhaita ardemment qu'elle puisse se trouver à l'abri et en sûreté, loin des griffes des nazis qui arpentaient les rues de la pauvre Ville lumière, mise à genoux par cette nouvelle invasion germanique. Mais pour l'instant, il lui fallait repérer la maison de son contact

---

1. «Merci, que Dieu vous garde» (espagnol).

et changer de vêtements. Son allure de prêtre le faisait remarquer partout où il passait.

Un petit garçon tira un pan de son manteau afin d'attirer son attention.

Le curé sursauta, ne l'ayant pas vu venir.

— Qu'est-ce que tu veux petit? lui demanda-t-il dans un espagnol hésitant.

— Cherches-tu quelqu'un *padre*? questionna à son tour le garçon.

— En fait, oui... mais pourquoi viens-tu me demander cela?

— Parce que moi, je connais quelqu'un qui te cherche! Il m'a chargé de te repérer dans la ville si jamais je te voyais!

— Et comment peux-tu être aussi sûr que je sois celui que tu cherches?

— Parce que tu es un *padre* étranger et que c'est ce que je guette!

— Bon, très bien, réfléchit Laberge, alors si je te dis que je cherche quelqu'un, crois-tu que tu pourrais m'aider à le trouver?

— Dis toujours qui tu cherches, *padre*...

— Il s'appelle Manuel Escobar. Et il habite cette ville. J'ai son adresse...

— Inutile, le coupa l'enfant, je sais où il habite.

— Tu connais Escobar?

— Suis-moi *padre*, fit le jeune garçon en le tirant par la manche, je vais t'y conduire. Manuel Escobar est mon père.

AGRIPPA

Une fois qu'ils se furent restaurés, Manuel Escobar entraîna Laberge à l'extérieur, sur une galerie bétonnée peinte en beige et décorée de rouge. Les arbres envahissaient littéralement l'arrière de la maison pour former un abri naturel incomparable. Trois lampes à huile brûlaient là, produisant un éclairage clair-obscur sous la luxuriante végétation, donnant l'impression d'une voûte hermétique au-dessus d'eux.

Vivace et énergique, Escobar était un homme plutôt trapu qui possédait une solide paire d'épaules et les bras qui allaient avec. Ses yeux noirs brillaient au sommet de son visage tanné par le soleil et buriné par la vie. Ses traits larges et fermes, à l'image de ses épaules, lui donnaient un aspect sévère qu'un sourire éclatant effaçait aussitôt. Il avait la particularité d'être un homme honnête et respecté dans sa communauté. Il exploitait, en employant son frère et l'un de ses neveux, une entreprise de travaux de construction et de peinture qui lui permettait de bien gagner sa vie. À l'image d'une hacienda, il avait lui-même construit sa maison qui formait un «U» parfait et qui permettait ainsi une grande intimité sur cette galerie donnant sur la cour intérieure. La maison n'était pas immense ni même luxueuse, mais elle était confortable et accueillante, à l'instar de ceux qui l'habitaient. Dans les yeux de sa femme tout comme dans ceux de son fils brillait la vive étincelle de l'intelligence, du savoir et du désir naturel de faire avancer un monde par trop instable, qui se targuait d'en être un civilisé. Escobar avait rencontré l'espion Johnny X quelques années auparavant, alors que ce dernier s'était réfugié dans un chantier de construction pour échapper à quelques mystérieux poursuivants. N'écoutant que sa grandeur d'âme et ce qu'il avait entendu de cet homme, Escobar l'avait secouru et l'avait caché quelque temps chez lui. Encore incapable à ce jour de fournir les motifs qui l'avaient poussé à agir de la sorte, il n'en restait pas moins heureux d'avoir fait le bon choix et de s'être fait un nouvel ami qui avait su lui être redevant. Maintenant, Johnny X sollicitait encore son aide, pour une cause d'une importance capitale qui risquait de mettre en danger l'avenir de plusieurs nations.

Il questionna donc Laberge, en lui versant un verre de mezcal, afin d'en savoir un peu plus et de se faire une idée plus précise du prêtre-agent si loin de son foyer. Mélangeant l'anglais à l'espagnol, les deux hommes arrivaient ainsi à se comprendre.

— Je vous demanderai quand même de ne pas élever la voix *Eduardo*, l'avisa Escobar, malgré l'intimité de cette cour intérieure, il vaut mieux être prudent et discret.

— Je suis bien d'accord...

— Comme je vous le disais un peu plus tôt, je devine à moitié ce qui vous amène. Mais vous devrez m'en dire plus, si vous voulez vraiment que je vous aide adéquatement.

Alors qu'il avait écouté son nouvel ami discourir pendant le repas, Laberge, lui, s'était plutôt écouté. Il avait écouté le fond de son cœur, le fond de son esprit. Ce qu'il était devenu et combien il avait grandi, non seulement en tant qu'homme, mais aussi en tant que mage. Au cours des quinze dernières années, il avait acquis une force de caractère aussi grande que la force issue du fluide magique qui coulait dans ses veines. Mais même cette force de caractère était parfois ébranlée par le doute, qui l'assaillait comme un ouragan qui ébranle une forteresse. Laberge avait porté toute son attention sur Escobar tandis que celui-ci causait. Il avait étudié sa voix, ses yeux, ses cheveux noirs et désordonnés, sa peau cuivrée et ses mains nerveuses. L'homme s'efforçait depuis leur rencontre de ne pas parler trop vite, afin que Laberge puisse saisir tout le sens de ses mots. Mais il se contenait difficilement.

À un moment donné, vers la fin du repas, alors qu'ils terminaient en dessert un *xocotle* bien préparé mélangeant chocolat, vanille et piments fumés, Laberge comprit. Il comprit comment faire pour embrasser l'essence d'un être, au même titre qu'il arrivait à maîtriser l'approche d'un corps blessé pour y accélérer la guérison. Il imagina un vide en toute personne capable de contenir le siège de l'âme. Et cette âme était comme un disque gravé d'une aiguille. Elle emmagasinait depuis les confins de son existence, les mémoires de tous les regards et de toutes les écoutes. C'était dans cette résidence invisible que se trouvaient l'intelligence, la capacité de raisonner et le pouvoir de décider. C'était le lieu du savoir conscient et inconscient. L'emplacement secret des mémoires héréditaires de l'arbre généalogique et des racines d'une langue.

Le désir décuplé de Laberge d'avoir accès à ce lieu que nul ne saurait trouver lui avait alors permis d'en franchir la porte. Les mots, les phrases, les blagues... tout devint clair. Il savait quoi dire, quoi répondre. Il comprenait et parlait l'espagnol.

Il choisit donc ce moment où ils se retrouvèrent seuls sur la galerie extérieure pour améliorer graduellement son discours. Escobar, d'abord, n'y prêta pas attention. Il crut que le curé avait simplement voulu paraître prudent en ne dévoilant pas la pleine mesure de sa connaissance de la langue.

— Alors, dites-moi ce que vous devinez, Manuel, risqua Laberge à l'endroit de son hôte.

— Eh bien, je devine une dangereuse activité dans le golfe du Mexique, juste au large de Papantla. Car deux sous-marins allemands y ont jeté l'ancre. Les Allemands sont très avancés technologiquement. Leurs sous-marins, mieux connus sous le nom de U-Boots, sont exceptionnellement performants. Savez-vous qu'Hitler les surnomme ses *loups gris*?

— Non, je l'ignorais. Vous semblez bien renseigné.

— Je suis intéressé. Ce qui est différent.

— Pardonnez-moi.

— C'est sans importance. Je disais donc que ces sous-marins ont transporté du matériel militaire. Ils mouillent au large à cause de la profondeur des eaux insuffisantes et sans doute aussi par protection. Des bateaux de pêche qu'ils se sont empressés d'éconduire ont toutefois eu le temps de s'approcher pour constater qu'ils avaient installé une grande plateforme flottante et motorisée sur laquelle ils sont en train d'assembler un hydravion. Il y a aussi des véhicules amphibies qui seront probablement ensuite transportés à terre par la plateforme.

— Ce que vous me dites là est fort intéressant et inquiétant à la fois.

— Je devine aussi, *padre*, que cet arrivage nazi n'est pas étranger à votre venue. Pour être honnête, on m'en avait glissé mot en m'avertissant de votre arrivée. N'est-ce pas vrai?

Laberge s'était délié la langue. Il avait choisi de dire plusieurs vérités à Escobar que l'autre avait choisi de retenir ou d'oublier. Parce qu'il y avait parfois des choses qu'il était préférable de ne pas savoir.

— Si votre but est d'entrer dans la pyramide des niches pour y récupérer ce livre maudit, avait-il conclu, il faudra vous dépêcher. Car vos «amis» risquent de rappliquer dans peu de temps.

— C'est aussi mon avis, avait acquiescé Laberge. Et il ne faut en aucun cas qu'ils récupèrent ce livre.

— Mais je dois aussi vous avertir que vous ne pourrez pas récupérer ce livre.

— Et pourquoi cela?

— Parce que personne n'est jamais entré dans la pyramide des niches, pour la simple et bonne raison que son entrée, qui devait se trouver à l'origine en son sommet, s'est effondrée. Par mesure de sûreté et par respect du sanctuaire, personne n'a jamais tenté de déblayer cette ouverture. De plus, si comme vous le dites ce livre a été apporté par Cortés et qu'il est âgé de cinq siècles, je vois difficilement comment il aurait pu résister à des conditions de conservations effroyables telles les basses températures et l'humidité.

— Croyez-moi, dit Laberge, il a résisté…

— Qu'importe! Vous ne pourrez jamais entrer dans le sanctuaire!

— Écoutez, tout ce que je vous demande est de m'emmener là-bas. Vous serez ensuite libre de rentrer chez vous. Je ne veux pas que vous soyez impliqué dans cette histoire. Vous avez une femme admirable et un fils charmant. Cette affaire ne regarde que moi et les nazis.

— Vous parlez comme un type qui a quelque chose à régler avec ces gars-là…

— Je dirais plutôt que ce sont eux qui souhaitent me régler mon compte.

— Demain, nous réunirons le matériel. Et nous partirons à l'aube après-demain. Il y a quand même quelques heures de marche pour arriver jusque là-bas. Les nazis eux, remonteront sûrement la rivière pour atteindre les ruines. Mais nous serons là avant eux. J'en suis certain. Mais dites-moi, pourquoi avez-vous fait semblant de mal connaître la langue espagnole lors de notre rencontre?

Laberge fut tenté de tergiverser, mais il choisit plutôt de répondre par une question. Moyen détourné pour éviter de mentir.

— Est-ce vraiment important que vous le sachiez?

Au matin du mardi 28 octobre, Édouard Laberge et Manuel Escobar quittèrent Papantla à la faveur de l'aube. Nul ne les vit quitter la ville chargés de leur sac à dos et armés de leur bâton de marche.

Escobar avait choisi de passer du côté de la forêt pour, plus loin, longer une crête dénudée s'élevant en hauteur, ce qui leur permettrait d'avoir une vue dégagée sur l'océan.

Appuyé contre la sculpture d'une gigantesque tête casquée qu'il avait évaluée à au moins neuf pieds de hauteur, Laberge eut tout le loisir d'observer à l'aide de ses jumelles les préparatifs des Allemands.

— Ils pourront bientôt lancer leur petit hydravion, dit-il. Mieux vaut ne pas rester en terrain découvert.

Escobar emprunta les jumelles de son compagnon.

— L'appareil est armé, confirma-t-il, deux mitrailleuses lourdes sous les ailes.

— C'est ce que je disais, vaut mieux ne pas rester en terrain découvert...

Ils marchèrent dans la brousse en suivant des pistes tantôt dégagées, tantôt oubliées. Dans le cas de ces dernières, Escobar frappait à coups de machette pour déblayer le passage et indiquait parfois au curé où mettre les pieds. Ils s'arrêtèrent près d'une autre de ces têtes colossales pour une pause bien méritée lorsque le soleil parut à son zénith et mangèrent une bouchée afin de reprendre des forces.

— Y a-t-il donc plusieurs de ces têtes dans cette forêt ? demanda Laberge que ces massives sculptures impressionnaient.

— Nous en connaissons dix-sept dans les environs, expliqua Escobar. La plus grande se trouve justement à l'entrée des ruines où nous nous rendons. Elle a plus de dix pieds de haut et son poids est évalué à près de soixante tonnes.

— Mais pourquoi des têtes?

— On estime que les têtes auraient été sculptées par les Olmèques, peut-être mille ans avant Jésus-Christ. Pour eux, la tête symbolisait la partie la plus sacrée du corps humain, car elle était le siège de la pensée. Vu le casque dont elles sont toutes coiffées, elles pourraient aussi bien représenter un roi qu'un joueur de balle. Elles sont de plus sculptées dans des blocs de basalte volcanique qu'on ne peut trouver que dans les monts Tuxtlas. Leur transport a dû être un véritable défi pour les ingénieurs de l'époque. Leurs traits sont tous identiques. Un nez aplati, des lèvres épaisses et charnues...

— Celle-là fait toute une tête en tout cas, fit Laberge en prenant un peu de recul pour observer la sculpture.

— Je ne suis pas tellement à l'aise de vous abandonner ici *Eduardo*, avoua Escobar en sautant du coq à l'âne. Ne souhaiteriez-vous pas que je vous attende quelque part en forêt? Près d'ici?

— Nous en avons parlé, Manuel, dit Laberge qui aurait sûrement préféré que quelqu'un l'attende, cela risque d'être dangereux. Et puis je n'ai aucune idée du temps que je mettrai pour revenir.

— Comment ça, aucune idée? Mais vous serez dans la pyramide! Si toutefois vous parvenez à y entrer! Une fois à l'intérieur, cela ne devrait vous prendre que quelques minutes!

— Je ne peux prédire ce qui se passera lorsque je serai là-dedans et que j'aurai trouvé le livre. Je me souviens d'être un jour parti pour assister à une cérémonie celte tenue sur les côtes de l'Irlande… Et j'ai mis bien plus de temps que je ne l'aurais cru pour en revenir[1] !

— C'est comme vous voudrez, *padre*, mais saurez-vous retrouver votre chemin ?

— J'y arriverai sûrement, ce ne sera pas la première fois. Et puis vous m'avez laissé des indices !

Dans un souci d'aider le prêtre, Manuel avait pensé à couper de petites bandes en tissu rouge qu'il accrochait de temps à autre sur leur route aux branches des arbres. Ainsi, tel le petit Poucet, Édouard pourrait toujours revenir sur ses pas et retrouver son chemin jusqu'à Papantla.

Ils parvinrent aux abords du site en milieu d'après-midi. La cité, encore cachée à leur regard par la végétation dense, se révélerait bientôt à eux. Manuel signala à Édouard qu'il serait peut-être préférable d'approcher les ruines très lentement afin de s'assurer qu'elles fussent totalement désertes. Fatigués de cette longue marche en forêt, ils s'appuyèrent quelques instants contre le tronc d'un gros cyprès.

— Bon sang, cet arbre est impressionnant, fit Laberge en prenant le temps d'examiner de plus près le géant contre lequel ils étaient adossés. Il remarqua du coup que plusieurs de ces cyprès avaient poussé le long de la rivière et non loin de la cité perdue.

— La forêt renferme plusieurs spécimens de cette taille et même plus gros encore, affirma Escobar.

— Mais quel âge peut donc avoir un arbre pareil ?

---

1. Voir *Agrippa – Le puits sacré*, Éditions Michel Quintin.

— Ces cyprès – on les appelle d'ailleurs cyprès de Montezuma – peuvent vivre plusieurs centaines d'années. Il y a de fortes chances pour que Cortés et ses conquistadors, lorsqu'ils ont débarqué ici au XVIe siècle pour se débarrasser de votre fameux livre, soient passés sous l'ombre de ces arbres. Mais le plus gros cyprès est à Tule près de Oaxaca. Son tronc fait quarante pieds de diamètre et plus de cent trente pieds de circonférence ! On dit qu'il a plus de deux mille ans ! Attendez-moi ici, je vais aller jeter un coup d'œil.

Escobar disparut derrière les branches et les buissons pendant que le curé essayait de se représenter un arbre ayant un tronc de quarante pieds de diamètre. Cela relevait presque de la fable de Jacques avec le haricot géant !

Le Mexicain émergea des buissons avec des branches lui fouettant la figure. Il les repoussa d'un geste impatient, incapable de cacher sa nervosité. La proximité du but, tout comme celle des nazis, n'avait rien pour le rassurer.

— Ça semble désert, *padre*, finit-il par dire, vous pouvez venir.

Ils traversèrent les fourrés pour mettre le pied sur un sol dallé de larges pierres taillées en carrés. Juste devant, la voie pavée envahie par les herbes s'étendait à travers une cité camouflée par la verdure, mais qui se révélait lentement aux voyageurs, comme un œil s'habituant à une subite obscurité. Ils avancèrent respectueusement et en silence sur cette grande allée qui fonçait droit vers le cœur de cet amalgame de temples, de pyramides, de longues maisons, de monuments, de sculptures et de pierres gravées. Laberge était subjugué par la magnificence de l'endroit dont il découvrait l'architecture. Il peinait encore à croire qu'il avait enfin atteint son but.

— Nous y sommes, chuchota Escobar, *El Tajín*, le «lieu du tonnerre». Certains spécialistes français qui sont venus l'étudier affirment que la cité aurait été construite au cours du Ier siècle. Pourtant, les conquistadors l'avaient découverte abandonnée depuis longtemps. La pyramide des niches se trouve plus loin. Venez! Il faut nous hâter!

Le sol dallé leur facilita la tâche pour accélérer le pas. Ils mirent encore plusieurs minutes à traverser la ville, se faufilant entre des bâtiments tous aussi étranges les uns que les autres. Ils empruntèrent une petite rue menant à une place publique où se trouvaient de longs bassins en pierre.

— Des fontaines? demanda Laberge.

— Non. Des jeux de balles. Voyez le fronton au bout de l'allée. Ce jeu s'apparentait à la pelote basque. Ou encore au jeu de paume de l'Europe de la Renaissance. Un joueur frappait la balle qui rebondissait sur le fronton pour être captée par le second joueur.

Ils passèrent entre le coin d'une massive structure en pierre et une muraille s'élevant sur trois degrés qui séparait la ville basse de la ville haute. Les hauts murs, ajoutés aux arbres vénérables et à la végétation abondante, parvenaient à obscurcir le jour.

La vue du mur ouest de la pyramide des niches leur apparut enfin.

Ils enjambèrent les lianes entremêlées aux pierres tombées pour atteindre l'édifice et le longer, jusqu'à la façade du grand escalier qui donnait plein nord, sur une nouvelle place ouverte entourée d'autres bâtiments.

Au pied des cent vingt-cinq marches, Laberge leva les yeux vers le sommet, presque cent pieds plus haut. La construction avait un air sombre et inquiétant. Noircies par le temps et agressées par des lianes grimpantes, les niches de ses six niveaux produisaient un jeu d'ombres et de lumières qui lui donnait l'aspect d'une lanterne géante absorbant la lumière plutôt que de la projeter.

Là, quatre cent dix-neuf ans plus tôt, le toit de l'entrée s'était effondré sur la plateforme, faisant à la fois de cette pyramide le tombeau de Doña Marina – la maîtresse de Cortés – et la sinistre prison de l'*Agrippa*.

Laberge ferma les yeux et espéra en son for intérieur que la jeune femme eut été tuée sur le coup au moment de l'explosion. Il n'aurait pas souhaité à son pire ennemi d'être emmuré vivant avec un démon gardien comme tourmenteur.

— Je crois que le moment est venu pour vous de repartir vers votre famille, Manuel. Vous m'avez rendu un fier service en me conduisant jusqu'ici et vos conseils m'auront été précieux.

Le Mexicain accepta la main que le curé lui tendait. Il la serra chaleureusement, tiraillé entre son désir de fuir cet endroit et la venue des nazis, et son envie de rester pour prêter main-forte à son nouvel ami.

— Je vous en prie, Manuel, reprit Laberge, partez pendant qu'il en est encore tant. Quand les Allemands débarqueront ici, la cité endormie risquerait bien de se transformer en champ de foire.

— Plutôt en champ de bataille. Je me sens vraiment coupable de vous abandonner ici, *padre*.

— Ne vous en faites pas. J'ai l'habitude...

Escobar recula de quelques pas, toujours en proie à ce malaise de laisser Laberge seul face à l'inconnu.

— Que Dieu vous garde, *Eduardo*! dit-il à court de mots. J'attendrai votre retour à Papantla.

— Ne m'attendez pas et ne prévenez personne de ma présence ou de ma disparition.

— Mais *padre*...

— Il n'y a pas de mais qui tienne. Nous en avons déjà discuté. Nous nous sommes entendus...

Escobar acquiesça de la tête et tourna les talons. Il ne se retourna qu'une seule fois puis s'éloigna avant de disparaître entre les bâtiments abandonnés même par les siècles.

Lorsqu'il eut disparu au regard du curé, celui-ci leva de nouveau les yeux vers le sommet de la pyramide.

À nous deux maintenant...

Laberge entreprit l'ascension de la pyramide. Les marches du grand escalier rendues inégales par le temps et les intempéries lui demandèrent une attention particulière. Alors qu'il montait, les vibrations puissantes du livre de magie se manifestèrent à ses sens aigus de perception. Le curé le savait là, toujours emprisonné. Et la venue d'un mage avec l'intention de le prendre réveilla sans aucun doute la méfiance du livre habité de son démon gardien.

Plusieurs minutes s'écoulèrent encore avant que Laberge n'approche du sommet effondré.

Un bruit de moteur porté par le vent le fit s'arrêter et se retourner.

Un avion !

Le curé fonça dans l'escalier abrupt pour atteindre au plus vite le dernier niveau afin de ne pas être repéré. Il buta à quelques reprises sur les marches traîtresses et se jeta au fond d'une niche avant d'arriver au palier supérieur.

Le petit hydravion marqué de la croix noire de l'armée de l'air allemande apparut soudain et plongea en un court piqué pour venir passer juste au-dessus de la cité. Laberge recula au fond de la niche et attendit le passage de l'appareil avant de sortir la tête. Le pilote effectua ainsi quatre passages successifs de repérage en survolant les ruines d'El Tajín avant de finalement s'éloigner en direction de l'océan.

Le curé s'extirpa de la niche et épousseta la terre sur ses pantalons. Après s'être assuré que le site était désert, il poursuivit rapidement son avancée dans les marches pour enfin atteindre la plateforme formant le sommet. Pêle-mêle étaient les pierres ayant jadis composé le petit monument du faîte de la pyramide qui abritait aussi son entrée. Maintenant, elles jonchaient la plateforme en un amas infranchissable.

Le curé jeta un nouveau coup d'œil à la ronde. Il était impossible de prédire quand les nazis investiraient les lieux. Alors mieux valait se presser et éviter les conflits. Il recula le plus loin possible au bord de la grande dalle du toit et embrassa du regard le tas de pierres écroulées. Il ne lui restait pas d'autre choix. Il lui fallait les déplacer.

Laberge se concentra sur le tas de roches. Il en enregistra les contours dans son esprit et s'employa à ne voir que cela, comme si tout ce qu'il y avait autour n'existait plus. Le pourtour ainsi fixé, il s'efforça ensuite de visualiser les pierres en une seule entité, enfermée dans ses limites, capable d'être prise et déplacée. Il en appela de l'énergie qui baignait la Terre et puisa en elle pour supporter les pierres retenues entre elles par ce contour ferme. Il visualisa l'énergie ainsi récupérée et la dirigea tout autour de l'effondrement qu'il avait délimité, la faisant glisser jusqu'en dessous.

Le curé s'appliqua plus de quinze minutes à produire ainsi une masse compacte pouvant être extirpée, telle une gigantesque dent cariée. Lorsqu'il fut prêt, il souhaita juste un moment que le sommet de la pyramide résiste à l'arraché.

Contenant l'énergie entourant les contours de l'amas de roches de ses mains ouvertes, Laberge amorça une délicate poussée vers le haut.

Il sentait le fluide cosmique le traverser comme un puissant courant électrique pour ensuite le rediriger vers les pierres. Rien d'autre qu'elles n'existait plus. Il augmenta graduellement la poussée jusqu'à un niveau qu'il ne se serait jamais cru capable d'atteindre.

Puis la plateforme bougea sous ses pieds en un craquement sourd.

Lorsqu'elle se stabilisa, il poursuivit la poussée vers le haut et le miracle se produisit.

L'amas de pierres s'arracha d'un coup. Le choc fut brutal. Surpris, Édouard fut d'abord tenté de reculer mais se rappela aussitôt qu'il se trouvait déjà au bord de la plateforme. Il reporta dès lors toute son attention et sa concentration sur les pierres, pour qu'elles continuent de s'élever lentement en un amas compact.

Très bien... plus haut... lentement...

La douleur commença à se faire sentir dans son dos et ses bras, alors qu'il puisait toujours plus dans la manne inépuisable d'énergie qui voyageait depuis les débuts du monde à travers l'univers infini. La plateforme fut de nouveau secouée par d'inquiétants tremblements.

Un bloc de plusieurs tonnes, arraché à la pyramide des niches, flottait maintenant dans les airs, juste au-dessus de son sommet.

Il eût été impossible pour quiconque de décrire dans l'image des mots, la vision de ce mage campé sur ses jambes au sommet d'une pyramide, élevant par sa seule capacité à utiliser les forces de l'air, des dizaines de tonnes de pierres.

Laberge déplaça sur sa droite le bloc titanesque, puis le laissa descendre sur la grande place ouverte entre les temples. Lorsqu'il toucha le sol et que le curé le libéra de toute attraction, il se fractura et s'effondra sur lui-même pour faire vibrer le sol dallé.

Les bras du curé retombèrent ballants de chaque côté de lui. Des tremblements saccadés le saisirent quelques instants puis tout redevint normal. Le souffle profond, Édouard détacha son sac à dos pour en tirer sa gourde et boire un coup.

AGRIPPA

Merci mon Dieu...

Il s'essuya le visage du revers de sa manche et fourra la gourde dans le sac avant d'en tirer une torche à piles. Laberge renfila son sac et s'approcha de l'entrée libérée de ses rochers. Il éclaira le trou noir que formait la descente à travers un escalier abîmé.

Sans perdre une seconde, il s'engagea prudemment dans les marches brisées et empoussiérées. La lumière du jour provenant du haut ne mit pas grand temps à disparaître pour ne laisser la place qu'à l'éclairage jaune de la lampe électrique. Même les bruits de la forêt, pourtant bien présents quelques minutes auparavant, s'évanouirent peu à peu. Seules les petites roches écrasées sous ses pieds brisaient le silence sépulcral du temple totonaque.

Laberge pouvait sentir la présence étouffante de l'*Agrippa*. Lorsqu'il arriva près de la chambre intérieure, la poussière commença à se soulever à ses pieds, comme remuée par une vibration continue. Le curé éleva ses remparts mentaux afin de se prémunir contre toute mauvaise surprise et de bloquer toute attaque à venir de la part du démon gardien.

Il atteignit finalement la salle au terme d'une longue et inquiétante descente. Sur le sol, reposait toujours l'*Agrippa*, prisonnier de ses chaînes rouillées par le temps et l'humidité. Il gisait là, entre des restes de bois décomposé et de ferrures impossibles à identifier. Il balaya la salle du rayon lumineux de sa lampe pour voir la poussière continuer à se soulever. Le bâtiment vibrait maintenant dans son ensemble et des fragments se détachaient par endroits des murs et du plafond. Laberge ne put s'empêcher de détailler la salle dans laquelle il avait abouti. Les murs en pierre étaient entièrement sculptés de bas-reliefs montrant des oiseaux, ou même des hommes-oiseaux, parmi une multitude de motifs géométriques. En tournant sur lui-même, le curé éclaira sur chacun des murs, quatre masques en jade au regard inquiétant. Posé par terre dans un coin, un ensemble de statuettes, représentant ce qui semblait être un groupe de guerriers, le regardait intensément.

Affalés contre un mur, des restes humains accrochés à un tissu décoloré et poussiéreux n'attendaient plus rien ni personne.

Doña Marina...

Laberge s'approcha respectueusement du squelette de la jeune femme qui, par son amour pour Cortés, avait aidé les conquistadors à anéantir l'Empire aztèque.

Le curé s'accroupit et toucha les restes de l'Indienne du bout des doigts, comme pour toucher une page de l'histoire de la colonisation de cette Amérique.

Les vibrations augmentèrent, faisant réagir Laberge. La poussière s'éleva rapidement en un tourbillon qui le força à se couvrir le visage avec un pan de sa chemise. Il avança vers l'escalier, cherchant à tâtons du pied l'*Agrippa*. Mais la tornade s'intensifia, le clouant sur place. Son corps s'éleva lentement jusqu'à ce que la pointe de ses pieds quitte le sol. Puis un flash aveuglant lui arracha un cri de terreur. Il s'écroula par terre aussitôt après que la tornade se fut arrêtée d'un seul coup.

Laberge ouvrit les yeux. Couché à plat ventre, il se trouvait dans un endroit différent, ouvert sur l'extérieur. Il sentit d'abord la chaleur du soleil le réchauffer puis la douleur dans son dos courbaturé. Il se leva, ajusta son sac à dos et récupéra son chapeau tombé un peu plus loin. Il s'avança vers un mur effondré à mi-hauteur d'homme pour découvrir un panorama exceptionnel. Il était au sommet d'une gigantesque tour abandonnée en cours de construction, à laquelle s'accrochaient d'épars nuages à une hauteur incalculable. Autour s'étendait un désert à perte de vue. Pourtant, un fleuve coulait paisiblement son chemin juste à côté de l'imposante construction. La vue était tout simplement imprenable.

— La vue est imprenable, n'est-il pas vrai ?

Laberge se retourna, foudroyé par la surprise.

William Black se tenait devant lui, pareil à cette image que le curé gardait de lui dans sa mémoire. Grand, mince, son teint pâle contrastant avec sa longue chevelure couleur aile de corbeau, vêtu de noir de la tête aux pieds et arborant d'une façon qui lui seyait tout à fait, un long manteau sorti tout droit d'une garde-robe du XVIIe siècle.

— William... qu'est-ce qui...

— Crois-tu vraiment que ce soit William, prêtre ?

Laberge s'arrêta de penser pendant dix secondes. Le temps de faire une remise à zéro. Puis il relança la machine.

— Non, je ne le crois pas, dit Laberge. William Black ne s'adresserait pas à moi de cette façon.

Un rire cynique défigura le visage de Black au-delà de ce que lui-même aurait pu exprimer.

— Bien vu ! Je n'ai utilisé l'apparence de ce mage que pour te donner une référence connue. Et puisqu'il vit toujours en toi, j'ai cru que tu serais content de le revoir.

— Il y a bien longtemps en effet que je ne l'ai pas vu, balbutia Laberge qui sentait un froid l'envahir.

Un froid qui ne provenait pas de l'extérieur, mais bien du fond de ses entrailles. Un froid qui traduisait la puissance colossale de l'être qui se trouvait devant lui sous les traits de Black. La force qui émanait de cet homme était si grande, que Laberge ne pouvait que s'y soumettre, qu'attendre. Même les mots qu'il tentait de faire sortir de sa bouche avaient du mal à passer la limite de ses lèvres tremblantes.

— N'est-ce pas là le grand prêtre et mage Édouard Laberge? railla l'inconnu. Je ne sais pas pourquoi, mais sans vouloir t'offenser, je suis un peu déçu...

— Es-tu... le démon gardien de l'*Agrippa*? questionna Laberge en pesant ses mots.

— Il t'a amené à moi. Sache que cet *Agrippa* que tu as entrevu tout à l'heure est le livre des sphères. Il permet à qui peut le maîtriser et avec l'aide de Baalbérith, son fidèle gardien, l'accès aux espaces-temps superposés qui composent ce monde. Car tout n'est que superposition et tout n'est que sphère. L'homme n'a-t-il pas inconsciemment nommé ainsi les différentes couches qui composent l'atmosphère? Troposphère, stratosphère, mésosphère, thermosphère, ionosphère, exosphère... Tu vois, prêtre? Tout n'est que sphères. Et te voilà perdu au cœur de l'une d'entre elles. Peut-être dans cet espace indéfini qui existe entre deux secondes. Ou bien peut-être entre deux siècles.

Un frisson parcourut l'échine du curé, causé par la peur de se retrouver prisonnier du temps, comme il l'avait été en Irlande quelques années plus tôt.

— Merci de me rassurer...

— Et voilà que je reconnais le grand mage indéfectible qui cache sa peur panique derrière des sarcasmes méprisants...

Laberge resta figé face à l'homme et à ses paroles. La peur panique le possédait en effet, car jamais il n'avait été confronté à pareille concentration brute de force énergétique. Cet homme était plus qu'un mage. Il s'élevait à un rang bien supérieur. Il était un véritable trou noir.

— Tu vis dans la peur, prêtre, depuis ton enfance. La peur de tes parents, la culpabilité pour la mort de cet ami que tu as regardé se noyer étant petit et ensuite pour ta fiancée qui a été assassinée devant tes yeux. La peur du noir, celle d'être seul, la peur du regard des autres ou d'être indigne de ta mission. La peur de ne pas avoir fait le bon choix en entrant dans les ordres, la peur de perdre cette autre femme pour qui tu t'inquiètes là, maintenant...

— Mais qui êtes-vous donc? Quelle est l'origine de toute cette force que je sens en vous?

Le curé essayait de briser le rythme de la conversation qui se ruait sur son unique personne, ses peurs et ses craintes. Il n'avait pas du tout envie d'entendre dire ce qu'il savait déjà mais tentait d'oublier.

L'homme qui empruntait l'apparence de William Black écarta les bras et le vent s'éleva aussitôt. Son visage affichait un orgueil aussi démesuré que sa puissance.

— Je suis l'Opposant. Je suis l'Adversaire. Et c'est moi! Moi seul qui ai permis au mage Agrippa d'écrire à l'encre de son sang les pages des livres occultes. Les livres les plus dangereux livrés aux espoirs de l'homme. Les livres qui donnent le choix! Le choix du pouvoir ou de la déchéance, le choix d'essayer ou d'oublier. Le choix de craindre ou de diriger! Et moi, je veux te donner ce choix aujourd'hui! Tout comme je l'ai de tout temps donné aux hommes! Dieu est restriction mais je suis le Choix!

Édouard aurait voulu répliquer mais la puissance de l'Opposant lui enlevait une grande part de sa volonté. L'émission d'énergie qui émanait de lui n'était pas seulement puissante, elle était sombre et froide comme les yeux d'une vipère.

— Vois cette tour où nous nous trouvons, continua l'Adversaire, c'est la tour de Babel, telle que les hommes avaient entrepris de la construire il y a de cela des millénaires. Elle était le premier symbole du pouvoir d'un gouvernement mondial où tous parlaient la même langue. Qu'a fait l'Un? Blessé dans son orgueil, il les a séparés! Il a été incapable de les laisser prendre leur destinée en main alors qu'ils auraient dû avoir le choix! Il a détruit leurs espoirs, leurs projets d'avenir pour la construction d'un monde! Leur monde! Et ils avaient tout compris! Car cette tour de par ses nombreux niveaux représentait le monde des sphères sur un plan terrestre! C'était génial! Mais tous leurs efforts furent anéantis par les caprices de ce Dieu que tu as promis d'adorer pour l'éternité!

— Je n'ai rien promis qui ne soit éternel! hurla Laberge dans un effort de volonté.

— Alors là, nous y sommes... L'Opposant trembla de plaisir en se frottant les mains.

Laberge lui, reculait, pour tenter de mettre une distance entre lui et ce pouvoir qui occultait ses facultés. Mais l'Autre marchait sur lui pour le confronter sans arrêt.

— Pourquoi crois-tu que pour cette première fois, il me soit possible de te rejoindre, de t'approcher, de te parler, toi qui pourtant es prêtre et qui, par ton serment, tiens devant toi un bouclier inattaquable ?

— De... de quoi parlez-vous...

— Ce serment que tu as prononcé le jour de ton ordination... tu t'en souviens, n'est-ce pas ? Prêtre pour l'éternité...

— Ce n'était que des mots ! cria Laberge. Une image, un symbole, une volonté de faire le bien !

— Mais bien sûr, continua l'Opposant sur un ton doucereux, bien sûr... Mais cette image, ce symbole ternit en toi à cause de toutes ces questions que tu te poses, tous ces tourments qui te réveillent la nuit, tous ces mauvais rêves qui viennent te hanter, toutes ces femmes qui sont si attirantes...

— Assez ! Arrêtez...

Laberge continuait de reculer, poussé par l'Adversaire qui marchait constamment sur lui. Ils tournaient en rond sur ce dernier palier de la tour de Babel en ruine, dans cette sphère perdue où le temps semblait ne pas exister.

— Ce sont ces doutes, ces questionnements qui ont fait que ta garde s'est abaissée. Tu as laissé tomber ton bouclier que représentait ton serment de prêtre et qui te rendait inaccessible. Mais vois comme aujourd'hui je peux t'atteindre...

— Et vous allez me tuer afin que les nazis puissent s'emparer de l'*Agrippa* et poursuivre leur œuvre de domination !

— Allons… je ne tuerai pas mon ami. Je ne m'abaisserai pas au rang de meurtrier. Tu connais la maxime. On tue un homme ; on est un assassin. On en tue des millions ; on est un conquérant. On les tue tous ; on est un Dieu ! Voilà qui me plaît bien !

— Et vous voulez tuer tous les hommes ? À quoi bon ? Vous approprier la Terre pour vous seul et vos hordes de démons fanatiques ?

— Mais non. Ce ne serait plus drôle. J'ai beaucoup trop de travail à contrecarrer les plans du Divin ! Si à l'origine l'homme était voué à un ordre mondial, pourquoi ne l'aiderais-je pas à retrouver cet ordre ? Les nazis sont tout désignés pour y parvenir.

— Mais ce sera un ordre de dictature !

— Tout ordre nécessite le contrôle et la dictature. Et le contrôle amène la paix. Les Romains l'avaient d'ailleurs compris voilà deux mille ans. Et ils avaient instauré la *Pax Romana*, la paix romaine. Un jour tu comprendras, prêtre…

C'était au prix de grands efforts qu'Édouard parvenait à entretenir ce semblant de conversation qui lui donnait mal au crâne. Les paroles de l'Opposant lui martelaient la cervelle comme un marteau-piqueur.

— Ce que je comprends, c'est que vous êtes fou à lier et à jeter dans le puits de l'abîme !

— C'est toi pauvre créature insignifiante que je devrais jeter en bas de cette tour !

— Alors, faites-le donc! lui cria Laberge sur un ton provocateur. J'en aurai ensuite fini pour de bon! Je serai libéré...

— Libéré... Mais il ne tient qu'à toi d'être libre. Le choix t'appartient...

Laberge était appuyé contre un mur et se tenait la tête à deux mains. Il regarda au loin où le désert s'étendait à perte de vue. Pendant un instant, il eut l'idée de se jeter lui-même du haut de la tour. Mais c'eût été folie d'ainsi gaspiller sa vie, de décevoir ceux qui l'estimaient et de donner victoire facile aux forces contre lesquelles il luttait.

— L'Église, cette invention des hommes pour en manipuler d'autres, m'a de tout temps représenté comme un rebelle. Et pourquoi donc? Je ne fus pas rebelle. Je voulais être libre de mes choix! Là était l'unique voie! L'Un imposait! Voilà le premier et véritable dictateur de ce monde. J'ai voulu donner aux hommes cette possibilité de pouvoir choisir. Alors que l'évolution stagnait dans un monde nouveau, j'ai pris l'initiative de faire goûter aux hommes primitifs le fruit de l'arbre de la connaissance. Afin qu'ils puissent avoir le choix!

— Mais il était défendu d'approcher l'arbre, répliqua Laberge, ils n'étaient pas obligés de s'en approcher, ils avaient le choix!

— Ils n'avaient aucun choix! On leur avait interdit d'y toucher alors qu'il était là, à portée de main! Alors dis-moi, prêtre, qui est le démon tentateur? J'ai aidé l'homme à évoluer et à avoir accès à la connaissance! Sans moi, il se demanderait encore si l'on met vraiment les bœufs devant la charrue.

Laberge marchait sur place en tournant sur lui-même. Sa faculté de raisonnement était balayée par des vagues noires d'énergie sombre. Ses remparts mentaux étaient élevés au maximum afin de résister à la pression. Un homme normal aurait depuis longtemps sombré dans la folie par la seule présence de l'Opposant.

— Qu'est-ce que vous me voulez, parvint-il à articuler, qu'attendez-vous du monde ?

— Joins-toi à notre force, prêtre. Quitte ce stupide sacerdoce. Avais-tu réellement besoin de te plier à ça pour inspirer dignité et respectabilité ? Je connais toutes ces questions que tu t'es déjà posées et que tu te poses encore… Je lis à travers tous tes souvenirs que tu ne peux effacer… Pourquoi t'acharnes-tu à vouloir servir l'Église ?

— Je sers d'abord les hommes…

— Et les hommes dirigent l'Église… Ces mêmes hommes qui t'avaient terrorisé lorsque tu étais enfant, en t'affirmant la première fois où tu t'es confessé, que si cette première fois tu cachais tes péchés, que si tu mentais à ce prêtre qui tenait la place de Dieu, ta faute serait à jamais irréparable et le diable s'emparerait de ton cœur pour te faire mener une vie de sacrilège et subir une mort de damné !

— Arrêtez, lui répondit le curé, vous n'arriverez à rien…

— Peux-tu me jurer que tu ne t'es jamais posé de questions au cours de tes études au collège ? Peux-tu me jurer que tu ne te poses pas les mêmes questions encore présentement? Mais ouvre les yeux, par tous les diables de l'enfer! Ne vois-tu pas que l'Église de Rome qui existe aujourd'hui n'est qu'une évolution de la Rome païenne de l'Antiquité? C'est du pareil au même! Le nom des saints a remplacé celui des dieux romains. Les Temples des idoles sont encore au même endroit et les idoles ont, elles aussi, gardé leur emplacement d'origine et l'encens brûle toujours en leur honneur. Les hommes se prosternent toujours à leurs pieds pour leur faire les mêmes prières et en espérer les mêmes bienfaits. Ne comprends-tu pas que la seule voie reste la mienne? La voie du choix et de la vérité!

— Vous êtes le roi des tourmenteurs, répliqua Laberge pour qui les affirmations de l'Opposant couplées à son énergie brute devenaient de véritables tortures.

— Je m'y applique du mieux que je peux...

— Il y a une marge, se rebiffa le curé en pointant son doigt en direction de l'Adversaire, entre se poser des questions et savoir ce qu'il est juste de faire.

— Vous ne savez plus que dire, vous êtes à court d'arguments. J'ai rendu l'homme seul, indépendant de Dieu!

— Et vous vous êtes retrouvé seul vous aussi!

— Balivernes! Dès lors qu'il a eu le choix, l'homme s'est voulu seul à la surface de la Terre. Aujourd'hui, il comprend qu'il n'a plus besoin de demander secours à des forces supérieures et invisibles. Les forces qu'il a senties en lui, il les a proclamées autonomes! Il a fallu des siècles d'évolution avant d'en arriver à cette position face à la destinée. Il se sera passé quatre destructions complètes du monde et autant de renouveau, de reconstruction et de réapprentissage avant d'approcher cet apogée du contrôle de l'homme sur son destin. Nous sommes à l'aube d'une nouvelle ère, celle qui mènera à l'apogée du cinquième monde ! Car contrairement à ce que ta Bible affirme, prêtre, les hommes, qu'ils aient été Géants ou Nains, ont habité cette Terre depuis des centaines de millions d'années !

Laberge restait là, écoutant l'Opposant faire sa diatribe. Il utilisait toute sa concentration à maintenir élevés ses remparts mentaux. Il s'interdisait même toute pensée liée à une quelconque tentative d'évasion, pour le cas où cet Adversaire intraitable pourrait lire en lui.

— Mais moi, je te comprends, mage, continua l'Opposant, je te comprends parfaitement. Il y a des moments dans une vie, comme dans l'histoire de l'humanité, où les bases de l'être semblent ébranlées, et où l'homme cherche à fonder sa connaissance de lui-même sur un équilibre nouveau. Ce fut la crise qui sévit entre l'ère du paganisme et le début du christianisme. Encore aujourd'hui, l'homme est en crise entre deux conceptions. La religion et la science. Les choix de l'homme se sont soldés par des découvertes scientifiques parfois érigées en dogme, avec des arguments de poids énormes. Peu importe les crises, elles sont toujours de nature religieuse. C'est le lot de la nature humaine qui réclame toujours l'existence d'un absolu. Et si pour un bout de temps elle le place en Dieu, elle finira tôt ou tard par le substituer à autre chose ; l'individu, la race, la nation, le culte du progrès... C'est ce qui se passe maintenant, dans ton monde, à l'autre bout de cette infinité qui existe entre deux secondes...

— Vous me donnez mal à la tête avec tout votre charabia…

— Je sais que tu m'écoutes, prêtre, et je sais que tu pèses mes paroles. Mais tu continues d'être méprisant. Entends-moi bien : quand j'ai donné à la raison de l'homme primitif le choix de se doter d'une autonomie à peu près totale, il a véritablement eu le sentiment de pouvoir accomplir son destin. Puis d'autres hommes sont venus, avec cette notion de vénérer un absolu qui a rompu l'équilibre !

— Foutez-moi la paix…

— Même lorsque tu pries Dieu et que tu espères en la vie éternelle, même si tu admets et veux croire que ta vie puisse se prolonger dans quelque chose qui te dépasse, je sais que le jour de ta mort, tu considèreras ton être comme fini en soi. Tu ne pourras jamais de ton vivant identifier ton être à l'Infini d'une vie après la mort. Tu dois obéir à ta nature. Et ne serait-ce que pour cette seule raison, tu ne pourras jamais avoir la foi et toute ta vie tu te seras menti à toi-même et aux prêtres qui t'auront confessé, faisant ainsi de ton existence, une existence de blasphème, de sacrilège, de médiocrité, de mensonge et donc, de damnation éternelle. Tel qu'on a bien voulu te le faire croire le jour de ta première confession. Voilà pourquoi, il te revient de te joindre à moi, à nous, au nouvel ordre mondial qui émergera bientôt à la surface du globe. Nous reprendrons plein contrôle de cette Terre et ton Dieu n'aura qu'à enfin vider les lieux, pour aller exploser ailleurs dans l'Univers.

Laberge avait croulé contre le mur. Il pleurait. On ne pouvait s'opposer à l'Opposant.

— Ton désarroi moral me fait peine à voir, fit encore celui-ci. Je serai bon joueur et te laisserai le choix. Si l'Un a son Plan, sache que moi aussi j'ai le mien. Et j'en suis seul maître et décideur. Tu retourneras d'où tu viens lorsque j'en aurai décidé le moment. Et tu récupèreras l'*Agrippa*.

Laberge leva les yeux, incrédule, vers son tourmenteur.

— Mais avant, tu dois savoir que les nazis ont déjà investi les ruines d'El Tajín.

L'Opposant avait entraîné Laberge au cœur de la tour de Babel.

Dans une salle immense, il lui offrit de s'asseoir afin de profiter cette fois d'explications et non d'attaques verbales en règle. Plus loin, un monumental trône en pierre attendait le prince des démons. Deux créatures, insupportables au regard humain, apparurent de derrière le trône et se tinrent près de leur maître. Laberge se concentra une fois de plus sur ses remparts.

— Sais-tu pourquoi les nazis tenaient tant à récupérer l'*Agrippa*? demanda-t-il à Édouard. Les Allemands détiennent leur avance technologique en matière d'armement et de transport grâce à des hommes particulièrement bien cachés. Ils se font appeler les «Supérieurs Inconnus». Ces hommes sont les derniers survivants d'une race guerrière appelée «Ases», ayant vécu en Hyperborée il y a de cela des milliers d'années. L'histoire veut qu'ils soient associés aux vampires tout comme à tes amis les Êtres de la Lune. Au temps des origines, ils disputèrent le monde au créateur et aux anges qui choisirent à ce moment de peupler la Terre. Les descendants de ces anges, les «Vanes», issus de la procréation des anges avec les filles des hommes, créèrent leur propre jardin d'Éden pour y conserver l'arbre de la vie. Au fil des guerres et du temps, les Vanes choisirent de se retirer dans une sphère décalée du monde où tu vis afin d'y abriter leur Éden. Mais leurs ennemis de toujours, les Ases, ayant volé quelques fruits de l'arbre, assurèrent leur immortalité. Jusqu'à aujourd'hui, où le fruit vient à leur manquer. La quête des nazis n'est plus seulement de retrouver le triste *Agrippa* emmuré dans la pyramide par Cortés voilà quatre siècles. Le livre des sphères devient donc un outil aux mains des mages rouges. Il leur permettra d'accéder au refuge des Vanes et de s'emparer de l'arbre leur assurant la vie. Les nazis cultiveront ainsi leur propre immortalité et instaureront sur la Terre un Reich de mille ans. Et rien ne saura les en empêcher.

Laberge restait pantois. Plus encore, il était stupéfait, interdit.

Il ferma un instant les yeux et secoua la tête comme pour tenter de remettre ses idées en place.

— C'est de la démence, murmura Laberge, c'est impossible…

— Comment peux-tu encore douter, mage, alors que tu es toi-même descendant des enfants qu'ont eu les anges avec les filles des hommes! Le fluide magique coule dans tes veines! Et voilà une raison de plus pour te joindre à nous! Les hommes comme toi devront être retrouvés et compris à l'intérieur de notre groupe décisionnel. Tu auras une place de choix. Tout ce que tu voudras te sera acquis.

— Mais... vous ne pouvez pas laisser faire une chose pareille...

— Je n'ai pas besoin de ta permission.

— En admettant que les nazis accèdent à la sphère de cet Éden, réfléchit Laberge en frottant son front douloureux, croient-ils vraiment que les Vanes leur accorderont ce qu'ils demandent?

— Personnellement, répondit l'Opposant, je ne crois pas qu'ils demandent. Je crois plutôt qu'ils vont prendre.

— Mais comment pouvez-vous laisser faire ça? S'il est vrai que les Vanes existent depuis les origines, c'est qu'ils vous sont affiliés!

— Le temps d'une nouvelle ère est arrivé mon cher. Il est temps de passer le flambeau! La disparition des Vanes serait une perte négligeable, un dommage collatéral, qui permettrait enfin à des hommes organisés d'asseoir un pouvoir terrestre durable. Quant à moi, j'exercerai le pouvoir céleste et je serai le Dieu de ce monde.

Laberge jeta un regard à la ronde. La salle était immense et la hauteur des plafonds se perdait dans la pénombre. Il chercha l'entrée par où ils étaient arrivés pour constater qu'elle avait disparu. Il n'y avait aucune sortie. Que des murs en pierre à l'épaisseur insondable.

Et le pouvoir de l'Opposant qui continuait de lui nuire.

— Installe-toi confortablement, dit ce dernier. J'ai ordonné à mon fidèle Baalbérith que les pouvoirs de l'*Agrippa* soient remis aux mages rouges une fois que ceux-ci auront retiré les chaînes du livre. Mais celui-ci devra rester dans la pyramide. Seul Baalbérith accompagnera les nazis et les mages pour les guider dans l'autre sphère. Je te l'ai dit, le livre sera à toi. Et nous, d'ici, nous assisterons à cet épisode historique!

Laberge ne comprenait plus. L'Opposant acceptait de lui céder le livre, une fois que les nazis auraient récupéré les fruits de l'arbre de vie. Il y avait quelque chose de malsain et de machiavélique dans tout ça. Mais il s'agissait de son Plan.

Le curé comprit que ce second conflit mondial dans lequel s'embourbait le monde était loin d'être gagné.

Qui plus est, il était loin d'avoir atteint son paroxysme.

13

Sainte-Clotilde-de-Châteauguay, Québec.
Le jeudi 30 octobre 1941.

La fraîcheur de pareil matin avait quelque chose de revigorant. Le soleil filtrait à travers les feuilles restantes et orangées des hauts érables à sucre qui encerclaient la maison d'Albert Viau. Cette lumière teintée faisait briller la rosée qui recouvrait l'herbe, donnant presque l'impression de marcher sur des diamants. Sans l'ombre d'un vent, les oiseaux piaillaient au retour de ce jour nouveau.

Entouré des siens, Albert jeta une vieille valise dans le coffre de la Chevrolet Master fournie par le diocèse. Il embrassa ses filles avant de se tourner vers Léo qui l'observait silencieusement.

— Je compte sur toi, lui dit Albert.

Le jeune homme de dix-sept ans acquiesça sans avoir besoin de se justifier.

Au village, les cloches de l'église sonnèrent à toute volée, annonçant la fin de la messe du matin. Ils eurent tous un sourire de connivence, en sachant que c'était Lucien qui mettait tant d'ardeur à faire résonner le bourdon. Il s'occupait depuis peu de l'entretien de l'église, du cimetière et du presbytère et avait dû partir plus tôt, non sans promettre à son père de ne pas faire damner sa mère ou ses sœurs en son absence.

— Tu seras prudent? lui demanda Emma à qui les mots manquaient.

— Bien évidemment, fit Albert en la serrant dans ses bras. Tu n'auras pas le temps de t'ennuyer que je serai déjà revenu.

— Tu me manques après une journée, alors imagine une semaine…

— Je penserai très fort à toi. Tu seras bien entourée et le temps passera très vite.

— Je l'espère.

Albert grimpa dans la Chevrolet et recula jusqu'à la grange. Il leur envoya la main avant de descendre l'allée couverte par les grands arbres et rejoindre la route. Une fois qu'il eut traversé le pont, il disparut à leur regard.

Emma entraîna en silence Jeannine et Anita vers la maison.

Léo lui, se dirigea vers ses ruches.

La route 2, de Montréal à Québec, suivait le tracé de la toute première grande route carrossable en Nouvelle-France :

le chemin du Roy. Construit à partir de 1731 et inauguré six ans plus tard, le chemin du Roy avait permis de relier trente-sept différentes seigneuries longeant le fleuve Saint-Laurent, où se trouvaient concentrés la majeure partie des colons. À cheval, il fallait compter au moins quatre jours pour parcourir le trajet entre les deux grandes villes.

Albert avait donc choisi la voie la plus directe pour rejoindre Kamouraska. Il se donnait deux jours, ce qui suffirait amplement.

Il traversa au matin le pont Mercier pour rallier l'île de Montréal. Ce passage ne fut pas sans lui rappeler quelques mauvais souvenirs, alors que trois ans plus tôt, il avait affronté Fenrir et ses mages rouges sur le territoire de Caughnawaga, juste sous les piliers du pont.

La grosse Chevrolet fonça vers le centre-ville et Albert emprunta la rue Sherbrooke en direction est, jusqu'à la rue Notre-Dame qui le conduirait au bout de l'île.

Il n'avait aucunement l'intention de s'arrêter en route, sinon pour l'essence ou quelque pressant besoin naturel. Emma lui avait préparé de quoi grignoter et lui avait rempli un contenant d'eau fraîche. Il s'était vite habitué à la conduite de la berline presque neuve et en appréciait le confort et la tenue de route. Les sièges bien rembourrés et recouverts de velours rouge sombre permettaient une position tout à fait adéquate et donnaient presque l'impression d'être installé au salon.

Grâce à une lettre de l'évêque, le cantonnier avait obtenu la permission de s'absenter de son travail pour toute une semaine. Fait inusité pour l'inspecteur qui, de par la provenance de la lettre marquée du sceau du diocèse de Valleyfield, s'était abstenu de poser la moindre question.

Albert avait toutefois l'impression de s'inquiéter bien plus que de réfléchir à sa mission en cours de route. Il quitta l'île de Montréal en traversant la rivière des Prairies via le pont de l'île Bourdon et atteignit enfin la rive nord du Saint-Laurent dans le coin de Repentigny. Au sortir du village, il poussa l'accélérateur pour voir un peu ce que la berline avait dans le ventre. La route presque déserte longeait le fleuve et ne comportait pratiquement aucune habitation jusqu'à Saint-Sulpice, encore à quelques milles de là. Le gros moteur six cylindres de quatre-vingt-cinq chevaux se mit à ronfler de plaisir sous la pression d'Albert qui, malgré tout, garda ses deux mains sur le volant. La Chevrolet amorçait doucement les courbes qui frôlaient le bord de l'eau avec une maniabilité surprenante. Il brûla la croisée déserte de la route 48 à plus de quatre-vingts milles à l'heure et ne leva le pied qu'avant d'entrer dans le village de Saint-Sulpice.

La Deuxième Guerre mondiale qui battait son plein inquiétait Albert de plus en plus. Pourtant, le conflit ne semblait avoir aucune emprise sur ce coin de pays, où les points de vue sur le fleuve étaient splendides. Comment Dieu pouvait-il permettre que pareilles horreurs se reproduisent ? Les dix millions de morts et les vingt millions d'invalides de la Première Grande mondiale n'avaient-ils pas suffi ? Il se refusa une fois de plus à penser que la conscription pourrait être votée de nouveau et ses fils envoyés à la guerre. Et qu'arriverait-il encore si les Allemands parvenaient à conquérir et à asseoir leur domination sur l'Europe ? Viendraient-ils ensuite avec leurs alliés attaquer le Canada déjà affaibli par l'envoi de ses troupes ? Comment le pays pourrait-il se défendre contre pareille menace ?

Les questions se succédaient dans sa tête au même rythme que les poteaux d'électricité longeant le bord de la route.

Bien que cet éloignement provisoire lui ait arraché le cœur au moment du départ le matin même, Albert ressentait une certaine excitation face à cette mission de recherche qui lui était confiée. Il ne savait pas encore ce qu'il allait trouver ou si seulement il trouverait quelque chose. Néanmoins, il avait déjà établi son plan de match et la façon dont il aborderait le curé afin qu'il le laisse, en quelque sorte, fouiller son église et son presbytère. Il lui faudrait aussi jauger la bonne volonté et l'honnêteté de l'homme. Car si par hasard celui-ci était toujours en possession de quelque élément rapporté à l'époque par Chiniquy, rien ne laissait présager qu'il puisse en faire don à Albert sous prétexte que ce dernier était porteur d'une lettre signée de la main de l'évêque de Valleyfield, le chef de l'ARC pour tout l'est du Canada.

Viau s'arrêta à Berthierville pour faire le plein d'essence. Pendant que le pompiste s'occupait de remplir le réservoir, Albert fit quelques pas pour se dégourdir les jambes et enfiler une gorgée d'eau. L'embranchement où il se trouvait allait d'un côté vers Joliette et Saint-Gabriel-de-Brandon, lieu de villégiature apprécié, et de l'autre, vers le quai du traversier qui menait à Sorel. Le prix de son plein réglé, il se dirigea vers le stationnement du quai où il put reculer à l'ombre des arbres afin de manger un morceau. Une fois repu, il traverserait d'une traite la grande ville de Trois-Rivières puis foncerait vers Québec. Il s'arrangerait pour arriver à temps pour le repas du soir.

La Chevrolèt Master s'immobilisa au bord de la rue des Remparts. Albert tira la Waltham de sa poche et constata avec satisfaction qu'il était à peine passé seize heures. La grande quantité de piétons dans les rues le surprit à moitié. Il se rappela qu'il n'était pas à la campagne. Parmi ceux-ci, un nombre important de religieux à la robe noire. Il ne fallait pas s'en étonner, puisque le Grand Séminaire formait tous les prêtres de l'archidiocèse de Québec depuis 1663.

Albert récupéra sa valise et poussa le regard vers le château Frontenac qu'il contempla en longeant la rue. Il aimait cette ville qui représentait le berceau de la civilisation française en Amérique, et qu'il n'avait pas revue depuis trop longtemps. Les portes de la cité, les murailles, la citadelle, le château, le parlement, les rues pavées de pierre, les canons anciens montant silencieusement la garde, la vue imprenable sur le fleuve à partir du cap Diamant et les hauts bâtiments en pierre à l'architecture tout droit sortie de la Nouvelle-France, tout cela donnait à la ville de Québec une aura de patrimoine mystère, qui le transportait hors du temps et le faisait se sentir chez lui.

Albert chercha l'entrée principale du Grand Séminaire. Il tâta la poche intérieure de son manteau pour s'assurer que la lettre de recommandation était bien toujours là puis poussa la grosse porte en bois afin d'accéder au vestibule.

Le clerc qui l'accueillit eut presque envie de se moquer de sa surprise, tant son visage était expressif. Avant même de prendre le temps de le saluer, Albert avait enlevé son chapeau pour s'avancer de quelques pas et lever les yeux au ciel.

— Assisterais-je à l'appel d'une vocation tardive par un miracle de contemplation? se moqua-t-il à peine, incapable de résister à la tentation.

Attiré en entrant par le caractère unique du monumental escalier qui s'élevait devant lui sur cinq niveaux, Albert en avait oublié les bonnes manières.

— Non... je... j'observais l'escalier. Pardonnez-moi. Mon nom est Albert Viau. Je suis en route pour Kamouraska et j'ai une lettre de l'évêque du diocèse de Valleyfield pour obtenir le gîte et le couvert.

Albert tendit la lettre au clerc qui la refusa tout net.

— Dans ce cas, je vais vous demander de patienter un peu, monsieur Viau. Je ne suis pas habilité à traiter ces questions. Je vais aller chercher la personne responsable.

Albert déposa sa valise et jeta un coup d'œil à la ronde une fois que le clerc eut disparu. Il y avait plein de choses ici pour satisfaire un homme curieux. Il tira de nouveau sa montre de la poche de sa veste, pour cette fois en comparer l'heure avec celle qu'affichait une magnifique horloge de parquet haute d'au moins huit pieds. Incapable de résister, il s'en approcha. Logée dans une niche conçue spécialement pour elle, la gardienne du temps était splendide. De son bois veiné et exotique jusqu'au large cadran blanc surmonté de l'affichage des phases de la lune, l'horloge fascinait Albert en tant qu'amateur. Après avoir regardé derrière lui, il ouvrit discrètement la porte avant pour en connaître la provenance. L'étiquette jaunie se trouvait toujours derrière le balancier. «Charles Russell, London», y était-il inscrit[1].

Il referma aussitôt pour ne pas se faire prendre la main dans l'horloge.

Tiraillé entre cette dernière et l'escalier monumental, il s'avança vers la grande ouverture qui permettait de voir jusqu'au dernier étage. Il put tout à loisir admirer la fabuleuse construction qui, de par sa portée, représentait une merveille d'ingénierie. La structure en entier était faite d'acier et les marches en pierre. Seule la main courante était en bois d'érable. Et l'escalier s'élevait ainsi sur cinq niveaux, en s'enroulant en apparence de façon losangique autour d'un vide impressionnant permettant un coup d'œil admirable d'en bas comme d'en haut.

— Il est magnifique, n'est-ce pas?

Albert se retourna brusquement comme s'il avait été surpris en train de voler quelque chose.

L'homme qui l'observait d'un regard perçant derrière de discrètes lunettes lui sourit enfin. Le clerc qui l'avait reçu se tenait en retrait, les mains croisées dans le dos.

— Je n'en ai jamais vu de pareil, avoua Albert.

— Il a été conçu par l'architecte du bâtiment où nous nous trouvons, un certain Ferdinand Peachy, et installé en 1882. Cela fait déjà presque soixante ans! Son imposante

---

1. Charles Russell fut horloger à Londres au 18 Barbican Street, entre 1787 et 1828. L'horloge décrite ci-haut se trouve toujours dans sa niche au Grand Séminaire de Québec.

structure d'acier a été nécessaire afin de supporter le poids des marches, car chaque pierre de taille qui les compose pèse au bas mot cinq cent cinquante livres. Le poids de chaque section de palier a été évalué à huit tonnes au moment de la construction, pour un total de plus de trente-cinq tonnes pour l'escalier dans son ensemble. Fascinant n'est-ce pas?

— Tout à fait…

— On raconte même que lors de son installation, un problème embêtant survint. Les étages ne possédant pas tous la même hauteur, l'escalier préfabriqué ne s'adaptait pas au plan d'origine! L'architecte atterré se prenait la tête à deux mains! Et c'est un ouvrier du chantier qui savait tout juste écrire son nom qui trouva la solution. Quelle excellente leçon! Mon nom est Camille Roy. Je suis le supérieur général de ce séminaire.

Albert détourna son regard de l'escalier pour serrer la main que l'homme lui tendait.

— Je vous avais bien reconnu Monseigneur, lui affirma Albert, c'est un réel plaisir de vous rencontrer en personne. Je me nomme Albert Viau et je suis envoyé par l'évêque de Valleyfield, Joseph-Alfred Langlois, pour une affaire à résoudre à Kamouraska. Voici ma lettre de recommandation.

— J'ai déjà été averti de votre passage par votre évêque, répliqua Roy en prenant néanmoins l'enveloppe pour en sortir la lettre.

— J'ai lu certains de vos billets, Monseigneur, continua Viau, comme *L'avenir des minorités françaises au Canada* ou

Pour conserver notre héritage français. J'abonde dans le même sens que vos opinions[1].

— Alors, soyez le bienvenu, monsieur Viau. Nous vous assignerons une chambre pour la nuit et vous serez attendu à votre retour de Kamouraska. Le repas se prend au réfectoire à dix-huit heures. J'aurai le plaisir de vous y retrouver afin de discuter avec vous. Mais n'ayez crainte, je ne vous demanderai pas ce que vous allez chercher à Kamouraska.

— C'est apprécié, Monseigneur…

Roy sourit puis s'éloigna, laissant Albert aux soins du clerc qui l'invita à le suivre d'un signe de la main.

Albert n'avait pu résister à la tentation d'aller marcher une heure aux alentours du Séminaire. Cette promenade lui avait fait le plus grand bien et lui avait ouvert l'appétit. Il était descendu vers le bord de l'eau pour voir où se trouvait exactement la rampe d'embarquement pour le traversier Québec-Lévis qu'il emprunterait le lendemain matin afin de repasser sur la rive sud du fleuve.

Albert avait trouvé le réfectoire avec l'aide d'un avenant séminariste qui avait accepté de le guider. Camille Roy était

---

1. Détenteur d'un doctorat en philosophie de l'Université Laval et d'une licence ès lettres de la Sorbonne à Paris, Camille Roy a été le supérieur général du Séminaire de Québec à quelques reprises et pour la dernière fois de 1940 à 1943, année de son décès. Considéré comme le premier critique littéraire québécois du XXe siècle, il a œuvré toute sa vie à créer une «littérature nationale», incitant les écrivains à traiter de sujets canadiens-français, afin de contribuer au progrès de la nation.

aussitôt venu vers lui, toujours aussi impressionnant de par sa prestance et son assurance inentamable.

La salle à manger qui était à la disposition du personnel et des séminaristes épata Albert presque autant que le grand escalier. L'immense pièce d'une blancheur immaculée était percée de chaque côté et sur toute la longueur de ses épais murs de hautes fenêtres qui devaient, lorsqu'en plein jour, laisser entrer la lumière de façon exceptionnelle. Les hauts plafonds étaient composés de petites voûtes, reposant sur une succession d'arcs croisés en leur sommet, et venant prendre appui sur deux rangées de colonnes grecques de style dorique qui donnaient une allure unique à l'endroit. De grandes tables rondes ornées de nappes rouges où prenaient place d'enthousiastes séminaristes formaient des îlots de vie au cœur de cette blancheur étincelante.

Ils s'installèrent, avec leur cabaret chargé d'un copieux repas, à une table déjà presque complète. Albert éprouvait un léger malaise à se retrouver seul laïque parmi tant de religieux. Pourtant, aucun de ceux-ci ne sembla faire le moindre cas de sa présence ni même vouloir le questionner sur le but de sa présence. Les discussions portèrent bientôt sur la politique, la guerre, l'évolution, la littérature et, à mots à peine couverts, le nationalisme canadien-français.

Toutefois, le sujet de la guerre en Europe l'emportait haut la main. Chacun y allait de son opinion et de ses vues sur les différentes mentalités qui alimentaient ce conflit.

— Je crois que l'Europe voit dans l'Amérique, dit l'un des séminaristes, l'image grandiose d'une tentation qu'elle subit, tout en la craignant secrètement.

— Si les États-Unis ne représentent que dix pour cent de la population mondiale, reprit un autre, ils ont par contre à eux seuls une production qui dépasse le tiers de la production mondiale. Pas étonnant que le monde entier en vienne à révérer cette civilisation qu'ils idéalisent à cause de son tableau de production.

— Mais jamais l'Europe ne pourrait faire comme l'Amérique, les coupa un autre, elle a trop de goût pour la confusion…

— Je crois plutôt qu'il s'agit d'un ensemble d'éléments, intervint Camille Roy, dont entre autres la jeunesse de notre continent et ses richesses naturelles. L'uniformité de son relief ou de son climat, son équilibre politique aussi. Laissez agir le temps, mes amis, et vous verrez que ce mirage finira lui aussi par se dissiper…

— Je continue de penser que le concept de vie de l'Europe reste plus compliqué que celui de l'Amérique. D'essayer de s'identifier ou de copier cette dernière ne pourrait lui causer que du tort…

Albert avalait son repas sans vouloir se mêler à la conversation. Celle-ci prenait d'ailleurs une tournure frôlant un philosophisme qu'il comprenait mal. Il ne glissa en cours de route que quelques commentaires évasifs par simple politesse et choisit de se retirer un peu plus tard sous prétexte de fatigue. Il se leva et rapporta son cabaret comme il avait vu les autres le faire, puis chercha le chemin pour retourner à sa chambre. Une fois à l'intérieur, il enleva ses souliers et se laissa tomber sur le lit, les mains derrière la tête. Il décida dès cet instant qu'il prendrait l'avant-midi du lendemain pour se promener dans la capitale. Dès que le fleuve serait traversé, il ne lui resterait qu'une centaine de milles pour arriver à Kamouraska. L'après-midi lui suffirait amplement.

Le soleil avait déjà passé son zénith quand la grosse Chevrolet Master conduite par Albert se présenta à la rampe d'embarquement de la traverse Québec-Lévis. Lorsque les barrières du *Louis-Jolliet* s'ouvrirent, il y dirigea la voiture en respectant les indications de l'employé du bateau. Une fois stationné, il tira fermement le frein à main et descendit avant de se rendre à l'arrière du traversier pour attendre le départ. Il n'y avait pas un mille entre les deux rives, mais le coup d'œil sur la ville de Québec valait le coût du passage. Du milieu du fleuve, le vent vous glissait sur le visage et la ville était magnifique, dominée en hauteur par le majestueux château Frontenac. Albert se fit la remarque qu'à son retour, il emprunterait de nouveau la traverse au lieu du pont.

Il retrouva la route 2 au sortir de Lévis et fonça en direction de Montmagny.

Là encore, le panorama sur l'estuaire du Saint-Laurent était à couper le souffle. Albert ne put résister à l'envie de s'arrêter à la hauteur de Cap-Saint-Ignace. Après en avoir profité pour faire le plein, il alla se garer au bord de l'eau pour admirer la vue sur l'île aux Oies. La brise était fraîche, alors il releva le collet de son manteau et cala un peu plus son chapeau pour se protéger de cet air porté par le vent et qui semblait venir de si loin.

Si seulement Emma pouvait être avec lui ! La découverte de ce nouveau coin de pays lui redonna le goût du voyage. Lui qui dans sa jeunesse avait pourtant suivi son oncle Thomas dans plusieurs États américains, était devenu bien sédentaire après son mariage. Mais il se promit de revenir avec sa femme et considéra ce premier périple comme une reconnaissance des lieux.

Allez ! C'est le temps de se remettre en selle !

Il entra dans le village de Saint-Denis-de-Kamouraska à la tombée du jour. Il trouverait d'abord à se loger à l'auberge puis s'informerait sur son contact. Ses hôtes pourraient sûrement le renseigner.

Le village était curieusement décoré, certainement pour marquer la nuit de la Toussaint. Il était inhabituel de voir en campagne, des lieux couverts de fruits automnaux pour célébrer l'Halloween. Il s'agissait plutôt d'une fête anglaise soulignée dans la région de Montréal. Bottes de pieds de maïs, citrouilles, courges et baies ornaient les façades de maisons et de commerces. Il paraissait évident que les gens ici semblaient s'entendre pour célébrer l'arrivée de la Toussaint de cette façon plutôt originale et festive.

La nuit tombait rapidement et Albert fit demi-tour après avoir dépassé le village pour venir s'arrêter à la croisée des chemins, là où la route 2 qu'il avait suivie jusque-là coupait la route de la grève qui menait au bord de l'eau. Il repéra sur celle-ci l'enseigne éclairée de l'Hôtel de la Grève juste un peu plus bas.

Le stationnement était plein. Voitures et chevaux couverts de leur plaid se côtoyaient contre l'édifice en bois peint blanc et vert, de style victorien.

Encore là, les décorations abondaient. Les habitants d'ici devaient être bien superstitieux pour se donner autant de mal qu'à Noël, entre octobre et novembre. La fête de la Toussaint avait toujours revêtu un certain caractère mythique. N'avait-elle pas remplacé la fête païenne et celtique de Samain qui célébrait l'arrivée de la saison sombre? Cette fête qui donnait lieu à des rassemblements, rituels et beuveries permettait aussi aux âmes des défunts de revenir sur terre pendant la nuit.

Albert récupéra sa valise dans le coffre. Musique, chant, cris et rires lui parvenaient de l'intérieur. Il lui sembla bien qu'à Saint-Denis on avait choisi la façon celtique de célébrer.

Deux énormes citrouilles, arborant chacune un visage à faire peur découpé en creux et éclairé d'une bougie, montaient la garde de chaque côté de la porte d'entrée.

Albert les observa un moment puis se décida à entrer, poussé par la fraîche qui tombait avec la nuit.

La clochette de la porte eut beau sonner, on ne l'entendit point. Albert traversa la réception déserte vers l'entrée donnant accès à la salle commune. Il en échappa presque sa valise devant le spectacle insolite qui s'offrit à ses yeux.

La salle de l'hôtel était bondée, réunissant sans aucun doute une bonne partie du village. D'un côté, des gens dansaient au son de la musique endiablée de deux violons et d'un piano. De l'autre, le bar, entièrement caché par les gens qui y étaient accoudés. Au milieu, des parties de cartes en cours, ponctuées de discussions animées. Il y avait une cacophonie indescriptible causée par les voix, les cris, les rires et la musique.

Albert était là, sans que nul ne fît attention à lui. Il avait beau s'efforcer de reconnaître quelqu'un qui ait pu ressembler à un hôtelier, il n'y parvenait pas.

Une table se libéra soudain au milieu de la salle. Seul un homme y resta assis. Lorsqu'un colosse s'en approcha quelques secondes plus tard, les gens se mirent à crier et à applaudir.

Derrière la table, deux autres types à la forte carrure prenaient les paris. L'un ramassait les billets et l'autre, cigare en bouche, les comptaient avec le sourire.

L'imposant jeune homme au regard doux s'assit. Il appuya son coude sur la table et présenta à son adversaire une main à l'index manquant.

Les paris étaient ouverts sur une partie de bras de fer.

Alors qu'il marchait vers le bar, Albert constata que la majorité des hommes présents affichaient une corpulence plutôt impressionnante. Ce qui venait confirmer les légendes qui faisaient des gars du Bas-du-Fleuve ou de ceux du Lac-Saint-Jean, des hommes d'une force au-delà de la moyenne, vu leur rude passé pas si lointain de colons défricheurs.

Le barman monta carrément sur son bar afin d'avoir une vue plongeante sur le bras de fer qui se préparait. Albert s'y intéressa avec un sourire et s'étira sur le bout des pieds pour y voir mieux.

Lorsque le signal fut sonné, le contact des forces ne dura que peu de temps. Le silencieux colosse poussa d'un trait son adversaire à la poigne d'acier au bas de sa chaise, d'un seul coup de bras, déplaçant la table et la virant presque à l'envers.

Les cris et les applaudissements fusèrent de toutes parts et Albert ne put s'empêcher de rire.

— Torrieu... dit-il pour lui-même.

Il se fraya un chemin jusqu'au barman qui venait de sauter de nouveau derrière son massif comptoir en bois. Il lui fit signe de s'approcher et lui parla à l'oreille afin qu'il puisse le comprendre.

L'homme recula en lui faisant signe de patienter. Puis, glissant quatre doigts dans sa bouche, il siffla si fort qu'il en fit taire la salle en entier. Tous se tournèrent vers lui et remarquèrent enfin l'étranger, planté debout, valise en main.

— Cet homme vient de loin, leur signifia le barman, et il cherche un Rossignol !

Les gens rirent puis se turent à nouveau.

Le jeune colosse et les deux preneurs de paris s'avancèrent côte à côte. Instinctivement, Albert recula d'un pas jusqu'à sentir le bar dans son dos.

Les trois hommes le dévisagèrent au même titre que tous les clients de l'hôtel. Puis, après s'être consultés du regard, ils répondirent d'une seule voix :

— Lequel ?

14

Ruines d'El Tajín, Mexique.
Le samedi 1ᵉʳ novembre 1941.

Le camp de base avait été dressé sur la place ouverte au pied du grand escalier de la pyramide des niches. Les rouges drapeaux nazis frappés de leur croix gammée noire flottaient au vent sur chacune des grandes tentes, contrastant drastiquement avec ce décor de temples et de pyramides venus d'un autre monde et d'un autre temps.

Les quatre blindés amphibies produits par Daimler-Benz étaient parfaitement alignés en bordure du camp, déjà prêts pour un prochain départ. Ces machines à huit roues, aussi magnifiques que terrifiantes et totalement étanches, avaient été fixées pour le transport, aux deux sous-marins U-Boots. Les parties manquantes, tels les canons de 20 mm, les lance-grenades fumigènes et les mitrailleuses coaxiales de 7,62 mm fixés à la tourelle, avaient été installées à l'arrivée. La coque en acier équipée de trois écoutilles était capable de résister aux balles de petits calibres et aux éclats d'obus. Inclinée à l'avant comme à l'arrière, la coque facilitait l'entrée et la sortie des plans d'eau, tout comme les déplacements amphibies, grâce à deux hélices orientables placées à l'arrière, de part et d'autre du véhicule.

Étant donné la courte distance à parcourir pour rejoindre les ruines totonaques à partir des sous-marins mouillant au large, dix hommes avaient pu monter dans chacun des véhicules. Leur nombre se portait donc à quarante pour mener à bien cette mission.

Ce qui en principe, devrait s'avérer amplement suffisant.

La réalisatrice Leni Reifenstahl et son caméraman avaient d'abord filmé quelques plans aériens grâce au petit hydravion. On y voyait les sous-marins mouillant non loin de l'embouchure de la rivière, puis les véhicules amphibies remonter cette dernière jusqu'aux ruines d'El Tajín. On y voyait également le camp de base et les drapeaux nazis, bien en évidence. Ils avaient ensuite été récupérés par l'un des engins Daimler-Benz puis ramenés au camp.

Reinhard Heydrich, le chef de toutes les polices nazies, celui que l'on surnommait à voix basse l'archange du mal tant sa froideur était rebutante, fumait une cigarette en examinant la pyramide.

L'archéologue Herbert Jankuhn, aidé de deux autres soldats, creusait une tranchée le long de la base de l'édifice afin de dégager un bas-relief caché par le passage des siècles.

Alors qu'au matin ils avaient investi les lieux, assuré leurs positions et monté le camp, les trois mages rouges avaient gravi la pyramide. Jankuhn, d'abord hésitant, avait décidé de les rejoindre, sa curiosité d'explorateur l'emportant sur sa peur du danger.

Heydrich détestait tout ce qui entourait la magie, l'occulte et le paranormal. Il se refusait à croire à tout ce qui n'était pas tangible, palpable et reconnaissable. Mais force lui était d'admettre que depuis sa rencontre avec les Êtres de la Lune et en particulier le mage Skoll, il avait dû remettre bien des choses en question dans ce monde qui l'entourait. Bien qu'il sût pertinemment que les choses de la magie et de l'esprit utilisateur faisaient partie du monde et des hommes depuis la nuit des temps, il n'en gardait pas moins une répulsion viscérale envers celles-ci. Il se soumettait à la volonté du *Führer* quant à son désir de pouvoir et aux moyens pour y parvenir. Il participait aux discussions, aux rencontres, aux recherches et aux missions, en gardant la tête froide et la main proche de son Luger. Il n'avait confiance en personne et encore moins en les mages rouges tels que Skoll. Mais tant que ceux-ci serviraient la cause du Reich, il n'interviendrait pas à l'encontre de leur magie. Ce qui ne l'empêchait pas de les avoir à l'œil.

Les mages rouges, Skoll en tête, étaient ressortis de la pyramide après presque deux heures, accompagnés d'un inconnu, vêtu d'un costume d'officier nazi. Jankuhn les avait suivis, en gardant une distance respectable dans les marches entre lui et les autres.

Heydrich avait disposé ses *Einsatzgruppen*, les soldats de ses commandos de la mort, à la base de l'escalier, parés à toute éventualité. Le reconnaissant comme le chef, l'officier inconnu s'était avancé vers lui en dépassant les trois mages et l'avait fermement salué, à la façon des hommes du Reich.

Le caméraman, flanqué de la réalisatrice qui regardait par-dessus son épaule et lui soufflait des commentaires à l'oreille, n'avait rien manqué de la scène.

Heydrich n'était pas parvenu à déceler si ce nouveau venu au teint bilieux et aux yeux creux cernés de noir s'était moqué ou avait voulu montrer du respect.

Jankuhn s'était timidement avancé pour l'introduire au chef de la SS.

— *Herr* Baalbérith, permettez-moi de vous présenter notre chef de mission et de toutes les polices d'Allemagne, Reinhard Heydrich.

Baalbérith avait d'abord respectueusement incliné la tête avant de relever ses yeux noirs et vitreux pour croiser ceux d'Heydrich. Un vide glacial avait alors traversé le cœur pourtant impitoyable du chef SS, mais il était parvenu à se maîtriser. Car toujours il se maîtrisait. Il avait soutenu le regard du démon pour ensuite s'appliquer à projeter l'image habituelle que les gens avaient de lui : dur, cruel, craint, froid et méprisant.

— C'est un honneur... avait murmuré Baalbérith, trop heureux d'enfin rencontrer un humain digne du mal qu'il portait en lui.

Le démon gardien du cinquième livre d'Henri Corneille Agrippa avait le don de captiver l'attention avec autant de ferveur que le *Führer*. Avec une verve sans pareille, il avait mené une réunion qui avait rassemblé tous les gens présents sans exception. Ce qui avait eu pour effet de plaire aux hommes du commando de la mort choisis par Heydrich en personne pour cette mission.

Baalbérith avait d'abord insisté pour que le livre noir demeure dans la pyramide, ce qui avait déplu à Skoll et aux deux autres mages l'accompagnant. Le démon avait simplement demandé à ce que le livre soit posé sur le sol au centre de la salle, libre de ses chaînes. Il avait de plus affirmé à Skoll – avec un air faisant douter de sa sincérité – l'avoir attendu depuis des siècles et, pressentant sa venue, lui avait ouvert le passage en retirant les pierres qui bloquaient l'entrée. Les mages flairaient la supercherie, incapable de se fier à la double nature qui habite la plupart du temps ce genre de démon. Mais celui-ci avait été intraitable. C'était à prendre ou à laisser. S'ils voulaient son aide en tant que guide vers la sphère où s'étaient retirés les Vanes, le livre devait rester là.

Skoll et ses mages avaient revêtu leur tenue rituelle, caractérisée par la longue cape rouge sombre et le demi-masque en cuir de même teinte, couvrant la partie supérieure du visage. Éclairée de l'intérieur par des lampes électriques et tout autour par des torches plantées dans le sol, la grande tente où se tenait la réunion apparaissait dans cette jungle comme un microcosme perdu ralliant les hommes, les mages et le monde des esprits. Baalbérith philosophait pour capter l'attention des hommes et les rallier à un pouvoir céleste dont celui qu'il appelait le Maître était le chef suprême. Un chef qui n'imposait rien mais qui laissait plutôt choisir. Un chef qui remettait aux hommes le plein contrôle de leur destinée.

S'enorgueillissant du fait que la lentille de la caméra légère de Leni Reifenstahl captait son exposé, Baalbérith discourut sur la décadence du spirituel.

— Une époque fut, expliqua-t-il, où le plus humble des hommes avait besoin des religions afin de reconnaître le «sens de l'être». Il devait le chercher, le demander aux prêtres qui se donnaient des airs de supériorité et de connaissance absolue. On lui dictait alors son «sens» tandis qu'il était en lui, avec autant de certitude que le soleil se lèvera encore demain. Cela n'a plus de raison d'être. Il n'y a rien de bon pour l'homme à se faire prêcher les valeurs de l'âme et le sens que doit emprunter sa vie. À tout cela, l'homme doit substituer l'intelligence, l'ordre et la raison. C'est ce qui vous a mené jusqu'ici et c'est ce qui vous permettra de prendre en main votre destin et d'en faire bénéficier le monde. Et moi, je vous aiderai dans cette tâche.

— Alors, dites-nous *Herr* Baalbérith, s'impatienta Jankuhn, ce qui nous attend et où! Que pouvons-nous espérer trouver?

— Vous trouverez ce que vous êtes venus chercher, le rassura Baalbérith, et plus encore. Vous y verrez une cité à peu près semblable à celle-ci mais toujours habitée. Les Vanes, ce peuple ancien venu sur les côtes de l'Amérique du Sud voilà des milliers d'années, ne sont qu'une poignée à avoir survécu à la destruction de leur monde. Ils ont profité de la sagesse d'une technologie supérieure et de l'immortalité que leur a concédée l'arbre de la vie. Mais cet arbre est tout ce qui leur reste. Et leur temps est révolu. Emparez-vous des fruits de cet arbre et vous assurerez pour vous et votre descendance, la mainmise sur le monde. J'ai moi-même parcouru de nombreuses sphères dont certaines sont vides et d'autres, habitées par des êtres ou des esprits inférieurs. Voici la cité des Vanes.

Une image d'abord incomplète se matérialisa dans l'air au-dessus de l'assemblée qui laissa échapper des exclamations admiratives. Une vue de la petite cité aux allures aztèques mais entourée d'une muraille souleva les commentaires et les stratégies chez les militaires. Baalbérith leur indiqua l'endroit où il prévoyait aboutir, juste à l'extérieur des murs. Il leur expliqua aussitôt qu'une tentative d'arrivée *intra-muros* pouvait se révéler hasardeuse.

— Et comment peut-on accéder à ce monde des Vanes? demanda Skoll.

— Ce qui reste de la civilisation des Vanes s'est réfugié dans une sphère évoluant à une seconde d'intervalle de l'espace-temps où nous nous trouvons présentement. Et je suis le seul à pouvoir vous y conduire.

— Je comprends tout ça, *Herr* Baalbérith, intervint à nouveau Skoll, et je sais à quel point vous êtes indispensable, mais comment atteindrons-nous ce monde?

— Puisque vous tenez tant à le savoir, cher ami, j'ouvrirai d'abord une brèche dans une masse compacte d'air énergisé adéquatement réunie pour défoncer le référentiel du continuum et de ses quatre dimensions. Ensuite, j'unifierai l'espace et le temps afin de créer le «mouvement». C'est ce qui nous permettra de franchir le pas dans le noir infini de l'entre-seconde. Ou du «second espace».

— L'entre-seconde? s'étonna Jankuhn. Qu'entendez-vous par là?

— Mon cher, sachez qu'entre deux secondes, lorsque le mouvement est lancé et non contrôlé, il est possible de se perdre pour l'éternité.

L'assemblée explosa en un tonnerre de commentaires et de remarques, provoquant l'inquiétude chez les participants. Skoll éleva les mains afin de réclamer le silence.

— Et comment pouvons-nous être sûrs que vous nous conduirez à bon port? demanda-t-il au démon.

Ce dernier le considéra avec un sourire racoleur avant de faire disparaître d'un coup l'image flottante de la cité des Vanes. Puis il lui fit sa réponse.

— Fiez-vous à moi!

Au cours de la journée du lendemain, Baalbérith ouvrit la brèche, comme promis, dans une masse d'air compacte qu'il avait mis plusieurs minutes à densifier. Il avait demandé qu'on le laissât seul pour accomplir ce prodige qui exigeait une grande concentration. Excités, l'intrépide réalisatrice et son caméraman avaient croqué la scène à distance, afin de ne pas nuire au travail de l'infernale créature.

La brèche s'ouvrit dans un grondement de tonnerre sourd qui secoua la terre. Même en plein jour, il était tout à fait facile de la contempler, ses contours ondulants de couleur verte, brillant de mille éclats. Mais son intérieur sombre et mouvant soulevait le questionnement et l'inquiétude. Baalbérith agrandit encore le passage, le rendant plus impressionnant, plus terrifiant. À savoir qu'il était possible d'y errer pour l'éternité, il était tout naturel d'en être terrifié.

Heydrich jeta sa cigarette au sol et ordonna la préparation de ses troupes et des véhicules. Le pilote de l'hydravion qui avait assisté la veille à la réunion ne serait pas de la partie mais devrait toutefois se tenir prêt à intervenir. La cinéaste Leni Reifenstahl et son acolyte monteraient dans le dernier véhicule blindé, ce qui leur permettrait de filmer le passage des trois premiers à travers l'ouverture.

Baalbérith les fit mettre en ligne non loin de la brèche avant de s'approcher pour s'asseoir dans le véhicule de tête avec Heydrich et Jankuhn. Une fois installé au fond du véhicule, il se frotta les mains comme un gamin fier d'un mauvais coup.

— Foncez! leur cria-t-il en riant lorsque les écoutilles du blindé furent refermées.

— *Auf geht's*[1] ! lança à son tour Heydrich.

Le blindé s'ébranla, projetant par son tuyau d'échappement un nuage de diesel. Toujours fumant, il fonça vers la percée mouvante.

— Fonce! Fonce! criait encore Baalbérith dans le bruit assourdissant du moteur qui se trouvait juste derrière eux.

Le pilote ne put réprimer un cri lorsque l'avant du véhicule donna dans la brèche ouverte sur l'inconnu.

---

1. «En route!» (allemand).

Puis ce fut le néant. L'abîme. Un vide noir total dépourvu de tout bruit. Tout semblait suspendu dans le temps et l'espace, comme si le continuum avait été rompu afin qu'il ne soit plus possible de passer d'une étape ou d'une chose à l'autre de façon continue. Les hommes essayaient de crier dans le blindé mais rien ne pouvait se faire entendre. Leur poitrine se compressait lentement et leur souffle ne suffisait plus, comme à l'amorce d'une crise cardiaque. Leurs membres devenaient lourds, comme si le sang avait coagulé dans leurs artères. La panique se lisait peu à peu sur leur visage, et leurs yeux tout comme leur bouche s'agrandissaient de terreur.

Ils expérimentaient le «mouvement». Et rien ne bougeait.

Seul Baalbérith, le démon gardien, prince des alliances et maître des sphères, affichait un sourire béat.

Un éclair aveuglant les inonda soudain avant que le monde ne réapparaisse.

Le blindé se retrouva en plein champ, emporté à toute vitesse. Le pilote appliqua instinctivement les freins après avoir recouvré ses esprits. Le véhicule qui le suivait manqua de peu de lui rentrer dedans.

Heydrich testa les communications radio et appela le quatrième véhicule dans lequel prenaient place la cinéaste et son assistant. Lorsqu'ils les eurent rejoints et que le compte fut complet, ils se stationnèrent côte à côte devant les portes de la cité ancienne que Baalbérith leur avait montrée.

— Vous voyez, dit-il, c'est exactement comme je vous l'avais expliqué. Un solide mur d'enceinte percé de portes en bois en un seul endroit. La cité s'élève sur un promontoire en son centre et au sommet, juste là – il montrait du doigt – se trouvent les jardins. Sans vouloir faire de jeu de mots, c'est là qu'attend le fruit de votre quête...

Heydrich s'approcha de Baalbérith jusqu'à être tout près.

— Il valait mieux pour toi que tu remplisses ta promesse, lui dit-il à voix basse.

— Arrêtez, se moqua l'autre sur le même ton, j'ai peur, je tremble... Qu'auriez-vous donc fait si je n'avais pas joué franc-jeu ?

Heydrich se contenta de le regarder dans les yeux. Cet exercice le faisait souffrir et lui donnait la nausée. Le démon était perturbateur, hypocrite, mesquin et malfaisant. Mais il s'efforçait néanmoins de soutenir son regard, ne serait-ce que pour lui montrer de quelle trempe il était fait.

Une fois que les alentours eurent été jugés sécuritaires, Heydrich fit ouvrir l'écoutille de côté et les hommes en descendirent. Ils ne furent pas mécontents de se retrouver à l'air libre après avoir été serrés comme des sardines à l'intérieur du véhicule.

Heydrich, entouré des trois mages rouges, rassembla ses commandos de la mort.

Le ciel était parsemé de nuages errants, glissant lentement à travers la voûte empourprée. La lumière diffuse et incertaine rappelait le crépuscule. On ne sentait qu'un faible vent et l'odeur de l'air dictait à tout homme capable de la sentir qu'il se trouvait hors de son monde.

De son côté, Jankuhn admirait les murailles, composées de gigantesques blocs imbriqués les uns aux autres à la façon des Incas, sans mortier et avec une admirable précision. Certaines des pierres atteignaient bien vingt pieds de haut. Il paraissait à première vue impossible d'assembler aussi parfaitement des blocs de cette taille. La cité avait de plus été construite de manière à être adossée à une haute falaise, ce qui pouvait peut-être aider à la défendre, mais rendait en même temps toute retraite impossible.

L'archéologue aperçut soudain des hommes au sommet des murs près des portes de la ville. Des postes de guetteurs étaient probablement installés à cet endroit. Mais que pouvaient-ils guetter, dans cet environnement qui semblait désert?

Des olifants résonnèrent en un long souffle rauque et ronflant. On sonnait l'alerte.

Puis des voix retentirent du haut des murailles, interpellant les Allemands. La même phrase était répétée avec force cris dans une langue incompréhensible.

— Nous invitent-ils à approcher? demanda Jankuhn impatient d'entrer dans cette ville.

— Je dirais plutôt qu'ils nous invitent à partir, lui répondit Baalbérith avant de traduire la phrase criée par les Vanes. Quittez cet endroit! Retournez d'où vous venez! Vous n'avez rien à faire ici!

— Voilà qui n'est guère hospitalier, ironisa Heydrich en rejetant la fumée d'une bouffée de cigarette.

— Ils ne doivent pas être très habitués à voir du monde, conclut Jankuhn.

— Combien croyez-vous qu'ils puissent être ? questionna Heydrich en s'adressant à Baalbérith.

— Sûrement pas beaucoup, une poignée tout au plus...

— C'est ce que vous avez dit hier, s'impatienta le chef de la SS, mais avouez que ce n'est pas très clair.

— C'est qu'ils ne sont sûrement plus très nombreux... mais une surprise reste toujours dans la mesure du possible...

— Au petit bonheur la chance ! Vous n'en savez rien, en fait !

— J'ai aussi mes faiblesses...

Heydrich jeta son mégot de cigarette. Puis il ordonna à ses hommes de remonter à l'intérieur des véhicules.

— Qu'est-ce que vous allez faire ? lui demanda Skoll inquiet.

— Nous allons défoncer ces portes, entrer dans la ville, monter jusqu'aux jardins et prendre ce que nous sommes venus chercher.

— Écoutez, vous avez entendu le démon. Nous ne savons pas ce que nous risquons de croiser là-dedans. Laissez-nous d'abord y pénétrer mes mages et moi. Une fois que nous serons à l'intérieur, vous ouvrirez les portes. Et si une contre-offensive se prépare, nous serons à même de l'enrayer ou de créer une diversion au moment de votre entrée.

— Mais comment ferez-vous pour arriver là-bas ?

— Ça, c'est notre affaire.

Skoll tourna le dos à Heydrich pour aller rejoindre les deux autres mages restés en retrait. Ils s'éloignèrent encore un peu puis montrèrent la ville du doigt en différents endroits. Enfin, et à la surprise de nombreux témoins, ils se couchèrent à plat ventre sur le sol en se tenant les mains. Ils répétèrent une incantation dans une langue gutturale et rugueuse, jusqu'à ce que l'herbe sur le sol autour d'eux s'aplatisse et se dessèche. Pendant plusieurs minutes, l'air ambiant fut lourd et empesé. Une bulle bien visible d'où semblait se dégager de la chaleur se forma autour des trois mages couchés par terre. Puis ils s'enfoncèrent dans le sol de façon continue et disparurent, pour ne laisser qu'un espace d'herbe roussie et foulée.

— Foutus mages rouges! lança Heydrich fauché par l'étonnement. Tout le monde à bord et préparez-moi ces canons! Je veux une salve quadruple pour ouvrir ces portes! Et ensuite nous entrerons. Soyez prêts et armés, soldats! Je veux du travail propre, rapide et bien fait.

Les copilotes calculèrent la distance de tir et orientèrent les tourelles. Quatre obus explosifs de 20 mm furent tirés en même temps, faisant reculer les blindés et voler les portes de la ville en éclats.

Les olifants retentirent de plus belle alors que les quatre véhicules Daimler-Benz s'élançaient vers la petite cité fortifiée, laissant dans leur sillage une traînée de fumée noire.

Skoll et ses mages débouchèrent sur une artère principale de la petite ville. Des gens les aperçurent et donnèrent immédiatement l'alerte, sans toutefois tenter de les attaquer. Ils choisirent dès cet instant d'user de leur corps de loup, afin de parer à toute éventualité. Le son des puissants moteurs diesel se faisait déjà entendre, prédisant l'attaque imminente. Les trois mages rouges se transformèrent là, sous les yeux de quelques Vanes terrifiés, en d'horribles monstres bestiaux qui leur sautèrent aussitôt à la gorge pour se repaître de leur sang ancien.

Lorsque les blindés arrivèrent à proximité des murailles, les quatre soldats placés derrière les mitrailleuses lourdes s'employèrent à nettoyer les murailles avant leur entrée dans la cité. Les balles perforantes de 7,62 mm furent dévastatrices et eurent l'effet escompté. Les blindés entrèrent dans la cité en lançant des grenades fumigènes et en mitraillant tout ce qui bougeait. Baalbérith avait raison, non seulement ils n'étaient qu'une poignée mais ils n'étaient pas du tout préparés.

La ville semblait construite sur différents paliers, selon le relief. L'endroit avait manifestement été choisi avec soin, pour son emplacement stratégique. Une fois ce premier niveau nettoyé, les blindés progressèrent en suivant une pente ascendante puis s'arrêtèrent devant de nouvelles portes fermant l'accès à l'endroit où se trouvaient les groupes d'habitations.

Les loups-garous les attendaient là, encore barbouillés du sang de leurs victimes.

Derrière les portes closes, Quetzal, le chef des Vanes, tremblait de rage. Entouré de ses quatre filles, les dernières prêtresses gardiennes de la mémoire, et d'une poignée d'habitants encore sous le choc, le chef ne se fit guère rassurant.

— Ils vont entrer, dit-il, il ne nous reste que peu de temps pour nous mettre à l'abri.

— Les hommes-jaguars et le mage-nain seront bientôt là, fit l'une des prêtresses, nous pourrons monter aux jardins afin de les protéger.

— Mais qui sont-ils ? demanda une autre, comment ont-ils fait pour parvenir jusqu'à nous ?

— Je n'en ai pas la moindre idée, lui répondit Quetzal en entourant ses épaules d'un geste qui se voulait rassurant.

Alors qu'il finissait de prononcer ces paroles, un homme au physique disgracieux et aux vêtements étranges descendait la rue du palier supérieur avec à sa suite plus de deux cents guerriers vêtus de peaux de jaguars. Le crâne de leur animal totem fixé à leur casque, tous étaient armés de gourdins ou de sagaies. Ainsi parés, ces hommes semblaient aussi invincibles que déterminés et leurs yeux brillaient en ce jour mourant, investis de la magie de l'homme qui les précédait.

C'était le puissant mage-nain.

Les loups-garous apparurent les premiers sur le toit des bâtiments flanquant le portail. Sans perdre une seconde, le mage-nain les repoussa violemment d'un sortilège, précis et implacable. Les bêtes de la Lune disparurent aussitôt, rejetées de l'autre côté.

Heydrich qui se trouvait dans le char de queue donna l'ordre au copilote du char de tête d'abattre le portail. Un premier obus frappa les doubles portes, causant du dommage mais ne les abattant point. Sitôt après, Heydrich eut la désagréable surprise de voir surgir par-dessus l'arche d'entrée un bloc de basalte de plusieurs tonnes qui vint s'écraser sur le premier blindé, le broyant brutalement.

Heydrich hurla la retraite alors que débris et rochers volaient de toutes parts, retombant lourdement autour d'eux. Les blindés reculèrent puis s'arrêtèrent enfin. Les canons de 20 mm se mirent à cracher en direction des bâtiments et du portail et l'archange du mal s'empara de la radio.

Il aboya ses ordres au pilote de l'hydravion resté près des sous-marins, entre les cris des soldats et le tir des obus.

Bercé par le ressac et presque endormi à la chaleur du soleil derrière les commandes de l'appareil, l'aviateur se réveilla brusquement et comprit qu'on le demandait en renfort. Il lança le moteur. La brèche ouverte par Baalbérith était suffisamment grande pour y faire passer l'appareil. Il ne lui suffirait qu'à descendre très bas entre les bâtiments de la cité en ruine et à suivre l'allée menant à ce passage vers l'inconnu. Alors qu'il mettait les gaz, il vérifia encore une fois le positionnement du magasin de balles – qui en contenait mille – et s'assura que tout était prêt. Il se prépara au décollage.

Le portail s'effondra et les blindés foncèrent vers l'ouverture. Sortis par l'écoutille arrière, les tireurs avaient pris place derrière les mitrailleuses. Ils inondèrent les hommes-jaguars de rafales soutenues et en tuèrent plusieurs, mais furent rapidement conquis par le nombre et éliminés de leur poste.

Skoll déchira l'échine d'un des hommes-jaguars et se vautra une seconde dans son sang. Il chercha des yeux ses compagnons qui frappaient avec une force peu commune. Il aperçut plus loin le mage-nain utiliser les débris causés par les canons des blindés, pour les lancer contre ceux-ci en sifflant des notes toniques et traînées appuyées de gestes énergiques. Cette créature devait être éliminée. Un homme aussi informe et dangereux de surcroît ne méritait pas de vivre.

Un nouveau sifflement se fit entendre. Celui du mage-nain. Puis, l'accompagnant, les quatre prêtresses soufflèrent dans leurs trompes, produisant un son continu et argentin qui trouva son chemin dans le désordre. À cet appel, les hommes-jaguars coururent droit devant eux et effectuèrent une pirouette dans les airs qui les ramena au sol dans un état second. Ils s'étaient eux aussi transformés en bêtes, mais à une vitesse surprenante qui surpassait la capacité des mages rouges à modifier leur morphologie. Pris par surprise, ces derniers reculèrent puis se regroupèrent. Skoll eut tout juste le temps d'entrevoir celui qui semblait être leur chef disparaître avec les quatre femmes derrière le coin d'un édifice. Pas de doute, ils montaient vers les jardins.

Le pilote de l'hydravion n'eut aucun mal à repérer la brèche ouverte du haut des airs. Après un premier passage, il s'aligna sur la voie menant à la pyramide des niches et piqua aussitôt passé le faîte des grands arbres. Il redressa à vue et frôla le sol de trop près tout en évitant le pire. Il releva un peu et suivit la voie, à six pieds des dalles en pierre qui défilait à une vitesse vertigineuse. Il atteignit la brèche en un choc sourd qui lui fit croire pendant quelques secondes qu'il était bêtement mort. Une oppression angoissante lui enserra la poitrine et le souffle vint à lui manquer. Le temps passait, ou ne passait plus. Tout semblait immobile. Le poids du silence décupla sa peur et ses forces. Il serrait si fort les commandes qu'il n'arrivait plus à desserrer. Tous ses os lui faisaient mal, ses dents lui brûlaient les mâchoires, son corps était sur le point d'exploser... Puis le flash aveuglant! Le coup de poing en pleine figure, l'air qui emplit de nouveau ses poumons, le bruit qui lui défonce les tympans et la muraille! Cette immense muraille sur laquelle il fonçait à tombeau ouvert! Il tira de toutes ses forces sur les commandes en un cri d'effort et de terreur. Le petit hydravion répondit et passa au-dessus des gros blocs empilés.

— *Scheiße[1] !* cria-t-il.

Le pilote reprit ses esprits et donna un coup de pied sur le levier de l'évacuateur de cartouches vides. Puis il entreprit de refaire un passage pour évaluer la situation.

Pas de doute. Ça avait l'air de barder là-dedans.

---

1. «Merde!» (allemand).

Plusieurs pots fumigènes avaient été lancés pour créer une diversion.

Les soldats se ruèrent hors des blindés par les écoutilles de côté et se mirent à tirer à la volée, lancer des grenades à main et des injures grossières. Trois des leurs, équipés de *Flammenwerfer*, puissants lance-flammes portatifs, entreprirent aussitôt de repousser les attaques de l'ennemi.

Avec l'entrée en scène des soldats allemands, le combat prit une tout autre tournure pour atteindre son paroxysme. Heydrich était resté à l'intérieur du blindé avec le pilote et son copilote. Une fois qu'il eut vu l'hydravion faire son passage d'évaluation, il poussa le cran en mode automatique sur son fusil d'assaut Stg44, puis donna l'ordre de refermer l'écoutille derrière lui avant de sortir à son tour.

Le jeune caméraman et la cinéaste Leni Reifenstahl avaient ouvert l'écoutille arrière du blindé où ils se trouvaient et tentaient tant bien que mal de capter des images. À l'aide d'un posemètre, Reifenstahl s'affairait à mesurer la lumière incidente et en communiquait les valeurs à grands cris à son collègue qui s'efforçait de maîtriser ses tremblements.

L'archéologue Herbert Jankuhn se tenait dans un coin du blindé, les mains sur les oreilles pour essayer de se couper de cette folie. Lui qui avait espéré une aventure plus calme que celle qui l'avait autrefois entraîné dans le monde d'Agharta était fort déçu.

Le mage-nain semblait inatteignable. Il se déplaçait avec une agilité surprenante malgré son physique ingrat et distribuait sorts et peines sans la moindre pitié. Ses hommes-jaguars, bêtes féroces et farouches, se défendaient avec une énergie peu commune qui donnait du fil à retordre aux loups-garous pourtant plus imposants de par leur taille. Skoll et ses mages étaient furieux, et leur caractère bestial trouvait tout l'épanchement nécessaire dans cette tuerie sauvage. Plusieurs soldats allemands avaient déjà perdu la vie dans les combats et ils avaient aussi abattu nombre de jaguars.

Le mage-nain avait lancé une volée de bois brisé où s'étaient retrouvés nombre d'épieux de fortune. L'un de ceux-ci avait traversé le corps de l'un des loups-garous de part en part, lui arrachant le cœur et le tuant tout net. Son compagnon qui était près de lui n'avait pas été en reste, se faisant lui-même sérieusement blesser.

C'est en traînant le mage à l'écart que Skoll eut l'abominable idée.

Le dos contre un mur, il observait Heydrich le protéger de son Stg44 en repoussant les hommes-jaguars qui tentaient de les approcher. Plus loin, le mage-nain continuait de faire des ravages avec une efficacité redoutable parmi les commandos de la mort à moitié décimés.

On entendit enfin le moteur de l'hydravion.

Skoll leva les yeux et aperçut le bolide qui plongeait en piqué pour faire un passage en rase-mottes. C'était le moment qu'il attendait.

Heydrich se jeta contre le mur lorsque le pilote ouvrit le feu avec les deux mitrailleuses de 7,7 mm montées sous les ailes. Le carnage fut d'une violence inouïe au milieu de l'avenue et des combats, tuant même des soldats allemands qui n'avaient pas eu le temps de se mettre à l'abri.

Les puissantes balles perforantes déchiquetèrent les corps, projetant membres et organes tout autour dans d'explosives giclées de sang. La terre en vint même boueuse aux abords de la rue en pierre.

Skoll profita de ce massacre. Il se releva de toute sa hauteur en un cri déchirant qui fit frissonner Heydrich. Puis, plantant ses mains dans la terre imbibée de sang, il mit en œuvre la réalisation d'un sortilège horrible qu'il n'avait jamais proféré auparavant.

— Aroc! cria-t-il d'une voix furieuse et rêche. Je t'invoque! Ange de l'abîme qui gouverne les pouvoirs de l'autre côté.

Le vent s'éleva dans la seconde, poussant la fumée des grenades fumigènes et chassant les nuages épars teintés de bleu et d'orangé. Skoll releva sa puissante tête de loup-garou vers le ciel traversé par le feu des lance-flammes et les balles de fusil. Heydrich reculait lentement, évaluant le nombre de balles qui devaient rester dans son chargeur. S'il manquait de munitions ou s'arrêtait de tirer, les jaguars bondiraient aussitôt.

— Touche les morts de ton regard enflammé! reprit Skoll de sa voix autoritaire. Je veux qu'ils se lèvent et qu'ils combattent pour moi! Qu'ils sèment la peur et le malheur parmi mes ennemis! Accorde-leur ce pouvoir! Maintenant!

La terre donna l'impression de trembler pendant quelques secondes et les bruits de guerre s'assourdirent en même temps. Tous les combattants sans exception s'arrêtèrent, comme saisis par une inexplicable lourdeur les faisant reculer. Même le mage-nain, jusque-là sauvage et impitoyable, s'arrêta, inquiet, pour s'accroupir sur le toit d'un hangar à demi effondré.

Heydrich, toujours aussi en contrôle, poussa le déclencheur qui fit tomber au sol le long chargeur recourbé de son fusil d'assaut. Il en prit un nouveau, attaché à sa ceinture, et l'enfila d'un coup dans le Stg44 avant de le réarmer.

Tout comme au cours du passage dans l'entre-seconde, le temps semblait suspendu.

Skoll se releva lentement. Puis il rugit comme un lion, provoquant des frissons parmi hommes et bêtes.

— Qu'ils se lèvent et combattent! ajouta-t-il de toutes ses forces pour compléter son invocation nécromancienne.

Les cadavres jonchant le sol ressuscitèrent brusquement avec une force dépassant l'entendement, se ruant aussitôt sur les hommes-jaguars à leur portée. Même les morts parmi ces derniers se relevaient pour attaquer leurs frères stupéfaits. L'équilibre des forces se trouva renversé d'un coup et les combats reprirent de plus belle avec un acharnement désespéré.

Sous l'arche du portail détruit, Baalbérith était debout poings sur les hanches, riant à gorge déployée. Aucun débris ou projectile ne semblait l'atteindre. Il se repaissait avec un mesquin plaisir de la scène cruelle qui se déroulait sous ses yeux et dont il était d'abord et avant tout, le maître d'œuvre.

L'hydravion revenait pour un second passage. Skoll jeta un regard haineux vers le démon gardien de l'Agrippa avant d'apercevoir le mage-nain lever les yeux vers le ciel en direction de l'appareil qui descendait de nouveau vers le théâtre des combats. Il devait l'empêcher d'agir contre l'avion.

Skoll se rua en travers des combattants, oubliant tout danger. Heydrich courut dans son sillage pour le couvrir en tirant des rafales de chaque côté. Dans un bond prodigieux, le loup-garou se précipita sur le mage-nain qui ne l'avait pas vu venir. Sous l'impact, l'autre roula en bas de la toiture du hangar et se jeta aussitôt contre le mur au moment où les balles des mitrailleuses fixées aux ailes de l'avion tiraient leurs balles meurtrières. Les corps abattus tombaient puis se relevaient, se retournant chaque fois contre les hommes-jaguars sur le point de disparaître.

Le mage-nain roula sur le sol pour éviter le feu d'un lance-flammes qui embrasa le bâtiment. Skoll sauta au sol pour tenter de le frapper, mais le mage le repoussa d'une violente réplique énergétique qui projeta le loup-garou à travers les flammes.

C'est à ce moment précis que Baalbérith choisit d'intervenir. Ce nain vicieux leur donnait un peu trop de fil à retordre.

Les derniers hommes-jaguars furent abattus. Ils formèrent, avec les soldats des commandos de la mort qui avaient été tués, un groupe de morts-vivants d'environ deux cent cinquante têtes. N'ayant plus personne à combattre, ils se regroupèrent puis s'arrêtèrent simplement, attendant de leurs yeux vides une quelconque délivrance.

Les soldats qui avaient échappé au carnage s'éloignèrent de ces pauvres et repoussantes créatures, ramenées à la vie par la magie de la nécromancie. Elles se tenaient là, pantelantes, dégoulinant de sang et dégageant des remugles insupportables, échappant à leurs pieds les organes arrachés à leur corps.

Seul de son camp, le mage-nain observa la situation. Il jugea qu'il serait peut-être plus prudent de choisir le repli vers les jardins dans le but de protéger le chef Quetzal et les prêtresses.

Heydrich lui visait la tête, mais sa mire se déplaçait, sa poitrine soulevée à intervalles réguliers par son souffle court.

Baalbérith s'avança enfin, amorçant sa propre transfiguration au gré de ses pas assurés. Ses ailes se déployèrent à mesure que son corps grandissait et que sa véritable apparence démoniaque se révélait.

Leni Reifenstahl et son assistant, caméra à l'épaule, étaient descendus du blindé et ne manquaient rien de la scène sublime qui fixait la transformation complète d'un être originel qui existait depuis la nuit des temps.

Baalbérith fonça vers le mage-nain avec une vitesse qui échappa à l'œil humain.

Il le força et le brisa en quelques secondes, lui retirant brutalement tous ses pouvoirs. Ils s'échappèrent dans l'air en une concentration lumineuse, qui alla se perdre et se consumer plus haut dans le ciel en un éclair éblouissant. Il le jeta ensuite à ses pieds et les hommes d'Heydrich s'emparèrent de lui et le menottèrent avant de le traîner jusqu'à la petite soute arrière de l'un des blindés, où ils l'enfermèrent sans ménagement.

— Allez maintenant prendre le fruit qui vous assurera l'immortalité, leur dit Baalbérith avec une voix à nouer les entrailles. Il est à portée de main ! Tout comme votre destin !

Skoll avait abandonné son corps bestial de loup-garou pour reprendre forme humaine. Heydrich avait évité de le regarder se transformer, dégoûté par ce genre de magie contre nature. Le caméraman par contre, avait de loin immortalisé la fascinante opération biologique.

— Qu'est-ce qu'on fait avec ça ? lui demanda l'archange du mal en pointant du canon de son fusil la horde de morts-vivants qui se tenaient épaule contre épaule en se balançant d'un pied sur l'autre.

Skoll chassa un peu de terre sur ses vêtements en loques qu'il tentait de rassembler. Il rajusta sa cape rouge sombre avant de répondre.

— Il n'y a rien que l'on ne puisse faire, dit-il. Il faut les détruire.

Heydrich l'entraîna à l'écart et s'alluma une cigarette. Il fit signe aux trois porteurs de lance-flammes.

— Brûlez-moi ça ! ordonna-t-il.

Ils obéirent à son ordre avec une efficacité déroutante. Même avec le sourire.

Le groupe militaire restant – avec Baalbérith, Heydrich et Skoll en tête –, suivi de près par un Jankuhn encore tremblant, remonta l'allée courbe qui menait aux jardins situés au sommet de la cité fortifiée. Les quelques habitants rencontrés dans les niveaux inférieurs avaient tous été massacrés par les commandos de la mort. Les hommes-jaguars avaient été décimés et le mage-nain, soumis par Baalbérith et retenu prisonnier.

Le ciel, bien que nocturne, ne semblait pas mener à une nuit noire. On y voyait comme dans un crépuscule permanent. L'avion fit un nouveau passage au-dessus de la cité, assurant par radio la présence de seulement cinq personnes en son sommet.

Lorsqu'ils atteignirent les jardins, les militaires se dispersèrent de part et d'autre, encerclant le carré central, où se trouvait l'arbre de la vie. Devant lui se dressait Quetzal avec, dans ses mains, une arme inconnue à l'apparence d'un gros pistolet à l'acier au fini verdâtre. Aux quatre coins du carré de terre où poussait l'arbre, les quatre prêtresses se tenaient fières et bien droites.

Toutes les armes disponibles étaient pointées dans leur direction. Heydrich épaulait toujours son Stg44, visant le crâne de l'homme qui était devant l'arbre.

— Attention, dit Jankuhn dans son dos, rappelez-vous qu'il ne faut pas abîmer l'arbre et ses fruits.

— Je comprends pourquoi ce salaud s'est planté devant, répondit Heydrich les dents serrées.

— Vous avez vu la couleur de ces fruits, leur fit remarquer Skoll, on dirait de l'or vieilli…

— Je ne vous demanderai pas ce que vous venez chercher ici, dit soudain Quetzal sur un ton courroucé, car je le sais fort bien. J'ai toujours su qu'un jour, une chose pareille allait se produire.

L'homme habillé d'une longue robe au tissu écru parlait sans rien perdre de son allure altière. Sa peau blanche et son interminable chevelure rejoignant une barbe bien taillée lui donnaient l'air d'un sage. D'un prophète. Jankuhn ne put s'empêcher de faire le lien entre le Jésus de la religion chrétienne et même le dieu Viracocha des Incas. Sa langue étant étrangère aux Allemands, Baalbérith répéta ses paroles d'une voix monocorde et sans émotion.

— L'évolution de votre race, continua-t-il, vous a permis d'associer habilement magie et technologie jusqu'à ce qu'un malencontreux concours de circonstances fasse en sorte qu'un livre de magie occulte commandant aux sphères se retrouve entre vos mains. Et vous conduise jusqu'ici. Quel malheur pour votre civilisation !

— Dis-lui que le malheur est plutôt pour lui, fit Heydrich à l'endroit du démon traducteur, et que son temps est fini et révolu. Il n'est qu'une relique ! L'avenir nous appartient maintenant.

Baalbérith traduisit et Quetzal éclata de rire.

— Vous ne savez pas ce que vous faites, dit-il alors que les prêtresses étiraient leurs olifants et s'apprêtaient à souffler.

— Dites-leur de baisser ça, intima Heydrich.

Le démon leur cria son ordre mais elles ne l'écoutèrent pas. Les hommes s'énervèrent autour, armant leurs fusils d'assaut parés à faire feu.

— Il ne me reste qu'une seule arme, ce «serpent de feu» issu de cette technologie qui fut jadis la nôtre. Et c'est à cause des armes que nous fûmes anéantis. Vous courez à votre perte! Quittez ces lieux! Partez ou je vous chasserai!

L'homme à la longue robe activa son arme qui émit un léger sifflement comme pour marquer un chargement quelconque.

Au moment où Heydrich dégagea le cran de sûreté sur son Stg44, Quetzal fit feu vers l'un des porteurs de lance-flammes. Un éclair verdâtre traversa les jardins et démembra l'homme instantanément, faisant aussi exploser son réservoir d'essence entamé. Le rayon poursuivit son chemin, démembrant deux autres hommes avant que les tirs d'Heydrich et des autres soldats n'atteignent Quetzal aux jambes et à l'épaule, lui faisant sauter l'arme des mains. Deux des prêtresses furent abattues dans l'échauffourée et les deux autres faites prisonnières.

Heydrich s'approcha de l'homme gisant par terre dans une mare de sang. Il le surplomba de toute sa hauteur en repoussant du pied l'arme fatale et inconnue. Puis il s'accroupit pour être à sa hauteur. Sur le visage de Quetzal se lisaient la terreur et la douleur. Heydrich adora.

— Fils de pute, lui dit-il avant de lui cracher à la figure, je vais t'apprendre moi...

— Soyez prudents avec les conteneurs, dit Jankuhn aux hommes qui les transportaient.

Trois de ceux-ci avaient été remplis des fruits cueillis à l'arbre de vie. Un compresseur et un système d'humidification fonctionnant tous deux à l'électricité grâce à une batterie d'accumulateurs AFA, permettaient le maintien de la température et de l'humidité. Deux autres petits caissons, construits en verre et en laiton et s'insérant dans les premiers, avaient été conçus pour recevoir des rameaux de l'arbre. Mais Jankuhn était persuadé que les pépins des fruits assureraient le repeuplement.

Leni Reifenstahl, la belle cinéaste, était restée près des blindés avec son assistant. Ils filmeraient les hommes redescendant la rue avec les conteneurs. Elle n'avait pas émis le souhait de filmer le tourment de Quetzal et nul n'avait songé à l'en obliger.

Les fruits précieux, à peu près de la grosseur d'une pomme, avaient une peau veloutée et veinée, moirée d'ocre et d'or. Personne n'avait jamais rien vu de tel. La chance de sentir le poids de l'immortalité au creux de sa main avait vraiment plu à l'archéologue. Il mourait d'envie de mordre à belles dents dans l'un de ces appétissants fruits. Il se retint toutefois, conscient qu'il devait d'abord montrer sa découverte aux Supérieurs Inconnus qui lui indiqueraient l'utilisation qu'il devrait en faire.

L'endroit avait été nettoyé et l'avion était rentré à la base, retraversant la brèche vers le monde tangible. Soulagés de voir que malgré les lourdes pertes ils pourraient encore rentrer chez eux, les derniers rescapés chargèrent les blindés à la sortie de la cité.

Devant l'arbre, il restait Skoll, Heydrich, Jankuhn, le souriant Baalbérith et, en retrait, les deux porteurs de lance-flammes survivants. Au bec des chalumeaux brûlait la petite flamme qui sert à embraser l'essence propulsée sous pression. Ils avaient chaud sous leur uniforme, d'autant plus qu'ils avaient les réservoirs de leur arme dans le dos. La sueur inondait leur visage.

Jankuhn déclara forfait.

— Je crois que je préfère ne pas assister à ça, dit-il en tournant les talons pour quitter les jardins et redescendre la route.

Heydrich le regarda partir, puis il se tourna vers Quetzal. L'homme était suspendu par les poignets à une branche de l'arbre et ses pieds effleuraient à peine le sol. Des garrots avaient été faits à ses cuisses afin qu'il ne perde pas tout son sang. Ses deux filles encore vivantes avaient été attachées à ses côtés et les cadavres des deux autres, jetés à leurs pieds.

— Je crois que vous devriez vous dépêcher, dit Baalbérith, ou il va tourner de l'œil.

— Dis-lui bien que ça n'a rien de personnel, mais que la vie est une roue qui tourne et l'on doit à un moment donné céder sa place. Qu'attendaient-ils de la vie de toute façon, coincés dans cette sphère ? Se prenaient-ils encore pour des dieux ? Nous ferons profiter le monde de la paix allemande, pour des milliers d'années à venir !

Baalbérith traduisit le message au fur et à mesure.

Quetzal chercha en lui la force de lever les yeux vers Heydrich.

Le démon traduisit sa simple réponse.

— Autrefois, la science a fait de nous des dieux, avant que nous ne méritions d'être des humains... Vous n'êtes pas différents de nous... Vous périrez...

Heydrich tira brutalement le Luger de l'étui fixé à sa ceinture et logea sans la moindre hésitation, une balle dans la tête des deux prêtresses attachées de part et d'autre de Quetzal.

Au bord de l'évanouissement, le chef déchu du peuple des Vanes proféra sa malédiction la vue brouillée par les larmes et le sang.

— Maudits soyez-vous… Tous autant que vous êtes…

— Tu n'as pas besoin de traduire, dit l'archange du mal en s'éloignant, brûlez tout.

Quetzal fut brûlé vif par le jet de feu des lance-flammes, ainsi que l'arbre de vie et les jardins plusieurs fois millénaires.

Les deux porteurs de feu s'arrêtèrent lorsqu'ils manquèrent d'essence.

C'est aux côtés de l'Opposant qu'Édouard Laberge avait assisté impuissant à la destruction d'un monde. Tout comme Cortés l'avait fait des siècles auparavant, Heydrich avait anéanti une civilisation.

Le Plan Malin de celui qui se faisait aussi appeler l'Adversaire ne connaîtrait aucune limite dans la recherche des profondeurs noires de l'âme humaine. Car c'était là que prenait racine ce plan audacieux qui visait à contrecarrer les desseins de l'Éternel. C'était une guerre de tranchées entre deux univers aux dimensions cosmiques, une vengeance soigneusement orchestrée sur des centaines de millions d'années.

Ce diable tout-puissant observait le curé en silence.

Et c'était tout à fait terrifiant.

Laberge chercha à l'intérieur de lui les paroles qui pourraient le libérer de l'emprise de ce bourreau. La concentration qui lui était nécessaire pour maintenir élevés ses remparts mentaux devant cette force indomptable exigeait un effort qui l'épuisait de plus en plus. Il en avait assez vu et la réalité le rattrapa soudain.

Il lui fallait récupérer l'*Agrippa* avant le retour des nazis.

Voilà les mots, le sujet qu'il avait cherchés en vain pour entretenir l'Opposant.

— Vous avez promis, s'avança-t-il, pourvu qu'une promesse de l'Opposant puisse signifier quelque chose, que vous me laisseriez prendre l'Agrippa avant les nazis. Allez-vous faillir à votre parole ?

— Tout comme le Fils, je n'en ai qu'une ! Et je te l'ai donnée. Tu seras en mesure de prendre l'*Agrippa* car tel est mon souhait ! Sache que si je le désirais, tu disparaîtrais sous mon pied comme un vulgaire asticot sous la botte d'un boucher. En es-tu conscient, prêtre ?

— Bien évidemment…

— Alors, soit ! Nous allons bien nous amuser. Et nous verrons d'abord si tu pourras seulement quitter la jungle mexicaine vivant. Car notre ami le mage Skoll sera très, très fâché lorsqu'il s'apercevra que le livre et son démon gardien ont disparu. Et *Herr* Heydrich est un homme vraiment très méchant. J'ai beaucoup d'admiration pour lui…

— Que diriez-vous de couper court à cette agréable discussion et de me donner une longueur d'avance afin que je puisse me fondre dans la jungle, créer une diversion, détruire le mage Skoll, quelques sous-marins et rapporter le livre avec moi?

— C'est à cause de ta franchise que je vais te laisser partir, prêtre. J'adore ça. Nous nous reverrons, c'est certain.

— J'espère bien que non…

La porte, effacée plus tôt, se matérialisa de nouveau dans le mur en pierre. L'Opposant se leva de son trône en pierre et invita Laberge d'un signe de la main à s'y rendre. Elle était ouverte et l'on n'y voyait que du noir.

— Les dogmes universellement obéis de l'Église doivent tomber, ajouta l'Adversaire tandis qu'ils marchaient vers cette sortie, les fautes jamais excusées et les sanctions éternelles qui condamnent l'homme aux châtiments de l'Enfer ne sont que foutaises! N'y as-tu donc jamais réfléchi? L'homme est, et doit être, responsable de ses actes et en assumer les conséquences. Même si sans le savoir, il est manipulé et n'est qu'un pion sur le grand échiquier.

Le curé ne savait que répondre, il ne songeait qu'à partir, se trouver loin.

— Entends-moi bien, prêtre, dit encore l'Opposant le plus sérieusement du monde, c'est dans le drame qui se joue dans ta conscience déchirée que tu trouveras force et solution. Ne t'abandonne pas au refus ou au désespoir. C'est dans un véritable déchirement, au plus profond de ta conscience, que tu puiseras ta loi, ton unité. Le sens de ta destinée t'apparaîtra alors comme une évidence. Tu existes présentement à travers une vie d'apparences derrière tes prières et ton habit de prêtre. Mais il ne s'agit que d'un cycle qui s'achève pour toi. Tu atteindras un jour ta propre réalité spirituelle, sans mensonge ni artifice.

Le curé s'était arrêté. Son cœur battait à tout rompre. Il se tourna vers l'Opposant et chercha en vain une parcelle de sincérité dans son regard noir. Cette vision en pire de son vieil ennemi William Black le perturbait.

— Va, lui dit-il encore, quitte cet endroit. Concentre-toi sur le lieu où tu veux te retrouver. Tu y seras de l'autre côté de cette porte.

Les deux créatures infernales qui se tenaient contre leur maître feulèrent afin de pousser Laberge à partir. Elles étaient à peine supportables à regarder.

L'Opposant s'éleva lentement devant le curé, accompagné des deux démons. Son apparence se transforma rapidement pour adopter celle d'un ange de lumière à la grandeur déme-surée et aux reflets éclatants. Laberge cligna des yeux et porta sa main ouverte devant son visage.

— Je suis le Prince de l'Air et le Dieu de ce monde! scanda-t-il à répétition tout en continuant de s'élever. Le haut plafond perdu dans les ténèbres s'éclaira soudain pour laisser la place à un ciel bleu azur. L'Opposant y fonça suivi de ses créatures. Ils disparurent dans un éclair de blancheur.

Laberge se frotta le visage de ses deux mains pour se reprendre. Il partit ensuite d'un pas décidé et marcha vers la porte sans se retourner en espérant que rien ne viendrait lui sauter sur le dos. Alors qu'il approchait, il se rappela les paroles de l'Opposant.

Concentre-toi sur le lieu où tu veux te retrouver. Tu y seras de l'autre côté de cette porte.

AGRIPPA

Si seulement il avait pu souhaiter se retrouver auprès d'Élizabeth!

Il visualisa la salle obscure de la pyramide des niches, les bas-reliefs, les statuettes, l'*Agrippa* gisant au sol et les restes de Doña Marina.

Il y entra aussitôt passé la porte.

L'odeur de champignons et de moisissures le prit au nez.

Seule une faible lueur provenait de l'escalier, ce qui lui permit de s'orienter. Il tira de son sac la lampe électrique et éclaira devant lui..

Le changement avait été brusque et malgré le côté déstabilisant de ses dernières expériences, il n'en fut pas moins heureux de constater que l'Agrippa se trouvait toujours là.

Mais il avait été ouvert.

— Les chaînes ont été brisées.

La voix dans son dos fit sursauter Laberge. Il se para aussitôt d'une couverture énergétique puis éleva ses remparts. Ensuite, il se retourna.

Il éclaira l'imposante silhouette de Baalbérith qui avança d'un pas.

— Le livre est à toi, prêtre. Tu peux le prendre.

La voix était grave, d'outre-tombe. Elle flanquait la trouille.

— Es-tu le démon gardien? Celui que l'Opposant a nommé Baalbérith?

— En vérité je le suis.

— Et qu'attends-tu de moi ?

— Strictement rien. Sinon que tu me ramènes avec toi lorsque j'aurai réintégré le livre noir.

— C'était bien là mon intention. Et où sont les nazis ?

— Pour l'instant ils me cherchent. Mais ils seront bientôt de retour. Je me hâterais si j'étais toi.

Baalbérith se dématérialisa graduellement sous le regard du curé. Il afficha jusqu'au dernier moment un sourire mesquin.

Laberge ouvrit son sac et en tira des lanières en cuir. Il se jeta à genoux et s'empara de l'*Agrippa* tremblant dans ses mains. Le refermer exigea un effort auquel il ne s'attendait pas. Puis il enserra solidement le grimoire avec le cuir tendu. Tout excité d'avoir mis la main sur l'objet de sa quête, il se rua dans l'escalier en pensant à se souvenir plus tard de faire une prière pour l'âme de Doña Marina.

Le curé émergea prudemment et à quatre pattes du sommet de la pyramide afin de ne pas se faire repérer. Le camp de base des Allemands s'étendait devant la pyramide et ils avaient sûrement laissé quelques sentinelles... sauf que les voix qu'il entendait et qui provenaient du camp étaient... espagnoles ! Se pouvait-il qu'ils soient déjà là ?

Il rampa à plat ventre jusqu'au bord de la plateforme et aperçut un groupe de Mexicains en train de piller le camp allemand ! Les trois gardes avaient été bâillonnés et solidement ligotés sur des chaises. Plus loin dans l'avenue centrale, ce qui apparaissait comme un grand portail de nature inconnue, voire magique, les garda à l'écart, les Mexicains refusant carrément de s'en approcher. La démarche singulière et la voix mordante de Cuauhtémoc Gómez, le chef des *guerilleros*, fit sourire Laberge.

Il appela d'abord avant de se lever pour ne pas se faire tirer dessus par accident.

— Gómez! C'est moi! *Eduardo!*

Gómez chercha tout autour de lui puis finit par lever les yeux vers le sommet de la pyramide. Laberge se releva timidement.

— C'est moi, répéta-t-il.

— ¡*Eduardo!* ¡*Padre!* Vous êtes vivant! Par la grâce de tous les saints, je ne sais pas ce que vous faites là mais vous m'avez bien dit la vérité! Je ne sais pas ce qui m'a poussé à vous écouter et à me rendre jusqu'ici!

Laberge descendit les marches à la volée en manquant à quelques reprises de se casser la figure. Il était tellement content de voir Gómez et ses *compañeros* qu'il lui aurait sauté au cou. Les hommes l'acclamèrent alors qu'il poursuivait sa descente.

— Écoute Gómez, lui cria Laberge en se pressant de descendre, il ne nous reste plus beaucoup de temps, il faut vite vider les lieux!

— Vous avez entendu, hurla Gómez sans discuter, on déménage!

Laberge sauta les quatre dernières marches pour atterrir sur le sol, puis il courut vers la forêt à la suite des *guerilleros*.

Un grondement se fit d'abord entendre, donnant l'impression que la terre était sur le point de trembler. Puis le silence.

Les trois blindés Daimler-Benz surgirent du portail l'un à la suite de l'autre. Ils se dirigèrent vers le camp.

Laberge et Gómez avaient tout juste eu le temps de se jeter derrière l'une de ces énormes têtes sculptées qui traînaient dans les forêts des alentours.

— Diable! s'exclama le curé. Ils n'ont pas perdu de temps! Comment êtes-vous venus?

— Nous avons laissé les chevaux plus loin. Et nous avons suivi tes indications, *padre*. Tu avais raison. Le campement était déserté de tous ses hommes ou presque et nous avons pu nous servir dans leur équipement.

— Hum... Ils ne seront pas contents.

— Peut-être, mais on s'en fout! Qu'est-ce qu'on fait, on leur tombe dessus?

— Non! Absolument pas! Ils sont très dangereux et de plus fort bien armés. Ce serait trop risqué. Mieux vaut ficher le camp par la forêt.

L'alerte avait été donnée après que Heydrich eut remarqué la supercherie. Il fit libérer les trois hommes qui pointèrent aussitôt du doigt la forêt dans leur direction. Skoll grimpait les marches de l'escalier quatre à quatre pour aller récupérer l'*Agrippa*.

— Oh... fit Gómez.

— Va! Conduis tes hommes vers les chevaux. Et attendez-moi là-bas! Je vais créer une diversion pour les retenir! Je vous rejoindrai! Va!

— Dites-moi que je vous reverrai, *padre !*

— Nous nous reverrons ! Allez !

Gómez fit un signe de tête et se sauva pour retrouver ses hommes.

Adossé contre la colossale tête olmèque, Laberge cherchait un moyen de mettre en fuite les nazis. Ceux-ci couraient dans tous les sens afin de récupérer des munitions – dont plusieurs leur avaient été volées – pour lancer la chasse. Laberge se devait d'agir le premier. Il s'avança puis se retourna lentement pour observer la gigantesque tête aux grosses lèvres boudeuses et aux yeux vides.

Dans les siens, un éclair passa.

Il approcha la main de la pierre et visualisa dans son esprit le mot représentant l'un des noms de Dieu. Il y mit toute son énergie et toute sa volonté car il n'y avait pas de temps à perdre. Il regretta un instant d'avoir entraîné les *guerilleros* dans cette histoire et décida de mettre tout en œuvre pour que rien ne leur arrive.

Le mot *Emet* commença à se graver dans la pierre. De petits éclats volaient ou tombaient sur le sol à mesure que le mot apparaissait et se fixait dans la roche.

— Golem, dit Laberge à voix basse, je suis le créateur. Et je te conjure, esprit de cette pierre ancienne, je te contrains et te commande par la puissance qui m'a été donnée par Dieu, de te déchaîner en ce lieu… Et de te dépêcher aussi… je te l'ordonne, golem !

Laberge toucha la grosse tête de ses deux mains. Et il expulsa tout l'air contenu dans ses poumons.

Plus loin, les nazis se regroupaient. Ils attendaient les ordres. Heydrich lui, attendait Skoll. Il n'attendit pas long-temps pour que le mage surgisse au haut de la pyramide en criant et en gesticulant.

L'*Agrippa* avait bien sûr disparu.

Quand la terre expulsa à son tour la création du curé, celui-ci dut reculer vers les arbres afin de ne pas être blessé et de pouvoir se cacher. Il eut peur au moins autant que les Allemands de la gigantesque chose qu'il venait de créer.

Le golem s'arracha au sol gras, supportant sur ses épaules la tête de soixante tonnes qui avait reposé là depuis des siècles. Le corps en terre solidifiée poussait sur le sol de ses bras puissants pour s'en retirer, déterrant des roches, déracinant des arbres, forçant encore Laberge à reculer plus loin à l'intérieur de la forêt.

— Oui golem, continua Laberge mi-inquiet mi-satisfait, c'est ça, encore, sors de terre, plus grand, encore plus grand !

Le curé était stupéfié devant tant de puissance.

Devant sa puissance.

Personne ne bougeait. La surprise générale était de taille.

La cinéaste allemande tira son jeune collègue par le collet pour le forcer à filmer ce qui était en train de naître sous leurs yeux.

L'effroyable créature en roche et en boue à la moue mécontente achevait de se constituer et de sortir du sol. Elle s'étira enfin de toute sa taille et frappa ses hanches de ses poings démesurés, faisant voler de grosses racines et des galettes de boue qui brisèrent même des branches d'arbres.

De toute sa hauteur, le golem baissa ses yeux vides vers Laberge qui lui apparut comme une toute petite chose. Par instinct primaire, il fit un pas dans sa direction qui fit trembler le sol et décrocher des pierres d'un bâtiment tout près. Laberge leva la main pour le stopper et cria de toutes ses forces et de toute son autorité.

— Golem! Je suis le créateur!

Le géant s'arrêta net, soumis mais incertain.

Le curé évalua rapidement sa taille. En proportion, si la tête faisait vingt pieds... la créature, dans son ensemble, devait frôler les cent cinquante pieds. Cela dépassait l'entendement. Jamais il ne se serait cru capable d'engendrer pareille merveille. Ou difformité...

Il pointa du doigt le camp de base des Allemands et hurla de nouveau pour bien se faire entendre.

— Là sont les ennemis du créateur, golem! Là sont ceux que tu dois détruire! Va! Tout de suite!

Le monstre se retourna pour observer la formation du camp et le groupe d'hommes qui s'y trouvaient. Après une analyse qui se voulut plus que sommaire – détruire les ennemis du créateur –, le golem se dirigea vers le camp, d'abord lentement, puis de plus en plus vite, créant une véritable onde de choc sur son passage, et un vent de panique collective parmi les Allemands.

— Tous aux blindés! cria Heydrich en vidant le chargeur de son fusil d'assaut sur le géant bien inutilement.

— Par tous les démons de l'enfer, laissa échapper Skoll, planté au beau milieu de l'escalier de la pyramide.

— Mais venez! hurla Heydrich fou de rage à l'intention de la cinéaste, voulez-vous donc vous faire tuer?

— Allons vers les véhicules, dit Reifenstahl au caméraman, mais n'arrête pas de tourner...

Le golem fonçait vers les blindés en faisant trembler la terre sous ses pas. Skoll sentait vibrer la pyramide alors que des pierres et du mortier se détachaient des niches. Il avait sûrement été dupé par ce démon de Baalbérith. Il devait faire quelque chose sinon le golem les balayerait tous.

Malgré la puissance dont le mage rouge était investi, il ne voyait pas ce qui pourrait arrêter pareille masse de roche et de terre. Excepté peut-être la nature elle-même...

Skoll fouilla des yeux la jungle environnante. Des amas de lianes recouvraient les grands arbres et les bâtiments de cette cité oubliée. Peut-être parviendraient-elles à ralentir la marche du golem, le temps de prendre la fuite. Malgré le trouble qu'il éprouvait d'avoir perdu les deux mages l'ayant accompagné au départ, Skoll se concentra sur cette nature forte et luxuriante. Son corps se convulsa sous l'effort alors qu'il cherchait toute l'énergie nécessaire à tirer les lianes. Il les lança contre le golem qui approchait des blindés. Elles s'accrochèrent à ses bras et à ses jambes et s'enroulèrent autour de son cou et de son tronc. Skoll tirait en partie son énergie et son pouvoir des forces d'attraction lunaire. L'astre de la nuit restait pour les Êtres de la Lune, un outil puissant qui occupait une grande place dans la pratique de leur magie. Le golem se couvrait de lianes et avançait de plus en plus difficilement. Il parvint à effleurer d'un coup de poing l'un des blindés qui se renversa sous l'impact. Les soldats se mirent à lui tirer dessus à feu nourri.

Skoll ne pouvait que descendre les marches avec une extrême précaution. Très lentement, il évoluait dans le grand escalier rendu périlleux par les ans, se concentrant à tirer de la jungle de plus en plus de lianes qui venaient entraver les mouvements du golem qui se débattait de son mieux.

La porte de la soute du blindé renversé par le golem s'était ouverte sous le choc. Le mage-nain s'en extirpa avec un mal de vengeance et la fureur dans les yeux. Les soldats, trop occupés à tirer sur la créature et à préparer leur fuite, ne l'avaient pas remarqué. Il entra dans le blindé par une écoutille et s'approcha du pilote qui lui parut mort ou inconscient. Du sang coulait de sa bouche. Il s'empara du porte-clés à sa ceinture et chercha la clé qui le libèrerait de ses entraves. Il ne mit que peu de temps à la repérer et se libéra de ses chaînes, toujours à l'abri des regards.

Il aperçut Heydrich à travers la fente de pilotage et sa rage fut décuplée malgré la perte de ses pouvoirs, retirés par Baalbérith. S'il était le dernier survivant de son royaume, au moins emporterait-il avec lui dans la mort le responsable de cette tuerie.

Ramassant une baïonnette traînant au fond du blindé, il sortit, pour être aussitôt saisi d'un mélange de peur et d'admiration en levant les yeux vers le golem, puis se jeta sur Heydrich qui eut tout juste le temps de le voir plonger vers lui et de le repousser au passage.

Jetant son Stg44 au sol, il tira la baïonnette de son fourreau et fit signe au nain d'approcher.

— Espèce de saleté de chimpanzé, une sous-race comme la tienne ne mérite même pas de vivre. Viens! Approche! Je vais te régler ton compte.

Les deux hommes s'agressèrent à coups de baïonnette et se retrouvèrent derrière le blindé renversé. Le golem semblait momentanément immobilisé, mais Skoll ne s'y fia pas. Il espéra qu'ils puissent avoir le temps de fuir avant qu'il ne se libère de ses lianes.

Heydrich et le nain se battaient farouchement. En fin escrimeur, Heydrich se défendait trop bien pour que le nain puisse espérer le vaincre. Mais par opposition à la taille de ce dernier, sa rage était si grande qu'il en était aveuglé. La pointe de la baïonnette d'Heydrich trancha la peau du lilliputien à plusieurs reprises, mais le sang ne comptait pas. Il se battait tant qu'il en coulerait dans ses veines. À un certain moment, Heydrich recula dans un tas de pierres. En perdant l'équilibre, il parvint tout de même à désarmer le nain qui échappa sa lame. Aveuglé par la colère et le sang qui lui brouillait la vue, le nain sauta sur Heydrich tombé à la renverse.

Mais Skoll arriva juste à temps pour empêcher le pire. Il paralysa en l'espace d'une seconde les articulations du nain par un bris de calcification. Skoll était passé maître dans l'art d'utiliser cette méthode qui consistait à faire exploser par impact énergétique les dépôts de calcification que les hommes accumulaient avec l'âge. L'explosion du dépôt libérait instantanément une irruption de cristaux de calcium qui provoquaient une vive inflammation et une intense douleur aux articulations.

Incapable de fermer les bras pour saisir Heydrich à la gorge, le nain s'empala sur la baïonnette du chef de la SS. Heydrich le regarda dans les yeux et poussa encore de ses deux mains sur la lame afin qu'elle traverse complètement le corps meurtri du pauvre nain, lequel rendit l'âme sans être capable d'articuler la moindre parole.

Heydrich le repoussa en jurant et se releva. Il aperçut plus loin le jeune homme à la caméra qui avait choisi de filmer la scène plutôt que de venir l'aider.

— Foutons le camp d'ici, dit-il à Skoll.

Face contre terre, les yeux exorbités, le mage-nain mordait la poussière.

Avec sa mort, la page était définitivement tournée sur l'histoire mythique des Vanes. Il n'avait fallu que quelques heures pour faire disparaître ce qu'ils avaient conservé pendant des centaines de milliers d'années.

Même le portail magique sur la sphère cachant leur monde avait disparu.

Tout était accompli.

Laberge quitta les lieux en vitesse. Il courait dans la forêt, hors d'haleine, en espérant plus loin retrouver Gómez et les *guerilleros*. Son sac ballottait dans son dos et il tenait son chapeau en main pour ne pas le perdre. Parfois, il trébuchait sur une pierre ou une aspérité du sol, manquant perdre pied ou se tordre une cheville. Des branches venaient lui fouetter le visage au passage et de petits moustiques, qu'il recrachait aussitôt, entraient parfois dans sa bouche ouverte. Il souhaita ardemment, même s'il en doutait fort, que personne au camp n'ait eu connaissance de sa présence.

Il parvint à bout de souffle au cœur d'une petite clairière où les fougères touffues masquaient le sol. De hauts arbres entouraient l'endroit, comme un sanctuaire dissimulé abritant des réunions secrètes.

Les *guerilleros* sortirent de leur cachette derrière les arbres pour lui faire bon accueil.

— Dieu merci, vous êtes là! échappa-t-il avec soulagement.

❋ ❋ ❋

Skoll monta derrière Heydrich dans l'un des véhicules blindés et referma l'écoutille derrière lui. Il jeta un regard à la toile qui enveloppait le corps du mage rouge blessé, qui était entre-temps passé de vie à trépas.

— Fonce! cria Heydrich au pilote qui ne se fit pas prier.

Le chef de la SS ouvrit l'écoutille arrière et jeta un regard en direction du golem. Le monstre était en train de se défaire de ses liens!

Les deux véhicules amphibies glissèrent dans la rivière en direction de l'océan. Leur vitesse s'en trouvait accélérée puisqu'ils suivaient le courant. Ils eurent tout de même le temps de prendre une bonne avance avant que le golem ne se libère complètement. Hors d'elle, la créature entra à son tour dans la rivière pour se mettre à la poursuite des blindés. Lorsque, après une déviation du cours d'eau, Heydrich aperçut le monstre, il sortit et s'installa derrière la mitrailleuse lourde. Skoll vint le rejoindre pour lui prêter main-forte. D'autres hommes du commando s'extirpèrent à leur tour de la carcasse des véhicules, avec lance-flammes et *Panzerschreck*, ces lance-roquettes puissants capables de défoncer un char.

À travers l'écoutille ouverte sur le dessus du char amphibie, la caméra du courageux jeune homme tournait toujours. Il était conscient de donner les coups de manivelle au film de sa vie.

Lorsque l'océan fut en vue, Heydrich ordonna que soit lancé aux sous-marins un appel de détresse. L'alerte fut donnée et les préparatifs de départ et de combat furent engagés. Encore une fois, le pilote de l'hydravion sauta dans son appareil pour retourner les aider du haut des airs.

Skoll tenta une fois de plus d'utiliser la nature pour se saisir du golem. Proférant des incantations en des langues inconnues, il lançait toute l'énergie qu'il pouvait s'approprier pour arrêter le monstre. Les arbres ployaient devant le géant et les lianes le fouettaient en essayant de s'enrouler autour de ses membres. Furieux, le géant brisait tout sur son passage. Et sa rage décuplée le faisait augmenter en taille.

Heydrich ordonna les tirs de roquettes. Le souffle chaud des gaz d'échappement des petites fusées leur brouilla la vue et les fit tousser.

Le golem encaissait l'explosion des fusées à charges creuses qui se déchaînaient sur sa masse gigantesque. Terre et pierres volaient tout autour, mais rien ne parvenait à arrêter les centaines de tonnes en mouvement.

Les deux lance-roquettes poursuivaient leurs tirs à la cadence de quatre à la minute. Ils visaient la base de gros arbres au bord de la rivière, les faisant s'effondrer dans des éruptions de feu devant le golem, qui semblait traîner derrière lui une partie de la forêt à cause de toutes les lianes qui s'y accrochaient. Ils réussissaient à ralentir sa course, mais le salut serait dans la fuite. Rien ne pourrait arrêter pareil monstre.

Le premier passage de l'hydravion déchargea une pluie de balles qui percutèrent en pleine figure la créature. Celle-ci tenta un geste dans la direction de l'appareil et le pilote, qui n'avait pas anticipé le mouvement, braqua juste à temps pour éviter la catastrophe. Il décida, dans un soupir de soulagement, de revenir l'attaquer dans le dos pour son second passage. Jamais il n'avait vu chose pareille et son cœur cognait contre sa poitrine, avec autant de force que les balles perforantes qu'il tirait.

Heydrich déchargea la mitrailleuse lourde sur le géant qui se rapprochait. Il visait la poitrine et le visage, maintenant la détente enfoncée dans l'intention de ne pas la relâcher avant de manquer de munitions. Les cartouches vides volaient de l'éjecteur pour tomber dans la rivière à un rythme effarant. La mitrailleuse arrêta d'un seul coup de cracher son feu meurtrier, sans effet sur le golem. Heydrich repoussa l'arme vide dans un cri de rage, alors que les véhicules amphibies atteignaient la mer.

Sur le pont de l'un des sous-marins, le commandant Karl Thurmann abaissa ses jumelles.

— Que le diable m'emporte! dit-il pour lui-même avant de crier de nouveaux ordres pour l'appareillage.

L'hydravion revint par l'arrière pour faire un nouveau passage. Il se plaça adéquatement afin que son feu ne vienne pas toucher les blindés qui fonçaient du plus vite qu'ils le pouvaient vers les sous-marins. Lorsqu'il fut à bonne portée, il déclencha le feu dans le dos du géant. Celui-ci s'arrêta aussitôt pour se retourner, donnant du coup aux lianes une chance de s'agripper et aux blindés, de s'éloigner un peu plus.

Les pieds entravés dans un arbre abattu par une roquette, il se saisit de celui-ci et balaya l'air au passage de l'hydravion qui fut percuté de plein fouet. Privé de son hélice, le petit avion décrocha, puis plongea en virant sur l'aile pour passer au-dessus des blindés et aller s'écraser sur l'arrière de l'un des sous-marins. Ses réservoirs d'essence explosèrent en un champignon noir de fumée percé de flammes.

Décontenancé, le commandant Thurmann donna l'ordre au sous-marin abîmé de lever l'ancre et de tenter une manœuvre de démarrage malgré l'accident. Il s'occuperait des rescapés qui s'approchaient maintenant de son bâtiment.

Défait une fois de plus de cette nature transformée en adversaire par la magie de Skoll, le golem quitta l'embouchure de la rivière pour s'engager dans l'océan. Rapidement, il eut de l'eau jusqu'à la taille, ce qui ralentit considérablement son avancée. Dans ses yeux vides et sans expression, comme dans sa bouche aux grosses lèvres dédaigneuses, on pouvait saisir qu'une profonde obstination le poussait toujours en avant pour détruire les ennemis du créateur.

Les blindés amphibies s'amarrèrent brutalement au sous-marin U-553.

Au même moment, la bobine contenue dans la caméra d'épaule du jeune assistant de Reifenstahl arriva à sa fin. Ainsi se terminait le plus formidable film de propagande jamais tourné. Pourtant, personne n'en verrait jamais les images.

Passant la caméra devenue inutile à sa patronne, il aida à décharger en vitesse les caissons de réserve contenant les fruits de l'arbre de vie.

✦ ✦ ✦

Édouard et les *guerilleros* descendirent de cheval après avoir remonté le long d'une crête leur permettant d'avoir un point de vue sur l'océan. Les cris et les bruits de moteurs les guidèrent jusqu'à la lisière des arbres où ils aperçurent plus bas la scène épique en train de se dérouler.

Laberge ne put s'empêcher de sourire à la vue du golem géant qui s'avançait dans la mer avec des lianes plein la tête et de l'eau jusqu'à la poitrine.

L'un des sous-marins s'éloigna en accélérant. Il se trouvait encore des hommes sur le pont en train d'y descendre. Le second sous-marin, visiblement endommagé au niveau du gouvernail, peinait à avancer dans l'eau turquoise.

Le golem gagnait du terrain et l'on pouvait voir, par l'effort qu'il y mettait, qu'il tenait coûte que coûte à s'attaquer au submersible.

Gómez posa sa main sur l'épaule du curé.

— Qu'avez-vous fait là, *padre*?

Laberge cessa de sourire sans oser le regarder. Il avait agi en un ultime geste de défense.

Mais comment maintenant pourrait-il arrêter ce monstre géant?

Le golem ne voyait que des mouvements que son esprit primitif avait du mal à interpréter dans le détail. Mais à n'en pas douter, il saisissait très bien les concepts de fuite, attaque, destruction ou poursuite. Et lorsque ces gestes ou ces mouvements étaient directement liés aux ennemis du créateur, il fallait anéantir ces derniers.

Lorsqu'il se jugea à portée, il plongea vers l'avant, projetant de chaque côté de lui des vagues énormes. Ses grosses mains s'abattirent sur l'arrière du sous-marin U-995 et enfoncèrent non seulement la coque, mais aussi l'arrière du bâtiment dans l'eau. L'avant du submersible se souleva sous la poussée et les hommes du poste de commande furent jetés au sol ou écrasés contre les murs. Certains se brisèrent des membres, d'autres se brisèrent la nuque, tués sur le coup.

Reprenant pied au fond de l'eau, le golem assura sa prise en l'enserrant entre ses bras et en s'efforçant de la broyer. La coque se brisa et l'eau s'engouffra dans tout le sous-marin, noyant tous ceux qui n'avaient pu se mettre à l'abri derrière des portes étanches. L'hélice s'arrêta avec les derniers soubresauts du moteur.

Plus loin, le commandant Thurmann avait fait faire demi-tour au U-553 sous les protestations de Jankuhn et les encouragements de Skoll et Heydrich. Il s'empara du micro pour contacter la salle des torpilles.

— Je veux deux G7 T3d[1] dans les tubes lance-torpilles, prêtes dans les cinq prochaines minutes ! commanda-t-il hors de lui.

L'homme au périscope continuait de leur décrire la situation. Il était clair que le sous-marin U-995 était en perdition. Le golem s'acharnait à broyer le submersible avec une rage peu commune. Des corps flottaient déjà à la surface, baignant dans une nappe de diesel qui se répandait dans l'eau. L'équipage n'avait pas été en mesure de survivre à pareille agression.

— Continuez une avancée lente, ordonna Thurmann, et calculez les coordonnées de sa position. Je veux anéantir cette chose !

Malmenant toujours le sous-marin allemand réduit à l'état de ferraille, le golem continuait d'avancer dans l'eau vers le second submersible qui lui fonçait dessus. Son esprit primitif ne se posait même pas la question à savoir pourquoi le bâtiment avait fait demi-tour, si ce n'était pour le détruire. Il marcha droit vers le U-553 qui venait vers lui, sans hésitation aucune.

Thurmann gueula de nouveau dans son micro.

— Torpilles prêtes ?

— Bientôt, mon commandant !

— Je les veux maintenant !

— Presque, mon commandant !

---

1. Les torpilles allemandes G7 T3d étaient propulsées électriquement. Elles avaient une longueur de 11 mètres et un poids de 2,2 tonnes.

— Mais faites vite ! cria l'homme aux yeux rivés sur le périscope qui était leur seul regard sur l'extérieur.

— Lancez-moi ces damnées torpilles ! hurla Thurmann.

— Torpilles lancées, monsieur !

Le bâtiment naval ralentit sous l'effet du recul. Les puissantes torpilles quittèrent le sous-marin, fonçant vers le golem à une vitesse dépassant les 9 nœuds. Elles le percutèrent ensemble puis explosèrent en un choc sourd, qui souleva quelques secondes après des gerbes d'eau dans les airs avant d'enflammer la nappe de pétrole flottante.

— Tribord toute ! beugla Thurmann pour éviter le golem qui, brisé, s'effondrait dans l'eau en tentant tout de même de les atteindre d'un dernier geste de la main.

Le sous-marin glissa à travers les flammes et le monstre disparut sous la surface.

Son tronc brisé se déposa sur les sables du golfe du Mexique, avec entre les bras, les restes tordus d'un sous-marin allemand.

Peu lui importait d'attendre ainsi pour toute l'éternité.

Du haut de la crête, Laberge se massait les tempes.

Mon Dieu, qu'ai-je fait ?

Le sous-marin U-553 avait repris sa route et se dirigeait vers le large. Des flammes, alimentées par les vapeurs d'essence, brûlaient toujours à la surface des flots souillés.

— Je n'ose pas dire que vous avez fait ce qu'il fallait, *padre*, parce que ça... mais vous nous avez tous sauvés et pour une deuxième fois! Vous avez chassé les Allemands du Mexique. Vous êtes un mage puissant, *padre*, un véritable homme de Dieu.

Gómez recula de quelques pas et mit un genou en terre devant Laberge, ses hommes l'imitant.

Ce dernier, poussé dans le dos par les bourrasques venant du large, contempla les *guerilleros* agenouillés devant lui le regard au sol.

Il se sentit à cet instant horriblement seul.

15

La grosse moto *Indian* couplée à un side-car entra en pétaradant sur le terrain adjacent au quai Taché. Ce quai avait été construit au tout début du XIXe siècle par les frères Charles et Jean-Baptiste Taché, et plus tard le gouvernement fédéral avait racheté les installations pour y faire des améliorations significatives. Avec cinq cent vingt pieds de quai de chargement et de déchargement, il était non seulement le plus important site portuaire de Kamouraska, mais aussi le plus ancien de la rive sud de l'estuaire du fleuve Saint-Laurent.

Albert sauta du side-car aussitôt la moto immobilisée. Il retira en souriant les vieilles lunettes d'aviateur aux verres égratignés qu'on lui avait prêtées et les jeta sur le siège. Malgré son visage à moitié gelé, il avait apprécié la balade et respirait l'air du large à pleins poumons, cet air au parfum riche et étourdissant qui sentait la mer.

Plein d'hommes s'affairaient encore ici malgré l'approche de l'hiver. Exceptionnellement, la neige n'était pas encore parvenue à recouvrir le sol de son manteau blanc. Profitant de ce moment de grâce, les marins poursuivaient leurs activités comme si l'hiver ne viendrait jamais. Il ne leur suffirait que d'un jour pour s'y soumettre. Ils avaient l'habitude.

Les goélettes étaient mises en cale sèche et réparées afin d'être prêtes pour le printemps suivant. Des docks d'entreposage aux larges portes en fer coulissantes se trouvaient près du grand quai. Les terrains de la couronne, qui s'étendaient en s'éloignant du village le long du fleuve au-delà du quai Miller, plus petit celui-là, servaient aux propriétaires de navires pour le remisage et les réparations.

Les goélettes de Kamouraska étaient reconnues de Montréal à Gaspé. Depuis plus de cent ans, elles sillonnaient le Saint-Laurent. À cette époque, tout le transport commercial passait par le fleuve et les goélettes transportaient passagers, provisions et matériaux de l'île de Montréal à la mer. Que ce soit les matériaux de construction, le grain, les céréales ou le bétail vivant, les goélettes en effectuaient la livraison. Et surtout, elles étaient indispensables au transport de la «pitoune», le bois de papeterie pour les moulins à scie qui assurait en bonne partie la vitalité du commerce des quais.

Ce coin de pays, qui n'était après tout pas si loin, avait tous les attraits d'un autre monde aux yeux d'Albert. Car pour lui, l'estuaire du Saint-Laurent, c'était la mer. Et les gens d'ici vivaient au rythme de cette mer, au rythme des marées.

Joseph Rossignol l'entraîna plus loin, vers les bateaux tirés en cale sèche, en le prenant par l'épaule.

L'homme de trente-deux ans, qui se refusait à délaisser sa moto tant qu'il n'y avait pas de neige, avait ramené Albert à la ferme la nuit même de leur rencontre à l'hôtel de la Grève. Ils étaient sortis pour prendre connaissance de la lettre signée de la main de l'évêque et dont Albert était le porteur.

Une vive discussion s'en était suivie entre les trois frères qui, bien que connaissant l'ARC de par leur père et leur grand-père, n'avaient jamais reçu la moindre demande de coopération. Albert avait mis fin à leur causerie en leur assurant que cela était du plus grand sérieux et qu'il aurait besoin de beaucoup plus de temps pour tout leur expliquer. De plus, le perron d'un hôtel n'était pas l'endroit des plus appropriés pour en parler.

Après un moment de silence, Thomas avait retiré le cigare qu'il avait en bouche pour suggérer à ses frères de le ramener chez eux plutôt que de le laisser à l'hôtel. Ce à quoi les autres avaient acquiescé, sans demander l'avis de leur nouvel ami.

La ferme ancestrale des Rossignol s'étendait sur un promontoire au bord du fleuve à Saint-Denis-de-Kamouraska et appartenait à la famille depuis quatre générations. La maison, modifiée au fil des ans, était si grande que tous y vivaient avec femme et enfants pour y gérer l'entreprise. L'assise de cette famille, Napoléon, toujours actif, ne rechignait pas devant le travail malgré ses soixante-deux ans.

Albert s'était senti mal à l'aise au matin de se retrouver face à face avec le père des trois frères pour le petit déjeuner. Surtout qu'ils avaient décidé de ne révéler à leur paternel que le strict minimum sur les affaires d'Albert. Celui-ci était

AGRIPPA

le messager de son évêque et venait rencontrer le curé pour une formalité portant sur des documents à signer. Napoléon avait gardé le silence bien que son air ait pu en dire long sur ce qu'il en pensait vraiment. Plus tard dans la journée, assis en rond à la chaleur de la grange naturellement tempérée par les bêtes qui y logeaient, Albert leur avait tout dit sur ce qu'il venait chercher. Ils avaient profité du fait que Napoléon faisait la sieste pour s'éclipser et discuter. Albert n'avait pas compris cette attitude de retenue envers leur père qui, pourtant, avait autrefois été coopérant de l'ARC.

Ils avaient donc pris rendez-vous avec le curé de la paroisse après la grand-messe de la Toussaint, lequel avait accepté avec réserve de recevoir l'étranger le lundi suivant.

— Le curé Daunais n'est pas commode, lui avait dit Thomas sur le ton de la confidence.

— Ce sera tout l'un ou tout l'autre, avait confirmé Joseph, il te recevra avec plein d'égards, ou il te jettera à la porte.

— Moi, il ne m'embête jamais, avait laissé savoir Camille, une brindille de foin entre les dents.

— Avec le gabarit que tu as, avait répondu Albert, pas étonnant que personne ne vienne t'embêter…

Les jours de cette fin de semaine avaient ainsi passé.

Tout en leur donnant un coup de main avec les animaux, Albert avait appris à connaître ses nouveaux compagnons qui, en toute sincérité, lui avaient offert le gîte et leur aide.

En ce frais mais ensoleillé lundi matin, Joseph avait tenu à montrer à Albert ce que lui et Camille aimaient encore plus que la ferme : leur goélette.

— Voici la *Rose-Hélène*, dit Joseph avec fierté en montrant le navire de transport tiré sur des rails pour l'hiver. Camille apparut sur le pont avant et les salua de la main.

— Torrieu ! laissa échapper Albert. C'est à vous ?

— Absolument. Elle constitue notre principale occupation en été, en complément des travaux de la ferme. Mais Thomas et notre père se débrouillent bien de ce côté. Camille et moi, nous aimons naviguer sur le fleuve.

— Et vous cabotez loin ?

— Aussi loin que Montréal ou que Percé en Gaspésie.

Albert qui n'avait vu que des photos de la mer en Gaspésie ou du fameux rocher Percé, essaya d'imaginer le trajet grandiose que pouvait représenter un voyage en bateau sur le Saint-Laurent jusque là-bas.

— Et on peut monter à bord ? demanda-t-il en relevant le collet de son *drover coat* pour se parer du vent mordant.

— Je ne t'ai quand même pas emmené ici pour rien !

Albert mettait les pieds pour la première fois sur une goélette.

Le navire à fond rond, bâti à bordage franc autour d'une quille, mesurait environ soixante-quinze pieds de longueur. Entièrement construit en bois, il ne possédait qu'un seul pont. À l'arrière, une superstructure directement érigée sur celui-ci abritait la barre du gouvernail à l'étage supérieur. Au niveau du pont, un réduit percé de hublots ronds faisait office de chambre ou de pièce à vivre. Des passavants flanquaient la structure, permettant d'en faire le tour et d'accéder, du côté droit, à une chaloupe de bord retenue par des bossoirs. Le gaillard d'avant, que Joseph appelait le demi-poste, était quant à lui complètement ouvert. Un seul mât s'y trouvait, auquel était fixé à sa base sur un bloc rotatif, une grue permettant le chargement et le déchargement des marchandises entreposées à fond de cale. Enfin, un moteur de 170 chevaux assurait la propulsion du petit navire de transport.

— Elle est bordée de chêne sous la flottaison, expliqua Camille qui tenait l'ancre dans ses bras, et d'épinette rouge au-dessus.

— Elle est superbe, dit Albert, magnifique! Mais... n'est-ce pas lourd?

— Oui, je vais la déposer, dit le solide gaillard en posant l'ancre à ses pieds sur le pont, je dois la repeindre...

Albert regarda Joseph qui lui répondit par un haussement d'épaules.

— Il faudra que tu reviennes, Albert, lui suggéra-t-il, pour descendre le fleuve avec nous. Ça te dirait l'été prochain?

— Si ça me dirait? Quelle question!

En fait, il en mourait d'envie. Sans trop comprendre pourquoi, Albert redécouvrait le goût de l'aventure et de la liberté. Il se sentit coupable pendant quelques secondes d'éprouver pareil sentiment, alors qu'il avait laissé Emma derrière avec les enfants. Il se refusa à voir tout cela comme une trahison, car il n'en était rien. Il aimait sa femme et n'en aurait jamais désiré une autre. Il était ici en mission, pour un travail précis, et rien ne l'empêchait de faire de nouvelles rencontres et de profiter des champêtres paysages.

Portées par le vent froid, les paroles chantées par un groupe de travailleurs mariniers parvenaient jusqu'à eux.

Partons la mer est belle,
Embarquons-nous pêcheurs.
Guidons notre nacelle,
Ramons avec ardeur...

Joseph et Camille donnèrent moult explications sur la tenue et l'opération d'une goélette. Ils expliquèrent à Albert qu'au début de la colonie, les voies les plus simples d'accès pour le transport et les communications restaient celles de la navigation par le fleuve et les rivières. Les besoins en ravitaillement, tout comme ceux d'aller vendre le fruit de sa culture ou de son élevage à Québec, furent à l'origine du cabotage. La goélette devait devenir l'outil permettant d'entretenir les relations de commerce entre les différentes régions le long du Saint-Laurent. Un outil typiquement d'ici, apparaissant en Nouvelle-France dès la fin du XVIIe siècle.

— Vous n'avez jamais eu d'avaries avec la goélette pendant vos voyages? questionna Albert qui s'intéressait vraiment au bateau.

— Jamais rien de grave, répondit Camille, sauf peut-être une fois, il y a deux ans, un peu plus bas vis-à-vis de Port-au-Persil. La sécheresse avait fait baisser le niveau du fleuve et Joseph avait négligé le passage sécuritaire. La quille a heurté un gros rocher mais heureusement, celui-ci s'est déplacé sous l'impact, évitant d'enfoncer la coque. Il y entrait quand même de l'eau et j'ai dû faire fonctionner deux pompes, dont une manuelle, pour nous éviter de couler.

— J'ai échoué la goélette sur les rails à marée haute, continua Joseph, et d'autres gars sont venus nous aider à la stabiliser.

— J'ai pompé pendant deux heures et demie! ajouta Camille.

Après l'avoir vu porter l'ancre, Albert s'en trouva à moitié étonné.

Il leur donna un appréciable coup de main au cours de l'avant-midi, et ils s'installèrent dans la chambre du gaillard d'arrière pour dévorer ce que la femme de Joseph leur avait préparé. Une carabine Cooey de calibre .22 était appuyée dans un coin, à la tête de l'un des deux lits de camp. Joseph tira une petite table en métal de contre le mur et Camille déplia trois chaises en bois.

— Vous ne trouvez pas difficile de vivre ainsi en communauté à la ferme? demanda Albert en s'asseyant.

— Ma foi non, répondit Joseph. Si ça l'était, nous n'y resterions pas. Peut-être est-ce le hasard qui fait en sorte que nous puissions si bien nous entendre…

— Alors, si vous vous entendez si bien, pourquoi avez-vous préféré tenir votre père dans l'ignorance des véritables raisons de ma venue ici?

Les deux frères se regardèrent un moment. Puis Joseph s'expliqua.

— Notre père est un type bien, affirma-t-il, nul ne peut remettre ça en cause. Mais ce prêtre dont tu parles, ce

Chiniquy, ne fait pas l'unanimité dans la région. Surtout en ce qui concerne les gens âgés. De plus, il est plutôt en froid avec notre curé. Si nous pouvions éviter de le mêler à ça...

— Je comprends...

Mais en fait, Albert ne comprenait qu'à demi. Les explications de Joseph restaient vagues. Aussi décida-t-il d'oublier tout ça et de se concentrer sur sa rencontre avec le curé Daunais.

Et les sandwichs que Joseph déballait.

Le presbytère était une grande résidence à deux niveaux aux murs d'un blanc immaculé. Cinq lucarnes ornaient la toiture peinte en noir. Une galerie, décorée de fioritures qui lui donnaient une touche d'élégance, courait sur toute la façade de l'édifice, jusqu'au-dessus de la porte d'entrée d'un bas-côté, abritant le bureau.

C'est à cette porte que se présentèrent Joseph, Camille et Albert, pour le rendez-vous retenu auprès du curé.

— Entrez, messieurs, leur dit aimablement celui-ci, enlevez vos paletots et venez vous asseoir.

Albert se sentit un peu gêné. Leur avant-midi passé sur la *Rose-Hélène* les avait laissés quelque peu sales et malodorants. Il espéra que le curé ne s'en formaliserait pas.

Ce dernier leur serra tout de même la main et leur indiqua des chaises. Il prit ensuite place derrière son bureau.

— Alors, monsieur Viau, commença-t-il, vous avez exprimé, lors de notre rencontre suivant la messe de la

Toussaint, le désir de me rencontrer sous prétexte d'être chargé par votre évêque d'un message important.

Albert détailla rapidement l'homme. Il était grand, solide comme la plupart des hommes de la région, avec une voix forte et impressionnante, des yeux perçants et enfoncés dans leurs orbites, un teint blême et des cheveux grisonnants taillés en brosse. Par-dessus tout, il avait une mâchoire fabriquée pour recevoir des coups. Albert ne l'aimait pas.

— En fait, monsieur le curé, finit-il par répondre en tendant sa lettre patente, mon évêque ne m'a chargé d'aucun message important. Il m'a plutôt chargé d'un devoir à accomplir. Et il vous saurait gré de m'accorder, selon les explications contenues dans cette lettre, le droit de procéder à ce devoir.

Albert avait été irréprochable. Mais à la lecture de la lettre, le sourire du curé s'effaça. Il tendit la lettre à Albert avec une main tremblante et un visage fermé.

— Vous direz à votre évêque, commença le curé d'une voix contenue à cause de la colère, que bien qu'il soit chef de l'ARC en cette province, il n'est pas l'évêque de mon diocèse. Je n'ai donc aucun ordre à recevoir de lui. Les choses qui concernent Charles Chiniquy sont mortes avec lui. Vous ne trouverez rien ici et je ne vous laisserai certainement pas fouiller dans mon église ou mon presbytère. Soyez aussi certain que mon évêque ne vous le permettra pas non plus. Si vous en avez fini, je vous permets de partir. Car moi, je dois le faire cet après-midi pour être tôt demain matin à une partie de chasse à l'oie des neiges. Ma ménagère ayant congé, je dois donc me préparer moi-même.

Albert ne se montra pas impressionné par les détails de la partie de chasse du curé. Il se montra seulement désolé pour la pauvre ménagère qui devait le supporter. Il eût voulu lui dire que le péché d'orgueil faisait encore partie des sept péchés capitaux.

— Est-ce là votre dernier mot, monsieur le curé ?

— Et comment que ça l'est ! Je ne vous indiquerai pas la sortie, je suis sûr que vous la trouverez. Quant à vous, messieurs les Rossignol... Nous en reparlerons. Vous ne devriez pas vous laisser influencer, ni par l'ARC, ni par le premier venu avec une lettre en main.

— J'accepte de partir, monsieur, l'interrompit Viau, acceptez de rester poli.

Le visage virant au rouge, le curé les regarda s'en aller. Il barra la porte derrière eux, une fois qu'ils furent dehors.

— Torrieu, ce type est plus un démon qu'un curé ! ragea Albert.

— Il n'est pas facile en effet, répliqua Joseph. Il est clair que Napoléon va être mis au courant.

— Ça, c'est certain, confirma Camille.

Albert s'arrêta au milieu de la rue. Il considéra la belle église néo-Renaissance dont le grand clocher central s'élançait vers le ciel.

— Le curé a bien dit qu'il partait cet après-midi, n'est-ce pas ?

— Oui, répondirent ensemble les deux frères.

— Et que sa ménagère était en congé ?
— Oui.
— Parfait !

Albert se faufila à travers le soupirail une fois que Camille eut arraché la double-fenêtre qui ne tenait que par deux crochets. Il tira une vieille malle sous l'ouverture afin que ses deux comparses puissent descendre à leur tour.

— Mais je ne passerai jamais par ce trou ! s'exclama Camille.

— Mais si tu peux, insista Albert, viens !

Le colosse passa les pieds devant et les deux autres lui saisirent les jambes afin qu'il puisse passer par l'ouverture sans se blesser.

Ils traversèrent la cave basse en se penchant pour éviter les poutres, éclairés à la lumière glauque s'infiltrant par les soupiraux. Un escalier droit les mena à la trappe d'accès qui les fit aboutir dans un corridor qui traversait le bâtiment d'un bout à l'autre.

— Nous y voilà, chuchota Albert. Faisons le tour des pièces afin d'identifier des cachettes possibles. Ensuite, nous les vérifierons une à une pour finir par le bureau et la cave avant de ressortir. Ça vous va ?

— Ça tient la route.

Ils entreprirent de fouiller systématiquement chacune des pièces du grand presbytère.

Harcelés chacun de leur côté par un sentiment de culpabilité qu'ils prirent soin de ne pas dévoiler, ils se retrouvèrent enfin dans le bureau du conseil de fabrique situé dans le bas-côté de la résidence. Lorsque Albert ouvrit toutes grandes les portes d'une imposante armoire ancienne appuyée contre le mur intérieur, il comprit que là s'arrêtaient leurs recherches. Il étudia rapidement le système de verrouillage du solide coffre-fort qu'il avait sous les yeux. Les deux frères s'approchèrent pour regarder par-dessus ses épaules.

— Si j'étais le curé, dit Joseph, et que j'avais à conserver quelque chose de précieux ou d'important, c'est bien là que je le cacherais.

— Ouais, acquiesça Camille.

— Pas de doute, murmura Albert.

Le coffre était ancien mais il s'agissait d'une belle pièce. Deux boutons numériques composant une double serrure à combinaison en fermaient définitivement l'accès, sauf pour son propriétaire.

— C'est raté, laissa échapper Albert.

— Sortons d'ici, suggéra Joseph, je connais la cachette de la clé de l'église. Peut-être devrions-nous y jeter un coup d'œil?

Ils quittèrent tous trois le presbytère par le soupirail à travers duquel ils étaient entrés. Ils aidèrent Camille à sortir le premier et celui-ci les tira à leur tour hors de la cave.

Joseph s'étira le bras pour récupérer une clé posée sur une corniche décorant le cadre de la porte donnant dans la sacristie. Ils la fouillèrent en premier, tout en prenant bien soin de ne rien déplacer et de ne surtout pas toucher aux vases sacrés, aux habits liturgiques et aux divers ornements qui étaient entreposés.

Ils conclurent tous trois par une génuflexion et un signe de croix devant l'autel dans le chœur de l'église. Celle-ci, reconstruite de 1914 à 1916 après un incendie majeur, avait reçu saint Louis comme patron. Possiblement à cause de Louis-Aubert de Forillon, qui avait été seigneur de Kamouraska de 1700 à 1713.

— Dieu nous pardonnera, dit Albert, c'est pour lui que nous faisons cela.

— Je ne sais trop quoi te dire, Albert, fit Joseph contrarié, nous avons bien voulu t'aider…

— Ne vous en faites pas. Vous m'avez beaucoup aidé. Plus important encore, j'ai trouvé des amis sincères.

Ils se donnèrent quelques tapes amicales sous la croisée du transept.

— Peut-être devrions-nous tout raconter à notre père, dit soudain Camille. Il a connu Chiniquy étant enfant et notre grand-père aussi l'a bien connu.

— Je crois que tu as raison, l'approuva Joseph. Si tu es d'accord Albert, nous lui parlerons ce soir.

— Je pense aussi que c'est une bonne idée. Je lui expliquerai tout ce soir et je lui montrerai la lettre de l'évêque que le sympathique curé Daunais a rejetée.

Ils retournèrent vers la sacristie et quittèrent en douce les lieux consacrés.

— Vous n'avez aucune idée de ce à quoi vous vous attaquez, leur confia Napoléon Rossignol en portant une chaude infusion à ses lèvres.

L'homme, qui avançait en âge, avait pris l'habitude de faire infuser chaque soir du gingembre dans de l'eau bouillante, dans le but de contrer ses douleurs arthritiques. Une cuillère de miel atténuait le goût piquant du breuvage.

Albert, accompagné de Camille, Joseph et Thomas, écoutait l'homme avec la plus grande attention. Installé dans un grand salon près d'une chaudière à mazout, Napoléon faisait craquer le plancher en bois aux larges planches, par le mouvement de sa chaise berçante.

— L'idée m'a bien traversé l'esprit lorsque je t'ai vu débarquer ici, poursuivit-il en regardant Viau, mais ces souvenirs étaient depuis si longtemps enterrés au fond de ma mémoire que je ne croyais même plus possible qu'ils puissent un jour être déterrés.

Albert avait plutôt décidé de confier à Napoléon ce qui l'avait amené dans la région. Il lui avait montré la lettre de l'évêque d'abord destinée au curé Daunais, expliquant le but de ses recherches.

— En fait, ni vous ni votre évêque ne savez vraiment ce que vous cherchez, argua le chef de famille.

— Non, pas vraiment, avoua Albert. L'évêque est persuadé que le président Lincoln a remis à Charles Chiniquy, autrefois curé de Kamouraska, des notes ou des documents qui d'un côté contesteraient la légitimité de l'Église, et de l'autre, donneraient des détails sur ceux qui influencent le mouvement religieux et la politique mondiale.

— C'est bien pour cette raison que j'affirme que vous n'avez pas la moindre idée de ce à quoi vous vous attaquez, répéta Napoléon.

— Nous avons bien plus qu'une idée, répondit Albert, nous avons été appelés à combattre dans notre région, et ce, depuis des années, un fléau porté par un groupe qui se fait appeler les «Êtres de la Lune».

Napoléon frissonna aux paroles d'Albert, ce que celui-ci ne manqua pas de remarquer.

— Ils ont appuyé le parti fasciste et les chemises bleues au cours de leur ascension avant le début de la guerre, continua-t-il, et nous ont donné beaucoup de fil à retordre. Je ne tiens pas à m'enfoncer dans les détails, mais vous devez savoir que par chez nous, tant qu'ils existeront pour essayer de prendre le contrôle de notre nation, nous ne dormirons jamais tranquille. La proximité de la grande ville aidant, ils sont constamment en train de manigancer quelque mauvais coup, entraînant certaines gens avec eux, travaillant dans l'intérêt de ce que les Allemands tentent de faire en Europe: installer une dictature de contrôle total sur un monde «pacifié» par la force.

— Mais à quoi servirait-il aux Allemands de régner sur le monde? demanda Camille.

— Ils servent sans cesse et de manière diplomatique le prétexte de «l'espace vital». Mais cet espace vital tend à prendre des proportions bien plus grandes que les frontières naturelles d'une nation.

— Tu aurais dû me parler de tout ça dès ton arrivée, Albert, lui reprocha Napoléon. Tu te serais évité le sermon du curé Daunais et la fouille du presbytère. Si jamais celui-ci vient à apprendre votre petite intrusion dans son bureau, je ne donne pas cher de votre peau !

— Cela ne m'inquiète pas vraiment, l'assura Albert. Nous avons été très prudents et n'avons rien déplacé. Nous n'avons de surcroît aperçu aucun témoin.

— Je vous le souhaite...

— Alors, monsieur, poursuivit Viau pour faire dévier le sujet de leur escapade, après ce que je vous ai raconté, êtes-vous en mesure de me donner des renseignements sur ce que je cherche ?

Napoléon prit une gorgée de son infusion qui tiédissait. Un sourire intraduisible apparut sur son visage.

— Je sais parfaitement où se trouve ce que vous cherchez, avoua-t-il catégorique.

✶ ✶ ✶

Albert s'en voulait de ne pas avoir consulté Napoléon dès le départ. Il s'était fié à la retenue de ses nouveaux amis, qui n'avait pas voulu alarmer leur père avec une histoire à laquelle ils n'avaient pas attaché tant d'importance. Mais le contact avait été bon entre lui et les frères Rossignol. Et ces derniers avaient choisi de l'aider sans plus s'en faire, comme cela semblait souvent leur habitude.

Napoléon ne leur tenait pas rigueur d'avoir tardé à le mettre au courant. Il paraissait même affecté par ce qu'il s'apprêtait à leur révéler.

— Tout le monde ici dans le comté de Kamouraska connaît l'histoire de Charles Chiniquy. Sauf que personne n'a jamais osé en parler. Tout le monde a aimé Chiniquy. Mais lorsqu'il défia l'Église catholique et l'empire de Rome, qu'aurions-nous dû faire? Nous ne pouvions que continuer à l'aimer en silence. Chiniquy a toujours été un ami proche de notre famille. Mon grand-père Ézéchiel a raconté qu'au début, il était entièrement dévoué à la cause de l'Église et à la lutte aux protestants. Et si on retourne cent ans dans le passé, le conflit qui existait entre catholiques et protestants était des plus sérieux. D'ailleurs, il ne s'agissait pas d'un conflit, mais bien d'une guerre à mort entre les hérétiques et la sainte Église. Les protestants étaient les «apôtres de l'erreur et de l'irréligion» et les Anglais étaient tenus en grande détestation à cause de leurs croyances. C'est en janvier 1847, je crois, que le grand-père Ézéchiel accompagna Chiniquy, envoyé par l'évêché de Montréal à la Pointe-aux-Trembles pour croiser le fer avec les protestants et tenter de les ramener, selon lui, sur le droit chemin. Ézéchiel avait tempéré le chaud curé afin qu'il n'aille pas trop loin dans ses paroles et ses actes. Il ne fallait surtout pas tomber sous le coup de la loi civile. Étant un peuple conquis et gouverné par une Angleterre protestante, une incartade à la loi ne bénéficierait d'aucune impartialité ni justice de leur part. Pendant trois jours, Ézéchiel avait écouté Chiniquy haranguer la foule de ses conférences dans une église bondée à chaque fois. Après la dernière de ces conférences, cinq ou six ministres protestants le défièrent à l'extérieur, bible en main, d'avoir une discussion publique avec eux. Au lieu d'accepter la discussion, Chiniquy se tourna vers la foule et les pria de donner aux protestants une leçon qu'ils n'oublieraient pas de sitôt.

Albert et les trois frères étaient fascinés par cette histoire vécue, narrée avec tant de réalisme par Napoléon, qui répétait ce que son grand-père lui avait un jour raconté.

— Et que fit la foule? questionna Albert.

— Ce n'est pas beau à raconter, mais elle prit l'orateur au mot. Selon grand-père Ézéchiel, une cinquantaine de personnes se ruèrent comme des fauves sur les protestants pour leur flanquer la raclée de leur vie. En peu de temps, la neige fut rougie de leur sang et les gens les auraient sûrement tués si tout à coup, un homme n'avait pas sauté dans la mêlée pour les arrêter. Il se battit contre ses compatriotes comme un lion déchaîné, incapable de supporter pareille folie meurtrière. Son intervention eut pour effet de réveiller la foule qui avait jusque-là encouragé la raclée. Les protestants ramassèrent leurs paletots en lambeaux et s'enfuirent.

— Bon sang, s'étonna Joseph, tout cela est difficile à croire!

— C'est pourtant très vrai.

— Et quelqu'un sait qui était ce brave homme qui s'était interposé? demanda Albert.

— C'était Ézéchiel lui-même, dit Napoléon.

Les autres furent surpris et doublement accrochés à cette histoire incroyable.

— Mon grand-père Ézéchiel n'accepta d'adresser de nouveau la parole à Chiniquy que le lendemain, continua Napoléon. Lorsque le prêtre vint s'excuser de son méfait et lui avouer avoir passé la nuit blanche à entendre une voix intérieure l'accuser, son ami le prit dans ses bras pour le consoler. Rongé par la honte et par cette voix qui lui scandait la vengeance du Ciel, il avait réalisé d'un coup que l'Église suivait bien plus les traditions des hommes que la parole de Dieu. Non, le Fils de l'Homme n'était pas venu pour perdre les hommes, mais bien pour les sauver... Ce fut le premier pas vers sa conversion. Puisant ce matin-là dans la bibliothèque du presbytère de la Pointe-aux-Trembles, il montra à Ézéchiel les textes des volumes du droit canon : il n'est pas péché de tuer un protestant. Cela n'est pas considéré comme un meurtre. Pareille action obtient même à l'assassin l'assurance du pardon de tous ses péchés... Cette lecture les avait révoltés à un point tel, que leur vie s'en était trouvée changée à jamais.

Napoléon les avait donc instruits sur le père Chiniquy pendant un bon moment. L'homme ne tarissait pas de souvenirs et d'anecdotes. Les quatre amis comprirent mieux Chiniquy et ce qui l'avait ensuite mené aux États-Unis jusqu'à ce qu'il se tourne définitivement contre l'Église. C'était là-bas qu'il avait rencontré le futur président américain, alors avocat. Ce dernier, lorsqu'il fut en poste à la Maison-Blanche, lui avait affirmé subir d'horribles pressions de la part de groupes obscurantistes et autres sociétés secrètes manipulant les politiciens comme les industriels.

Albert songea aussitôt aux Êtres de la Lune, infiltrés partout depuis la nuit des temps.

Sentant ourdir les complots contre sa personne, Lincoln avait alors confié des documents à Chiniquy, en qui il mettait toute sa confiance. Ces rapports, ces notes, ces lettres de menaces devaient être gardés en lieu sûr, le monde n'étant pas prêt à entendre une vérité qui le dépassait.

Une vérité qu'il serait facile de ternir ou de traiter de mensongère. Malgré les affres, le temps devait passer. De retour au pays, Chiniquy décida d'en prendre connaissance avec deux compagnons, dont le grand-père Ézéchiel.

Albert céda à l'impatience et interrompit Napoléon.

— Voilà pourquoi vous savez tout cela, lui dit-il. Votre grand-père connaissait la vérité! Il était avec Chiniquy en possession de ce que je viens chercher! J'ose donc vous le demander : possédez-vous encore ces documents?

Napoléon vida sa tasse et la posa sur une petite table près de lui.

— Non, dit-il, je ne les ai pas. Je vous ai parlé d'un troisième compagnon qui avait, avec Ézéchiel et Cheniquy, pris connaissance des documents. C'est à lui qu'à l'époque, Chiniquy choisit de remettre le tout. Probablement parce qu'Ézéchiel n'en a pas voulu!

— Mais comment savoir ce qui est advenu des papiers de Lincoln? intervint Joseph. Ce type doit être mort depuis longtemps maintenant!

— Pas du tout, répliqua calmement Napoléon. Il est vieux, mais parfaitement lucide. Et il habite non loin d'ici…

— Mais qui est-ce? fit Thomas qui se retenait d'allumer un bout de cigare avec une allumette qui brûlait entre ses doigts.

Napoléon avait l'air libéré, comme si le poids d'un dernier secret s'apprêtait à tomber de ses épaules.

AGRIPPA

Il le laissa enfin tomber.
— Sir Thomas Chapais...

La maison Chapais était une magnifique résidence de style victorien construite en 1833 par l'un des pères de la Confédération canadienne et fondateur de Saint-Denis-de-Kamouraska, Jean-Charles Chapais. Thomas, le plus jeune de ses fils, né en 1858, devint historien, professeur et écrivain. Il fut l'auteur d'une histoire du Canada en huit volumes et des biographies de Montcalm et de Jean Talon. Admis au barreau en 1879, il se dirigea en politique où il devint secrétaire du lieutenant-gouverneur Théodore Robitaille. À travers les nombreux titres honorifiques dont il fit l'objet, Thomas Chapais fut nommé chevalier par le roi Georges V, ce qui lui conféra le titre de *Sir*.

Construite dans une pente, la maison affichait deux niveaux et une unique lucarne au centre de sa toiture, juste sous la grande cheminée. Aussi blanches que le presbytère mais avec une toiture rouge, deux vastes galeries couraient sur la façade des deux étages.

Albert ne put qu'admirer la maison plus que centenaire qui s'élevait devant lui.

Il était tard et une légère neige tombait dans un silence absolu, à peine troublé par quelques coups de vent échappés par le large.

Ayant insistés auprès de Napoléon afin que celui-ci appelle l'homme honorable, Albert et les trois frères obtinrent une rencontre immédiate, malgré qu'il fût passé vingt et une heures. Ils se présentèrent tous à la porte de la résidence du chevalier, dernier des aristocrates de son temps, qui les reçut aimablement, avec toute la diplomatie dévolue à son rang. L'homme de quatre-vingt-trois ans les invita à retirer bottes et manteaux et à passer au salon où un feu modéré brûlait dans la grande cheminée.

Un domestique à peine moins âgé que lui apporta une bouteille de brandy et une poignée de petits verres sur pied qu'il déposa sur une table basse. Après avoir empli les verres, il se retira sans la moindre parole, en refermant les portes françaises qui isoleraient le salon.

— Sir Chapais, dit Joseph pour entamer la discussion, laissez-moi vous présenter Albert Viau. Il est envoyé par le diocèse de Valleyfield, qui est, je vous le rappelle, aussi le siège de l'Alliance des Religions du Christianisme au Québec.

Albert attendit que le chevalier lui tende la main. Lorsque l'autre s'avança, il la saisit et apprécia la poigne encore solide du vieil homme.

— Sir... dit-il en baissant les yeux, c'est un plaisir. J'espère que vous nous pardonnerez cette visite tardive.

— N'en soyez pas marri, monsieur Viau, fit Chapais. Je vous attendais.

Albert releva les yeux et regarda l'homme s'installer au creux de son fauteuil. Camille lui tendit son brandy.

— Merci, fit-il. Je vous attendais depuis longtemps, monsieur Viau, je vous le répète. Car le père Chiniquy m'avait averti. Un jour viendra où quelqu'un te réclamera ce que je te confie aujourd'hui, m'a-t-il dit. Et tu sauras le reconnaître. Je vous ai vu en rêve voilà à peine quelques jours. Je ne comprenais pas pourquoi je ne reconnaissais pas ce visage à la fois rassurant et impénétrable. À présent, je sais. Je sais pourquoi vous êtes là et je sais que vous êtes celui à qui je dois remettre ces choses que j'ai autrefois eu envie de brûler si souvent. Mais je les avais oubliées! Il s'est passé tant d'années…

Le vieux domestique ouvrit les portes, faisant sursauter Albert et ses compagnons. Il portait un coffret grossièrement taillé, sans serrure ni pentures, cloué de tous ses panneaux. Il avait toutefois pris soin d'essuyer la poussière qui le recouvrait avant de l'apporter. On pouvait encore voir les coups de guenille qui en rayaient la surface.

L'homme déposa en silence le coffret sur la table basse et quitta la pièce en refermant encore une fois derrière lui.

— Et voilà, dit Chapais en montrant de la main la boîte en bois. Tout est là.

— Je… je ne sais trop quoi dire, bredouilla Albert, c'est inattendu. Je sais que le contenu de ce coffret a beaucoup d'importance et qu'il renferme des secrets ou des mensonges qui pourraient nuire au monde ou à l'Église. Je vous suis gré de me le remettre, sir Chapais…

— Toute ma vie, j'ai eu une relation unique avec la famille Rossignol. Notre amitié s'étend maintenant sur trois générations. Je suis un vieil homme, mes années sont comptées, que dis-je, mes jours peut-être! Camille vient souvent discuter avec moi et Dieu sait que je parle plus que lui! Et pourtant, j'apprécie tellement sa présence. Il était temps que vous vous manifestiez, monsieur Viau, que vous veniez prendre en charge le poids de ce fardeau. Et que vous en fassiez profiter au monde, ou que vous le fassiez disparaître à jamais.

— Sir, demanda encore Albert, êtes-vous au courant de ce que renferme ce coffret? En avez-vous vraiment pris connaissance à l'époque où il vous a été remis?

— Si vous êtes ici cette nuit, monsieur Viau, et que votre évêque a confiance en vous, c'est que vous êtes au fait des agissements de certains pouvoirs et de certains groupes sectaires et secrets qui agissent dans l'ombre depuis fort longtemps. Ils manipulent nos dirigeants et même notre sainte Église, comme si l'avenir des hommes était le but à gagner d'un quelconque jeu amusant. Cela existe, je vous le dis. Et tout est consigné dans ce coffret, depuis les notes d'Abraham Lincoln jusqu'à celles de mon ami Chiniquy. Dieu ait son âme... J'ai en effet pris connaissance des documents contenus dans ce coffret. En tant qu'historien, il m'était impossible de m'y soustraire. Lincoln affirme bel et bien qu'un groupe de mages très anciens, des mages rouges, sont à l'origine de la création de la religion chrétienne. Et qu'à une époque reculée, ils auraient voulu supplanter les religions païennes par une seule et unique. Ils auraient obtenu pour ce faire l'aide de l'empereur Constantin au IVe siècle. D'ailleurs, ce dernier a tout fait basculer par une seule phrase à la bataille du pont Milvius. Il prétendit avoir eu la vision du nom du Christ sous la forme d'un chrisme et entendu une phrase qui disait «par ce signe, tu vaincras». L'empereur païen aurait fait inscrire ce signe sur le bouclier de ses hommes et aurait remporté la bataille. Il n'en fallait pas plus pour basculer vers le christianisme.

— Vous affirmez donc, sir Chapais, récapitula Albert, que ces mages rouges se disent derrière la fondation de l'Église de Rome ? Qu'ils auraient manipulé le transfert entre le paganisme et le christianisme au cours du règne d'un seul empereur romain ?

— Il s'agit bien de cela, mon cher, confirma Chapais. Messieurs, j'en profite pour vous rappeler que cette conversation n'a jamais eu lieu…

Une fois qu'ils eurent tous approuvé avec une mine déconfite, le chevalier Chapais ajouta un peu d'huile sur le feu.

— Mais pis encore, poursuivit-il en grimaçant sur une gorgée de brandy, c'est qu'un autre document de plusieurs pages relié par des cordons affirme que l'Histoire elle-même a été fabriquée de toutes pièces ! Encore un tour des mages rouges manipulant l'Église ! En résumé, il y aurait mille ans d'histoire inventée et ajoutée ! Celle-ci ne commencerait qu'au Xe siècle et Jésus aurait été crucifié en 1083 à Constantinople…

— Mais qu'est-ce que vous me chantez là ? le coupa Albert étonné.

— C'est impossible, fit Joseph contrarié.

— Au moins, Jésus a été crucifié, commenta Camille.

— Mon père m'avait prévenu, avoua Napoléon.

— Est-ce que je peux fumer ? demanda Thomas.

— Bien sûr, prenez un cendrier, lui dit Chapais. Il est dit que tout cela aurait commencé à la suite d'une catastrophe à l'échelle planétaire. Comme la chute d'un corps céleste ou le passage rapproché d'une comète. Si l'on en croit cette hypothèse, l'Empire romain aurait été ravagé par les destructions, les changements climatiques, les feux, les inondations et les épidémies qui auraient décimé les pauvres survivants. Imaginez le tableau, messieurs. Il s'agit d'un véritable drame à l'échelle du globe, mais dans le monde civilisé, celui de l'empire de Rome, après deux générations de survivants malades et affamés, la mémoire s'estompe, les souvenirs disparaissent. Imaginez encore ces mages rouges s'emparer du pouvoir à travers les élites et réécrire une nouvelle version de l'évolution du monde avec comme assises l'Église! En ajoutant du temps, il était possible de lui donner un caractère légitime dans l'Histoire! Une histoire dont le peuple malade et affamé ne se souvenait plus!

Albert déposa son verre. Il était vide. Il se sentait mal et piégé par l'évêque qui l'avait envoyé à la recherche de quelque chose de terrible, de déstabilisant. Thomas Chapais sentit son trouble ainsi que celui des frères Rossignol qui ne parvenaient pas à se faire la moindre opinion.

— Mes amis, loin de moi l'intention de me perdre en conjectures ou en probabilités. J'ai clos le sujet en clouant les panneaux de ce coffret. Et je ne veux plus en entendre parler. Cela fait trop mal. Aussi vais-je vous quitter sur cette pensée et oser espérer que vous y réfléchirez dans les jours à venir. Comment le monde a-t-il pu passer en quarante ans de l'avion pitoyable des frères Wright au moteur à réaction et aux bombardiers allemands qui pilonnent les cités d'Europe, alors que l'homme a passé plus de deux mille ans avec le même genre de voiture à chevaux ou de char à bœufs?

Albert Viau, Napoléon Rossignol et ses trois fils quittèrent la maison Chapais un peu après une heure du matin.

La neige continuait à tomber, recouvrant lentement la terre de son manteau blanc.

Avec son coffret sous le bras, Albert cala un peu plus son chapeau. Il était bouleversé par toute cette histoire qui s'entrecroisait dans le temps et les gens. Même la mère du chevalier Chapais avait été la cousine du père Chiniquy. Pas étonnant qu'ils eussent été si liés.

Tout comme Chapais, Albert ne voulait pas savoir. Il ne voulait pas que rien ne change. Il ne voulait pas que rien ne soit détruit. Pourtant, la guerre elle, détruisait. Et elle détruirait peut-être bientôt tout ce qu'il avait connu jusqu'à maintenant, incluant sa propre religion.

Albert resta encore tout un jour avant de retourner chez lui.

S'étant véritablement lié d'amitié avec les Rossignol, il ne voulait pas leur donner l'impression de les avoir utilisés avec un départ trop hâtif.

Albert les aida sur la ferme et ils discutèrent abondamment, évitant avec adresse de parler du coffret et de son douteux contenu.

Au matin du 5 novembre, il jeta son sac dans le coffre de la Chevrolet pour amorcer son voyage de retour. Il quitta la ferme de Napoléon Rossignol presque à regret, devant tant de démonstrations d'amitié sincère. Les femmes lui avaient préparé de quoi manger pour la route en plus d'un panier de confitures et de marinades.

Il leur assura qu'il reviendrait avec Emma pour voguer sur le fleuve à bord de la *Rose-Hélène* et promit à Camille de s'entraîner pour l'affronter dans un bras de fer.

Pendant une seconde, l'envie de déménager dans ce coin de pays lui traversa l'esprit.

16

Paris, France.
Le dimanche 30 novembre 1941.

Robert Desfontaines expira l'air de ses poumons en un souffle oppressé, espérant par là chasser la peur qui l'habitait en même tant que la nervosité. Il s'efforça de ne rien laisser paraître afin de ne pas alarmer les gens qui l'avaient aidé à élaborer son plan.

François Gibert avait été le principal acteur dans la mise en œuvre de l'action suicidaire qu'il s'apprêtait à poser. Il avait fait en sorte qu'il puisse obtenir d'être inscrit sur la liste des invités de marque qui se pressaient au Palais Garnier afin d'assister aux trois soirées nécessaires à la présentation de ce festival scénique qu'était *L'Anneau du Nibelung*. Ce cycle de quatre opéras, inspiré de la mythologie nordique et dévoilant le génie musical du compositeur Richard Wagner, se voulait une œuvre magistrale qui étalait toute la démesure et la suprématie du peuple allemand en toute chose. Que ce soit dans l'art de la guerre ou dans l'art de la scène, la démonstration de force restait toujours le meilleur outil de propagande qui soit. Tant pour ceux qui étaient conquis que pour les conquérants.

Négociant en vins, Gibert s'était principalement enrichi avec ceux de Bordeaux. Appartenant à l'aristocratie française grâce aux deux générations l'ayant précédé, François Gibert avait choisi le commerce du vin plutôt que celui du bois et de la pierre à construire. Il avait mis toute une vie à se faire une place et une réputation, et l'occupation allemande venait anéantir cette liberté qui lui était si chère. Il acceptait néanmoins de se prêter au jeu de l'hypocrisie afin d'aider les résistants à nuire le plus possible à l'occupant. Conscient qu'il pouvait tout perdre à tout instant, il était appuyé dans ses idées par sa femme qui abondait dans le même sens que lui; leur négoce serait de toute façon confisqué un jour ou l'autre pour les besoins du Reich.

Ajustant son nœud papillon dans le miroir ovale du hall d'entrée, Desfontaines le vit venir derrière lui.

— Nous partirons les premiers ce soir, dit Gibert, une voiture viendra vous chercher un peu plus tard...

Un bruit de pas dans l'escalier suspendit sa phrase. Les deux hommes se regardèrent de manière entendue et se tournèrent vers l'escalier en bois foncé qui menait au premier.

Élizabeth Montjean apparut, soutenant de ses mains le bas d'une longue robe rouge et moulante qui lui seyait parfaitement. Sa taille cambrée définie par le vêtement se mariait tout naturellement à sa poitrine pigeonnante et à la courbe hardie de ses hanches. Ses larges épaules à peine cachées par de fines bretelles ajoutaient encore plus d'harmonie à cet ensemble parfait. À chacun de ses pas, d'une marche à l'autre, la robe se soulevait un peu plus pour laisser voir ses jambes masquées de nylon noir. Des chaussures de type Charles IX, à talon solide et avec une bride traversant le cou-de-pied pour aller s'attacher au quartier, avaient été une exigence pour faciliter la fuite. Un collier de perles à trois rangées et des boucles d'oreilles à tige assorties complétaient l'ensemble. Elle était splendide.

— Dieu tout-puissant! s'exclama Gibert en la regardant descendre.

— Je n'arrive pas à m'y habituer, répliqua Desfontaines qui, s'il devait mourir ce soir, le ferait au moins en agréable compagnie.

— Quelle tête vous faites, leur lança Élizabeth, on croirait que vous venez de voir un fantôme!

— Plutôt une apparition, fit Desfontaines en s'efforçant de sourire, tu es magnifique.

Sans un merci, Élizabeth se tourna vers l'ingénieur Lionel Loup qui venait d'apparaître avec son petit sac à main.

Il lui tendit sans autre préambule puis se tint en retrait. Le regard qu'il jeta à Élizabeth refléta sa décision d'attendre le départ du propriétaire des lieux avant de s'avancer dans les explications. Gibert, sa femme Lyne et ses filles Émilie et Chloé firent leurs adieux à Desfontaines et à Élizabeth. Ils se souhaitèrent mutuellement bonne chance, conscients qu'ils ne se reverraient pas avant longtemps ou même jamais. Ils sortirent bien en vue à l'avant de leur maison et se dirigèrent vers la voiture qui les attendait.

Sans se montrer, Desfontaines referma la porte d'entrée et barra à double tour. Il échangea un regard tranquille avec Élizabeth qui ne trouva rien à ajouter. Le sort en était jeté. Elle se tourna vers Lionel Loup et lui désigna le sac à main.

— Je vous écoute, dit-elle en lui portant le plus grand intérêt.

— À l'intérieur de votre sac se trouvent, cousus derrière les doublures, le canon ainsi que le chargeur de douze balles de votre arme. Le corps de celle-ci est déjà fixé à l'arrière de votre cuisse, n'est-ce pas ?

— Oui, c'est fait. La minceur du pistolet est d'ailleurs étonnante.

— Il n'en est pas moins efficace, soyez-en sûre. Les munitions de calibre .22 proviennent d'un stock de chez Fiocchi, que j'avais en ma possession. Elles ont été modifiées afin de les rendre plus performantes. La charge en a été augmentée et vous remarquerez que le projectile est à tête creuse.

Loup montra l'une des balles à Élizabeth qui en observa le bout aplati et coupé en croix.

— Ah bon…

— Le projectile ainsi préparé cherchera à s'épanouir lors d'un impact contre un être vivant.

— S'épanouir ?

— Se déformer si vous préférez… Les tissus organiques réagissent un peu comme de l'eau sous l'impact d'un projectile. En le modifiant de cette façon, il devient moins perforant mais beaucoup plus dévastateur sur le front de la surface qu'il rencontre. De plus, avec une taille en croix comme celle-ci, il arrive les trois quarts du temps que la balle éclate en fragments dans la cible.

— Je comprends mieux le principe de l'épanouissement...

— Rappelez-vous, il suffit de bien viser. Une seule balle fera le travail. Vous en avez douze dans votre chargeur. Appliquez-vous à tirer sur des cibles différentes au lieu de gaspiller vos munitions sur la même.

— Je m'en souviendrai.

— Vous pourrez facilement détacher la doublure de votre sac. Il n'y a aucun danger. Vous apparaîtrez à l'opéra pour un troisième soir consécutif. Personne ne penserait à oser vous fouiller. Vous détournez trop l'attention des hommes.

— Je dirais plutôt qu'elle l'attire, s'incrusta Desfontaines pour tenter de détendre l'atmosphère.

Élizabeth et l'ingénieur le regardèrent sans aucune trace d'émotion.

— Bon ça va... fit l'ancien chef de l'ARC en retournant devant le miroir.

— Gardez votre sang-froid Élizabeth, poursuivit Loup. DR abattra le *Führer* d'abord avec l'arme qui est cachée à son intention sur l'une des passerelles de la cage de scène. Puisque vous êtes assise à l'avant et au parterre, vous vous retournerez sans vous lever – pour éviter de devenir vous-même une cible –, vous prendrez le temps de viser vers le balcon avant de tirer à votre tour. Ainsi, la panique s'empa-rera du théâtre et vous foncerez vers la sortie de secours à l'arrière-scène. Pensez à compter vos balles afin d'en conser-ver deux ou trois. Cela pourrait vous être utile vers la sortie. Ils ne pourront vous localiser ni se déplacer dans la foule qui s'agitera en tous sens. Cela ne devrait pas vous prendre plus de quarante-cinq secondes…

Desfontaines acquiesçait de la tête. Le résumé de l'ingénieur se reproduisait dans son esprit depuis des jours. Il était convaincu que cela allait fonctionner. Ils abattraient Hitler, Himmler, Bormann, tous ceux qui se trouveraient ce soir dans la loge du *Führer*.

Il n'y aurait aucune place pour la pitié.

À la commande de Napoléon III, il avait fallu quinze années de travail pour ériger l'Opéra de Paris, connu sous le nom du Palais Garnier. En effet, l'affaire ayant été en concours d'appel d'offres, c'était un jeune architecte de trente-cinq ans nommé Charles Garnier qui avait remporté le contrat. Depuis la création de cette institution qu'était l'Opéra national à Paris par Louis XIV en 1669, le Palais Garnier en était la treizième salle. Étalage de faste, la construction était un chef-d'œuvre d'ingéniosité et d'harmonie, mélangeant l'or et le cristal à la pierre d'Euville et aux marbres de toutes les couleurs. À sa vue, l'œil de l'homme averti ne pouvait que se réjouir.

Élizabeth Montjean et Robert Desfontaines laissèrent leur imperméable dans la voiture. Bien à l'abri d'une bruine légère, sous la grande rotonde gardée par ses deux paires d'obélisques, ils atteignirent le pavillon ouvert de plusieurs arcades, où furent contrôlés leurs billets. Le sourire pétillant d'Élizabeth ajouté à sa maîtrise parfaite de l'allemand, les fit passer sans problème. Ils entrèrent, entourés de gens excités dont la moitié arborait l'uniforme, pour rejoindre d'abord les salons richement décorés avant d'arriver à la rotonde du Glacier et la galerie du bar. Une fois là, Desfontaines leur commanda un verre de champagne. Ils trinquèrent ensemble et échangèrent un sourire qui les fit paraître comme un couple heureux et sans histoire.

— Si cela doit être notre dernière soirée sur cette terre, lui dit-il en cognant son verre contre le sien, autant partir avec classe. Quoi qu'il advienne, sache que ce fut un plaisir de te connaître et de travailler avec toi, chère amie. Nous allons faire de cette soirée, un évènement dont les nazis se souviendront longtemps !

— Je trouve tes paroles bien défaitistes, lui glissa Élizabeth en se rapprochant, tu devrais plutôt être en train de nous motiver par ton assurance !

Desfontaines rit à sa remarque.

— Si cela peut te consoler, j'ai l'assurance que ce soir, on va leur en mettre plein la gueule…

— Tu connais l'endroit à l'arrière-scène où tu récupèreras l'arme ?

— Tout à fait. J'ai déjà fait un tour de reconnaissance sous les habits d'un travailleur avec le contact que nous avait fourni Gibert et qui travaille ici comme accessoiriste. Il y a des passerelles qui permettent de se déplacer d'un côté à l'autre de la cage de scène pour la manœuvre de l'équipement. Au haut des cintres, il y a les appareils nécessaires à la suspension et au mouvement des décors ainsi que les panneaux de frise. C'est là-haut que se trouve la carabine que j'utiliserai contre Hitler. Je ramperai dans un réduit permettant l'aération de l'entre-plafond de la salle de spectacle. Je serai tout près de sa loge qui sera sur ma gauche, presque à ma hauteur. Je ne pourrai pas le rater.

— Je n'en doute pas. Je tirerai aussitôt dans la loge sous celle du *Führer* où seront Bormann et Himmler. À nous deux, nous devrions pouvoir faire le ménage.

— Je crois qu'on peut le faire en trente secondes.

— Moi aussi.

— J'ai su de source sûre que Reinhard Heydrich serait présent...

— Je me demande pourquoi il était absent les deux autres soirs.

— Moi je le sais.

— Alors, dis.

— Il revient d'une expédition au Mexique.

Élizabeth suspendit le verre à ses lèvres.

— Qu'as-tu dis? le fit-elle répéter.

— Les nazis ont bel et bien été à la rencontre du dernier *Agrippa* supposément emmuré dans une vieille pyramide de la région de Veracruz. Tel que vous l'aviez compris Édouard et toi, lors de votre escapade à l'école des sorciers en Espagne il y a trois ans.

— L'ont-ils découvert?

— Apparemment oui, mais ils ne l'ont pas ramené.

— Et pourquoi ça?

— Parce qu'on le leur a ravi. Et qu'un gigantesque monstre en pierre les aurait mis en déroute et aurait coulé l'un de leurs sous-marins.

— Un golem… murmura Élizabeth. C'était Édouard, c'est certain…

— Si ça se trouve, notre ami Édouard a récupéré le dernier *Agrippa*, à la face des nazis !

— Mais comment as-tu appris ces choses ? demanda Élizabeth que ces informations venaient de revigorer.

— Tu me connais, j'ai plusieurs sources, que je ne peux dévoiler…

Élizabeth sourit et prit une nouvelle gorgée. Elle était heureuse d'entendre parler d'Édouard. Cela ne pouvait être un autre que lui. Elle avait enfin une nouvelle raison de survivre à cette funeste soirée. Une fois l'état-major nazi buté, la fin de la guerre pourrait être envisagée à moyen terme.

— Écoute, fit Desfontaines, lorsque nous fuirons, je te retrouverai de l'autre côté du boulevard qui fait face à la cour arrière. Tu verras, il y a une petite ruelle qui permet de se cacher dans le noir. Sois-y, je t'y rejoindrai.

— Mais toi, comment sortiras-tu ?

— Par le monte-charge. Je l'utiliserai pour me rendre à la dernière passerelle et je le bloquerai jusqu'à mon retour. Personne n'en aura besoin durant la représentation.

Ils vidèrent leur verre et l'appel fut donné pour l'entrée des spectateurs.

Ils déambulèrent lentement par delà les travées du grand foyer, inspirées des galeries de châteaux de style classique comme Versailles. Éclairé de hautes portes-fenêtres et habillé d'or, de miroirs subtilement installés ainsi que de superbes lustres, le grand foyer était le point de rencontre de tous les spectateurs. Les peintures du plafond à voussures faisaient revivre certaines étapes de l'histoire de la Tragédie et de la Comédie.

Desfontaines, avec Élizabeth à son bras, faisait l'envie de certains hommes qui ne parvenaient pas à s'empêcher de la regarder malgré la présence de leur propre escorte ou femme. Ils aboutirent sourire aux lèvres aux galeries du grand escalier, autre ouvrage magnifique – issu du génie de l'architecte Garnier – de par ses dimensions et la variété des matériaux utilisés. Deux impressionnantes sculptures-torchères en bronze se tenaient au pied de l'escalier aux marches en marbre blanc et aux mains courantes en cuivre. La distribution fabuleuse des marbres de couleurs variées, de l'onyx, de l'or, des sculptures et des peintures, faisait de cet endroit l'un des plus majestueux de l'Opéra de Paris.

Desfontaines tint la porte à Élizabeth qui fit son entrée dans la salle de concert comme si la place lui appartenait. L'homme s'adapta à sa démarche souple, ondoyante, à peine déhanchée, alors qu'ils descendirent l'allée centrale du par-terre.

Les dimensions et le luxe de la salle les envoûtèrent encore une fois. Il y avait quelque chose de magique à entrer dans cet antre de l'art juste avant une représentation. Aménagée en forme de fer à cheval par rapport à la scène et s'élevant sur cinq niveaux, la salle comprenait mille neuf cents sièges. Suspendu en son centre, son célèbre lustre de cristal avoisinant les huit tonnes participait au même titre que chanteurs ou musiciens à l'atmosphère magique des lieux.

Ils s'installèrent à leurs sièges dans la dixième rangée.

Desfontaines tira ses fines lunettes de leur étui et les chaussa. Légèrement myope, il voyait trouble les objets éloignés. Il leva les yeux sur sa droite en direction de la loge du *Führer*. Ce dernier, qui paraissait de très bonne humeur, plaisantait avec sa maîtresse Eva Braun. Debout derrière Hitler, son loyal garde du corps Rochus Mish scrutait la salle et les balcons alors qu'à ses côtés, une femme essayait sans succès d'attirer son attention. Desfontaines donna un coup de coude à Élizabeth et lui fit signe de regarder vers la loge. Son sang ne fit qu'un tour lorsqu'elle reconnut la responsable de la formation des espionnes du Reich Katja Arbenz. Celle que tous les officiers nazis appelaient affectueusement Mlle Docteur.

À un moment donné, Desfontaines qui suivait le manège du garde du corps se sentit directement regardé par celui-ci. Il baissa aussitôt les yeux vers le programme de la soirée qu'il tenait entre ses mains et fit mine d'en faire la lecture. Au bout d'un moment, il s'approcha d'Élizabeth.

— Ce soir, lui dit-il à l'oreille, Hitler verra de près *Le Fantôme de l'Opéra*[1]...

Ce dernier opéra de la tétralogie de Wagner intitulé *Le Crépuscule des dieux* durerait près de cinq heures en incluant les entractes. Il avait été entendu qu'il serait préférable

---

1. *Le Fantôme de l'Opéra* est un roman de l'écrivain Gaston Leroux paru en 1910. Il serait inspiré de faits réels qui se seraient produits à l'Opéra Garnier de Paris dans la seconde moitié du XIXe siècle.

d'attendre la fin pour frapper. Ainsi, la surveillance se serait un peu relâchée et la surprise serait d'autant plus grande.

La fosse de l'orchestre débordait littéralement de musiciens. À l'époque où Wagner avait créé le cycle de *L'Anneau du Nibelung*, il avait imaginé et écrit ses opéras pour un orchestre exceptionnellement grand. Orchestre qui avait ici été reproduit dans ses moindres détails à la demande du *Führer*, tel que l'aurait souhaité l'illustre compositeur, et qui comportait donc cent trente musiciens.

Ce n'était plus un orchestre symphonique, c'était un orchestre wagnérien.

Certains des instruments attiraient l'attention et suscitaient l'admiration, tant par leur dimension que par leur étrangeté. Que ce fussent les six harpes, les dix-huit enclumes[1] ou les uniques tubas wagnériens[2], tant d'instruments et de musiciens capables d'interagir ensemble pour créer une harmonie aussi puissante que mystique donnaient la chair de poule.

C'est à Wagner que le théâtre doit l'innovation du rideau qui se lève ou se baisse, remplaçant l'habituelle toile relevée ou abaissée. Le cartouche inséré dans un lambrequin, portant l'inscription «Anno 1669» qui ornait coutumièrement le milieu du rideau de scène rouge et or, avait été remplacé par l'emblème nazi. Cette croix gammée noire sur fond rouge

---

1. L'enclume est un instrument à percussion de la famille des métallophones. Il s'agit d'une série de blocs d'acier de différentes longueurs posés sur un socle qui fait caisse de résonance. Ces blocs sont frappés avec un marteau.
2. Le tuba wagnérien est un instrument à vent de la famille des cuivres. Il a été conçu en 1876 par Adolphe Sax, à la demande de Richard Wagner qui voulait un instrument ayant une sonorité à mi-chemin entre le cor d'harmonie et le saxhorn pour les opéras du cycle de *L'Anneau du Nibelung*.

ornant l'avant-scène de l'Opéra Garnier était un ultime affront aux Parisiens qui subissaient en silence en attendant leur heure.

L'éclairage se tamisa enfin et le grand rideau s'ouvrit en son centre, se soulevant gracieusement vers les angles sous les applaudissements nourris des spectateurs.

Le rocher de Brünnhilde apparut en prologue, se découpant sur le lointain éclairé seul d'un vague reflet de flammes. Les trois Nornes, drapées dans de flottantes robes noires, entrèrent en scène sous les mouvements puissants et ondulatoires de l'orchestre, en tissant ensemble la toile du Destin des dieux et des humains. Elles récitèrent de leurs chants les évènements des journées précédentes alors que l'orchestre soutenait leurs dialogues en ramenant les motifs correspondant aux différentes phases du drame.

Robert Desfontaines chercha la main d'Élizabeth et la serra dans la sienne. Elle répondit à son geste sans toutefois se tourner vers lui. Ce qu'ils s'apprêtaient à faire plus tard en soirée leur conférait le pouvoir de ces Nornes. Le pouvoir de tisser la toile du Destin. Celle de leur vie, de leur pays et peut-être même de l'Europe entière.

Adolf Hitler jubilait. Heureux d'être aux côtés de sa maîtresse, il l'était encore plus du succès remporté par ce cycle interminable d'opéras. En trois jours, les gens en avaient eu pour quinze heures de spectacle et avaient été en mesure d'apprécier toute la force de la créativité du peuple allemand qui, sans aucun doute, possédait une avance culturelle et technologique incontestable sur le reste du monde connu.

Les avancées dans le domaine des sciences et de l'art de la guerre avaient connu, au cours des dernières années, un sort fulgurant. Bien entendu, l'appui des mages rouges et leur apport à la science par le truchement des Supérieurs Inconnus y avaient été pour quelque chose. Mais sans le génie de l'Allemagne et la vision de son chef suprême, tout cela n'aurait pu être possible.

Bientôt, ils domineraient le monde à l'issue de la mise en place de l'arme ultime. Le gigantesque marteau de Thor encore en construction. Une fois ce dernier activé et capable d'être mis sous tension, la terre entière ploierait sous les coups de tonnerre du marteau.

L'accès à l'immortalité était aussi devenu chose possible. Lorsque la synthèse des fruits de l'arbre de vie rapportés par Heydrich, Skoll et Jankuhn serait sûre et complétée, ils assureraient la continuité de la race et de sa domination pour les siècles à venir.

Le *Führer* ne serait plus seulement un chef, mais un dieu vivant que tous voudraient suivre et servir.

La musique intense transportait Hitler sur des vagues d'émotions délicieuses à travers ses souvenirs de la mythologie. Quoi de plus normal pour un dieu que de se retrouver au cœur d'une mythologie dont il poursuivrait bientôt l'écriture sur les pages de l'Histoire? Oui vraiment, il est venu le moment du *Crépuscule des dieux* et celui du règne des hommes. Ce sont ceux-ci qui habitent sa surface et non les dieux. La terre appartient aux hommes et la suprématie allemande la leur séparera.

Sentant la conclusion de l'opéra, qui se solde avec la disparition des dieux et l'embrasement de leur siège, le *Walhalla*, Hitler se laissa transporter par cet enchantement wagnérien. Envoûté par la force de la musique et la voix de Brünnhilde, il ferma les yeux et serra un peu plus la main d'Eva Braun, conquise par le spectacle. La musique l'emportait au-delà du poème épique de Wagner et bien loin des thèmes discutés, pour le déposer à l'issue de la mythologie germanique, face aux plaines glacées où se déroulerait le combat des dieux. À ses côtés, Thor tenant son marteau à bout de bras et de l'autre, les boucs attelés à son char.

Pendant que sur scène, Brünnhilde ordonnait qu'on élève un bûcher pour le corps de Siegfried, Robert Desfontaines plongea son regard dans celui d'Élizabeth. Aucune parole ne fut échangée. Il se leva et sortit de la rangée pour remonter l'allée centrale. Autour de lui, les spectateurs étaient si absorbés qu'ils ne remarquèrent même pas son départ.

Dans la plus haute loge d'avant-scène toutefois, celle où se trouvaient le *Führer* et sa compagne, le départ d'un homme à un moment crucial de la fin de l'opéra intrigua Rochus Mish, le fidèle garde du corps. Il s'avança un peu et poussa de l'épaule un confrère afin de suivre l'homme qui remontait l'allée centrale, jusqu'à ce qu'il le perde de vue. À Mlle Docteur qui tentait de l'interroger, il fit signe de se taire en lui indiquant Hitler. L'autre garde, qui devait surveiller la porte de la loge, semblait beaucoup plus intéressé par le spectacle que par sa mission. Mish chercha la femme laissée seule par l'homme et la repéra à la dixième rangée. La lumière provenant de la scène lui permit de voir uniquement qu'elle était vêtue d'une robe rouge.

Le travail de Rochus Mish consistait à être paranoïaque vis-à-vis de la sécurité de son client. Dans son cas, son client était sûrement le plus important du troisième Reich. Alors, il préféra ne rien laisser au hasard. Ce soir, il n'avait rien vu du spectacle qui se déroulait plus bas. Il n'avait fait qu'observer la salle, le parterre, les loges, les stalles et les balcons, de façon continue et organisée, tel un radar balayant un océan. Autour de lui, une vive énergie jaillissait.

Hitler, les yeux fermés et la tête rejetée par en arrière, semblait en transe.

Mlle Docteur, elle, semblait excitée.

Le soldat chargé de garder la porte s'était avancé, trop confiant. Il avait oublié.

Alors que la main droite du *Führer* tenait toujours celle d'Eva Braun, la gauche se balançait avec rythme, suivant les accents de l'énergie brutale de l'orchestre wagnérien.

Sur la scène, Brünnhilde avait saisi une torche pour allumer de sa main le bûcher où gisait le corps de son amour.

Robert Desfontaines était passé sous le grand escalier afin d'accéder aux salons aménagés directement sous la salle de concert. Il les traversa calmement en sifflotant, au cas où il y rencontrerait quelqu'un. Il n'y croisa que des employés affectés au nettoyage qui ne lui portèrent pas attention. Muni de la clé remise par le même homme qui s'était chargé de dissimuler la carabine, Desfontaines passa sous l'arrière-scène. Après avoir refermé derrière lui, il courut dans la pénombre comme avec le diable à ses trousses jusqu'aux portes de l'élévateur qu'il appela aussitôt.

Juste sous ses pieds se trouvait le lac.

À l'origine du creusage des fondations de l'édifice, un sol gorgé d'eau avait causé bien des maux de tête au jeune architecte Garnier. Envers et contre tous, ce dernier décida de creuser un gigantesque réservoir, directement sous le palais et au milieu des fondations, afin d'y contenir les infiltrations d'eaux souterraines. L'idée s'avéra géniale, car le palais possédait ainsi sa propre réserve d'eau en cas d'incendie, et son accès rendu possible par un escalier permettait l'inspection des voûtes et des structures à bord d'une chaloupe.

Le monte-charge se présenta rapidement, n'étant nullement utilisé durant les représentations. Desfontaines ouvrit les portes métalliques et s'y engouffra avant de refermer et de commander l'élévation jusqu'au niveau supérieur. Son cœur battait déjà à tout rompre et il se dit qu'il n'arriverait jamais à viser juste avec pareil cognement contre sa poitrine.

Il ouvrit délicatement les portes afin d'éviter tout bruit.

En bas, l'orchestre se déchaînait, impétueux et farouche. Brünnhilde avait embrasé le bûcher et lancé le brandon jusqu'à la demeure des Dieux, le *Walhalla*.

Desfontaines s'avança vers la passerelle menant à l'avant-scène et s'y engagea furtivement comme l'aurait fait un renard. Un garde, en effet, observait le spectacle de là, juste au-dessus de la scène.

L'ancien chef de l'ARC s'accroupit sur la passerelle en fer et extirpa de son fourreau la dague fixée à son mollet. Il s'avança presque à genoux jusque derrière le garde qui ne le vit pas venir.

Lorsque l'orchestre attaqua *La Chevauchée* et que Brünnhilde s'adressa à son fidèle cheval pour qu'il la porte vivante sur le bûcher et y brûle avec elle, Desfontaines frappa comme l'éclair.

Plaquant une main ferme contre la bouche du soldat, il enfonça d'un coup la dague sous la dernière côte rattachée au sternum, perforant le diaphragme, le poumon et touchant le cœur. L'attaque fut si subite, si violente, que le soldat ne put même pas tenter la moindre résistance ni le moindre cri. Il traîna rapidement sa victime vers l'arrière-scène et cacha le corps sous une épaisse toile qui abritait des jeux de lumières.

Une fois la voie libre, Desfontaines avança sur la passerelle jusqu'à sa limite qui donnait juste au-dessus de l'avant-scène. Il grimpa dans la structure pour atteindre un entre-plafond isolé donnant sur la salle. Dans le mur peint en noir, une grille de ventilation de même couleur permettait le passage de l'air. Desfontaines y rampa. Là se trouvait la carabine. Il la rencontra dans le noir toujours en rampant, se guidant uniquement grâce à la lumière en provenance de la grille.

Il reconnut au toucher le mécanisme à verrou de la carabine. Il souleva lentement le levier puis le tira délicatement vers l'arrière. Du bout du doigt, il tâta la chambre et y sentit une cartouche. Il repoussa le levier puis l'abaissa. Tout était prêt. Il glissa le canon dans la grille de ventilation et chercha Hitler dans la loge supérieure. Il le localisa rapidement et se répéta de ne tirer que trois balles maximum avant de redescendre. La chaleur de sa peau provoqua de la buée dans ses lunettes. Il les retira pour les essuyer de son mouchoir. Il devrait absolument se calmer dans les minutes à venir.

Plus bas, Brünnhilde chantait sa valeur d'intrépide héroïne alors que l'orchestre crépitait comme les flammes du bûcher.

Élizabeth ouvrit son sac et y glissa la main sans le regarder. Elle défit les doublures et en retira le canon. Puis, elle prit le chargeur du pistolet qui se trouvait déjà glissé sous l'une de ses cuisses. Les gens autour d'elle étaient si absorbés par la scène qu'elle pouvait agir tranquillement. Elle vissa le canon au bout du pistolet et glissa le chargeur dans la poignée avant d'armer. L'arme de calibre .22 ne ressemblait à rien de connu. Elle était l'invention de l'ingénieur Lionel Loup et bientôt, elle démontrerait son efficacité. Son créateur avait d'ailleurs fait savoir à Élizabeth qu'il regrettait de ne pouvoir être présent pour assister au carnage.

L'exaltation du jeu de l'orchestre commençait à agacer Élizabeth. Elle était impatiente d'en finir, de sortir de cet endroit, de retrouver DR et de fuir à nouveau vers les montagnes de la Savoie.

Alors que la musique atteignait un paroxysme d'intensité à s'en boucher les oreilles, Élizabeth leva les yeux au dessus de la scène, juste sous le rideau. Elle aperçut le grillage métallique sur cette partie du mur tout en noir qui se trouvait à la hauteur de la loge du *Führer*. DR ne pourrait manquer son coup, il était trop près. Ce serait un jeu d'enfant pour lui. Il attendrait la toute fin du spectacle au moment où tous les figurants et chanteurs seraient ensemble sur scène pour la finale. De cette façon, la voie serait libre en arrière-scène et les hommes de la Gestapo responsables de la sécurité auraient du mal à traverser le plancher de la scène. Et comme la plupart de ceux-ci étaient répartis sur la place du grand escalier afin de surveiller les sorties à l'arrière de la salle, ils mettraient du temps pour y entrer, rencontrant un flot de gens paniqués qui voudraient en sortir.

Brünnhilde avait cette fois entraîné son fougueux cheval dans un dernier galop pour aller se jeter dans le brasier ardent. Les flammes montaient et crépitaient, l'orchestre tonnait comme un orage et la malédiction de l'anneau se faisait vivante pendant que le Rhin envahissait la scène.

Le drame se consumait comme le bûcher de Brünnhilde et Siegfried.

Au fond sur le lointain, le *Walhalla* s'éclaira des lueurs de l'incendie naissant qui allait bientôt le détruire.

Rochus Mish avait ce don de percevoir les choses, même de les pressentir. Doublé d'une capacité d'analyse et d'une logique prodigieuse, il était un joueur d'échecs redouté parmi ses confrères. Son regard se porta une fois de plus sur cette femme à la robe rouge, abandonnée par son cavalier. L'homme sorti depuis un bon moment déjà n'était toujours pas revenu. Était-il malade ? Si c'était le cas, pourquoi ne l'avait-elle pas accompagné ?

Sur le parterre, personne ne bougeait, tous fascinés qu'ils étaient par la fin du drame auquel ils assistaient depuis cinq longues heures. En fond de scène, les lumières qui représentaient l'embrasement du *Walhalla* éclairaient les premières rangées de reflets orangés. Tous les visages brillaient d'émerveillement, illuminés par des sourires extasiés.

Tous sauf celui de la femme en rouge qui semblait absorbée par d'autres soucis.

Le garde du corps ausculta encore la salle dans son ensemble, à travers la violence de l'orchestre qui entamait l'épilogue et les explosions admiratives de Mlle Docteur qui ne tarissaient pas.

Adolf Hitler n'était plus dans la salle de l'Opéra de Paris que par son corps. Son esprit aventurier, entraîné par l'imagination, l'avait quitté pour rejoindre le dernier combat des dieux nordiques, porté par les combinaisons harmoniques de la musique qui allaient s'accroissant.

Toujours aux côtés de Thor, le dieu de la foudre, il assistait d'un point du ciel à l'ultime combat qui embraserait le *Walhalla*.

Il ne put s'empêcher de faire le lien entre les Êtres de la Lune, présents depuis la nuit des temps, et cette mythologie ancestrale qui est l'histoire même du peuple germanique.

Assoiffé de sang et de vengeance, le monstrueux loup Fenris s'échappait du gouffre où les dieux l'avaient entravé. Jaillissant à l'air libre, il chargeait dans les plaines du monde, incendiant les forêts du feu que crachaient ses narines.

À partir de ce moment, toutes les créatures les plus nuisibles et infernales sortaient de leurs abysses pour anéantir la terre et les cieux. Vers infects avides de chair putride, nuées d'insectes détruisant les récoltes, dragons horribles crachant vapeur, tous autant de menaces se réunissant pour détruire le monde à l'aube du *Ragnarök*. Le serpent géant Jormungand, ennemi juré de Thor, enroulé autour de la terre comme un danger perpétuel, apparaissait lui aussi en crachant son venin mortel contre la voûte du ciel pour essayer de la crever.

Ayant trop longtemps subi la tyrannie des dieux, les géants se révoltaient à leur tour. Ils marchaient vers la cité des dieux, soulevant la poussière et faisant trembler la terre de leurs pas pesants.

Les océans tout comme les vents se déchaînaient furieusement en une terreur grandissante. Les nuages étaient poussés ou pulvérisés, créant des mouvements surnaturels et impétueux dans un ciel chaotique et assombri.

Le grand frêne Yggdrasil qui poussait au centre du monde fut abattu et les créatures sacrées qui y vivaient sacrifiées.

Hitler, extatique et terrifié, sentait en lui la fureur du moment.

Il participerait au *Ragnarök*, ce combat des dieux qui, même perdu d'avance, leur rendrait au moins leur honneur. Et lui les aiderait à regagner cet honneur.

Rien ne pouvait empêcher l'avance implacable du Destin.

Hitler savait que là-bas, derrière les barrières de maléfices qui ne réussissaient plus à protéger la cité des dieux, Odin rassemblait dieux et déesses pour ce dernier combat à mort. Armes et magie, sans distinction, seraient utilisées contre les ennemis.

Surgissant de partout à la fois, du nord comme du sud, les ennemis des dieux avançaient sur la cité, ébranlant jusqu'à ses murailles.

La musique de cette grandiose fin d'opéra, profondément troublante, plongeait l'âme des spectateurs euphoriques, dans un état de contemplation presque surnaturelle. Toute l'attention était tournée vers la scène. Une attention ardente et concentrée qui laisserait pleine liberté de mouvement à Élizabeth Montjean lorsque le premier coup de feu tiré par Desfontaines retentirait, pour faire exploser la tête du *Führer*. Le siège étant libéré sur sa droite, elle pourrait aisément étirer le bras en direction de la loge d'avant-scène du premier niveau, juste sous celle d'Hitler, où se trouvait le reste de l'état-major du Reich. Du coin de l'œil, elle apercevait Himmler, Bormann et Heydrich au milieu de quelques hommes qu'elle ne connaissait pas. Elle avait douze balles dans son chargeur, elle en tirerait six. Calmement, posément, visant bien en première rangée de loges. Les six autres coups lui serviraient à ouvrir le chemin en cours de fuite. Le pistolet était posé sur ses cuisses, juste sous son sac à main qui le cachait. Elle était prête.

Il ne lui restait plus qu'à attendre la fin.

Hitler, perdu dans sa folie imaginaire, n'échangea jamais la moindre parole avec Thor, qui assistait toujours sans intervenir à l'affrontement imminent. Son tour viendrait, il attendait son ennemi juré.

Venant de la mer, un gigantesque navire rempli de fantômes fendait les flots en furie et se détachait sur une muraille de tempêtes, accompagné d'un autre encore plus grand. La bannière de Loki, le prince des enfers, battait au mât. Son vaisseau de la fin du monde approchait du rivage, chargé de morts-vivants.

Odin, protégé d'une lourde cotte de mailles et d'un heaume orné des ailes d'un aigle, conduisait l'armée des dieux vers le champ de bataille.

Le *Führer* assista, toujours hypnotisé par la merveilleuse orchestration, à la chute de l'arc-en-ciel qui reliait la cité des dieux à la Terre. Il s'effondrait dans un bruit assourdissant et dans une explosion de flammes éblouissantes.

Thor se tournait vers Hitler et lui faisait un signe de tête, le moment était venu.

Alors que les géants attaquaient les dieux pour les réduire à néant, Odin s'en prenait au loup Fenris dans un ultime combat.

Thor montait dans son char et ordonnait aux boucs de foncer vers le serpent géant Jormungand qui arrivait pour enserrer la Terre et empoisonner les dieux de son mortel venin.

Le son majestueux des cuivres wagnériens s'épandant solennellement avec le mouvement ondulatoire des harpes et des violons était poignant d'intensité. Il se mariait tout à fait à ce combat perdu où s'affrontaient dans la folie du *Führer*, les dieux qu'il s'apprêtait à remplacer.

Thor foudroyait de ses éclairs le serpent géant. Celui-ci, résistant aux attaques du dieu, l'enserrait et s'apprêtait à le mordre lorsque Thor, dans un ultime geste de désespoir, frappa de son marteau la tête du reptile qui éclata sous le choc en projetant un dernier crachin de venin empoisonné.

Thor s'écroulait et Fenris le loup tuait Odin pendant que Loki tombait de la main d'Heimdall, lui-même mourant.

Tous s'entretuèrent et moururent.

Les yeux d'Hitler se baignèrent de larmes amères. Il fut le seul à pleurer, car tous les dieux étaient morts.

Son ardent désir de retrouver le dieu de la foudre l'amena auprès de lui, alors que les premiers et les seconds violons, accompagnés des flûtes, consacraient une merveilleuse apothéose. Il chargea Thor dans son char et prit les rênes pour mener les boucs. Hitler savait ce que le dieu voulait. Aucune parole n'était nécessaire. Il le conduisit toujours plus haut le temps d'une large mesure, les sublimes accords le transportant vers des sphères qui lui étaient inconnues.

Thor se cramponnait au bord du char en fixant Hitler d'un regard implorant où se mêlaient tristesse et regret. Il se laissait tomber, une fois parvenu au dessus du *Walhalla* en flammes. Le héros basculait lentement par en arrière sous les yeux du *Führer*, sa bouche et ses yeux exprimant la détresse et le désarroi.

Comme une dernière bénédiction à la fin d'un office religieux, la musique s'effondra en traits de basses précipités comme pour figurer la chute vers le brasier du dieu Thor et l'écroulement du palais des dieux.

Hitler lui, planait toujours dans un état second, au-dessus d'un spectacle de désolation, où animaux, humains, géants et nains, démons et âmes errantes sombrèrent dans l'anarchie la plus complète. Les vents chauds qui montaient vers le ciel portaient l'odeur âcre du sang et il ne fallut qu'un souffle brûlant du géant Surt à l'agonie, pour embraser la Terre. Les océans et les mers quittèrent leurs lits et se répandirent en vagues monstrueuses sur la terre brûlante, faisant s'écrouler les montagnes.

Ainsi avait disparu l'ancien monde.

Couché à plat ventre, Robert Desfontaines posa sa joue contre la crosse de la carabine.

Prenant une grande respiration pour se forcer au calme, Élizabeth glissa la main sous son sac et saisit la poignée de son pistolet.

Adolf Hitler rejeta la tête en arrière avec un sourire béat.

Les spectateurs s'apprêtèrent à applaudir en écartant les mains sur les dernières notes qui s'étiraient noblement, empreintes de sérénité.

Les lumières s'allumèrent dans les loges. Et elles se reflétèrent sur les verres des lunettes de Desfontaines derrière la grille de ventilation.

Rochus Mish plongea sur la dernière note, couchant le *Führer* au sol. Il entendit la détonation au moment où son épaule s'abattait avec force contre la rampe en bois doré.

Mlle Docteur se retourna vers le gardien de la loge qui, d'abord subjugué par l'émotion, n'arrivait pas à reprendre son souffle. Il avait un trou dans la poitrine. Elle se laissa tomber au sol alors que les coups retentirent deux, puis trois fois, avant de s'arrêter.

La panique s'empara des niveaux supérieurs et les gens se ruèrent en criant vers les sorties.

Mlle Docteur se rendit à quatre pattes vers l'avant de la loge et rencontra le regard absent de Mish qui soutenait Hitler.

Des cris provenant du parterre la firent regarder par-dessus la rambarde.

N'en croyant pas ses yeux, elle reconnut Élizabeth Montjean mitraillant à coups de pistolet la loge qui se trouvait juste en dessous. Folle de rage, elle se redressa et cria comme une harpie.

Ayant déjà tiré ses six balles sans savoir si elle avait atteint une cible, Élizabeth leva les yeux puis le pistolet vers la loge du *Führer*. Elle fit feu à deux reprises, manquant toutefois sa vieille ennemie, puis détacha d'une main la partie basse de sa robe qui avait été spécialement préparée à cet effet.

Élizabeth fonça vers le côté de la scène où se trouvait une sortie de secours. Elle bouscula au passage un joueur de tuba installé hors de la fosse d'orchestre, lequel entraîna dans sa chute un joueur de trombone. Ils s'écrasèrent tous deux dans les caisses et les cymbales en un bruit tonnant et tintant. Son pistolet levé haut devant elle lui ouvrait la voie, les gens ne désirant pas être abattus. Elle poussa la porte de la sortie d'urgence et déclencha une alarme qui se répercuta dans la salle de concert, comme pour conclure définitivement la mise en scène.

Desfontaines avait abandonné sa carabine pour foncer vers l'élévateur dont les portes étaient restées ouvertes. Lorsqu'il voulut les refermer, l'une des portes se bloqua dans la glissière. Fou de rage, il donna des coups comme un damné pour la dégager, en vain. Des bruits de course dans les passerelles métalliques lui annoncèrent que l'on venait à sa rencontre. Il devait absolument débloquer cette porte.

Alors que Rochus Mish conduisait le *Führer* sous bonne escorte vers la sortie, Katja Arbenz lui arracha son pistolet de son ceinturon.

— Rendez-moi ça! lui cria-t-il inutilement alors qu'elle se sauvait en courant. Son épaule le faisait souffrir mais au moins avait-il sauvé la vie de son chef. Ils retrouvèrent

Himmler, Heydrich et Bormann qui n'avaient pas été blessés. Le coup avait visiblement avorté.

Mlle Docteur retourna vers la salle en se frayant un chemin à coup de crosse de pistolet. Elle n'avait pas la moindre idée où pourrait aller cette salope d'Élizabeth, mais elle la poursuivrait dans les rues de Paris s'il le fallait.

Élizabeth s'était heurtée à un problème imprévu au cours de sa fuite.

La porte extérieure donnant accès à la cour était fermée à clé.

Elle pointait présentement de son arme un jeune garçon qui fouillait nerveusement dans son trousseau de clés afin de trouver la bonne. Les gens avaient fui l'arrière-scène lorsqu'elle y était entrée. Elle avait même croisé Brünnhilde qui l'avait suppliée de ne pas la tuer.

— Va te faire foutre, lui avait répondu Élizabeth sous le coup du stress et de la colère.

Tous les agents de la Gestapo et les officiers nazis s'occupaient à évacuer les gens et à s'assurer de la protection de l'état-major déjà dehors. Des renforts avaient été appelés afin de cerner le bâtiment et de faire un périmètre de fouilles.

Les coups de feu retentirent, l'un à la suite de l'autre jusqu'à ce que l'arme s'enraye.

Le jeune homme aux clés avait laissé tomber son trousseau, mortellement blessé.

Mlle Docteur jeta le pistolet et se rua sur Élizabeth qui n'eut pas le temps de relever le sien. Il lui glissa des mains et un farouche combat s'engagea entre les deux femmes.

— Espèce de salope! hurla Mlle Docteur en la frappant au visage. Je vais te tuer!

Élizabeth roula au sol en direction de son pistolet mais l'autre l'éloigna d'un coup de pied.

— Je vais te tuer de mes mains, Montjean, cette fois, tu ne m'échapperas pas!

Arbenz attaqua à coups de poing et de pied répétés. Élizabeth se contenta de bloquer, tout en espérant que l'autre se fatiguerait. La jupe courte de Mlle Docteur, dévoilant des jambes qu'elle aimait bien montrer, lui permettait de se mouvoir rapidement. Le combat se poursuivit dans les câbles et les décors de scène, angoissant Élizabeth qui se voyait ainsi retardée dans sa fuite. Si elle tombait de nouveau entre les mains de la Gestapo, il n'y aurait sûrement pas de seconde chance. Elle réussit à passer derrière l'Allemande et à lui enserrer le cou de son bras gauche. Elle y mit tout ce qu'elle avait dans le but de lui briser la nuque. En dernier recours, Mlle Docteur parvint à baisser la tête et à lui mordre l'avant-bras. Élizabeth hurla de douleur et s'en prit aussitôt à l'oreille de son adversaire pour lui faire lâcher prise. Elle trancha de ses dents la partie inférieure de l'oreille incluant le lobe.

Les deux femmes s'éloignèrent l'une de l'autre.

Élizabeth, la bouche en sang, cracha aux pieds de Mlle Docteur le morceau d'oreille.

Les deux femmes s'affrontèrent un instant du regard. Puis Arbenz chargea.

Élizabeth la reçut d'un violent uppercut à la mâchoire qui jeta Mlle Docteur au sol, inconsciente.

La Française jeta un coup d'œil à sa blessure et ramassa le trousseau de clés et son pistolet tombé un peu plus loin. Elle devait à tout prix passer dans la cour arrière.

Mais avant, mettre une balle dans la tête de cette folle.

Les cris des hommes qui fouillaient maintenant l'arrière-scène lui firent changer d'idée. Il ne fallait pas qu'elle les alerte d'un coup de feu.

À regret, elle trouva enfin la clé et passa à l'extérieur en prenant soin de refermer derrière elle.

Desfontaines parvint finalement à décoincer la porte coulissante du monte-charge. Il engagea la descente alors que les policiers de la Gestapo arrivaient à son niveau dans les passerelles. Il leur échappa de justesse sous un feu nourri et s'appuya contre le mur pendant la descente. Après réflexion, il arrêta l'élévateur qui descendait le long du fronton nord de la cage de scène, à la hauteur des toits des bâtiments administratifs. Ces derniers étaient disposés autour d'une étroite cour intérieure précédée d'un portail. Il était certain que les hommes de la Gestapo l'attendraient en bas, au niveau de la cour arrière. Au moins, cela les retiendrait à l'intérieur pour un moment et permettrait à Élizabeth de s'éloigner. Il ouvrit avec peine les portes de l'élévateur pour aboutir dans une salle de répétition qui donnait sur une corniche de la partie nord. Il sortit par une fenêtre et courut sur le toit en s'éloignant des sorties. Un imposant tuyau en cuivre servant de chute d'eau de pluie lui permettrait d'atteindre le sol dans l'ombre. Il en testa d'abord la solidité avant de s'agripper aux supports fixés à la corniche pour amorcer sa descente.

Élizabeth traversa la cour et se réfugia sous le petit arc en pierre près de la sortie. Les sirènes de police et les cris semblaient prendre d'assaut la ville tout entière.

De grands lampadaires en fonte qui éclairaient mollement la rue des Mathurins lui indiquèrent la ruelle où devait attendre Desfontaines. Cette ruelle, qui conduisait à la rue de Mogador, leur permettrait de rejoindre une station du métropolitain et de fuir à l'autre bout de la ville. Il était hors de question d'essayer par la station Opéra. C'était la première station que les nazis investiraient.

Après s'être assurée que la cour était déserte, elle traversa la rue des Mathurins et s'engagea dans la ruelle obscure.

— DR? risqua-t-elle le cœur battant, espérant que son ami y serait déjà.

— Ici...

La voix, plutôt chuchotement, la rasséréna.

— Merci mon Dieu, tu es là... laissa-t-elle échapper avec un soupir de soulagement. Fichons le camp d'ici...

— Viens...

Élizabeth s'approcha de l'ombre mais sentit le piège au dernier moment. Frappée violemment au visage, elle s'écroula sur la pierre humide. Incapable de se relever immédiatement, une poigne solide l'agrippa par les cheveux et la souleva de terre pour la retourner et l'immobiliser, avec un chiffon imbibé de chloroforme sur le nez.

— Ça fait vraiment longtemps que j'attendais ça, fit Nicolas Estorzi en continuant de l'immobiliser solidement. Celui qui se faisait appeler le Messager n'avait pas oublié sa dégelée lors de sa fouille des bureaux de l'ARC quelques mois plus tôt. Tu sais que je t'ai cherchée partout depuis un bon moment!

Élizabeth tentait de se débattre tout en retenant son souffle, afin de ne pas inhaler le produit dont le petit linge était fortement imbibé. Mais une seule inhalation l'avait déjà affaiblie. Son esprit, affecté par les vapeurs toxiques, n'arrivait pas à comprendre la présence de cet homme dangereux dans la ruelle. Il fallait absolument que DR survienne, sinon c'en était fait d'elle. Elle avait évité de tomber aux mains des nazis pour maintenant tomber entre celles de l'Entité! Elle se mit à détester tout pouvoir, toute autorité, qu'elle soit politique ou religieuse. Et si le Messager avait éliminé DR?

— Mais cette fois, tu ne m'échapperas pas, lui murmura-t-il encore à l'oreille. Je te suis depuis trois jours, pauvre idiote. J'attendais de pouvoir te cueillir. Votre minable tentative de ce soir pour supprimer Hitler était pathétique à voir. Vous avez échoué lamentablement.

Les larmes roulèrent sur les joues d'Élizabeth, tant à cause de la peine d'être prise que par les vapeurs du puissant solvant. Elle n'eut d'autre choix que de prendre une respiration. Le chloroforme s'ingéra dans ses voies respiratoires et l'étouffa d'abord, avant de l'affaiblir. Sa toux l'obligea à absorber encore plus les vapeurs et sa conscience dérapa lentement. Ses forces commencèrent à l'abandonner, relâchant sa prise sur les bras du Messager.

— Cesse de lutter, vilaine garce. Tu éviteras peut-être ainsi de causer une trop grave dépression à ton système nerveux central…

Elle tenta un dernier soubresaut avant d'être prise de vertiges violents et d'étourdissements.

Un grand voile noir s'abaissa sur sa conscience, comme le rideau de l'Opéra de Paris.

Mais pas la moindre musique vint accompagner l'héroïne lorsqu'elle quitta la réalité de ce monde.

Seule la figure vile et sournoise du Messager.

Les vêtements déchirés et l'air hagard de celui qui cherche la fuite, Robert Desfontaines était tapi dans l'ombre de la ruelle. Bientôt, celle-ci serait ratissée par la Gestapo. Il fallait partir, maintenant.

Dans ses mains, le petit pistolet de calibre .22 utilisé par Élizabeth ainsi qu'un chiffon puant le chloroforme. À la lumière de son briquet, il découvrit même des taches de sang frais. Juste à côté, un morceau de tissu noir taillé en croix.

Élizabeth avait été enlevée. Non par les Allemands mais bien par l'Entité.

Il fustigea le mauvais sort qui s'acharnait sur eux et jeta le pistolet dans une poubelle. Il mit néanmoins dans sa poche la croix en tissu noir.

Desfontaines quitta la ruelle et marcha sous les arbres le long de la rue de Mogador.

Il changea ses plans lorsqu'il aperçut deux employés de la ville faire un entretien sur les lumières éclairant l'entrée de la station du métropolitain.

Il se glissa dans le camion Renault. La clé était dans le contact.

Il lança le moteur et démarra en trombe.

Dans le rétroviseur, il voyait les deux hommes courir dans la rue.

Désolé, ce n'est qu'un emprunt...

Il était complètement désemparé.

17

Salaberry-de-Valleyfield, Québec.
Le lundi 1ᵉʳ décembre 1941.

— Élizabeth!

Le curé avait été apeuré par son propre cri.

Assis au milieu de son lit, la poitrine haletante, il reconnut peu à peu les murs de la chambre qu'il occupait au collège de Valleyfield. À travers la fenêtre givrée, le ciel se teintait lentement de la couleur rose doré de l'aurore.

Un sinistre cauchemar l'avait violemment tiré de son sommeil et continuait de le pourchasser même en état d'éveil. Ancré au plus profond de lui-même, le sentiment de savoir Élizabeth en danger se manifestait encore une fois sans raison apparente. Sa peur immaîtrisable de perdre cette femme le poursuivait aussi assurément que le mauvais rêve qu'il venait de faire. Trop d'ennemis rancuniers, trop d'hommes hypocrites en voulaient à la belle Élizabeth qui jamais ne cessait de se battre, d'avancer.

Il fallait pourtant que tout cela cesse. Il fallait qu'ils puissent eux aussi profiter des joies et du bonheur que la vie était malgré tout capable d'apporter lorsqu'on lui demandait avec suffisamment d'insistance.

Le curé n'eut que deux pas à faire pour atteindre le petit lavabo et se jeter de l'eau froide au visage.

Mieux valait lire un peu et aller à la messe du matin. Prier et méditer lui feraient le plus grand bien. Il alluma la lampe murale à la tête de son lit et fit un tas compact de ses oreillers avant de s'y appuyer.

Édouard lisait *Han d'Islande* de Victor Hugo.

Il en avait presque terminé avec le roman et se trouvait au passage où le flegmatique bourreau Nychol Orugix était sur le point d'exécuter son frère Turiaf.

L'homme est capable de tout. Même de tuer son propre frère…

⛤⛤⛤

Laberge était rentré du Mexique quelques jours plus tôt. Après être retourné à Papantla chez son ami Manuel Escobar, il avait accepté l'offre de ce dernier de rester chez lui quelque temps, question de se faire oublier. Manuel avait pris toutes les dispositions nécessaires afin de vérifier discrètement auprès des autorités si l'histoire des sous-marins allemands avait causé bien des remous. Les choses ne mirent pas longtemps à se calmer et n'ayant retenu aucun témoin oculaire sérieux (qui aurait cru cette histoire de géant en pierre, de toute façon ?), le départ précipité des nazis n'était que de bon augure. Aucun gouvernement ne souhaitait les avoir dans les pattes.

Le curé avait repris le train en direction nord jusqu'à la frontière avec un billet retenu au nom d'Escobar. Il avait ensuite facilement franchi la frontière américaine muni de son passeport canadien. La tension qui le tenaillait de l'intérieur ne s'était atténuée qu'à son retour à l'évêché. Pour une raison qu'il ne parvenait pas lui-même à cerner, il se sentait aussi nerveux qu'inquiet. La lettre unique, en provenance de France, que lui avait remise l'évêque à son retour, n'avait pas eu l'effet escompté. Élizabeth avait enfermé deux missives dans l'enveloppe, datées à intervalle de deux jours. Dans ses derniers écrits, elle avouait, sans en donner les détails, s'apprêter à faire quelque chose de fou qui pourrait bien sauver la France...

Les Allemands n'ayant pu contenir la nouvelle de l'attentat raté à l'Opéra Garnier, cela avait bientôt fait le tour des salles de cinéma et des émissions de radio partout en Amérique. Langlois, Laberge et Coppegorge n'avaient pu s'empêcher de sourire à l'annonce du drame évité dont les alliés se réjouissaient néanmoins. Élizabeth et même Desfontaines devaient alors y être pour quelque chose.

Le livre noir, le dernier des *Agrippa*, avait été enfermé dans une armoire barrée. Entouré de chapelets, de croix, de rameaux bénis, de reliques de saints et de divers *missalis libri*[1], le livre occulte ne risquait pas de faire des

---

1. «Livres de messe» (latin).

siennes. L'évêque, qui détestait la présence du livre entre les murs de l'évêché, avait préféré ne prendre aucun risque.

Mais son tourment prendrait bientôt fin car après son étude, le livre emprunterait dès cette nuit le chemin de l'église St.Matthew où il trouverait sa place finale entre ses congénères, dans la chambre forte de la crypte. Le début de la nuit était le moment de prédilection pour se rendre à l'église St.Matthew. Laberge et Coppegorge laissaient habituellement la voiture dans l'entrée d'un chemin de terre cultivée et se rendaient à pied jusqu'à l'église en suivant le même chemin qui venait passer près du terrain appartenant à la communauté anglicane. Il n'y avait ainsi pas le moindre risque d'y rencontrer âme qui vive. On pouvait aller à la crypte et y travailler tranquille, sans s'inquiéter d'y être vu. Pour cette raison, les rumeurs les plus folles entouraient l'église, à cause de ces lumières que l'on y voyait parfois à des heures tardives. Personne n'aurait osé venir voir ce qui pouvait bien éclairer l'intérieur de l'édifice sacré en pleine nuit…

Édouard avait reçu les félicitations de son évêque et de son ami Théodore. Les deux hommes avaient été interloqués par son récit qui avait foisonné de détails.

— Aussi fou et démesuré que cela puisse paraître, leur avait-il dit, je vous jure que c'est la stricte vérité.

Les choses n'avaient sûrement pas dû être aussi faciles pour les rescapés allemands qui, bien qu'ayant réussi à rapporter les fruits sacrés de l'arbre de vie, avaient tout de même essuyé de lourdes pertes. À l'issue d'une houleuse réunion regroupant la fine fleur du Reich, Hitler avait statué sur le sujet après une dernière et puissante crise au sujet de la tentative d'assassinat dont il avait été l'objet. Une statuette avait volé dans les airs pour s'écraser contre un mur. Puis il s'était calmé.

Le prix de l'immortalité et de la domination d'un monde ne pouvait se calculer. Ni en fer, ni en pertes humaines. Une chose était au moins certaine. La présence du tenace mage canadien qui leur mettait sans cesse des bâtons dans les roues leur confirmait la position des *Agrippa*. Qui plus est, le pendant de Skoll en Amérique, le mage rouge Fenrir, suivait de près les opérations de cette Alliance des Religions du Christianisme, dont l'Église de Rome continuait à nier jusqu'à l'existence. Le *Führer* comptait bien sur son appui pour retrouver les livres de magie noire et éventuellement, éradiquer cette secte mensongère. Mais il s'en était encore gardé d'en discuter avec Skoll. Puisque ce dernier n'avait pas été invité à cette réunion. Des sujets encore plus délicats y avaient été abordés. Par exemple, l'élimination systématique des Supérieurs Inconnus installés dans le désert de Gobi.

Ceux-ci avaient apporté la technologie indispensable à la construction des moteurs du Haunebu. Ils avaient fourni la traduction des plans et les explications nécessaires à la construction de l'arme ultime : le marteau de Thor. Ils leur avaient confié le secret de l'immortalité.

Mais pourquoi? Uniquement parce qu'eux-mêmes étaient sur le point de s'éteindre avec le manque de fruits de l'arbre de vie. Leur désir de vivre était plus grand que tous leurs secrets réunis. Leur assurance pourrait devenir une menace. Et toute menace devait être éliminée.

Pour l'avenir et le règne du troisième Reich.

L'hideuse créature avait passé cette journée froide et humide à attendre avec une impatience frénétique. Elle acheva la souris avec bien plus de coups de poignard qu'il n'en aurait fallu pour la tuer. Le petit rongeur baignait dans son sang et ses entrailles, méconnaissable. Du bout du couteau, l'homoncule fouilla les viscères et déploya un bout d'intestin qu'il considéra avec curiosité.

Il était toujours possible à Oksir de se nourrir de ce genre d'animal qui trouvait invariablement le chemin jusqu'au grenier de l'évêché. Bien qu'il n'eût pas un grand besoin de nourriture et qu'il fût capable de survivre avec peu, il s'hydrata des fluides contenus dans les organes du rongeur en les pressant au-dessus de sa petite gueule revêche. Sa constitution, tout comme son système de digestion unique, lui permettait d'éviter de s'empoisonner et d'assimiler à peu près n'importe quoi.

Oksir avait presque passé sa vie dans les combles de l'évêché de Valleyfield. Son existence s'était jusque-là résumée à survivre dans un réduit sombre, chaud à étouffer en été et froid à en crever en hiver, dans le seul but de rapporter à son maître Fenrir ce qu'il voyait et entendait entre ces murs.

Mais ce qu'il s'apprêtait à faire dans les minutes à venir relevait du fantastique.

L'avertissement qu'il donnerait bientôt au maître serait peut-être son dernier à partir de l'évêché. Cette nuit, le maître viendrait de nouveau le chercher pour l'amener avec lui. Il le lui avait promis.

Maître je les entends… Ils partent… Je ne peux pas les voir mais je peux les entendre ! Ils partent avec le trésor pour le porter là où sont les autres. Là où personne ne peut les prendre…

Fenrir reçut l'appel de son homoncule sans surprise. C'était là le moment qu'il attendait.

Je t'ai entendu, mon Oksir. Tu es un bon gardien et tu as toujours bien répondu à ta mission. Bientôt, cette nuit, j'irai te chercher. Je t'appellerai et tu viendras m'attendre.

L'homoncule jubilait. Il souriait de ses petites dents croches et acérées, la gueule barbouillée d'un mélange de sang et de fluides d'organes de la souris morte. Il sauta et donna des coups de pied dans le corps inerte du rongeur pour démontrer son plaisir.

Les miaulements insistants de Charlie, le chat de l'évêque, lui parvinrent de la pièce en dessous, comme en réponse à son excitation.

Ce maudit chat l'entendait, le sentait toujours. Depuis trop longtemps, il le haïssait. Sa haine envers le gros matou lui faisait même mal et parfois, il devait se punir de tellement vouloir le tuer et de compromettre ainsi les plans du maître.

Mais cette nuit était la dernière, le maître l'avait promis… Rien ne pourrait plus être compromis.

Il tâta la petite besace attachée à sa ceinture. À l'intérieur se trouvaient deux toutes petites bouteilles. L'une contenait de l'eau, qui lui permettait de se désaltérer d'une goutte ou deux à l'occasion, tandis que l'autre contenait le poison préparé par le maître. Poison qui lui permettrait de se punir définitivement s'il était pris ou encore de punir quelqu'un d'autre si le maître l'exigeait.

Cette nuit, il punirait le gros chat. Il le punirait pour toujours.

Fenrir se tourna vers les deux frères Nicholson.

Sortis de prison depuis un moment déjà après leurs démêlés avec la justice dans l'affaire des chemises bleues et du parti fasciste, ils avaient retrouvé leur ferme de Saint-Urbain-Premier qui avait été maintenue en état par des compagnons durant leur absence. Fenrir et ses mages avaient vu personnellement à ce que rien n'arrive aux bêtes à cornes et avaient même pris la liberté de se repaître du sang de quelques-unes en gage de compensation.

Il inspira profondément afin de bien peser ses mots.

— Ce soir, leur dit-il, je règlerai le cas du prêtre-mage. Laberge périra de mes mains. Et je prendrai le trésor noir de l'ARC qu'il a mis plus de quinze ans à réunir. Je penserai peut-être à dire merci. Quant à vous, je ne vous retiens plus en ce qui concerne le cantonnier. Il ne représente rien mais peut s'avérer gênant. Soyez vifs, directs et ne laissez aucune marque qui pourrait vous lier à une quelconque affaire. J'espère que l'on se comprend bien…

— Ne vous en faites pas, maître Fenrir, répondit l'un des frères avec l'appui de l'autre, nous nous occuperons de lui cette nuit même…

— Prenez garde, je vous le répète, à ne pas être piégés par votre propre impatience. Quant à moi, je dois partir.

— Nous avons été patients trop longtemps déjà… Viau doit payer…

❀ ❀ ❀

Emma appela Albert dans un cri qui éveilla toute la maisonnée.

Le cantonnier accourut à ses côtés, devant l'une des fenêtres. Un martèlement de pas dans l'escalier suivit aussitôt après. Léo, Jeannine et Anita observaient, bouche bée, le camion de leur père qui brûlait plus loin. Tous figés, ils n'arrivaient pas à bouger, comme si cette vision qui éclairait la nuit était totalement irréelle.

— Écoutez-moi, dit enfin Albert, vous allez tous monter à l'étage et y rester. Léo, amène tes sœurs. Et prends la Winchester au cas où.

— Mais…

— Ne discute pas! Va!

Le jeune homme entraîna les deux filles à l'étage. Il suivait toujours son père des yeux alors qu'il grimpait dans l'escalier.

— Qu'est-ce que tu fais? lui demanda Emma.

— Je vais aller voir ce qui se passe. Il m'est difficile de croire que le camion ait pu prendre feu tout seul. Monte à l'étage avec les autres, je ne serai pas long.

— Ne serait-il pas préférable d'attendre le matin? Il est suffisamment loin des bâtiments et…

Une explosion creva la nuit lorsque le feu atteignit le réservoir d'essence.

— Non.

Albert pensa d'abord à appeler des renforts. Impossible de joindre Édouard qui devait se rendre cette nuit à l'église St.Matthew pour y enfermer l'*Agrippa*. Il décrocha le combiné du téléphone dans le but d'appeler Arthur, le plus vieux de ses fils. Il n'entendit aucune tonalité. Il prit sa femme dans ses bras et l'entraîna au pied de l'escalier.

— S'il te plaît, va rejoindre les enfants, je serai très prudent. Je serai bientôt de retour. Il s'agit d'une vengeance bien sûr, mais ils sont sûrement déjà loin.

Emma monta à regret et Albert sortit derrière la maison après avoir enfilé son manteau. Dans un silence complet et une absence de vent remarquée, une fine neige tombait.

Nerveux, Albert entra dans la remise, juste derrière la maison, et y récupéra son Bayard au-dessus de la porte. Il plongea la main dans la boîte de cartouches et en fourra une poignée dans la poche de son manteau avant de charger l'arme.

La lumière produite par le camion International en flammes éclairait partiellement la cour. Chacune des zones d'ombre qui se trouvaient autour d'Albert pouvait receler un danger potentiel. Alors qu'il avançait lentement, le cantonnier fouillait du regard le contour des bâtiments. Derrière son dos, un déclic se fit entendre. Il sentit le métal froid d'un canon de revolver se poser contre sa nuque. Un homme apparut soudain de derrière un gros érable et vint lui prendre des mains le Bayard calibre .12 qu'il jeta sur le sol à peine couvert de neige. Reconnaissant l'un des frères Nicholson, qui le gratifiait d'un rictus méprisant décoré de dents brunes, Albert ferma les yeux, frustré d'être tombé aussi facilement dans le piège.

— Vous croyez vraiment que tout cela soit nécessaire? demanda Albert. Vous ne pensez pas plutôt qu'il serait temps d'arrêter toutes ces folies?

— Saleté de cantonnier curieux, l'insulta Nicholson, as-tu fini de fourrer ton nez dans nos affaires? C'est cette nuit que nous réglons nos comptes! Ça fait longtemps que ça me démangeait.

— Oui, on va en finir ce soir, poursuivit l'autre dans son dos, ton ami le curé va goûter à la médecine de Fenrir et des mages rouges. À ce qu'il paraît, il a réussi à rapporter tous les livres maudits ici, cet enfant de salaud!

— On fera d'une pierre trois coups ce soir, Viau, dit le manant en lui attachant les mains dans le dos avec de la corde de chanvre. Le curé, les livres noirs et toi! Parce que nous, on va bien s'occuper de toi et de ta petite famille, pas vrai?

— Ouais, le camion, c'était juste pour se faire la main. La maison, elle, fera vraiment un beau brasier!

— Et on n'oubliera pas de vous y laisser! C'est bien dommage pour toi que tes fils les plus vieux aient déjà quitté la maison...

— Ils auraient pu te donner un coup de main, mais il ne te reste que des fillettes...

— Au moins, ta lignée ne s'arrêtera pas cette nuit!

Ils entraînèrent Albert vers la maison tout en continuant à l'insulter. Le cerveau d'Albert fonctionnait à toute vitesse. Il avait encore le temps de trouver une solution, mais les choses s'envenimaient et il connaissait assez bien les deux frères pour savoir qu'ils n'hésiteraient pas à tirer au besoin. Fenrir les avait retenus assez longtemps pour alimenter leur hargne envers lui. Mais il ne fallait pas qu'Emma ou ses enfants paient le prix de ses actes. Et puis qu'arriverait-il à Édouard Laberge et à Théodore Coppegorge? Que leur réservaient Fenrir et les Êtres de la Lune?

Bouillonnant dans ses pensées, Albert entra dans la maison avec les deux frères sur ses talons.

— Où sont-ils? demanda l'un d'eux.

— À l'étage.

Ils le firent asseoir sur une chaise et l'attachèrent solidement à celle-ci. Les cordes lui entaillaient les poignets mais il se garda bien de s'en plaindre à ses tortionnaires. Ceux-ci s'installèrent de part et d'autre de leur prisonnier, en gardant pointé sur sa tête, d'un côté le canon d'un revolver et de l'autre, celui d'un vieux fusil de chasse.

— Dis-leur de venir ici. Et n'essaie pas de nous déjouer. Ta tête en éclaterait.

Albert appela Emma et les filles qui descendirent, tremblantes de peur. Il insista pour que Léo descende sans arme afin d'éviter un drame. Ou du moins le retarder.

Mais Léo ne descendait pas.

L'un des deux bandits enferma sans ménagement Emma et les filles dans la chambre du rez-de-chaussée, puis bloqua la porte avec le dossier d'une chaise glissé sous la poignée.

— Merde! cria celui qui tenait Albert en respect. Il est passé où l'autre?

— T'excite pas, je vais voir à l'étage.

Un courant d'air frais accueillit le vilain au haut de l'escalier. La fenêtre de l'une des chambres était grande ouverte. Tout près, les branches solides d'un érable centenaire jouxtaient la maison en pierre. Il dévala en hâte l'escalier pour avertir son frère qu'ils en avaient perdu un.

— Le jeune s'est échappé, lui dit-il le souffle court, il est passé par une fenêtre.

Un sifflement prolongé et perçant se fit entendre de l'extérieur.

Les deux frères se rendirent près de la porte avant et aperçurent le jeune homme planté au milieu de la cour, éclairé par le camion que le feu achevait de consumer. Quatre doigts en bouche, il siffla encore avec force puis, une fois assuré qu'ils l'avaient vu, courut et entra dans la porcherie.

Par esprit de vengeance ou par pure méchanceté, les frères Nicholson malmenèrent Albert, retenant leurs coups à la tête afin de ne pas laisser de traces.

Puis, ils incendièrent la maison.

Le feu fut d'abord allumé dans les armoires en bois qui faisaient le tour de la cuisine. Nul doute qu'il gagnerait rapidement le reste de cette vieille maison au bois bien sec. La chaise retenant la porte de la chambre se consumerait dans l'incendie et ne laisserait aucune trace. Tout comme le chanvre qui liait le cantonnier. On ne retrouverait dans la maison que des corps calcinés. Avec un peu de chance, on ne se rendrait compte de l'incendie qu'au matin. Et il ne resterait debout que quatre vieux murs en pierre qu'on s'empresserait ensuite d'abattre par mesure de sécurité. Le passage d'Albert Viau sur cette terre serait effacé.

— Il est temps de sortir d'ici, fit l'un d'eux, et d'aller buter le gamin. Si l'on fait assez vite, on pourra le ramener dans la maison.

La neige continuait à tomber tout doucement, sans égard aux drames qui se jouaient dans la nature. Que ce fût par la vengeance des hommes ou la faim des prédateurs, la mort frappait toujours, partout, chaque jour, chaque nuit.

— L'avantage avec l'hiver, c'est qu'il n'y a pas de maringouins, fit Coppegorge qui appréciait la balade nocturne. La soirée était froide, mais pas trop, et cette petite neige qui recouvrait le sol attirait vers le calme. Coppegorge balayait devant eux le faisceau de la lampe électrique qui leur indiquait le sentier.

— Il y en a encore qui vont croire à des feux-follets, ajouta-t-il en se tournant vers Laberge qui lui, portait l'*Agrippa* bien enroulé dans un grand sac en toile.

— On pourrait tout aussi bien venir de jour, dit-il au Français.

— La nuit, on ne risque pas de voir arriver quelqu'un à l'improviste. On est tranquille.

La silhouette austère de l'église St.Matthew se dessina devant eux. Laberge écarta deux broches barbelées de la clôture afin de laisser passer l'archiviste. L'autre lui rendit aussitôt la pareille.

Coppegorge sortit son trousseau de clés et défit d'abord le lourd cadenas fixé à la bande en fer rivée dans la porte. Il chercha ensuite la clé de la serrure barrée à double tour. La porte s'ouvrit sur le noir du portique en un sinistre grincement. Devant, Coppegorge poussa l'autre porte pour pénétrer dans la nef, suivi du curé. L'*Agrippa* vibrait légèrement entre ses mains. Laberge raffermit sa prise.

Seule la lampe rouge du saint-sacrement, entretenue par Albert, brûlait suspendue, pour rappeler la présence de Dieu en ce lieu.

— Rien à faire, dit le Français en allumant de son briquet les deux chandeliers à cinq branches posés sur la table de l'officiant, je ne m'y habituerai jamais. Cet endroit me fout la trouille.

— N'y pense pas, ce sera vite réglé, le rassura Laberge en évitant de marcher sur la dalle à la croix pattée qui faisait toujours remonter en lui plein de souvenirs.

Le curé gravit les deux marches permettant d'atteindre la tribune et tira d'une main le tapis qui recouvrait la trappe d'accès à la crypte. Il se retourna brusquement et se cogna contre Coppegorge. Il sursauta.

— Tiens, fit ce dernier, je te sens presque nerveux toi aussi !

— C'est juste que je ne te croyais pas si près…

— Tu l'ouvres cette trappe ?

— Ça vient…

Laberge glissa la main droite dans la poignée encastrée de la trappe. De l'autre, il gardait toujours le sac contenant l'*Agrippa* plaqué contre lui. Il fit basculer la porte en bois qui vint s'appuyer au bout d'une chaîne. Coppegorge éclaira l'escalier qui descendait dans la cave. Une odeur de renfermé et d'humidité émergea dans l'église en leur arrachant une grimace.

Coppegorge passa le premier avec sa torche électrique. Le livre vibrait toujours dans les mains du curé. Ils allumèrent deux lampes à huile qui éclairèrent la lugubre crypte. Droit devant, au niveau du portique d'entrée, se trouvait, juste devant la chambre forte, une petite table ornée d'un crucifix en argent. Laberge y déposa le livre noir.

L'archiviste s'approcha de Laberge qui penchait légèrement la tête à cause de la hauteur de la crypte. Il lui mit délicatement la main sur l'épaule.

— Il y a quelque chose qui ne va pas ? demanda-t-il avec un soupçon d'inquiétude dans la voix.

Laberge se tourna lentement vers lui et lui montra sa main droite. L'autre la considéra un moment, la mine perplexe. Puis soudain, il comprit. Ses yeux se posèrent sur *Duir*, l'anneau magique du curé.

— En cas de doute, répéta Laberge de mémoire, serre le poing et il te permettra de voir les dangers invisibles… C'est ce que le dieu-forgeron de l'Autre Monde m'avait dit…

Le curé serra le poing entre son visage et celui de Coppegorge. Il avait un mauvais pressentiment.

L'anneau vira de la couleur argentée à une vive couleur
dorée.

Alors que les hommes, les animaux ou les oiseaux sont
capables de conserver une température corporelle constante,
les abeilles sont soumises sans aucun égard, aux variations
de température de leur environnement, ce qui conditionne
leur activité. Le corps de l'abeille ne comporte aucune iso-
lation. Pour compenser cette fragilité de l'abeille isolée, la
nature l'a dotée d'un esprit de communauté. Dès que
l'air ambiant se refroidit, la communauté commence à se
regrouper et, bien avant d'arriver au point de congélation,
prend ses dispositions de survie en formant une grappe
dont la partie supérieure reste en contact avec les réserves
de miel. En fonction de la température extérieure, la grappe
peut se contracter ou se relâcher. La grappe se retrouve donc
recouverte d'une enveloppe composée d'abeilles serrées
les unes contre les autres qui créent un isolant efficace, afin
de réduire les pertes de chaleur. Sous cette enveloppe les
abeilles sont moins serrées. Elles produisent la chaleur nécessaire à la survie de la grappe qui est propulsée dans de petits
corridors jusqu'aux abeilles faisant le sacrifice de composer
l'enveloppe extérieure.

Pour le bien-être de ses abeilles, Léo – aidé d'Albert –
avait isolé la porcherie, permettant aux ruches de ne pas
trop souffrir de la période hivernale. Tout ce qu'il fallait,
c'était les laisser tranquilles. À cause du climat présent qui

avoisinait le point de congélation, Léo fut convaincu qu'elles détesteraient se faire déranger. Peu importe le nombre de vies qu'il en coûterait.

Il passa entre les ruches endormies et s'installa dans un coin, au fond de la porcherie.

Puis il attendit, le cœur battant.

Une fois que les frères Nicholson eurent quitté la maison, Albert se débattit pour essayer de défaire ses liens. Rien à faire, les cordes ne faisaient que lui entailler les chairs un peu plus. Son couteau Joseph-Rodgers était pourtant si près, juste là dans sa poche !

Emma frappait dans la porte de la chambre, incapable de l'ouvrir, bien retenue qu'elle était par une grosse chaise Morris en bois massif.

La fumée se répandait dans toute la maison, alors que la cuisine était en flammes.

Albert tenta de déplacer par à-coups la chaise sur laquelle il était attaché. Mais le mouvement était difficile et des meubles se trouvaient entre lui et la porte de la chambre sans issue. La culpabilité l'envahit, convaincu d'être la cause du mauvais pas dans lequel ils se trouvaient.

Emma tira un drap du lit et l'utilisa pour bloquer l'ouverture sous la porte afin d'empêcher la fumée d'entrer.

— Tire nous de là ! Cria-t-elle à son mari le front appuyé contre la porte. Fais vite !

Fouetté par une poussée d'adrénaline et les mots d'Emma, Albert essaya de déplacer la chaise vers la cuisine en flammes afin de trouver quelque chose pour trancher ses liens. Il respira de la fumée, ce qui le fit tousser. Ses yeux commençaient à piquer et il se prit à demander un miracle.

Et c'est exactement ce qui se produisit.

Ses yeux rougis refusèrent d'abord de croire ce qu'ils voyaient. Jusqu'à ce que la mémoire lui revienne. La mémoire d'une cérémonie qu'avait faite Édouard plus de quinze ans auparavant pour protéger sa maison.

De petits éclairs bleus apparurent timidement, puis se propagèrent en une multitude d'arcs électriques pour courir partout sur les murs et les plafonds de la maison. Albert se souvint de les avoir vus courir sur les pierres dehors, quinze ans plus tôt. Et son ami avait prononcé des paroles on ne peut plus de circonstances.

Scellez-vous afin de devenir la pierre de ma protection, l'outil de justice contre ceux qui leur voudraient du mal. Deviens sacrée, pour aujourd'hui et pour toujours, jusqu'à la fin des temps…

Les flammes se résorbèrent rapidement jusqu'à s'étouffer. La vision de cette couleur bleutée qui irisait l'intérieur de la maison relevait du surnaturel. C'était aussi magnifique que le feu était terrifiant. Tout fut éteint très vite.

Albert devait absolument se détacher pour faire sortir Emma et les filles et aller prêter main-forte à Léo.

Il chercha une idée autour de lui.

Accroupi au fond de la porcherie, Léo attendit patiemment que les frères Nicholson soient entrés et aient refermé la porte.

— On sait que tu es là, dit l'un d'eux en cherchant l'interrupteur autour de la porte, nous t'avons vu entrer.

Lorsque la lumière illumina l'endroit, les deux frères restèrent figés sur place en apercevant la cinquantaine de ruches empilées les unes sur les autres. Profitant de leur surprise, Léo se releva avec une ruche dans les bras, et la projeta au sol juste devant les deux hommes. La ruche en bois se cassa et les tranches de cadre s'ouvrirent, projetant les abeilles, brisant la grappe. Les abeilles réchauffées et reposées de la colonie qui se trouvaient au centre de la grappe se réveillèrent de manière fulgurante. Léo lui-même n'avait jamais vu pareille bombe. Il se jeta au sol en se recroquevillant sur lui-même et se couvrit le visage de ses mains, espérant que les insectes qu'il couvait depuis si longtemps reconnaîtraient son odeur.

Les frères Nicholson se débattirent aussitôt l'essaim brisé. Ils furent implacablement assaillis par les abeilles dérangées avec la même violence qui les avait tirées de leur léthargie. L'un des deux hommes parvint à ouvrir la porte et à sortir mais il s'effondra dans la neige, terrassé. Son frère buta contre son corps animé de soubresauts et tomba à son tour. La dose mortelle de venin avait été depuis longtemps dépassée.

Léo se fit violence afin d'attendre encore sans bouger. Les abeilles lui marchaient dessus, l'étudiant, le perçant. Elles se déplaçaient d'un endroit à l'autre de son corps en de brusques petits sauts de vol. Il ne bougea pas le petit doigt et attendit encore quelques minutes. Puis il se déplia très lentement jusqu'à se lever complètement. Il avança vers la porte et sortit, ses insectes lui tournant autour et se collant contre lui pour sentir sa chaleur et son odeur.

Les deux hommes gisaient là, morts, entourés de quantité d'ouvrières, mortes elles aussi et piquées dans la neige blanche.

Il chassa d'une main les abeilles sur ses épaules et prit une grande respiration avant de se diriger vers la maison où il entendait des cris.

Son cœur battait encore à tout rompre. Mais ce n'était plus à cause de l'attaque des deux hommes.

Il venait de prendre conscience qu'il était le maître d'une armée de petits anges exterminateurs.

✹ ✹ ✹

— Reste ici, Théodore, dit Laberge, je vais aller voir à l'extérieur.

— Très bien. J'ouvre la chambre forte. Ensuite nous ficherons le camp d'ici !

— Oui...

Lorsque le curé disparut à son regard au haut de l'abrupt escalier, Coppegorge sortit sa procédure et se prépara pour l'ouverture de la chambre forte. Il admira encore une fois l'ouvrage inviolable qui avait nécessité toute une logistique de sa part voilà déjà une douzaine d'années. Mieux valait chaque fois consulter le manuel pour éviter de se tromper.

Pour le cas où une fausse manœuvre serait perçue par la mécanique d'ouverture, un système de verrouillage actionné sous pression par des gaz toxiques et incapacitants se mettrait en fonction pour encastrer la porte et figer sur place le malheureux opérateur.

Le livre noir se mit à vibrer et à émettre un léger sifflement qui déplut à l'archiviste.

Néanmoins, il commença la procédure d'ouverture.

Léo fit irruption dans la maison comme un fantôme fuyant son tombeau. Quelques abeilles désorientées volaient encore au-dessus de sa tête. Il décida de laisser la porte d'entrée ouverte pour chasser la fumée et retira aussitôt la chaise qui entravait la porte de la chambre. Sa mère et ses sœurs lui tombèrent dans les bras.

Bien que ne comprenant pas ce qui s'était passé, Albert fut grandement soulagé de le voir apparaître.

— Et… et moi ? dit-il afin de mettre fin à leurs embrassades.

Ils vinrent tous à son secours afin de le délivrer de ses liens qui le faisaient souffrir. Il se frotta les poignets et sursauta en touchant la peau mise à vif.

— Ça va ? Tu n'as rien ? questionna Emma qui pleurait ainsi que les deux filles.

— Oui, ça va.

Léo acheva de lui détacher les chevilles et Albert se leva enfin.

— Mais torrieu, lui dit-il, veux-tu bien me dire ce que tu as fait ?

L'autre, à mi-chemin entre le soulagement et le choc nerveux, eut du mal à s'exprimer.

— Les abeilles, bredouilla-t-il. Ils sont morts tous les deux...

Albert le serra contre lui puis l'entraîna dehors à sa suite. Il aperçut devant la porcherie les silhouettes inertes et enneigées étendues sur le sol. Il prit la tête de Léo entre ses mains pour le forcer à le regarder. Derrière eux, entre les pierres cimentées qui composaient le mur de façade, de petits arcs bleutés apparaissaient encore de temps à autre.

— Écoute-moi, mon gars, lui dit-il en imposant le calme, c'était eux, les fautifs. Ils n'avaient pas le droit de faire ce qu'ils ont fait et tu n'as pas à te reprocher ce qui est arrivé. Je veux que tu ailles au village prévenir Arthur. Dis-lui d'appeler la police. Et n'oublie pas. Ces types ont un passé judiciaire, ils sont connus de la police. Ils sont entrés de force, ils ont tenté d'incendier notre maison et ont voulu s'en prendre à ton rucher. Mais mal leur en prit... Tu as compris ?

— Oui, c'est ce que je dirai... c'est la vérité de toute façon... Mais ils voudront sûrement savoir ce qu'ils te voulaient à toi, en particulier...

— Je m'arrangerai avec ma propre déposition et les raisons qui ont motivé leur geste. Pour l'heure, je dois aller rejoindre Édouard et Théodore à l'église St.Matthew. J'ai peur qu'il y ait d'autres personnes qui veulent s'en prendre à eux.

Léo acquiesça et retourna à l'intérieur pour prendre son manteau et son chapeau.

Emma rejoignit Albert dehors. Il réfléchissait à toute vitesse.

— Qu'est-ce que tu vas faire ? lui demanda-t-elle. Je n'aime pas quand tu as ce regard...

Albert ne répondait pas. Il semblait si tourmenté que pendant une seconde, Emma eut envie de le gifler. Il se tourna finalement vers elle. Ce regard qu'elle n'aimait pas était chargé tout à la fois de crainte, de haine et de dépit.

— Je dois aller à l'église St.Matthew, lui dit-il simplement. Tout de suite. Édouard et Coppegorge sont en danger. Rentre à l'intérieur, tu y seras en sécurité. Léo va aller prévenir Arthur et la police sera là avant le matin.

— Mais ces hommes ? Et toi ?

— On ne peut rien faire pour les morts. Il faut agir pour les vivants.

Il l'embrassa et courut vers la grange. Il retrouva son Bayard au passage, jeté au sol par Nicholson, et ouvrit tout grand les portes. Il jeta un coup d'œil à son camion qui fumait encore et fit de la lumière dans l'écurie.

— J'ai vraiment besoin de toi mon vieux...

Le vieux cheval leva lentement la tête et le regarda de ses grands yeux tristes.

Dehors, Édouard ne sentait plus le froid. Il sentait le danger.

Tout semblait perturbé.

Il referma la porte de l'église et marcha droit devant lui. Il y avait une sorte d'électricité palpable dans l'air froid qui donnait à penser qu'un malheur allait se produire.

La neige cessa de tomber juste devant lui. Il recula d'instinct et éleva ses remparts mentaux. À son index de la main droite, l'anneau brûlait d'une couleur dorée éclatante.

La ligne de fracture du portail apparut brutalement, comme un coup de tonnerre. Laberge ferma les yeux sous l'impact sonore et visuel. Lorsqu'il les rouvrit deux secondes plus tard, ce fut pour recevoir un choc maléfique qui lui fit presque exploser la poitrine. Il tomba à la renverse, terrassé.

Il parvint à ouvrir les yeux encore une fois tout en recouvrant graduellement l'usage de ses membres. Le coup avait été si violent qu'il l'avait momentanément paralysé.

Devant lui, un portail éblouissant de blancheur nacrée et de noir violacé était ouvert sur un ailleurs.

Le curé cligna des yeux plusieurs fois et graduellement, cinq mages au visage caché par un loup en velours rouge sombre et les épaules recouvertes d'une longue cape de même teinte se tinrent en cercle autour de lui. Avant qu'il n'ait eu la moindre chance de réagir, ils le maîtrisèrent de leur magie et le plaquèrent au sol à l'aide de violentes décharges rayonnantes d'une énergie totale et constante. Laberge ne pouvait que résister mais se trouvait incapable de contre-attaquer. Il se tordait de douleur sur le sol enneigé, comme s'il avait été écorché vif.

Il réussit néanmoins à voir Fenrir émerger du portail, triomphant.

— Vois comme tu es minable et pitoyable pauvre prêtre! lui dit-il le ton hautain. Nos routes semblent inlassablement devoir se croiser en cette vie. Mais je me vois dans l'obligation de mettre un terme à ce caprice du destin dès cette nuit. Tu n'es pas comme moi! Tu n'as pas ma force! Si je vous ai laissé exister toi et tes compagnons, c'est uniquement dans l'attente des *Agrippa*. Oui, j'ai patiemment attendu que tu me les rapportes, un à un, jusqu'au dernier. Et je dois maintenant me hâter, afin que notre ami le Français ouvre la porte pour moi! Je ne sais pas combien de temps tu pourras résister à ces décharges d'énergie, cher Édouard. Mais sache qu'en physique comme en magie, il ne peut y avoir création ou disparition d'énergie, mais seulement transformation ou transfert d'une forme à une autre. Ton fluide magique, nous l'absorberons!

Fenrir se tourna vers les mages rouges.

— Gardez-le en vie jusqu'à ce que je revienne, leur intima-t-il, je veux qu'il périsse de ma main!

D'un pas assuré, Fenrir marcha vers l'église. Mais il ressentit très vite la vivace énergie de consécration qui entourait le lieu afin de le garder à l'abri comme à l'écart. Lorsqu'il entra dans le «cercle» magique de protection qui ceinturait l'édifice et qui avait été représenté au moment de la consécration par de la terre provenant du Golgotha, le mage rouge se sentit faiblir. Il s'arrêta devant la porte, conscient que le phénomène qu'il expérimentait pouvait influencer sa personne. Il savait l'église consacrée et il y entrerait en pleine connaissance de cause, peu importe ce qu'il lui en coûterait. Il ne s'était pas rendu jusque-là pour renoncer maintenant.

Fenrir ouvrit la porte et entra dans le lieu saint. Comme lorsqu'il s'apprêtait à se transformer en loup, les liaisons chimiques dans son corps s'animaient à un rythme effréné. Il marcha dans la nef, assuré d'avoir perdu sa capacité à manipuler les forces. Il tenta un geste vers le chœur afin de souffler la lampe du saint-sacrement qui refusa de s'éteindre. Le mage n'en était plus un. Il n'était qu'un homme désespéré porté par une cause fondamentale.

— Édouard, c'est toi ?

La voix de Coppegorge montait de la crypte par la trappe restée ouverte.

Fenrir s'approcha et descendit l'escalier en s'appuyant contre l'une des grosses poutres supportant la solide structure du plancher. Coppegorge incrédule, planté devant la chambre forte ouverte, le regarda descendre avec un étonnement grandissant.

— Surprise, monsieur l'archiviste ! fit le maître des Êtres de la Lune.

Aussitôt, le Français attrapa la lourde porte en fer et en béton dans l'espoir de la refermer.

Dans un cri de folie meurtrière, Fenrir se jeta sur lui pour l'en empêcher.

Penché en avant sur l'encolure du hongre noir, Albert lui donnait du talon dans les flancs. Fraîchement ferré, l'animal galopait bien sur la route en gravier recouverte de neige. Mais son souffle furieux trahissait l'effort qu'il fournissait.

L'état de nervosité extrême dans lequel Albert avait attelé le cheval contrastait drastiquement avec la réaction de ce dernier, qui avait depuis longtemps passé l'âge d'être fougueux.

Le Bayard reposait dans l'étui en cuir accroché à la selle et dans les sacoches, le trésor de la Première Guerre mondiale de son oncle Thomas : les grenades à manche allemandes. Depuis des années, Albert avait laissé dans leur boîte les fameuses grenades qui faisaient partie des affaires qu'il avait reçues de Thomas après son décès. Il les avait fourrées dans une sacoche, son esprit se refusant néanmoins à utiliser une arme pareille. Il ne savait pas ce qu'il allait trouver là-bas. Et c'était bien ce qui l'inquiétait.

Le vieux cheval donnait tout ce qu'il pouvait, sentant d'instinct que son maître avait besoin de lui plus que jamais. Ils avaient effectué ensemble de multiples chevauchées et Albert, qui ne le menait plus qu'au pas depuis belle lurette, lui promit que ce serait la dernière. Ayant perdu l'habitude de ces courses endiablées qu'il avait pourtant tant affectionnées, le cantonnier ressentait déjà la douleur au bas des reins et entre ses jambes. Ses poignets, brûlés plus tôt par les cordes, continuaient à le faire souffrir. L'air froid, qui se faufilait entre ses gants et les manches de son *drover coat*, venait mordre les blessures.

Le sol, blanchi par la neige qui tombait doucement, reflétait une lumière éthérée qui donnait une impression singulière de vision nocturne.

Tout en chevauchant, Albert essayait de réfléchir à un plan. Mais comment faire, sans même savoir ce qui l'attendait? Il s'en remit à la Providence et à la prudence pour lui dicter ses actes.

Le plus important était de ne pas tomber dans la gueule des loups.

Oksir s'était assuré que rien ne bougeait dans l'évêché avant de sortir de sa cachette.

Puisque cela devait être sa dernière nuit entre les murs de cet édifice qu'il avait appris à haïr autant qu'à connaître, il avait décidé de régler ses comptes avec le gros chat. Il n'avait eu qu'à soulever un peu le mince panneau, lequel fermait l'ouverture pratiquée dans le plafond d'une chambre vacante du dernier étage, pour quitter les combles.

Il avait maladroitement descendu les escaliers, son pas claudicant le rendant encore plus laid et grotesque. Il savait qu'à cette heure, le chat était déjà parti depuis longtemps pour aller chasser. C'était un gros matou répugnant qui ne pensait qu'à croquer les plus faibles que lui ou à prendre plaisir à les terroriser et à les faire souffrir. Oksir allait le faire souffrir à son tour.

L'homoncule parvint à la cuisine où tant de choses traînaient partout. Il y avait bien sûr beaucoup de quoi manger mais le moment n'était pas à la gourmandise. Dans la porte extérieure de la cuisine, et au grand dam de Florence la cuisinière, une petite porte va-et-vient avait été aménagée au ras du sol qui permettait à Charlie d'entrer et de sortir à sa guise.

Oksir devait faire vite car le chat pouvait bien revenir à n'importe quel moment. Il s'approcha lentement du plat métallique prévu pour la nourriture du félin et regarda autour de lui afin de s'assurer qu'il était bien seul et que nul n'était réveillé. Un restant de viande traînait dans le fond du plat. L'homoncule savait, grâce au maître, que tous les félins étaient des carnivores stricts. Qu'ils pouvaient survivre uniquement en mangeant de la viande. Ce qui expliquait la férocité du méchant matou. Et aussi sa gourmandise. Même si la chasse était bonne cette nuit, il dévorerait ce restant de viande que la cuisinière avait jeté là pour lui.

Oksir saupoudra le contenu de la petite fiole de poison qu'il portait sur lui. Il la vida complètement sur la viande afin de produire un effet foudroyant. Le mélange préparé par le maître, de deux champignons à toxicité élevée, la ciguë blanche et le calice de la Mort, entraînait la perte de la vie dans d'atroces souffrances, par la destruction totale et en quelques minutes du foie et des reins.

L'homoncule fuit les lieux et courut vers les escaliers afin de remonter à la chambre pour se cacher de nouveau dans les combles. Fenrir le contacterait bientôt.

Charlie était rentré plus tôt que prévu de son expédition nocturne.

Ne se sentant pas très en appétit ni d'humeur chasseresse, il avait décidé de retourner bien au chaud à l'évêché plutôt que de continuer à se mouiller les pattes et à se geler les coussinets.

C'est à l'autre bout de la cuisine, tapi dans l'ombre, au creux d'une boîte en bois jetée de côté sous des tablettes, que le chat avait observé sans bouger la créature étrange fouiller dans son plat de nourriture.

La logique du fin félin avait été mise à rude épreuve au cours de cet épisode. Son esprit s'était trouvé dans un singulier état de superposition, dans lequel cumulaient des émotions incompatibles. Dans sa réflexion primaire, Charlie était parvenu à appliquer une certaine retenue à son instinct de chasseur. Plutôt que de se jeter sur la créature à la seconde où il l'avait vue, il était resté de marbre à la regarder. Il avait étudié ses gestes, avait entendu les mots qu'elle murmurait et en était arrivé à comparer cette apparition à la traversée d'une route.

Sur une route passaient des animaux bien plus gros que lui et qui couraient bien plus vite. Ces gros animaux transportaient même des hommes. Être frappé par l'un d'eux équivalait à la mort et à un repas pour les oiseaux noirs. Charlie lui, était plus malin. Il s'asseyait au bord de la route et s'assurait qu'il n'y avait aucun gros animal à portée. Seulement si cette condition était remplie, il traversait la route.

Et il était toujours vivant.

Que le détestable homoncule à la forte odeur fouille dans son plat de nourriture sans en manger était contradictoire. L'évêque, le clerc, la cuisinière donnaient à manger au chat. Pas la créature puante. Elle le haïssait autant que lui voulait sa mort et jamais elle ne le nourrirait. L'attitude de la créature détestable signifiait sûrement une forme de méchanceté dirigée contre lui. Un peu comme s'il était happé par l'un de ces gros animaux bruyants qui passent sur la route. Le mal, la souffrance…

Il avait vu d'autres chats, des marmottes, des mouffettes ne plus bouger après avoir été frappés par les gros animaux. Les mouches, les oiseaux noirs…

Personne ici ne connaissait l'existence de l'homoncule. Aucun être humain. Il se cachait comme rat ou souris et les humains n'aimaient pas les rats ni les souris dans leurs maisons. Ils les chassaient. Et pas pour les manger. C'était donc qu'ils étaient dangereux. Il était une menace qui devait être éliminée, voire croquée… Et puisque seul Charlie était au fait de sa présence, lui seul pouvait s'en charger.

Les griffes du chat réagirent à cette pensée prédatrice pour se ficher dans le bois de la caisse.

Tout était clair.

Fenrir avait projeté Théodore Coppegorge contre une grosse poutre.

Le Français s'y était cogné l'épaule, ce qui lui avait arraché un cri de douleur malgré lui. Le mage rouge contemplait les cinq *Agrippa* réunis dans la chambre forte restée ouverte. L'héritage de l'Opposant consacré à travers les travaux et le sang d'Henri Corneille Agrippa était enfin à lui. Il retournerait en Europe pour gagner cette guerre aux côtés du plus offrant et relèguerait Skoll au rang de subalterne après avoir pris la tête des Êtres de la Lune. Rien ne pourrait plus l'arrêter.

Les idées qui lui crevaient la tête l'empêchèrent de voir Coppegorge se ruer sur lui. L'archiviste fonça droit sur le mage et le bouscula violemment, comme s'il eut voulu frapper un quart-arrière. Il le poussa plus loin, entraîné par son élan et l'écrasa contre les fondations, détachant même du mortier d'entre les pierres. Reprenant vivement ses esprits, Fenrir lui frappa le dos de ses deux poings pour l'envoyer rouler plus loin.

Le mage rouge se releva, hébété d'être attaqué de la sorte. Il frotta d'une main quelques-unes de ses vertèbres qui avaient rencontré d'un peu trop près le mur en pierre.

— Tu n'as plus tes pouvoirs à l'intérieur de l'église, c'est ça? lui cria Coppegorge en se massant l'épaule. Qu'as-tu fait d'Édouard, pauvre fou?

— Il est retenu... par quelques confrères qui avaient des questions à lui poser.

Une lame apparut brusquement dans la main de l'archiviste. Coppegorge tenait ouvert un Laguiole à cran d'arrêt et menaçait maintenant Fenrir qui, la tête penchée pour éviter les poutres horizontales, se tenait sur ses gardes.

— Crois-tu vraiment me faire peur avec ça? demanda-t-il au Français.

— Mon but n'est pas de te faire peur mais plutôt de te faire mourir, sale damné!

Coincé entre la chambre forte ouverte et l'escalier, Fenrir n'avait pas le choix. Il devait affronter Coppegorge pour l'empêcher de refermer la chambre forte. Il plaça entre eux une grosse poutre de soutien pour se donner le temps de penser à une contre-attaque. Mais Coppegorge passa aussitôt à l'action, se refusant de donner trop de temps à son adversaire. Il avait ébranlé le mage rouge, il devait tout de suite passer à l'offensive pour conserver son effet de surprise. Brusquement, il bondit en avant et frappa la main de Fenrir appuyée sur la poutre, lui entaillant deux doigts. Puis, passant outre à toute règle de prudence, il attaqua d'estoc, piquant tout de même l'avant-bras avant d'être frappé violemment au visage par un poing qu'il n'eut pas le temps de voir venir. Il buta sur quelques pas en direction de la chambre forte, avant de se retourner vers Fenrir qui retirait sa cape de sa main valide. De l'autre, le sang coulait goutte à goutte sur le sol. Le mage marcha sur Coppegorge, toujours sonné et la mâchoire luxée. Gauchement, le Français tenta un nouveau coup de lame. D'un mouvement habile, Fenrir enroula sa cape autour de la main armée et l'écarta d'un geste furieux, tordant le poignet et faisant voler le couteau au fond de la crypte. Enchaînant les mouvements, il frappa encore Coppegorge au visage d'un autre solide coup de poing. L'archiviste perdit pied et donna lourdement contre la porte de la chambre forte avant de tomber sur ses genoux. Furieux d'avoir été blessé de la sorte par ce qu'il considérait comme un minable rat de bibliothèque, Fenrir agrippa Coppegorge par les cheveux et le traîna avec force pour aller lui fracasser le crâne contre la poutre de soutien qui ne broncha pas. L'archiviste s'écroula, terrassé. Il gisait sur le dos, incapable de reprendre ses esprits, sa tête ensanglantée se balançant d'un côté à l'autre sur la terre battue.

Dans la chambre forte, les *Agrippa* se mirent à vibrer et à émettre des sifflements ou des souffles rauques comme s'ils étaient vivants.

Entraîné par la démence et la réaction des livres magiques, Fenrir saisit Coppegorge par les pieds et le traîna plus loin où un tranchant de roc émergeait du sol. Lorsque le cou du Français y fut appuyé, Fenrir passa derrière lui en ajustant son loup sur son visage et vint s'accroupir pour lui enserrer la tête de ses mains.

— C'est ici que le trajet s'arrête pour toi Coppegorge, lui dit Fenrir le souffle court. Tu as échoué mais tu as livré un combat honnête. En toute chose, il faut un gagnant. Cette fois, c'est moi. Tu n'as pas à avoir honte.

Coppegorge était conscient de subir un traumatisme crânien. Il n'avait plus le contrôle de ses mouvements et n'arrivait pas à commander à sa bouche de parler. Il ne put que fixer Fenrir droit dans les yeux pour lui communiquer toute la haine qu'il éprouvait à son endroit. Il sut lire dans son regard.

— Je comprends… répliqua-t-il à l'archiviste.

Puis d'un geste brutal, Fenrir tira en arrière la tête de Coppegorge pour lui rompre la nuque sur l'arête en pierre.

La tête de l'archiviste roula sur le côté et ses yeux se révulsèrent. Le sang apparut à la commissure de ses lèvres.

Fenrir se releva lentement, nullement désolé, plutôt soulagé. Du sang coulait le long de son oreille. Il avait un peu perdu l'habitude des combats physiques sans l'utilisation de la magie. Il récupéra sa cape, la secoua et la jeta sur ses épaules.

Il lui fallait maintenant sortir les livres noirs de leur prison. Il se présenta dans la porte de la chambre forte et fut accueilli par des bruits de chaînes, des sifflements perçants et des gémissements rauques qui eurent effrayés n'importe qui.

Mais le mage sourit.

C'était là paroles de bienvenue pour lui.

— Commençons par le plus gros, dit-il en saisissant à bras le corps pour le décrocher, le plus imposant des *Agrippa*.

Le livre accueillit son geste avec une odeur soufrée qui envahit la crypte.

C'était Alexander Dwyer qui l'y avait enfermé la première fois en 1855.

Pendant la nuit de la Toussaint.

Il y avait laissé sa vie.

Serez-vous là bientôt maître ?

Oksir avait mentalement supplié Fenrir. Il était impatient de quitter cet endroit.

Dans deux ou trois heures tout au plus, mon Oksir…

L'homoncule trouvait le temps long. Lui qui n'en avait pourtant pas la moindre notion, s'en fabriquait un sens à travers l'impatience. Ainsi rongé, réprimant le désir de sortir par la corniche et de descendre courir dans la rue, il souleva de nouveau la trappe d'accès au grenier et se laissa tomber sur le lit. Il sortit dans le corridor. Pas le moindre son ne lui arrivait. Il avait beau tendre l'oreille, seuls les craquements naturels du vieux bâtiment brisaient de temps à autre discrètement le silence.

Il se tourna vers la chambre et leva ses petits yeux reptiliens vers l'accès aux combles.

Ce serait plus prudent d'y rester et d'attendre le maître…

Mais l'envie irrépressible de peut-être apercevoir le chat mort dans la cuisine était trop forte.

De voir ce gros matou le corps tordu, les pattes raidies, la tête renversée, les yeux vitreux et étranglé dans sa vomissure avant de partir lui procurerait une satisfaction inégalée.

Oksir avait toujours eu l'habitude de se punir de ses erreurs. Mais jamais il ne s'était récompensé du moindre succès.

Il courut le long du mur, excité comme une puce. Dans sa course frénétique et disgracieuse, son petit poignard accroché à son ceinturon ballotait contre sa jambe. Mais il ne le sentait pas. Seul le désir de voir et de sentir le chat mort lui importait. Le maître n'avait jamais voulu qu'il commette le moindre meurtre dans l'évêché. Afin de ne pas éveiller les soupçons, disait-il… Mais Oksir, lui, aurait tué tout le monde! Il les aurait tous empoisonnés! Tuer ce maudit chat était bien la moindre des choses qu'il pût se permettre avant de quitter cet endroit.

Il descendit jusqu'au rez-de-chaussée et longea encore le mur, mais plus lentement cette fois. Son petit cœur battait trop fort et cognait contre sa poitrine tremblante. Tous ses membres s'agitaient de spasmes d'excitation et de peur et la bave coulait de sa petite gueule ouverte sans qu'il s'en rende compte.

AGRIPPA

Lorsqu'il entra dans la cuisine, la forme inanimée sur le sol contre le plat ne laissait aucun doute. Le chat pouvait bien s'étendre ainsi de tout son long, mais jamais il ne le ferait au milieu de la cuisine non loin de son plat de nourriture. Le stratagème avait marché! Le chat était rentré et en goinfre qu'il était, s'était aussitôt jeté sur les restes de viande empoisonnés!

Oksir s'avança à pas feutrés, se dandinant comme un manchot. La lumière des hauts lampadaires de la rue entrait par les fenêtres, éclairant faiblement la cuisine à travers les vitres trempées de neige fondante. Un vent léger agitait les branches d'arbres, créant ainsi des ombres mouvantes sur les murs pâles et les armoires aux poignées chromées.

Fier de lui, palpitant de méchanceté, l'homoncule fit le tour du chat. Il voulait lui voir la tête, voir comment il avait souffert. Il fut déçu de constater que nulle vomissure ne tachait le plancher et que les yeux n'étaient pas révulsés. Ils étaient clos.

Il se tourna vers les fenêtres lorsqu'une branche vint s'y frotter, malmenée par le vent. Quand son regard revint vers le chat, celui-ci avait des yeux grands ouverts qui le fixaient comme la proie qu'il était. Comme un avertissement à une attaque imminente, les pupilles du félin se dilatèrent tout à coup au maximum pour s'ajuster à la pénombre, figeant l'homoncule dans un bloc de terreur aveugle.

Oksir fut capturé avec une rapidité foudroyante par la bête sans pitié.

Charlie planta simultanément ses griffes et ses crocs acérés dans le corps dur de la créature qui geignit de douleur. Le visage était inhumain et déformé par l'angoisse et la détresse. Ne souhaitant pas le tuer tout de suite, comme il le faisait souvent avec ses proies, Charlie le laissa se débattre afin de l'épuiser. Le félin féroce mâchait l'homoncule, resserrant et relâchant ses mâchoires pour accroître la souffrance qu'il prodiguait avec un plaisir non contenu. Les griffes lacéraient les chairs alors que le chat forçait la créature et tordait son corps pour le briser. Le sang se répandit sur le plancher aux tuiles blanches et noires et les cris augmentèrent en intensité jusqu'à ce qu'Oksir parvienne à libérer l'un de ses bras et à tirer son petit poignard de son fourreau. Avec l'énergie du désespoir, il le planta à coups répétés et à l'aveuglette, tailladant moustaches et museau avant d'atteindre un œil.

Ce fut le dernier geste téméraire de la courte vie de l'homoncule créé par Fenrir. Le chat le mit en pièces avec une rage décuplée et une vitesse de frappe que rien ne pouvait parer. Le mordant à la gorge, il lui arracha presque la tête en le secouant jusqu'à la mort.

Brisé, égorgé, démembré par le matou en furie, Oksir lança mentalement un dernier appel de détresse à son maître qui avait failli à le sauver. Les cris furent si bouleversants et déchirants, qu'ils se prolongèrent encore dans l'esprit de Fenrir, bien après que l'homoncule eut rendu son dernier souffle.

Charlie, poisseux, les poils collés du sang de sa victime et l'œil crevé, recula de quelques pas pour tenter d'ajuster sa vision qui venait de changer. Il regarda autour de lui et aligna dans son esprit les étapes de la mise à mort de l'homoncule qui gisait dans son sang.

Le chat réalisa alors qu'il avait été blessé.

Le petit monstre avait été mis à mort mais il avait été dangereux. Il fallait qu'ils le voient, qu'ils sachent.

Charlie s'assit et se mit à miauler de toutes ses forces.

Albert entraîna péniblement le vieux cheval sous un grand saule près de la route, sur le terrain de l'église St.Matthew. La neige tombait toujours avec autant de douceur, comme pour essayer de mettre un baume sur cette nuit funeste.

À présent, le cheval trébuchait et n'avançait que très lentement et avec difficulté. L'effort qu'Albert lui avait demandé de soutenir avait été bien au-delà de ses forces, et l'homme le réalisait avec une panique désespérée dans le regard. Albert l'entraîna à travers les branches tombantes du vieux saule pleureur afin qu'il se trouve un peu à l'abri de la neige. Il déplia une mince couverture roulée dans une sacoche et l'étendit sur l'animal qui peinait à tenir debout.

— Je suis désolé, chuchota-t-il à son oreille et entourant de ses bras l'encolure pour le caresser, pardonne-moi je t'en prie et repose-toi ici. Je reviendrai te chercher bientôt et plus jamais je ne te demanderai un effort pareil, je te le promets...

Albert ouvrit l'autre sacoche et en tira les deux grenades à manche. Il ne savait toujours pas pourquoi l'idée folle de transporter ces reliques lui était passée par la tête. Quoi qu'il en soit, il les tenait bien en main et les fourra dans les poches de son *drover coat*. Il extirpa ensuite le Bayard de son fourreau de selle et fouilla encore au fond de la sacoche pour récupérer deux poignées de cartouches.

Les naseaux du cheval relâchaient l'air en une brume vaporeuse qui se perdait aussitôt. Son souffle pénible et saccadé n'augurait rien de bon.

— Il faut que tu tiennes le coup mon vieux, lui dit encore Albert, reprends-toi !

Le cantonnier enfonça un peu plus son chapeau puis traversa la clôture pour se fondre dans la lisière de la forêt.

Fenrir était encore devant le portail et se préparait à y envoyer les deux derniers *Agrippa* qu'il tenait entre ses mains.

Les supplications qui résonnaient en boucle dans la tête du mage lui firent comprendre qu'il était arrivé malheur à son homoncule. Figé, il éprouva un vif regret de n'avoir pu le sauver et s'en trouva véritablement affecté.

Plus loin, les mages maintenaient toujours Édouard cloué au sol, extirpant le fluide magique et l'énergie qui l'animait.

Un coup de feu déchira le silence de la nuit et se répercuta en écho dans le paysage hivernal.

La violente décharge de calibre .12 arracha complètement la tête de l'un des cinq mages qui s'effondra au sol. Le deuxième coup de fusil fit mouche encore une fois, tuant sur le coup un second mage qui bascula par en arrière avant de s'écrouler pour teindre la neige du rouge de son sang.

Fenrir laissa sa bouche et ses yeux s'étirer jusqu'à ce que son visage dévasté trahisse sa détresse. Surpris eux aussi, les trois autres mages s'enfuirent au fond du cimetière pour se mettre hors de portée.

Aussitôt après, un sifflement fendit l'air. Quelque chose approchait, chutait du ciel.

La tête de la grenade se ficha dans le sol enneigé juste à leurs pieds. Le capuchon du manche pendait en se balançant au bout de sa cordelette. Les quelques secondes qu'ils mirent à comprendre et à se regarder impuissants furent leurs dernières.

Fidèle à ses concepteurs, la vieille grenade explosa violemment, rasant les pierres tombales oubliées qui déchirèrent de leurs éclats les corps des trois mages rouges.

Aveuglé par la rage et ayant recouvré ses pouvoirs au sortir du cercle de consécration entourant l'église, Fenrir avait jeté les deux derniers *Agrippa* à travers le portail. Il avait amorcé une rapide transformation de son être vers l'image du monstre qu'il était vraiment : un loup meurtrier capable d'attaquer sans la meute.

Il se tourna lentement vers la forêt lorsque sa métamorphose fut achevée. Il était à la fois horrible et magnifique, toujours couvert de sa cape et de son masque rouge sombre.

Albert émergea du bois pour apparaître sur le sentier, derrière la clôture. Son Bayard sous le bras, il tenait entre les mains l'autre grenade. Il fixa Fenrir avec une haine mortelle dans le regard, son cœur battant à tout rompre mais ne connaissant plus la peur.

Plus près de la porte de l'église St.Matthew, qui se voulait une fois de plus le témoin de scènes de morts déplorables, gisait Édouard. Il ne bougeait plus. De loin, son corps semblait vide de vie.

— Ils sont tous morts maintenant, rugit Fenrir. Coppe-gorge, Laberge et les cinq mages qui m'accompagnaient. Il ne reste plus que toi et moi, Viau...

— Je vais te tuer cette fois, lui dit Albert avec un tremble-ment dans la voix.

— Et tu crois peut-être que tu pourras le faire avec cette grenade ?

Albert ricana nerveusement.

— Rassure-toi, la grenade n'est pas pour toi...

Albert dévissa le capuchon au bout du manche en bois et sentit la corde d'amorçage se tendre.

Lorsque Fenrir fonça vers lui, il tira la corde et arma l'engin explosif. Sans s'occuper du loup qui venait dans sa direction, il lança la grenade qui tournoya haut dans les airs.

Fenrir comprit et s'arrêta net.

Albert épaulait déjà son Bayard en tirant du pouce les deux chiens des percuteurs.

La grenade redescendit en sifflant dans l'air froid et passa tout juste le portail brillant qui éclairait de sa blancheur et de son noir d'ébène la scène du drame.

— Non! rugit encore Fenrir en courant de toutes ses forces vers la grande porte de transplanation.

Albert tira un premier coup qui rata sa cible. La décharge de chevrotine atteignit l'épaule au second tir mais Fenrir plongea à travers le portail et disparut aussitôt.

Agrippa

Le cantonnier traversa la clôture en comptant les secondes.

Dans une haute cave creusée sous une maison cossue de l'ouest de Montréal, Fenrir émergea du portail en rugissant comme un fauve enragé.

— Grenade! hurla-t-il. Il faut la conteneuriser maintenant!

Les hommes fuirent et les mages restèrent.

Ensemble, Fenrir et trois autres mages rouges entourèrent la grenade ayant roulé dans un coin. Ils l'enfermèrent de leurs maléfices conjugués, dans un conteneur d'énergie soutenue par une contention intense de leurs facultés.

Quand la grenade explosa dans son espace conteneurisé, une lumière vive leur fit détourner la tête. Aucun son ne fut émis, mais les mages perdirent pourtant l'ouïe pendant une dizaine de minutes suivant l'explosion.

Les *Agrippa* étaient tous là, posés sur une grande table dans une pièce adjacente. Fenrir pouvait les voir par la porte ouverte.

Dans un cri qu'il entendit à peine, il maudit d'abord Viau, puis il ferma brutalement le portail de transplanation.

Alors qu'il courait vers le corps d'Édouard couché dans la neige, Albert vit le portail se refermer brusquement. Toute lumière disparut et les alentours de l'église furent plongés dans le noir. Il chercha nerveusement le pouls de son compagnon et se pencha contre son visage pour sentir sa respiration qui se voulait extrêmement faible. Au moins était-il encore vivant.

Albert le souleva pour le mettre à l'abri dans le portique de l'église. Il courut vers la trappe restée ouverte. Les deux gros chandeliers brûlaient toujours sur la table de la tribune. Il dévala l'escalier et vit tout de suite le corps de Coppegorge inanimé. La rigidité s'était déjà emparée de ses membres et Albert comprit très vite qu'il n'y avait plus rien à faire. Il lui ferma les paupières, croisa ses mains sur sa poitrine et fit un signe de croix en se recueillant.

Il se leva ensuite pour marcher vers la chambre forte.

Elle était vide.

Le visage entre les mains, il s'imposa la raison et le contrôle.

D'abord, s'occuper d'Édouard.

Il éteignit les lampes à huile, récupéra le trousseau de clés de l'archiviste et s'arrêta au pied de l'escalier.

Adieu mon vieil ami...

Puis il grimpa les marches et referma la trappe en pleurant.

Albert fouilla dans les armoires et en tira une couverture dans laquelle il enveloppa Laberge. Il utilisa ensuite l'éteignoir et étouffa rapidement les flammes des chandelles. Il tira le curé à l'extérieur puis verrouilla la porte.

Soulevant son ami avec peine, Albert parvint à le tenir dans ses bras. Il marcha vers la route pour aller retrouver le cheval qui l'attendait sous le grand saule pleureur. La neige tombait toujours, tout doucement, de ses petits flocons clairsemés, alors que dans le ciel, les premières lueurs de l'aube faisaient leur apparition.

Lorsque Albert passa sous les branches du saule, il trouva son vieux cheval couché sur le flanc. Pris de vertiges et d'engourdissements, il déposa Édouard contre le ventre encore chaud de l'animal. Mais aucune respiration ne le soulevait... Le cantonnier tremblait tout à coup de tous ses membres, comme saisi d'un violent choc post-traumatique. Il frappa le gros tronc du saule et pleura sans retenue.

C'en était trop. Beaucoup trop pour un seul homme.

Le front appuyé contre l'arbre, il passa en revue les évènements de la nuit, le corps bousculé de sanglots. Il devait se reprendre. La vie du curé dépendait de ce qu'il allait faire.

Il se pencha pour caresser une dernière fois le museau velouté de son fidèle compagnon qui l'avait conduit dans tant de chevauchées.

Qu'est-ce que je dois faire ? Dieu, si tu existes, Tu dois maintenant me venir en aide. Tu ne peux pas m'abandonner ainsi ! Tu ne peux pas laisser Édouard mourir lui aussi ! Tu ne peux pas prendre plaisir à me voir souffrir de la sorte ! J'en ai assez enduré pour cette nuit. Jamais je ne demande rien ni ne sollicite Tes faveurs. Je le fais pour mon ami qui est prêtre ! Ne peux-tu donc pas avoir pitié ? J'ai besoin d'aide... J'ai besoin d'aide...

Albert se releva et marcha hors des branches pendantes du saule en essuyant ses larmes du revers de son gant.

Là, seul sous la neige qui continuait à tomber, il espéra les réponses à ses demandes.

POSTFACE

Pacifique sud, à 200 milles marins des îles Hawaï.
Le dimanche 7 décembre 1941.

Il n'était pas encore six heures du matin.

Kazuo Meiji marchait sur le pont du porte-avions *Agaki* de l'armada de la marine impériale japonaise. Son regard était absent, perdu comme une épave au milieu de la mer.

Meiji marchait dans les pas du capitaine Mitsuo Fuchida qui conduirait la première attaque, suivi de plusieurs de ses compagnons, pilotes tout comme lui.

Six jours plus tôt, Hirohito, l'empereur du Japon, avait approuvé la Guerre de la Grande Asie Impériale. Et sa première action avait été d'autoriser le bombardement de la base navale américaine de Pearl Harbor sur l'île d'Oahu dans l'archipel d'Hawaï. Il effacerait ainsi l'humiliation des sanctions économiques prises par Washington contre le Japon, à cause de son invasion de la Chine.

Plusieurs espions japonais habitant l'archipel d'Hawaï avaient fourni des renseignements cruciaux pour la mise au point de l'opération. L'attaque se déroulerait un dimanche, les équipages libérés étant incomplets pour le week-end et les patrouilles inexistantes.

Le 26 novembre, six porte-avions avaient donc appareillé discrètement du Japon avec à leur bord plus de quatre cents avions. Une flotte de vingt-sept sous-marins et de huit bateaux de ravitaillement les accompagnait. Ils avaient emprunté la route du nord vers les îles Hawaï, afin de ne pas être repérés.

Le vent du Pacifique balayait le pont du grand porte-avions et Meiji respira l'air à pleins poumons. Il se pencha sous son chasseur-bombardier Mitsubishi A6M2 pour vérifier une dernière fois l'état de la crosse d'arrêt située sous l'empennage. Il devrait entièrement s'y fier au retour afin d'immobiliser son appareil au moment de l'appontage sur le porte-avions.

Le Mitsubishi A6M2 était un avion de chasse léger qui se maniait admirablement. Mieux connu par les pilotes sous le nom de *Zéro*, il était doté d'un puissant moteur Nakagima de 940 chevaux. Armé de deux canons d'ailes de 20 mm, de deux mitrailleuses de capot de 7.7 mm, de bombes de 60 kg et d'une torpille ventrale antinavire, il faisait la fierté de son pilote.

Alors que Meiji grimpait vers l'habitacle, son esprit se trouva une fois de plus assailli de questions.

Était-ce bien de porter une attaque aussi sournoise, aussi violente ? Jamais il ne se serait permis de poser cette question à voix haute. L'empereur savait ce qu'il était correct de faire pour le bien du pays et pour le protéger dans cette guerre. Mais attaquer directement les États-Unis sur leur propre terrain, alors qu'ils n'étaient même pas entrés en guerre signifiait une réelle provocation. Et l'armée des États-Unis était une puissance non négligeable. L'empire du Japon pourrait-il se défendre contre pareil ennemi ? Parviendrait-il à les repousser hors du Pacifique ?

Meiji était loin de se douter qu'en cette seule et même journée, le Japon attaquerait encore les États-Unis dans les Philippines, envahirait Hong-Kong pour le prendre aux Anglais et procéderait à un débarquement d'envergure en Malaisie.

Meiji ferma l'habitacle vitré et assura les loquets. Il attacha ses ceintures et lança le moteur aux mouvements du signaleur. Il serait le deuxième à décoller derrière le capitaine.

Il poussa les gaz à fond puis desserra les freins pour lâcher l'engin qui s'élança sur le pont du grand porte-avions. Lorsqu'il quitta le pont, l'appareil s'abaissa un peu vers les flots bleus, entraîné par sa charge d'armement, puis remonta rapidement pour prendre son envol.

Le sort en était jeté. C'était le point de non-retour.

Bien qu'il se fût efforcé jusqu'ici de ne pas y penser, Meiji revit en pensée les visages de sa femme et de ses deux fils. Il les avait quittés depuis des semaines et maintenant, à l'issue de ce nouveau combat aérien, tout relevait encore du doute. Il se consola en sachant que l'effet de surprise serait total et la riposte, inadéquate. Ce qui augmentait ses chances de revenir sain et sauf. Puisqu'il y serait en premier, il se permettrait un tour de reconnaissance puis larguerait d'abord torpille et bombes sur les cuirassés avant de les canonner et les mitrailler.

Et puis après tout, cent quatre-vingt-deux bombardiers volaient avec lui vers cette attaque !

Ce serait vite fait.

Il devait être sept heures quarante-cinq quand Meiji, survolant la base endormie, effectua son tour de reconnaissance, tel qu'il l'avait prévu. Dans une heure, il serait sur le chemin du retour avec ses compagnons et la deuxième vague de l'attaque, composée de cent soixante-sept appareils, frapperait à son tour.

Le pilote expérimenté avait repéré le gros cuirassé *USS Utha* qui serait une cible facile pour sa torpille ventrale. Il décida de s'en débarrasser en premier et de se soulager de ce poids lourd pour augmenter la maniabilité de son appareil.

Meiji descendit alors que les premiers tirs et les premières explosions commençaient à retentir un peu partout. Il largua sa torpille en frôlant la rade de près puis redressa aussitôt pour passer au-dessus du cuirassé. Il n'aperçut personne sur le pont. Il sentit l'onde de choc provoquée par l'explosion et sa réussite fut partagée entre la satisfaction du devoir accompli et le sentiment d'être complètement navré.

De l'autre côté du bassin, l'*USS Pensylvania* se trouvait sur son chemin et en cale sèche. Il lui déchargea ses bombes au passage et atteignit sa cible en maints endroits.

Le massacre était désolant. Des dizaines de bombardiers tournaient ainsi dans un funeste ballet, orchestré autour du port de Pearl Harbor qui était assiégé sans la moindre pitié. D'autres avions avaient poussé plus loin, afin d'attaquer l'aérodrome et de détruire les chasseurs au sol.

Pendant une heure, bombes, torpilles, coups de canon et de mitrailleuse envahirent l'espace. Ce fut un carnage à la mesure de sa préparation et de la surprise engendrée.

Les Américains répliquaient avec quelques avions de combat et l'artillerie antiaérienne au sol, mais ne parvenaient qu'à infliger de légères pertes à l'empire du Soleil levant.

Kazuo Meiji avait épuisé ses munitions. Le moment de tirer sa révérence était enfin venu, et il vira sur l'aile pour contourner une dernière fois la rade et ne pas se retrouver dans un feu croisé. Soulagé d'en avoir fini et d'être toujours vivant, il s'apprêtait à prendre de l'altitude lorsqu'il fut touché par derrière par une batterie antiaérienne. Son cœur s'arrêta et il retint son souffle, le temps d'évaluer les dégâts.

La queue de l'avion était foutue, il n'avait plus de gouvernail et sur la droite, un bout d'aile avait été arraché. L'avion perdit rapidement de l'altitude et vira de lui-même sur la gauche pour le ramener au dessus du port. Le feu nourri de ses compagnons qui ne l'avaient pas vu venir le percuta au passage, brisant l'habitacle et perforant la cabine, blessant Meiji à une jambe.

Le *Zéro* tomba comme une pierre et son pilote ne parvint qu'à lui redresser un peu le nez pour le diriger sur le cuirassé *USS Nevada* en flammes, qui avait tenté de se mettre en route mais s'était échoué dans la rade.

Le destin d'un homme change comme le vent. Et c'était ce que Meiji était devenu: le souffle du vent divin. Un *kamikaze*[1].

Il jeta l'appareil dans la fumée qui envahissait le gros cuirassé. Ses dernières pensées furent pour sa famille et tout ce

---

1. Le terme *kamikaze* signifie «vent divin» en japonais.

qu'il avait tenté de construire pour elle avant que la guerre ne vînt tout anéantir. L'homme a beau vivre d'espoirs, ceux-ci sont si fragiles. Ils se brisent ou se réalisent.

Meiji et son appareil s'engouffrèrent dans le gros nuage de fumée.

Ses mains lâchèrent les commandes et son esprit s'abandonna à ses espoirs perdus.

L'attaque dévastatrice des Japonais sur Pearl Harbor ce 7 décembre 1941 fit de nombreuses victimes. On dénombra deux mille quatre cent trois morts et mille cent soixante-dix-huit blessés. Sans compter les huit cuirassés, les trois croiseurs, les trois destroyers et les trois cent quarante-trois avions détruits ou endommagés.

La guerre au Japon fut déclarée le jour même par le président Roosevelt.

C'était l'entrée des États-Unis dans la Deuxième Guerre mondiale.

L'empereur japonais Hirohito reçut calmement et aimablement le porteur du message à son bureau du Quartier Général Impérial.

Pour un homme ayant totalement engagé un empire dans la guerre, Hirohito paraissait tout à fait détendu. S'intéressant de très près aux actions militaires de son armée, il tenait à être constamment informé des progrès encourus ou des résultats de missions.

Le pli provenant de l'amiral Isoroku Yamamoto était scellé. L'empereur rompit le cachet et lut le court message qui confirmait la complète réussite de l'attaque contre les Américains à Pearl Harbor.

Le plan audacieux de l'établissement d'une Sphère de coprospérité de la grande Asie orientale se poursuivait.

Toutefois, l'amiral laissait apparaître certains bémols en fin de missive, remettant en question sa propre stratégie militaire. Bien sûr, les Américains avaient essuyé de lourdes pertes humaines et matérielles, mais leur base resterait opérationnelle. Peut-être la marine devrait-elle désormais compter en moins ses cuirassés, mais elle conservait tous ses porte-avions, puisqu'aucun d'eux ne mouillait là-bas lors de l'attaque.

La dernière phrase de l'amiral en fin de lettre, fit frissonner l'empereur.

«Je crains que tout ce que nous ayons réussi à faire, y lut-il, fût de réveiller un géant endormi, et de le remplir d'une terrible résolution.»

REMERCIEMENTS

Pour une cinquième fois, merci aux Éditions Michel Quintin d'accepter nos idées folles et de publier ce nouveau tome de la collection Agrippa.

Merci aussi à nos lecteurs-baromètres, Linda Descôteaux, André St-Laurent et la romancière Nicole Dillenschneider, cette dernière ayant aimablement accepté de prêter le nom et l'environnement de son château de Pomboz en Savoie, pour les besoins de ce roman.

Merci à sœur Céline Lamonde, pour ses explications et la documentation sur les opéras de Wagner, ainsi que pour la visite du Grand Séminaire de Québec.

Merci à Danielle Vinet pour le prêt à long terme de sa documentation sur le père Charles Chiniquy.

Merci à Thérèse Rossignol pour les détails généalogiques sur sa famille.

Merci à Séverin Ste-Marie pour les explications sur les systèmes ferroviaires d'antan, ainsi que pour les détails techniques entourant la fabrication de la potasse et du savon. Grâce à ses 93 ans, sa mémoire est très précieuse !

Merci à Linda Coulombe, ayant grandi à l'île d'Orléans, pour les détails et anecdotes concernant le fleuve entre Québec et Kamouraska.

Merci enfin à Annie Blais de chez Téléfiction et au magicien-illusionniste Luc Langevin pour avoir répondu à nos questions et nous avoir donné ses idées sur la relation entre la physique et la magie utilisée dans *Agrippa*.

TABLE DES MATIÈRES